HISTÓRIA GERAL
DA CIVILIZAÇÃO BRASILEIRA

EDITORA AFILIADA

COLABORARAM PARA ESTE VOLUME

MYRIAM ELLIS, *da Faculdade de Filosofia, Letras e Ciências Humanas da Universidade de São Paulo* (A mineração no Brasil no século XIX).

JOSÉ R. DE ARAÚJO FILHO, *da Faculdade de Filosofia, Letras e Ciências Humanas da Universidade de São Paulo* (O minério de ferro no Brasil no século XIX, *subcapítulo de* A mineração no Brasil no século XIX).

NÍCIA VILELA LUZ, *da Faculdade de Filosofia, Letras e Ciências Humanas da Universidade de São Paulo* (As tentativas de industrialização no Brasil).

ODILON NOGUEIRA DE MATOS, *da Faculdade de Filosofia, Letras e Ciências Humanas da Universidade de São Paulo* (Vias de comunicação).

GUILHERME DEVEZA, *historiador e economista* (Política tributária no período imperial *e* Brasil-França).

ALICE P. CANABRAVA, *da Faculdade de Ciências Econômicas da Universidade de São Paulo* (A grande lavoura).

RICHARD GRAHAM, *da Universidade do Texas, Estados Unidos* (Brasil – Inglaterra).

ANTÔNIA F. DE ALMEIDA WRIGHT, *da Faculdade de Filosofia, Letras e Ciências Humanas da Universidade de São Paulo* (Brasil – Estados Unidos).

JOEL SERRÃO, *professor liceal de História, Lisboa* (Brasil – Portugal).

PEDRO MOACYR CAMPOS, *da Faculdade de Filosofia, Letras e Ciências Humanas da Universidade de São Paulo* (Brasil – Alemanha *e tradutor dos capítulos* Brasil –Inglaterra e O Exército e o Império).

JOHN SCHULZ, *da Universidade de Princeton, Estados Unidos* (O Exército e o Império).

ANTÔNIO DE SOUSA JÚNIOR, *General-do-Exército nacional* (Guerra do Paraguai).

EURÍPEDES SIMÕES DE PAULA, *diretor da Faculdade de Filosofia, Letras e Ciências Humanas da Universidade de São Paulo* (A Marinha de Guerra).

JEANNE BERRANCE DE CASTRO, *da Faculdade de Filosofia, Ciências e Letras de Rio Claro, São Paulo* (A Guarda Nacional).

ROQUE SPENCER M. DE BARROS, *da Faculdade de Filosofia, Letras e Ciências Humanas da Universidade de São Paulo* (Vida religiosa *e* A questão religiosa).

MARIA JOSÉ GARCIA WEREBE, *da Faculdade de Filosofia, Letras e Ciências Humanas da Universidade de São Paulo* (A educação).

HISTÓRIA GERAL DA CIVILIZAÇÃO BRASILEIRA

Sob a direção de *SÉRGIO BUARQUE DE HOLANDA*,
assistido por *PEDRO MOACYR CAMPOS*.

TOMO II
O BRASIL MONÁRQUICO

Volume 6

DECLÍNIO E QUEDA DO IMPÉRIO

POR

Myrian Ellis, José R. de Araújo Filho, Nícia Vilela Luz, Odilon Nogueira de Matos, Guilherme Deveza, Alice P. Canabrava, Richard Graham, Antônia F. de Almeida Wright, Joel Serrão, Pedro Moacyr Campos, John Schulz, Antônio de Sousa Júnior, Eurípedes Simões de Paula, Jeanne Berrance de Castro, Roque Spencer M. de Barros, Maria José Garcia Werebe

Introdução geral
Sérgio Buarque de Holanda

11ª EDIÇÃO

BERTRAND BRASIL

2022

Copyright © 1997, Editora Bertrand Brasil Ltda.
Copyright © 1997, direção da coleção, Herdeiros de Sérgio Buarque de Holanda (períodos colonial e monárquico)

Capa: Evelyn Grumach & Ricardo Hippert

Ilustração: Luiz Terragno. Porto Alegre, ocasião do desembarque do Imperador D. Pedro li na cidade de Porto Alegre por ocasião da Campanha do Paraguai. *Cópia albuminada. 1865. 16,7x21,9. Coleção Thereza Christina Maria.*

Editoração: DFL

2022
Impresso no Brasil
Printed in Brazil

CIP-Brasil. Catalogação-na-fonte
Sindicato Nacional dos Editores de Livros, RJ.

B83 11ª ed. t. 2 v. 6	O Brasil monárquico, v. 6: declínio e queda do império/ por Myrian Ellis.. *[et al.]*; introdução geral de Sérgio Buarque de Holanda. - 11ª ed. -Rio de Janeiro: Bertrand Brasil, 2022. 452p.: il. - (História geral da civilização brasileira; t. 2; v. 6) ISBN 978-85-286-0506-8 1. Brasil- História- Império, 1822-1889. I. Ellis, Myrian. II. Série.
97-1484	CDD -981.04 CDU- 981 "1822/1889"

Todos os direitos reservados pela
EDITORA BERTRAND BRASIL LTDA.
Rua Argentina, 171 – 3º andar – São Cristóvão
20921-380 – Rio de Janeiro – RJ
Tel.: (21) 2585-2000

Não é permitida a reprodução total ou parcial desta obra, por quaisquer meios, sem a prévia autorização por escrito da Editora.

Atendimento e venda direta ao leitor:
sac@record.com.br

SUMÁRIO

LIVRO PRIMEIRO
ECONOMIA E FINANÇAS

CAPÍTULO I – A mineração no Brasil no século XIX **13**
Uma economia espoliativa – Visão de decadência – Primeiras medidas de amparo à mineração decadente – A Corte no Brasil. Novas perspectivas – O Barão de Eschwege e os primeiros resultados – A circulação do ouro – Companhias de mineração.

– *O minério de ferro no Brasil do século XIX* **27**
Introdução – As áreas conhecidas do minério de ferro – O fabrico do ferro no século XIX. – Evolução da indústria siderúrgica – Um relato de Saint-Hilaire. – Outras fábricas de ferro. – Monlevade e Queiroz Júnior. – A Usina Esperança. – Conclusão.

CAPÍTULO II – As tentativas de industrialização no Brasil **38**
1. *A indústria sob D. João VI* **38**
As aspirações industrialistas – Condições de industrialização. – A política industrial de D. João VI. – Os Alvarás de 1808 e 1809 – O pensamento econômico brasileiro. – O tratado de 1810 – A indústria de construção naval. – A siderurgia. – A indústria têxtil. – O comércio português com a Ásia.
2. *Novas tentativas em meados do século* **46**
A tarifa Alves Branco – O agrarismo triunfante. – As atividades industriais.
3. *O surto industrial no final do Segundo Reinado* **48**
A guerra civil nos Estados Unidos e a Guerra do Paraguai – A tarifa Rio Branco – A crise de 1875 e o progresso tecnológico. – As reivindicações industrialistas. – A constituição da Associação Industrial. – Manifesto da Associação Industrial. – A tarifa Belisário.

HISTÓRIA GERAL DA CIVILIZAÇÃO BRASILEIRA

CAPÍTULO III – Vias de comunicação 54
Caminhos para as Minas no início do século XIX. – Caminhos
paulistas. – A segunda metade do século XIX. – Rodovias. A
Estrada de Santa Clara. – A União e Indústria. – A era ferroviária. Primeiras iniciativas. – As primeiras leis ferroviárias paulistas – Thomas Cockrane. – A segunda fase da história ferroviária.
– Mauá. – Vassouras e os Teixeira Leite. – A Central do Brasil. –
A Santos–Jundiaí. – Outras estradas em São Paulo. – Ferrovias
fluminenses e mineiras. – Considerações finais.

CAPÍTULO IV – Política tributária no período imperial 74
Antecedentes. – Quadro tributário em 1822. – Primeira reforma
aduaneira do Brasil independente. – Precariedade financeira. –
Política tributária da Constituição de 1824. – Reconhecimento
da independência do Brasil e os tratados de comércio. – Primeira
lei orçamentária no Império. – Ensaio para a tributação dos
lucros das pessoas jurídicas. – Evolução orçamentária. – Receita
Geral e Receita Provincial. – O Ato Adicional e suas diretrizes de
natureza tributária. – Discriminação das rendas gerais e provinciais. – Sistema tributário do Segundo Reinado. – Tarifa Alves
Branco. – Imposto sobre vencimentos. – Aplicação da tarifa
Alves Branco. – Isenções aduaneiras. – Nova tarifa em 1857. –
Invasão da competência tributária do Poder Central. – Alterações
na tarifa de 1857 –. Tarifa Silva Ferraz. – Reforma tributária. – A
tarifa Itaboraí. – Reforma aduaneira do Visconde do Rio Branco.
– Ainda a invasão da competência tributária do Poder Central. –
O imposto territorial. – Debates sobre a criação do imposto de
renda. – Nova tarifa em 1879. – Tarifa provisória de 1881. –
Ainda o problema da divisão de rendas. – Últimas manifestações
de reforma aduaneira no Império. – Considerações finais.

CAPÍTULO V – A grande lavoura.. 103
A grande lavoura brasileira no quadro da economia mundial. –
A introdução e a dispersão do café em território brasileiro. – A
grande expansão cafeeira do século XIX. – O papel das condições naturais. – As técnicas de cultivo. – O beneficiamento do
café. – A grande lavoura canavieira. – O banguê e o engenho
central. – A grande lavoura algodoeira. – As culturas de fumo e
de cacau. – A comercialização dos produtos da grande lavoura. –

A exportação do café. – A exportação do açúcar. – As exportações do algodão. – As exportações de fumo e de cacau. – A crise da grande lavoura.– Resumo.

LIVRO SEGUNDO
RELAÇÕES INTERNACIONAIS

CAPÍTULO I – Brasil-Inglaterra, 1831/1889 167
Tráfico de escravos e escravatura. – Comércio. – Navegação e portos. – Crédito. – Estradas de ferro. – Serviços urbanos. – Investimentos industriais. – Empréstimos públicos. – Conclusões.

CAPÍTULO II – Brasil-França 181
Primórdios do comércio francês no Brasil. – O tratado de comércio de 1826. – Vicissitudes das relações comerciais entre a França e o Brasil. – Intercâmbio comercial no período de 1840/41 a 1849/50. – Estrutura do comércio entre o Brasil e a França no ano fiscal de 1849-1850. – Movimento comercial no qüinqüênio de 1853-1854 a 1857-1858. – Continuidade dos déficits nas relações comerciais entre o Brasil e a França. – Fugaz supremacia do Brasil em seu comércio com a França. – Composição das trocas comerciais entre a França e o Brasil no ano fiscal de 1872-1873. – Contrastes das estatísticas comerciais no Império. – Amostra das relações comerciais entre o Brasil e a França através do movimento do porto do Rio de Janeiro.

CAPÍTULO III – Brasil-Estados Unidos, 1831/1889 202
Proselitismo americanista. – O Cônsul Sunter. – Implicações norte-americanas em revoluções brasileiras. – Os "agentes secretos". – A posição dos EUA frente ao tráfico de escravos. – Os EUA e a questão do Rio da Prata. – Incidentes diplomáticos. – A Guerra de Secessão e o Governo imperial.

CAPÍTULO IV – Brasil-Portugal, 1826/1889 239
D. Pedro e D. Miguel. – Fim do liberalismo em Portugal. – Emigração portuguesa. – Influência cultural portuguesa após a Independência.

CAPÍTULO V – Brasil-Alemanha.. 253
A missão do Visconde de Abrantes. – Hamburgo e sua impor-
tância para o Brasil. – Comerciantes alemães no Brasil. – O
intercâmbio comercial. – Um incidente teuto-brasileiro em 1871.
– Outras relações.

LIVRO TERCEIRO
FORÇAS ARMADAS

CAPÍTULO I – O Exército e o Império............................... 275
Estrutura social. – O corpo de oficiais. – Academia Militar.
Caxias. – Composição social dos oficiais. – Política, educação e
idéias. – Oposição dos liberais ao Exército. – Reformas na área
militar. – Nível de instrução na Academia Militar. – Uma publicação: O Militar. – Militância política dos militares. – Os militares e a Abolição. – Fundação do Clube Militar. – A proclamação
da República.

CAPÍTULO II – A Marinha.. 303
A Marinha na época colonial. – A transmigração da Família
Real portuguesa para o Brasil. – O início da Marinha. – A liber-
tação da Bahia. – A libertação de Montevidéu. – A libertação de
São Luís e de Belém. – A Guerra da Cisplatina (1825-1828). – A
Marinha durante o período da Regência (1831-1840). – A guer-
ra contra Oribe e Rosas (1851-1852). – A guerra contra o
Uruguai (1865). – O início da Guerra do Paraguai (1865-1870).
– As forças navais dos contendores. – Início das operações
navais por parte do Brasil. – A Batalha de Riachuelo. – As ope-
rações navais de 1866 a 1867. – A passagem de Humaitá. – A
esquadra, do fim da Guerra do Paraguai até a proclamação da
República. – Conclusões.

CAPÍTULO III – A Guarda Nacional................................... 320
Origem alienígena da corporação. – A "nação em armas". – São
Paulo e a criação da Guarda Nacional. – Feijó e a Guarda Nacional. – O projeto de criação – A milícia cidadã e o jovem Imperador. – A lei de 18 de agosto de 1831. – O decreto de 25 de
outubro de 1832. – A Guarda Nacional como força conservado-

ra. – A composição popular de seus quadros. – A reforma de 19 de setembro de 1850. – A integração racial na Guarda Nacional. – A Guarda Nacional como força econômica. – A Guarda Nacional como fonte de renda. – A ação policial da Guarda Nacional. – Uma milícia eleiçoeira. – A nobreza nacional. – A Guarda Nacional e o Exército. – Ação militar da Guarda Nacional. – A fuga ao recrutamento. – A defesa das fronteiras. – A reforma de 1873.

CAPÍTULO IV – Guerra do Paraguai...................................... 349
Antecedentes – Estado de guerra. Os beligerantes – Planos de guerra. Primeiras operações – Concentração aliada. Invasão do Paraguai – Unidade de Comando. Operações diversionárias – Cerco de Humaitá. A marcha de flanco – Caxias de novo no comando. A queda de Humaitá – A manobra de Piquissiri. A "dezembrada" – Campanha das cordilheiras. O desfecho da guerra.

LIVRO QUARTO
VIDA ESPIRITUAL

CAPÍTULO I – Vida religiosa.. 369
Aspecto polêmico da questão. – Alcance histórico da questão religiosa. – A religião católica e a Carta de 1824. – A fisionomia religiosa do Império. – O clero. – O falso catolicismo. – A paz precária entre Estado e Igreja. – O ultramontanismo de Pio IX. – O Ultramontanismo no Brasil. – A reação ao Ultramontanismo. – Reivindicações do liberalismo radical. – Religião e imigração. – Liberalismo, republicanismo e religião. – O ponto de vista liberal: Saldanha Marinho. – Anacronismo da união Igreja-Estado. – Resistência à separação Igreja-Estado. – Maré em favor do Estado laico. – A questão religiosa e o fim do Império.

CAPÍTULO II – A questão religiosa 392
D. Vital e D. Macedo Costa. – A suspensão do Padre Almeida Martins. – A reação maçônica. – Ofensiva de D. Vital contra os maçons. – Decorrências políticas da atitude de D. Vital. – Recurso dos maçons ao poder civil. Contestação de D. Vital. –

D. Macedo Costa e a extensão do ataque aos maçons. – O parecer do Conselho de Estado. – A resposta de D. Vital. – O Breve *Quamquam dolores*. – A questão no Pará. – Denúncia e prisão de D. Vital. – Denúncia de D. Macedo Costa. – Razões da Missão Penedo. – Dificuldades da Missão. – Negociações de Penedo: a carta do Cardeal Antonelli. – Controvérsia acerca da carta de Antonelli. – Mudança da posição do Vaticano. – O julgamento de D. Vital. – A defesa de D. Vital: Zacarias de Góis e Vasconcellos. – A defesa de D. Vital: Cândido Mendes. – A condenação. – Aspecto político da condenação. – Protetor do Vaticano. – Julgamento de D. Macedo Costa. – Anistia aos bispos. – A Encíclica *Exortae in ista ditione*. – O impasse final.

CAPÍTULO III – A Educação.. 424
Herança educacional do Brasil-Colônia – Instalação da Corte portuguesa no Brasil – Educação popular – Ensino secundário – Ensino superior – Descentralização do ensino – Liberdade de ensino – Projetos e debates na Assembléia Constituinte e Legislativa – Pareceres de Rui Barbosa – O ensino no fim do Império.

ECONOMIA E FINANÇAS

LIVRO PRIMEIRO

CAPÍTULO I

A MINERAÇÃO NO BRASIL
NO SÉCULO XIX

Uma economia espoliativa   O OURO explorado no Brasil colonial foi, de preferência, o aluvional, resultante de depósitos geologicamente recentes. Ao escassear nos leitos e nas margens dos córregos (*veios e tabuleiros*) e nas meias encostas dos morros (*grupiaras*), sucederam-se os trabalhos de ataques direto às rochas matrizes. Desaparecidos os afloramentos superficiais dos *vieiros* contidos em rochas friáveis semidecompostas e sem consistência (*podres*), seguiram-se, para atingi-los em profundidade, os penosos serviços subterrâneos, cada vez mais profundos, de escavações e galerias de precárias condições. Foi quando as rochas extremamente compactas – quartzos, pirites, itabiritos e outras – se antepuseram, como invencível obstáculo, ao avanço das técnicas rudimentares e dos processos rotineiros dos inexperientes e incapacitados mineradores da Colônia desprovidos de recursos. Somente as aluviões puderam ser por eles economicamente aproveitadas. Era onde o ouro já se encontrava liberado sem a prévia e necessária desintegração das rochas, exigindo, apenas, separação de outros minerais pela ação da gravidade ou, melhor, pela concentração sob o fluxo da água.

Destarte, ao raiar do século XIX, praticamente esgotados todos os depósitos auríferos de superfície na vasta área em que ocorreram e cada vez mais dispendiosa e mais difícil, a indústria mineradora do Brasil colonial sofreu o seu colapso final, cujo início assinala os meados do século anterior. Impossível reerguê-la apenas com recursos locais e à falta de novos elementos de técnica e de trabalho.

Além do esgotamento do ouro aluvional e das estacionárias e deficientes técnicas, corroboraram a ruína da mineração a falta de espírito cooperativo dos mineradores para empreendimentos associados e os altos preços de aquisição de materiais indispensáveis ao meneio das jazidas, tais como o ferro, a pólvora e os escravos. O ferro, proibida pela Metrópole a sua fabricação, chegava às minas oneradíssimo, devido ao lucro do comércio português de Lisboa e do Rio de Janeiro, adicionadas, ainda, as despesas com os fretes marítimos e terrestres e os direitos de entrada. A pólvora, privilégio real, alcançava preços exorbitantes. Assim, os escravos, mão-de-obra imprescindível aos serviços das jazidas. À queda da produção aurífera, o custo das peças onerava sobremaneira os mineiros; especialmente quando recém-arribadas das costas da África, desde logo se tornavam objeto de atravessamento no Rio de Janeiro, por parte de negociantes conluiados que impunham os seus preços.

Ainda, falhas, irregularidades, abusos e desleixo, fraudes e violências na administração das minas e na distribuição das águas, de que tanto dependiam os trabalhos nas lavras; querelas e demandas intermináveis, legislação confusa, má-fé judiciária oprimiam e arruinavam os mineiros e provocavam o abandono das lavras. E, como se não bastassem tantos motivos para explicar a decadência da indústria mineradora a partir da segunda metade do século XVIII, a tributação exigente e opressiva, imprevidente e inoportuna ante o evidente declínio das minas acarretou descaminhos, contrabando e mil entraves ao desenvolvimento das *fábricas minerais* e o empobrecimento dos seus donos.

Ao despontar o século XIX, chegava, pois, à última ruína a indústria mineradora do Brasil colonial, iniciada um século antes sob as mais auspiciosas expectativas. Responsável pelo povoamento de grandes áreas no interior brasileiro e centro, durante cem anos, da maior parte das atenções da Metrópole e das atividades da Colônia, nada mais foi, todavia, do que uma efêmera aventura de que pouco resultou para o Brasil, além da imensa destruição de recursos naturais nos distritos mineradores. E, não obstante a riqueza relativamente avultada que produziu e drenada quase toda para o exterior, imprevidentemente nada se acumulou durante o período de prosperidade para fazer frente às eventualidades do futuro.

A essa altura, em pleno colapso final a mineração, a exploração do ouro ainda se arrastava nas Capitanias de Minas Gerais, Goiás e Mato Grosso. Em Mato Grosso, nas antigas lavras dos arredores de Cuiabá e Vila Bela e no Alto Paraguai. Em Goiás, nas altas cabeceiras do Tocantins e do Araguaia e dos afluentes da margem direita do Paranaíba; na região de Anicuns, dos rios Claro e Pilões e também ao Norte da Capitania, distritos de São José, Santa Rita, Cachoeira e Conceição. Em Minas Gerais a área de distribuição das explorações correspondia, grosso modo, ao que fora anteriormente, embora bastante reduzida, em quase todos os antigos

A MINERAÇÃO NO BRASIL NO SÉCULO XIX

distritos da Capitania e especialmente nas zonas marginais ou, melhor, em Minas Novas, Sul de Minas e Paracatu.

Quanto aos diamantes, não obstante o férreo, discricionário e opressor monopólio da Coroa portuguesa, o entrar do século XIX propicia o início da franquia de acesso e de trabalho nos terrenos diamantíferos (a lei de 25 de outubro de 1832 aboliu completamente aquele monopólio) para único e exclusivo incremento à agonizante exploração do ouro, todavia. É o caso do Alto Paraguai, em Mato Grosso e dos Rios Claro e Pilões, em Goiás, na esperança de um renascimento daquela indústria que não corresponderia às expectativas. Tampouco pôde desenvolver-se o então incontrolável contrabando da preciosa pedra, uma vez que a indústria oficial – *Real extração* – já havia praticamente cessado devido ao esgotamento das jazidas que apenas ofereciam oportunidade à modestíssima *faiscação*.

Visão de decadência A visão da decadência do ouro no Brasil legou-nos Saint-Hilaire, quando, em viagem pela Província de Minas Gerais, na segunda década do século XIX, anotou em seu diário de naturalista publicado em parte em 1830 sob o título *Viagem pelas Províncias do Rio de Janeiro e Minas Gerais*:

"(...) os arredores de Barbacena... encerram atualmente muito pouco ouro (...)". "Poucos instantes depois de deixar Alto (povoado), vi, pela primeira vez, terrenos que tinham sido lavados para extração de ouro. A superfície da terra fora eliminada e montes de cascalho substituíam a verdura dos relvados (...)". "Apenas se deixa para trás Capão, a paisagem toma um ar de tristeza que conserva quase sempre até Vila Rica. Não se descobrem de todos os lados senão campos desertos, sem cultura e sem rebanhos. Se se avistam algumas casas, ordinariamente estão em ruínas; os contornos das montanhas são na maior parte ásperos e irregulares; continuamente se avistam escavações para lavagens de ouro; a terra vegetal foi eliminada, com ela desapareceu a vegetação, e nada mais ficou que montes de cascalho (...)". "Pelo vale a que descêramos corre o Rio de Ouro Preto, pequeno curso, cujas águas, pouco abundantes, são sem cessar divididas e subdivididas pelos faiscadores e cujo leito, de um vermelho-escuro, não apresenta mais que filetes d'água que correm entre montes de seixos enegrecidos, resíduo das lavagens (...)". "(...) Vila Rica... floresceu enquanto os terrenos que a rodeiam forneciam ouro em abundância; à medida, porém, que o metal se foi tornando raro ou de extração mais difícil, os habitantes foram pouco a pouco tentar fortuna em outros lugares, e em algumas ruas as casas estão quase abandonadas. A população de Vila Rica, que chegou a ser de vinte mil almas, está, atualmente, reduzida a oito mil e essa vila estaria mais deserta ainda se não fosse a capital da Província, a sede da administração e a residência de um regimento". "Após sairmos da vila, galgamos as elevações que a rodeiam. Por todos os lados tínhamos sob os olhos os vestígios aflitivos das lavagens, vastas extensões de terra revolta e montes de cascalho (...)". "Os morros que a rodeiam são cobertos de uma relva pardacenta e exibem a imagem da esterilidade; em todos os lugares em que o trabalho dos mineradores despojou a terra da vegetação ela apresenta uma coloração vermelha-escura (...)". "Pouco tempo depois de ter deixado Vila Rica... Os morros sobre os quais se traçou o caminho foram, em mais de um lugar, escavados na superfície pelos mineradores e, nas proximidades de Vila Rica, vê-se, de espaço a espaço, a entrada das galerias que antigamente abriram pelas entranhas da terra". "Os morros dos arredores da Mariana são estéreis e incultos (...)". "Hoje em dia não existem em torno de Mariana mais que quatro lavras em exploração; mas a gente pobre vai procurar no leito dos córregos as parcelas de ouro que as enxurradas acarretam". "Catas Altas, Inficionado e grande número de outras povoações dos distritos auríferos da Província das Minas... foram outrora ricas e prósperas, mas atualmente não apresentam, como toda a zona circunjacente, senão o espetáculo do abandono e da decadência". "Houve um tempo em que o ouro se encontrava em tanta abundância nos arredores de Vila Rica, Sabará, Vila do Príncipe etc. (...)". "Os mineradores deslumbrados acreditavam que essas miríficas jazidas eram inesgotáveis; despendiam imprevidentemente todo o ouro que extraíam e rivalizavam em luxo e prodigalidade. O metal precioso, porém, que constituía o objeto de suas pesquisas não se reproduz como os frutos e os cereais; e revolvendo imensas extensões de terra, despojando-as de seu húmus pela operação das lavagens esterilizaram-nas para sempre". "À medida que o ouro era retirado da terra saía da província para nunca mais voltar e ia enriquecer os comerciantes de Londres e de Lisboa; os pais viveram na opulência; os filhos são pobres. O ouro da província ainda está longe de ser esgotado; os primeiros habitantes legaram a seus sucessores a parte mais difícil da extração, e precisamente assim que se tornaram necessários mais escravos em grande quantidade, não se possuem os meios de adquiri-los. Não se creia que a triste experiência do passado tenha tornado mais prudentes os atuais mineradores... tão imprevidentes como seus pais (...)."

A MINERAÇÃO NO BRASIL NO SÉCULO XIX

Era o que restava da indústria mineradora do Brasil colonial, decadente ao início do século XIX e cujo efêmero esplendor pertencia ao passado.

Primeiras medidas de amparo à mineração decadente

O colapso da mineração, o comércio do algodão e o da lavoura da cana-de-açúcar assinalam no Brasil dos fins do século XVIII a descrença pela exploração dos minerais preciosos como verdadeira fonte de riqueza e a valorização da agricultura como capaz de corresponder a melhores perspectivas. O Bispo e Economista brasileiro, D. José Joaquim da Cunha Azeredo Coutinho, no seu tratado sobre as minas – *Discurso sobre o estado atual das minas* –, influenciado ou não pelas teorias de Adam Smith, por Montesquieu ou pelos fisiocratas franceses, encarna tal pensamento sobre o precário valor dos metais preciosos tão dependentes do arbítrio e estimação dos homens. Era essa, aliás, a tendência, na época, do pensamento econômico na França e na Inglaterra, onde, por essa altura, o mercantilismo já era coisa do passado.

Não obstante, são da regência do Príncipe D. João as primeiras tentativas – embora excessivamente tardias – no sentido de sustar a derrocada final da indústria mineradora colonial. Influência, com certeza, da Real Academia das Ciências de Lisboa, criada em 1779, empenhada em estudar problemas sociais e econômicos de Portugal e propor sugestões para incremento dos recursos metropolitanos e coloniais, conforme testemunham as conhecidas *Memorias Economicas...* da mesma Academia.

Destarte, daquelas diretrizes resultariam as medidas estabelecidas no alvará de 13 de maio de 1803, destinadas a impulsionar a indústria mineradora do Brasil. Em linhas gerais: a) criação de uma real junta de mineração e moedagem em Minas Gerais (com Presidente, o Capitão-General da Capitania, Intendente-Geral, Juiz Conservador, Provedor da Casa da Moeda, dois Deputados peritos em Mineralogia, dois Engenheiros de Minas e dois mineiros práticos); b) na distribuição das datas, incremento à formação de associações, empresas ou companhias por ações; apoio especial às grandes *fábricas* e aos maiores possuidores de escravos; c) a tributação seria reduzida do quinto ao dízimo; d) promoção de novos descobrimentos por intermédio de expedições exploradoras; e) melhor controle na distribuição das águas para os serviços nas lavras; f) resguardo e conservação de matas destinadas ao consumo da mineração e controle de preços da madeira vendida para construções, lenha e fabrico de carvão.

Malograriam, todavia, tais medidas ante o tradicional arcabouço administrativo colonial e as arcaicas e obsoletas técnicas rotineiras de trabalho, em contraste com as normas lógicas da arte de mineirar e já suficientemente aperfeiçoadas em relação ao que se conhecia no Brasil da época.

A Corte no Brasil. Novas perspectivas — Com a Corte portuguesa no Rio de Janeiro, ao início de 1808, abre-se para o Brasil do século XIX nova fase na história da mineração. Ao alvará do Príncipe-Regente de 24 de abril de 1801, que permitira a entrada, isenta de tarifas, do ferro no país, bem como a sua livre exploração, somou-se a permissão para o estabelecimento de fábricas e manufaturas (Alvará de 1º. de abril de 1808), suprimidas no Governo de D. Maria I (Alvará de 5 de janeiro de 1785). Ambos tornariam menos custosa a vida nos centros mineradores.

Ainda é desse ano de 1808, com o intuito de impedir os descaminhos do ouro e o declínio dos impostos, o Alvará de 1º. de setembro que proibiu a circulação do ouro em pó como moeda e estendeu às Capitanias do interior a circulação de moedas de ouro, prata e cobre que corriam nas de beira-mar. Todo o ouro em pó deveria ser apresentado às casas de fundição, onde o transformariam em barras, salvo para frações inferiores a uma onça. Criavam-se, ainda, letras impressas pagáveis à vista que circulavam e seriam recebidas como moeda, passadas pelos escrivães das intendências, assinadas pelo Intendente e pelo Tesoureiro, sacadas contra as juntas da Fazenda nas Capitanias, ou contra a Fazenda Real no Rio de Janeiro.

Estas e outras medidas, como, por exemplo, a criação de bilhetes de pequeno valor (de 1, 2, 4, 8, 12 e 16 vinténs de ouro), sinal evidente da falta de numerário, das reduzidas parcelas trazidas a troco pelos mineiros e da decadência da mineração: ou o Alvará de 1º. de outubro de 1811 recomendando a criação de companhias para a exploração regular das minas com auxílio de máquinas apropriadas; ou, ainda, o de 17 de novembro de 1813, que conferia privilégios aos mineiros senhores de trinta escravos (de acordo com o decreto régio de 19 de fevereiro de 1752), tudo isso não diminuiria, todavia, a rapidez com que decresciam os créditos reais.

As operações de permuta de bilhetes arrastaram-se por algum tempo. À crescente escassez das barras de ouro, a extinção do Banco de Troco (decreto de 5 de setembro de 1812) comprova que nenhuma daquelas medidas pudera corrigir as causas primordiais da depauperada mineração.

O Barão de Eschwege e os primeiros resultados — Em 1803 o Governo português contratava Wilhelm Ludwig von Eschwege para dirigir as fábricas metropolitanas de ferro. Engenheiro de minas pela famosa

A MINERAÇÃO NO BRASIL NO SÉCULO XIX

escola de Freyberg, pessoa dotada de profundo senso prático, notável inteligência e não menor cultura, vinha o sábio de Eschwege, Hesse, onde nascera, em 1777. Iniciou sua vida profissional nas minas de Riecheldorf, que abandonou pelas viagens de estudos empreendidas na Europa. De Portugal invadido pelos franceses, depois de serviços prestados a Junot no levantamento dos recursos minerais do país, veio para o Brasil, onde, além da direção do Real Gabinete de Mineralogia do Rio de Janeiro, encarregou-o o Governo de acudir a depauperada indústria mineradora do país. Aqui permaneceu até às vésperas da Independência – 1821 –, quando retornou a Portugal, desgostoso com a falta de apoio oficial aos seus esforços pioneiros. Na Alemanha, onde permaneceria até o fim dos seus dias, em 1855, com 78 anos de idade, escreveu as suas melhores obras, das quais boa parte sobre o Brasil. Entre elas, a *Pluto Brasiliensis*, tratado histórico, estatístico e técnico da indústria mineradora brasileira.

A vinda ao Brasil, em 1811, de tão ilustre cientista acenou com as melhores perspectivas para a instrução profissional dos mineiros, tanto no meneio das lavras auríferas, como no estabelecimento de *fábricas de ferro*. Assim acreditava o Conde de Linhares, D. Rodrigo de Souza Coutinho, a quem muito deveram a política econômica do Regente e o surto progressista por que passava nessa época o Brasil, que, a essa altura, já havia superado de muito a sua feição colonial.

Todavia, ocupado com o estudo das condições de navegabilidade do Rio Doce e da exploração da galena de Abaeté, somente após a morte de D. Rodrigo, em 1812, poria Eschwege mãos à obra, agora sob a proteção do Conde da Barca, D. Antônio de Araújo de Azevedo. Terminado o ano de 1813, instalou em Vila Rica uma bateria de pilões, não mais para trabalho a seco, mas para atuar sob um lençol de água, cujo fluxo arrastava as areias produzidas. Dava início, assim, ao plano de demonstrar praticamente aos mineiros a superioridade das novas técnicas.

Não obstante todos os esforços para melhorar o sistema de trabalho daquela gente, não se resolveria, ainda, a questão do aproveitamento das minas, pois os cascalhos ricos já haviam sido lavrados, restando, apenas, as jazidas mais difíceis dos morros e dos vieiros, cuja exploração somente o esforço conjunto das associações poderia enfrentar.

O desaparecimento do Conde da Barca, em 1817, representou um transtorno à realização dos planos de Eschwege de impulso à organização de empresas mineradoras. Não obstante, com paciente e digno esforço e direto apelo a D. João VI, conseguiu o cientista obter a régia autorização para as medidas que constituíram a norma dos estatutos das sociedades mineradoras do Brasil, cujo principal objetivo era o aproveitamento de terrenos inutilizados e o aperfeiçoamento dos métodos de mineração.

Dessas sociedades, a Companhia de Mineração de Cuiabá, aprovada por carta régia de 16 de janeiro de 1817, seria a primeira. Em agosto do mesmo ano, remetia El-Rei os estatutos da mesma com a sua real chancela ao Capitão-General de Minas Gerais, D. Manuel de Portugal e Castro, com autorização para a formação de sociedades por ação para exploração das jazidas auríferas da Capitania (carta régia de 12 de agosto de 1817).

Cumpre lembrar que tal regulamentação sobre as sociedades mineradoras encerra as diversas fases da legislação portuguesa concernente à exploração do ouro em Minas Gerais e resulta de tudo que fora estabelecido pelo "Regimento dos Superintendentes, Guardas-Mores e Oficiais Deputados para as minas de ouro", de 19 de abril de 1702, e mais as suas alterações posteriores.

Ainda. Existiam, nessa ocasião, em Minas Gerais, 565 jazidas de ouro em exploração, com 6.662 pessoas engajadas nos serviços, das quais 169 livres e 6.493 escravos, além de 3.876 faiscadores livres e 1.871 faiscadores escravos. Ao todo, 12.409 pessoas ocupadas em mineirar, sem que existisse uma única associação, segundo Calógeras em *As Minas do Brasil e sua Legislação*.

Dispunham, em linhas gerais, aqueles estatutos o seguinte:

1) que se estabeleceriam as sociedades mediante autorização do governador para lavra em terrenos e rios auríferos recentemente descobertos ou naqueles até então não aproveitados;

2) uma junta administrativa ou, na falta dela, um inspetor-geral prático e habilitado exerceria o direito de escolher os terrenos e dirigiria os trabalhos, sem a ingerência dos acionistas a quem consultaria se lhe aprouvesse. Ficava proibido ao guarda-mor das minas fazer a divisão de datas e águas sem prévio aviso do inspetor, a quem cabia exercer seu direito de escolha e organizar a sociedade para lavra das terras reservadas em prazo inferior a seis meses. A direção técnica dos serviços, a administração e a contabilidade cabiam, também, à superintendência direta do inspetor;

3) o fundo social compor-se-ia de 25 até 128 ações de 400$000 cada uma, ou de três escravos jovens com menos de 26 anos, por ação. O número de cativos da sociedade não poderia exceder a casa dos mil;

4) para facilitar a subscrição de ações, o inspetor publicaria editais com todas as especificações; se, dentro do prazo estatuído a sociedade não estivesse organizada, ficava livre ao guarda-mor repartir as terras

como era de praxe, mantida a preferência aos mineiros mais práticos e possuidores de maior número de escravos;

5) ao descobridor de terras auríferas caberia, como prêmio, uma ação da sociedade;

6) quanto ao aproveitamento de terrenos inutilizados, de interesse de uma sociedade, seriam seus legítimos proprietários, caso existissem, intimados a ali instalarem serviços correspondentes à extensão da área possuída, em prazo de seis meses, sob pena de perda de direitos, em benefício da mesma sociedade a que caberia a competente Carta de Data com a declaração das águas necessárias. Reservar-se-iam para o antigo possuidor os lucros correspondentes ao valor de uma ou duas terças partes ou de uma ação inteira, conforme a riqueza e a extensão dos terrenos. Se, porém, terras e águas resultassem de compra, herança ou prêmio por prestação de serviços, seriam avaliadas por peritos e, ou compradas pelo seu valor no prazo de seis meses, ou serviriam de fundo para que seu proprietário se incorporasse à referida sociedade. Extinta a mesma, continuariam as terras com seu dono;

7) cada sociedade teria a sua própria administração composta de um inspetor-geral, um tesoureiro pagador, um ou mais diretores dos trabalhos, conforme a extensão das lavras. A eles cabia a responsabilidade de aplicação dos fundos da mesma;

8) a morte da maior parte dos escravos, a sua não substituição, a falta de fundos de reserva e o reconhecimento do inspetor da não cobertura das despesas pela lavra implicariam a dissolução da sociedade;

9) uma vez estabelecida a sociedade, os acionistas não poderiam retirar o seu dinheiro. Todavia, as ações podiam ser transferíveis, por endosso;

10) balanços anuais demonstrariam os lucros e ao inspetor e demais administradores cabia fixar o dividendo a ser distribuído.

Isso posto, procurou Eschwege transportar para terreno prático tais medidas, a fim de que pudessem ser realmente apreciadas pelos mineiros.

Sem o auxílio do amigo e protetor, o Conde da Barca, todavia, muito lhe custaria obter trinta subscritores de ações para encetar nas Minas Gerais a sua obra pioneira. Novas dificuldades adviriam, ainda.

Corria o ano de 1819, quando conseguiu arrematar, por cinco contos de réis, a importante lavra da Passagem, a uma légua de Vila Rica, na estrada de Mariana, colocada na praça, por morte do proprietário. Ali instalou o fundador da Sociedade Mineralógica da Passagem os seus maquinismos. Construiu uma bateria de nove pilões, abriu uma galeria de esgotamento de águas, encetou trabalhos subterrâneos e pôs tudo a funcionar.

Ao retirar-se, em 1821, para a Europa, diante dos resultados econômicos do seu trabalho pioneiro e desbravador, continuado por seus sucessores, não mais se ousaria discutir a superioridade dos seus métodos, planos, esquemas e desenhos que derrubaram os pilões a seco e mais aparelhagem obsoleta e arcaica em que se entrincheirara, até então, a resistência dos mineiros às inovações técnicas; e também a sua tradicional renitência à idéia de associações em torno de serviços de maior vulto, com a ingerência constante de cada sócio em cada setor e a preponderância do inspetor dos trabalhos sobre a vontade dos acionistas, o que consistia num exemplo verdadeiramente revolucionário para a época.

Destarte, deixava Eschwege aberto o campo para as grandes companhias extratoras que se estabeleceram no Brasil, no correr do século XIX, das quais a maior parte resultaria de capitais estrangeiros.

A circulação do ouro Continuariam, todavia, os vícios que complicavam a circulação do ouro. Letras e bilhetes impressos nas casas de fundição, devido à mal organizada circulação fiduciária e sem a necessária cautela fiscal, eram correntemente falsificados. O preço pago pelo ouro[1] nas permutas em Minas Gerais era inferior ao do litoral. Conseqüentemente, estabelecia-se o contrabando para o Rio de Janeiro e para a Bahia, onde era vendido a preço mais remunerador. Ocorriam, ainda, nas quatro Comarcas das Gerais, grandes imobilizações do metal que, desviadas da circulação, se tornavam estéreis. As moedas de ouro cunhadas com o respectivo valor, deduzia-lhes o fisco a diferença entre seu valor intrínseco e seu curso normal. Assim, por exemplo, as de 6$400 correspondiam a 6$000 e as de 4$000 a 3$375, ou seja, diferenças de 6,3% e 15,6% para as primeiras e para as segundas, respectivamente. Ante tal extorsão, fugiam com razão das casas de moedagem os proprietários de barras de ouro.

Nas caixas filiais à Caixa geral do Banco do Brasil para compra de ouro e prata estabelecidas nas minas (carta régia de 2 de setembro de 1818), ou "pontos de troco", infiltravam-se notas falsas e prevalecia a má-fé na compra ao particular e na entrega dos metais preciosos ao fisco. Isso se prolongou até 1820, quando se efetuou o resgate de todos os bilhetes circulantes por moeda de cobre, e até a extinção do regime das casas

---

[1] O valor da oitava de ouro, na época, era de 1$600 e 1$777 réis, segundo Álvaro de Salles Oliveira, *Moedas do Brasil*, p. 443. A oitava equivalia a 3,600 g.

A MINERAÇÃO NO BRASIL NO SÉCULO XIX

de fundição. A remodelagem das moedas encerrou os abusos decorrentes da divergência entre o valor nominal e o intrínseco das espécies em ouro.

O privilégio da isenção da penhora ampliado a todos os mineiros (1812) influiria desfavoravelmente sobre o seu crédito, protegia igualmente o defraudador das rendas públicas e o contribuinte honesto do fisco, pelo contrabando, pelas misturas de ouro (nacional com o importado) e por outros meios.

Em 1820 o Governo pôs termo a essa situação com o Alvará de 28 de setembro, que exigiu a prova da origem de todo o ouro levado às casas de fundição.

Nessas condições permanecia a circulação do ouro no Brasil às vésperas da Independência.

Companhias de mineração Da pequena companhia organizada por Eschwege, Sociedade Mineralógica da Passagem para a exploração da mina da Passagem, próxima de Ouro Preto, surtiria nova fase na história da mineração aurífera no Brasil.

Com a Independência, entre as facilidades oferecidas pelo nascente Império à organização de companhias mineradoras situam-se as decorrentes do Decreto de 16 de setembro de 1824, que permitiu aos estrangeiros o estabelecimento nas minas e a oportunidade de se organizarem em associações para exploração do solo mineiro.

Cumpre lembrar, contudo, que não seria estabelecida completa igualdade entre as sociedades nacionais e as estrangeiras. Estas últimas deveriam pagar de direitos mais 5% do que as primeiras. Só poderiam trabalhar em lavras já abandonadas pelos proprietários e adquiridas mediante compra e jamais em terrenos diamantíferos ou em áreas de mineração proibida. Pagariam ao Tesouro Público de Minas o depósito de 100:000$000 como garantia do início das operações.

Assim se instalaram em Minas Gerais, a partir daquela data, várias companhias interessadas na exploração das mais importantes jazidas das vizinhanças de Ouro Preto, então improdutivas, de que seriam os ingleses os seus maiores patrocinadores.

A intensa especulação desenvolvida na Grã-Bretanha, por volta de 1823 a propósito da exploração de minas em geral, e o decreto de Sua Majestade Imperial de 16 de setembro de 1824 favoreceram a iniciativa de Edward Oxenford, antigo morador de Vila Rica, de organizar em Londres, naquele ano, uma companhia com capital de 350.000 libras esterlinas (10.000 ações de 35 libras cada uma) para explorar as minas do Brasil, a Imperial Brazilian Mining Association.

Adquiriu a Companhia a propriedade da mina de Gongo-Soco, próxima de Caeté e a mais importante pela sua produção; de Cata Preta, junto a Inficionado; de Antônio Pereira, nas imediações de Ouro Preto, e mais uma área de terras auríferas na Serra do Socorro, por 73.916, 5.584, 2.100 e 2.158 libras esterlinas, respectivamente. Ao todo, 82.758 libras esterlinas.

A expressão Gongo-Soco viria de antiga descoberta de uma jazida de ouro por parte de um escravo congo. Suas escapadas sorrateiras atraíram a curiosidade dos companheiros que, de certa feita, lhe seguiram os passos de manso e o pilharam assentado, qual galinha no choco, sobre um monte de terra aurífera, dentro de uma cova que abrira. A corruptela teria decorrido da má pronúncia da língua portuguesa pelos africanos.

Das propriedades adquiridas, somente esta foi explorada no início das operações e, apesar dos enormes gastos despendidos com a sua aquisição, do pesado imposto do quinto, convencionado a 25% pelo Governo provincial, da manutenção de numeroso pessoal[2] e da má administração, segundo Eschwege, chegou a produzir resultados altamente compensadores – 12.887 quilogramas de ouro, a 20-21 quilates de toque, extraídos da camada de jacutinga aurífera[3] notável pelo teor de ouro – de janeiro de 1826 ao fim de 1856, ano em que se dissolveu a companhia.

Entre capitais iniciais e posteriores, a soma de que a associação dispusera elevara-se a 229.874 libras. As receitas chegaram a 1.697.295 libras, os lucros líquidos a 349.514 libras, das quais 348.750 distribuídas em dividendos.

As taxas fiscais, todavia, teriam apressado a liquidação da empresa, conjuntamente com a rarefação do ouro, dificuldades de maior aprofundamento dos trabalhos subterrâneos e invasão das águas, segundo Paul Ferrand na obra *L'Or à Minas Geraes*.

Quando o Capitão Richard F. Burton percorreu a região de Minas Gerais, em 1867, tudo em Gongo-Soco jazia em ruínas. Impressionado, escreveria depois em *Viagens aos planaltos do Brasil*:

---

[2] Em 1826, 450 pessoas; em 1829, 782; em 1830, quase 800 (183 europeus, 207 brasileiros, 404 escravos). Paul Ferrand – *L'Or à Minas Geraes*, p. 103.

[3] Xisto micáceo de ferro, quartzo friável, ferro especular, óxido de manganês, fragmentos de talco. Às vezes dura e compacta. Outras vezes, macia e untuosa. O ouro aí existente era com facilidade separado pela lavagem e purificado com ácido nítrico. A palavra deriva de uma ave galinácea do Brasil de cor negra e crista branca.

A MINERAÇÃO NO BRASIL NO SÉCULO XIX 25

"Gongo-Soco evidentemente 'deu em nada'... Nesta mina o ouro estava livre e o roubo era enorme, alguns dizem que atingiu a metade do encontrado. Ainda se contam histórias de mineiros saindo aos domingos carregando espingardas cheias de ouro roubado."

O êxito inicial de Gongo-Soco teria influído no sentido da organização de outras associações de iguais interesses. Assim, a Saint-John d'El Rey Mining Company Limited estabelecida em Londres, em 1830, com um capital de 165.000 libras esterlinas, para a exploração de jazidas das proximidades de São João del-Rei.

Os prejuízos iniciais levaram a companhia a transferir os serviços para Morro Velho, nas proximidades de Congonhas de Sabará, hoje Nova Lima, lavra recém-adquirida por 56.434 libras. Tal é a origem da empresa que até hoje explora aquele vieiro.

George Gardner quando por aí passou, entre 1836 e 1841, observou:

"Aldeia, muito irregularmente construída, contém uma população de cerca de dois mil habitantes, mas era ainda muito menor antes de os ingleses começarem a trabalhar as minas das vizinhanças... O minério é primeiramente removido da matriz por explosão, depois partido por escravos em pequenos pedaços mais ou menos do tamanho das pedras que se põem em estradas macadamizadas, e, finalmente, levado às máquinas de trituração para ser reduzido a pó; esta máquina consiste em certo número de hastes perpendiculares postas em fila com grandes barras de ferro presas à parte inferior; hastes, erguidas alternadamente até certa altura por um cilindro dentado, movido por grande roda d'água, caem sobre as pedras e as reduzem a pó. Uma pequena corrente d'água que se faz correr continuamente sobre elas leva a matéria pulverizada a uma plataforma de madeira ("strakes") levemente inclinada e dividida em compartimentos rasos... o fundo de cada um... é forrado de couro curtido... estes couros ainda conservam os pêlos entre os quais se depositam as partículas de ouro, ao passo que a matéria terrosa, por ser mais leve, é carregada pela água. A maior parte do ouro se reúne nos três couros de cima que se trocam de quatro em quatro horas, ao passo que os de baixo só se trocam de seis em seis... A areia levada pela água dos couros... é colhida e amalgamada com azougue em barris... Os barris em que esta rica areia é misturada com azougue são movidos por água e o processo de amalgação completa-se geralmente em quarenta e oito horas; quando é daí tirado, o amálgama separa-se do ouro por sublimação. Em todo o processo a

perda de mercúrio monta a cerca de trinta e cinco libras por mês (...). (...)
Uma tonelada de minério produz de três a quatro oitavas portuguesas de
ouro; mas tem freqüentemente produzido até sete oitavas. Ao tempo de
minha visita, reduziam-se a pó, de quinze a dezesseis toneladas por mês",
registrou o Viajante em seu livro *Viagens no Brasil de 1836 a 1841*.

Durante todo o século XIX, outras companhias, estrangeiras e nacionais, aplicaram seus capitais e ergueram seus estabelecimentos nas áreas
auríferas da Serra do Espinhaço, nas proximidades de Ouro Preto,
Sabará, Mariana, Caeté, São João e São José del-Rei, Santa Bárbara e imediações. Dentre as estrangeiras, predominaram as inglesas. A penetração e
a presença inglesa assinalaram o século XIX brasileiro. A saber, em ordem
cronológica: Brazilian Company (1832-1844), National Brazilian Mining
Association (1833-1851), East d'El Rey Mining Company Limited
(1861-1876), D. Pedro North d'El Rey Gold Mining Company Limited
(1862-1900), Santa Barbara Gold Mining Company Limited (1862-1898),
Anglo Brazilian Gold Mining Company Limited (1863-1873), Roça Grande
Brazilian Gold Mining Company Limited (1864), Brazilian Consols Gold
Mining Company Limited (1873), Pitangui Gold Mining Company Limited
(1876-1887), Brazilian Gold Mines Limited (1880-1883), Ouro Preto
Gold Mines of Brazil Limited (1884), Société des Mines d'Or de Faria
(1887-1903), S. Bento Gold States Limited (1897).

As nacionais: Associação Brasileira de Mineração (1874), Empresa de
Mineração do Município de Tiradentes (1878), Companhia de Mineração
do Furquim (1890), Companhia das Minas de Ouro Falla (1891),
Companhia Mineralúrgica Brasileira (1891), Empresa de Mineração de
Caeté (1892), Companhia Aurífera de Minas Gerais (1892).

Quatorze companhias inglesas e uma francesa, para sete brasileiras,
não se computando entre estas as de somenos importância.

Quanto aos ingleses, vale a pena lembrar que, beneficiados, durante
todo o século anterior, de boa parte do ouro brasileiro drenado para a
Grã-Bretanha através do Tratado de Methuen (1703) e do contrabando,
ao disporem-se, então, a extrair as sobras que os mineradores do Brasil
não lograram arrancar dos filões de ouro mais profundos e ao recolherem
o triste espólio da aventura mineradora do passado, teriam chegado nessa
época a infundir certo alento àquela indústria.

Outras companhias inglesas se instalariam em território mineiro no
século seguinte, assunto que escapa, todavia, ao interesse deste capítulo.

Quanto às demais províncias, pouca expressão tiveram, no conjunto geral, a Empresa das Minas de Assuruá (1885), a Companhia Minas do Rio das Contas (1890) e a Companhia Minas de Jacobina (1894), na Bahia, e ainda menos, no Maranhão, a Companhia Aurífera Maranhense (1854).

De todas as empresas organizadas para explorar em larga escala o ouro em Minas Gerais, poucas alcançariam êxito. Apenas as duas grandes companhias inglesas, a Saint-John d'El Rey Mining Company, de Morro Velho, e a The Ouro Preto Golden Mines of Brazil, da mina da Passagem, apresentaram resultados compensadores e lograram prosperar.

O MINÉRIO DE FERRO NO BRASIL DO SÉCULO XIX

Introdução Do ponto de vista do aproveitamento dos seus recursos minerais, o Brasil do século XIX deixa de ser o país do ouro para entrar, ainda que vagarosamente, na era da exploração dos chamados minérios úteis.

Até então, e particularmente por todo o século XVIII, os minérios preciosos monopolizaram a atenção dos lusos e dos brasileiros, que, à custa do braço negro, exploraram todos os córregos e ribeirões dos altiplanos mineiros, bem como os seus terraços e as baixas vertentes dos vales, onde os depósitos auríferos e diamantíferos eram catados. Tais foram as corridas ao ouro e aos diamantes em bases mineradoras arcaicas e rotineiras que, em pouco tempo, as lavras passaram a ser antieconômicas, causando cada vez mais prejuízos aos seus exploradores. Dá-se a decadência da mineração, com todas as suas conseqüências imediatas, para uma área do Brasil até então acostumada à abastança. As cidades do ouro e dos diamantes vão perder a liderança como os centros urbanos mais movimentados da Colônia.

Mas, nos locais da exploração aurífera, particularmente em território das Minas Gerais, onde o movimento de extração sempre fora mais de dois terços do total do Brasil, um outro minério era explorado, se bem que em quantidade ínfima, e ainda em função dos trabalhos com os metais preciosos. De fato, o minério de ferro, de há muito conhecido no Brasil e especialmente na própria zona aurífera mineira, e à flor da terra, era aproveitado mui precariamente em pequenas forjas de tipo catalão, para a confecção de ferramentas necessárias na exploração do ouro e dos diamantes (picaretas, pás, enxadas, machados), bem como para o fabrico de utensílios domésticos (facas, facões, panelas) e utilidades de uso nas tropas de burros, imprescindíveis à movimentação das riquezas coloniais (ferraduras, cravos, armaduras para cangalhas, arreios).

Ora, no dealbar do século XIX, em plena decadência da mineração do ouro e dos diamantes, era de crer que o minério de ferro fosse abandonado, uma vez que sua utilidade tinha diminuído. Na realidade tal não aconteceu. As citadas forjas catalãs, que se haviam retraído ante um decreto de D. Maria I, de 1777, proibindo, na Colônia, qualquer tipo de manufatura, que pudesse concorrer com as do Reino, voltariam a funcionar a partir de 1810, em virtude de outro decreto real, agora do Príncipe Regente D. João, já em terras do Brasil e que visava a restaurar a tradição de certos brasileiros, a fundição do minério de ferro para a confecção de objetos úteis à população da terra.

Com efeito, das experiências dos Afonso Sardinha, pai e filho, em Araçoiaba nos idos de 1590, de onde saiu a primeira "fábrica de ferro" do continente americano (vide Sérgio Buarque de Holanda, *Digesto Econômico* n.ºs 38 e 39, janeiro de 1948), bem como as de Diogo de Quadros e Francisco Lopes Pinto em Santo Amaro (Sérgio Buarque, *ibidem*), no sítio Ibirapuera, em 1607, e as forjas catalãs que serviam aos mineradores de ouro no século XVIII, todas explicam o esforço dos colonos de se abastecerem de utilidades oriundas do trabalho de uma matéria-prima abundante em terras do Brasil, o minério de ferro. A história do seu aproveitamento e valorização como minério útil está ainda para ser contada. Mas, muito já se fez em prol da sua exploração, embora em trabalhos descompassados, por isso que cheio de contratempos de toda ordem. Desde as determinações reinóis do período colonial aos decretos e leis dos políticos e administradores brasileiros do nosso século, percebe-se toda a sorte de dificuldades criadas às explorações ferríferas, quer para simples aproveitamento local, quer para finalidades de comercialização do minério bruto com os grandes importadores estrangeiros.

As áreas conhecidas do minério de ferro   O Morro de Araçoiaba, no então termo da vila de Sorocaba, da Capitania de São Paulo, foi o mais velho local conhecido como possuidor do minério de ferro. As forjas que aí funcionaram ainda nos finais do século XVI e princípios do século XVII, com os Afonso Sardinha, dispensam maiores comentários no sentido de as colocarem como pioneiras no Brasil, como fábricas de algumas das utilidades para os colonos. Mas, os primeiros trabalhos dos Sardinha, assim como os que se tentaram nos séculos seguintes, não alcançaram a importância dos que se organizaram no local, a partir de 1810, quando o

A MINERAÇÃO NO BRASIL NO SÉCULO XIX

próprio Governo português, então sediado no Rio de Janeiro, tomou a iniciativa de explorar, em Araçoiaba, nas bases técnicas mais avançadas da época, o minério, que até aquele momento desafiara os esforços dos pioneiros coloniais.

As outras áreas ferríferas se confundem com as antigas lavras de metais preciosos, em terras das Minas Gerais. Desde o trecho hoje conhecido como o "Quadrilátero Ferrífero" (Sabará, Itabira, Congonhas, Mariana), possuidor das maiores reservas do país, até os confins de Diamantina e Minas Novas, por toda a Serra do Espinhaço a utilíssima matéria-prima já era conhecida dos faiscadores. Apesar de todo o controle da Coroa, das proibições régias do fabrico de ferro, a manufatura de objetos de uso nas lavras de ouro e diamante era imprescindível. Daí as numerosas forjas catalãs que se espalhavam pelos arredores dos termos de Mariana, Sabará, Caeté, Diamantina, Minas Novas, implantadas nas rotas das explorações dos minérios preciosos.

Já por existir em maior abundância e mais bem distribuído geograficamente, já por ser de mais fácil redução e estar junto das áreas de maior consumo, o minério de ferro das Minas Gerais sempre foi, a partir do século XVIII, o mais explorado. Daí os interesses se voltarem para essa área no início do século XIX, quando D. João, revogando o alvará de D. Maria I, incentivou a criação de uma verdadeira indústria siderúrgica no Brasil.

Se o Morro de Araçoiaba foi contemplado com uma das usinas criadas pelo Governo português a partir de 1810, como continuação dos trabalhos pioneiros ali realizados no período colonial, foram, contudo, as terras ricas de Minas Gerais as mais bem aquinhoadas, numa previsão do futuro siderúrgico da área possuidora da melhor e maior reserva ferrífera do país. Uma coisa, porém, precisa ser logo dita. Apesar do interesse governamental, que chegou a contratar técnicos estrangeiros para montagem e trabalhos das primeiras usinas de ferro, somente na segunda metade do século XIX é que cuidaram de saber das reservas do minério, dos seus diferentes tipos, além da identificação das áreas mais apropriadas para a exploração. Assim, as forjas e usinas que então se organizaram, a partir da segunda década daquele século, se espalharam em demasia pelo território mineiro, muito além das áreas de maior consumo das utilidades fabricadas, causando comumente transtornos econômicos, em função das dificuldades de circulação, com o encarecimento do produto. Esses óbices como que criaram raízes, vindo até nossos dias, quando a grande indústria siderúrgica e a exploração do minério para a exportação continuam sofrendo o problema dos transportes, o maior empecilho para a sua expansão.

O fabrico do ferro no século XIX À medida que os historiadores analisam com mais profundidade o período da permanência da Família Real portuguesa no Brasil (1808-1821), multiplicam-se as opiniões favoráveis às vantagens do Governo de D. João à nossa terra. Muito além daquelas medidas de emergência tomadas pelo Príncipe Regente, quando da sua passagem pela Bahia e logo após a instalação definitiva no Rio de Janeiro, outras muito mais importantes foram postas em prática, trazendo ao país resultados os mais satisfatórios. O incentivo dado à primeira expansão, da lavoura cafeeira por terras fluminenses e mineiras de Além-Paraíba e ao início da indústria siderúrgica em Minas e São Paulo, constitui, a nosso ver, os maiores trabalhos prestados por D. João VI ao Brasil. De fato, o café seria a mola-mestra na qual se basearia toda a economia brasileira, da Independência aos nossos dias; e a siderurgia do século XIX, a grande escola, onde os nossos primeiros capitães de indústria foram buscar os ensinamentos não apenas técnicos, mas também econômico-administrativos, que redundaram na infra-estrutura do poderio industrial do Brasil de Sudeste. E a melhor prova dessa nossa afirmativa se deu com a fundação da Escola de Minas de Ouro Preto, meio século depois daquelas medidas preliminares tomadas por D. João, como que coroando ainda no século da Independência tantas resoluções salutares para o desenvolvimento do país.

Vejamos agora, embora num rápido bosquejo, a evolução da indústria siderúrgica a partir de 1810.

Evolução da Indústria siderúrgica Pouco antes daquela data, exatamente em maio de 1802, um brasileiro, Martim Francisco Ribeiro de Andrada, fora nomeado Inspetor de Minas e Matas da Capitania de São Paulo. Verdadeiro precursor dos estudos geológicos entre nós, o ilustre Andrada publica logo, em 1803, dois trabalhos – *Jornal de Viagem por diferentes vilas até Sorocaba* e *Memórias sobre as minas de ferro de Sorocaba*. No segundo trabalho o autor aconselha as autoridades a respeito do aproveitamento do minério de ferro de Araçoiaba, o histórico morro sempre explorado em bases rudimentares. Agora, de acordo com o estudo citado, o método direto de redução do minério devia ser posto de lado, e a construção de um alto-forno, então já muito comum na Europa, deveria ser o ponto de partida para uma futura indústria siderúrgica.

A MINERAÇÃO NO BRASIL NO SÉCULO XIX

Quatro fatores correlatos vieram em favor da tese de Martim Francisco pouco tempo depois da sua *Memória* chegar ao conhecimento das autoridades:

1° – A transferência do Governo metropolitano de Lisboa para o Rio de Janeiro.

2° – O ser Ministro do Reino (1807-1812) o Conde de Linhares (D. Rodrigo Antônio de Souza Coutinho), que por tradição de família era um grande apaixonado pela siderurgia.

3° – A existência em Portugal, havia pouco tempo, em Figueiró dos Vinhos, de uma indústria siderúrgica montada por Coutinho e dirigida por técnicos alemães, cujo chefe era Eschwege.

4° – O decreto de D. João anulando o Alvará de D. Maria I, do século anterior, e permitindo a criação de indústrias no Brasil.

O Conde de Linhares, após tomar conhecimento da *Memória* de Martim Francisco, destacou um aprendiz de fundição, participante da Missão Eschwege em Portugal, para vir ao Brasil e cooperar com os paulistas no aproveitamento do minério de ferro de Araçoiaba. Luís Guilherme Varnhagen, tal era o alemão, aqui chegou em 1810 e, examinando o estudo de Martim Francisco, opina pela organização de uma sociedade de economia mista, na qual o Estado entraria com uma parte, ao contrário da idéia do autor da *Memória*, que propunha uma empresa estatal. A 4 de dezembro de 1810 fundou-se, então, o Estabelecimento Montanístico de Extração de Ferro das Minas de Sorocaba, com capital equivalente a 50.000 dólares atuais, subdivididos em 60 quotas, das quais 13 tomadas pelo Governo. Varnhagem, porém, não foi o diretor e nem o técnico da primeira sociedade de economia mista existente entre nós. A idéia do Governo foi mandar vir uma missão sueca, à guisa de comparação com a alemã, para conhecimento de mais um novo método de redução do minério de ferro. Foi assim que a Missão Hedberg, contratada na Suécia e composta de 18 pessoas, chegou ao Brasil em dezembro de 1810, trazendo todos os instrumentos e ferramentas necessários para montar uma fábrica de ferro nos moldes das muitas já existentes na Escandinávia. Hedberg, o chefe e técnico da missão, foi contratado por 10 anos, com os vencimentos de 4.000 cruzados anuais, o dobro do que ganhava Eschwege, há muito trabalhando para o Governo português.

Hedberg foi esperado em Sorocaba por Varnhagen, onde chegou a 17 de janeiro de 1811, partindo para Ipanema, no sopé do Araçoiaba poucos dias depois. Embora tivesse toda a liberdade para montar os altos-fornos que projetara para a futura fábrica, tinha, contudo, do ponto de vista contábil, a fiscalização de uma junta administrativa, presidida pelo Governador da Capitania e constituída de quatro membros, um dos quais o próprio Hedberg. Entrando a trabalhar logo após a sua chegada a Ipanema, o técnico sueco encontrou uma série de dificuldades, pela oposição que lhe passaram a fazer dois dos membros da junta administrativa – Martim Francisco e Varnhagen. Este último achava que o Projeto Hedberg de quatro pequenos fornos do tipo "blanofen" (forno azul) deveria ser substituído pela construção de dois altos-fornos para produzir as 40.000 arrobas de ferro propostas pelo sueco. Tais foram as divergências entre o alemão e o sueco, que o astuto Conde de Linhares, interessado em conhecer a técnica escandinava do fabrico de ferro, chamou Varnhagen à Corte, sob a alegação de que ele iria prestar os seus serviços junto a Eschwege, já em Minas Gerais, onde montava uma pequena fábrica, às margens do Ribeirão da Prata, nas proximidades de Congonhas do Campo.

Um relato de   Vemos, assim, que, enquanto se procurava organizar uma
Saint-Hilaire   indústria siderúrgica de certo vulto em Ipanema, também nas Minas Gerais, onde continuavam a funcionar as velhas forjas catalãs, o Governo tentava instalar uma fábrica, porém mais modesta, sob a influência talvez da já provada exaustão da mineração aurífera. Contudo, a ajuda oficial não se restringiu aos pequenos fornos de Eschwege no Ribeirão da Prata, de produção modesta e efêmera (1814-1821). Em outros locais, com o auxílio da iniciativa particular, as forjas se multiplicaram nas primeiras décadas daquele século, sendo as principais visitadas e descritas por viajantes que andaram pelo Brasil naquela época: Saint-Hilaire, Eschwege, Burton, Spix e Martius etc. Saint-Hilaire, que mais tempo permaneceu no Brasil, quando da sua primeira viagem a Minas Gerais, em 1817, visitou algumas dessas fábricas de ferro, dando-nos uma idéia bem clara das mesmas. Foram arroladas por ele as seguintes fábricas e forjas de ferro: Prata, dirigida por Eschwege; Morro do Gaspar Soares ou do Pilar, do Intendente Câmara; do Bonfim, do Capitão Manuel José Alves Pereira. Saint-Hilaire, dos viajantes estrangeiros, foi quem melhor viu e descreveu a fábrica de ferro do Capitão Manuel Pereira e daí transcrevemos um trecho do que disse sobre a mesma: "Após ter tido muitas vezes sob os olhos a imagem aflitiva da miséria e da apatia, experimentei, como disse alhures, um verdadeiro prazer ao contemplar, nas forjas do Bonfim, o espetáculo da indústria e do trabalho. Essas forjas são, certamente, o mais belo estabelecimento visto por mim na Província das Minas, e com elas não se poderiam comparar as que visitara anteriormente perto

A MINERAÇÃO NO BRASIL NO SÉCULO XIX

de Itabira. É o Capitão Manuel José que, pessoalmente, dirige suas forjas até as menores coisas, e sempre se mostrou resistente aos trabalhos... Debaixo de um enorme alpendre estão colocados dois martinetes e os fornos catalães destinados à fundição do ferro. Os foles são postos em movimento pela água e o Sr. Manuel José pretende que deve a superioridade do ferro que fabrica à maneira por que conduz o fogo. O metal é trabalhado no próprio estabelecimento, e fazem-se com ele machados grandes, machadinhas e ferraduras." (Saint-Hilaire – *Viagens pelas províncias do Rio de Janeiro e Minas Gerais*, tomo II, p. 236.)

Depois de descrever as matérias-primas utilizadas nas forjas de Manuel Pereira, como o minério trazido em carros de bois de uma montanha a uma légua da fábrica, o carvão tirado das várias léguas de matas que o fazendeiro possuía, o autor citado diz: "O capitão asseverava que podia fundir por dia 40 a 50 arrobas de ferro; mas acrescentava que não encontraria saída para essa quantidade, por causa da falta de estradas e comunicações." (Saint-Hilaire, *ibidem.*)

As forjas do Bonfim, situadas próximas à Vila de Araçuaí, forneciam grande parte do ferro consumido nos termos das Minas Novas e no Tijuco, além dos produtos manufaturados na própria fábrica, machados, ferraduras, cravos.

Outras fábricas de ferro   As outras duas principais fábricas de ferro das Minas Gerais eram assim dirigidas:

1 – Real Fábrica de Ferro do Morro do Pilar, mais conhecida como Fábrica do Morro do Gaspar Soares, a 25 léguas do Tijuco, atual Diamantina. Foi construída pelo Intendente Manuel Ferreira da Câmara Bettencourt e Sá, conhecido na história da metalurgia brasileira como o Intendente Câmara. Além de seus conhecimentos científicos sobre a metalurgia em geral, era especialista em metalurgia do ferro e tinha a vantagem de ser assessor do Conde de Linhares desde 1789, conseguindo, assim, as facilidades para organizar os planos e construir a sua fábrica do Pilar, descrita com certa minúcia por Eschwege em seu *Pluto Brasiliensis*, onde também faz críticas à obra do Intendente, quer quanto à escolha do lugar para ereção da fábrica, nas proximidades do arraial do Morro do Pilar, e ainda ao problema do aproveitamento da água local, bem como das matas em derredor. Parece-nos que Eschwege exagerou nas suas críticas, se levarmos em consideração o fato de ele sempre ler tido a pretensão de passar como o primeiro fundidor do minério de ferro no Brasil. De qualquer forma, a obra do Intendente Câmara, embora de pouca duração (1815-1821), ficaria, como as outras do mesmo gênero, servindo de exemplo e de estímulo,

por todo o século XIX, para aqueles que viram na siderurgia do ferro um dos pontos de partida para o avanço industrial do país.

2 – Fábrica de Ferro do Prata, em Congonhas do Campo, construída e dirigida pelo Barão Wilhelm Ludwig von Eschwege, natural da Alemanha, Engenheiro de minas pela célebre escola de Freyberg, e, contratado pelo Governo português desde 1803, para dirigir as fábricas de ferro nacionais, entre as quais a já citada de Figueira de Vinhos. Veio para o Brasil, nomeado Diretor do Real Gabinete de Mineralogia do Rio de Janeiro, com a incumbência de restaurar a decadente indústria de mineração. O próprio autor, em seu livro *Pluto Brasiliensis*, diz a respeito da fábrica de que estamos tratando: "Já fiz notar que essa pequena fábrica deve sua origem ao meu desejo de preceder a grande usina do Morro do Pilar, assim como a do Ipanema, na empresa de ser o primeiro a produzir ferro industrialmente no Brasil. Se não obtive nenhum proveito material com isso, tenho pelo menos a honra de ter conseguido o que almejava... Faltava então escolher o local mais apropriado e, com esse objetivo, percorri as regiões vizinhas. Na minha opinião, o melhor lugar se encontrava nas proximidades de Antônio Pereira, a três léguas de Vila Rica. Ali abundam quedas-d'água, matas e minério de ferro.

A região do Prata, perto de Congonhas do Campo, a oito léguas de Vila Rica, não era tão rica em matas. Apresentava, porém, a vantagem de ficar a administração futura da fábrica sob fiscalização imediata dos acionistas mais importantes, que tinham suas propriedades nas cercanias. Assim, de acordo com o desejo manifestado pelos mesmos, foi esse o local escolhido." (Eschwege, *Pluto Brasiliensis*, 2º vol., pp. 418 e 419)

Monlevade e Queiroz Júnior Se Eschwege e o Intendente Câmara constituem as duas figuras mais notáveis no trabalho pioneiro da criação da indústria siderúrgica nas Minas Gerais, nas duas primeiras décadas do século XIX, já nos meados e fins daquele século, outras duas vão aparecer como batalhadores da luta pelo desenvolvimento da nossa indústria do ferro. São eles João Antônio Félix Dissandes de Monlevade e José Joaquim de Queiroz Júnior. O primeiro, francês de nascimento, veio para o Brasil nos idos de 1817, percorrendo alguns trechos da então nascente zona metalúrgica mineira e se fixou em Caeté. Associou-se ao Capitão Luís Soares de Gouveia, fundando uma fábrica de ferro com base em um alto-forno e que foi a primeira a correr ferro-gusa em Minas Gerais. Por suas qualidades técnicas, como engenheiro de minas, e pela sua aptidão no fazer amigos, Monlevade conquistou em pouco tempo a sociedade mineira a ponto de um senador do Império, o Médico Antônio Gonçalves Gomide,

A MINERAÇÃO NO BRASIL NO SÉCULO XIX

em carta de maio de 1823 a José Bonifácio, indicá-lo para orientar a exploração da galena de Abaetá, trabalho que realizará pouco depois. (Dornas Filho – O *Ouro das Gerais e a Civilização da Capitania*, p. 191.)

Em 1826 o Engenheiro francês já bastante aclimatado no Brasil inicia a construção de uma usina metalúrgica às margens do Rio Piracicaba, próximo ao arraial de São Miguel, onde, ao lado das reservas de minério e das opulentas matas, havia abundância de água que seria aproveitada para força motriz. As máquinas e todo o material de trabalho para sua fábrica Monlevade os comprou na Europa e transportou tudo pelo Rio Doce acima, abrindo caminho para o futuro do vale, como zona produtora e caminho de saída para o mar, da riqueza ferrífera mineira.

Pronta a fábrica de São Miguel, Monlevade não somente fundia o ferro, como produzia os trituradores dos pilões usados na exploração dos minérios de quartzo aurífero de Morro Velho e Pari. Diz Dornas Filho: "Só em Morro Velho trabalhavam dia e noite 36 pilões, cujos trituradores eram blocos de ferro de oitenta quilos de peso, e que nesse trabalho contínuo precisavam ser substituídos no fim de três a quatro meses" (*op. cit.*, p. 199). Em São Miguel também se fabricavam enxadas, cravos de ferrar, ferraduras etc. Monlevade foi talvez o único fabricante de ferro que conseguiu organizar um grupo de trabalhadores especializados em metalurgia, tirados dentre os seus escravos. A profissão de ferreiros-fundidores foi passando de pai a filho entre os antigos trabalhadores da fábrica de São Miguel, mesmo depois que esta se extinguiu em fins do século.

Em meados do século a fábrica estava em franca produção com média de 30 arrobas de ferro diárias, saídas de seis fornos e três forjas; nelas trabalhavam 150 escravos, produzindo trituradores, aguilhões, engenhos de serrar madeira, moendas para cana etc.

Em 1867, quando das suas *Viagens aos Planaltos do Brasil,* Richard Burton, passando pelo alto vale do Rio Doce, escreve estas palavras referentes à fábrica de São Miguel: "Aqui na paróquia e distrito de São Miguel de Piracicaba, num afluente a dez ou doze léguas do verdadeiro Rio Doce, fica a fundição do Sr. Monlevade, colono francês da velha escola. Ainda que octogenário, produz ele mais trabalho que qualquer dos seus vizinhos e, a despeito da distância de 80 milhas, fornece à Grande Mina (o autor se referia a Morro Velho) cabeças de pilão e outros artefatos rústicos. Seus escravos são bem alimentados, vestidos e alojados; por meio de pagamento, eles empregam o domingo na lavagem de ouro e muitas vezes fazem 1.800 réis durante o dia; se compelidos a trabalhar durante os feriados, recebem pequena soma como indenização" (pp. 471-472).

João Antônio de Monlevade, que faleceu aos 83 anos de idade, foi casado com Clara Sofia de Souza Coutinho, sobrinha do Barão de Catas Altas, e se radicara em definitivo em sua nova pátria, a ela prestando inestimáveis serviços. Hoje, no local da antiga fábrica de Monlevade, a Cia. Belgo-Mineira ergueu a mais importante usina de ferro a carvão vegetal do país.

Em 1875, como que coincidindo com a chegada dos trilhos da Ferrovia D. Pedro II à zona metalúrgica mineira, era fundada a Escola de Minas de Ouro Preto, cujo primeiro diretor foi o francês Henri Gorceix. A Mineralogia e a Geologia iriam daí por diante, no próprio campo de pesquisa, preparar técnicos e dirigentes de uma indústria que há mais de um século se arrastava presa a métodos rudimentares da redução do ferro, e que necessitava sair do seu empirismo. Raras exceções havia, e, entre elas, Monlevade.

A Usina Esperança Em 1888 inaugurava-se a Usina Esperança em Itabira do Campo, organizada por Amaro da Silveira e José Gerspacher, o primeiro grande estabelecimento metalúrgico destinado à fabricação de ferro e à grande fundição direta, e, mais tarde, à fabricação do aço. Três anos depois de inaugurada, os seus fundadores venderam-na à Cia. Forjas e Estaleiros, grande organização que se formara na última década do século, e portanto, já na República, em plena época do Encilhamento. Esta companhia comprou também a usina de São Miguel de Piracicaba, colocando como diretor um sobrinho do velho Monlevade. Mas, com inúmeras propriedades espalhadas na zona metalúrgica, a Forjas e Estaleiros, a exemplo de outras fábricas, não pôde sobreviver numa época de aperturas financeiras, como a que se seguiu ao Encilhamento. O seu enorme acervo foi adquirido por um entusiasta da siderurgia, o Dr. José Joaquim de Queiroz Júnior.

Reorganizando a Usina Esperança, pô-la a trabalhar normalmente à custa de enormes sacrifícios e ampliando-a mais tarde, quando da crise de material de ferro, em virtude da Primeira Guerra Mundial.

Se o Intendente Câmara, Eschwege e Varnhagen, no início do século XIX, foram os pioneiros das fábricas de ferro no Brasil, Queiroz Júnior foi no final do mesmo o criador e incentivador da grande usina metalúrgica.

Começando com a Belgo-Mineira, ainda com carvão vegetal, chegamos à era da moderna siderurgia, com Volta Redonda, Cosipa, Usiminas.

Conclusão Afora as fábricas de maiores proporções, disseminavam-se por todo o território mineiro pequenas forjas. Segundo esti-

A MINERAÇÃO NO BRASIL NO SÉCULO XIX

mativa mandada realizar pelo Presidente da Província de Minas Gerais, Conselheiro Crispiniano Soares, havia lá, em 1864, 120 fábricas de ferro, entre grandes e pequenas. Costa Serra, em 1879, oferecia um depoimento pessoal: contara ele só na região do Alto Rio Doce 30 fabriquetas de ferro.

Se uma certa tradição, em função do vínculo dessas forjas às minas de ouro num passado recente, explica a continuidade da sua existência, também não devemos esquecer que ali, naqueles altiplanos do Espinhaço, mais dois fatores básicos concorreram igualmente para o fato: as imensas reservas de minério de ferro, à flor da terra, e as não menos imensas reservas florestais do alto e médio vale do Rio Doce e Rio das Velhas, alimentando as forjas com carvão vegetal.

No entanto, as dificuldades eram presentes também. Referem-se elas particularmente ao problema do recrutamento dos obreiros, sobretudo dos mais especializados. Muitas vezes a impossibilidade de consegui-los forçou o regresso aos sistemas primitivos de trabalho. Os sistemas de transporte numa área tropical úmida, de relevo movimentado, numa época em que fazer estradas não era ainda sinônimo de governar, constituíam outro entrave à siderurgia. Mas, por um desses paradoxos difíceis de se compreender, quando os trilhos da hoje Central do Brasil chegaram à zona metalúrgica mineira, no último quartel do século, as fábricas de ferro existentes, grandes e pequenas, sofreram uma queda, em função da rapidez e barateamento do custo do transporte; é que àquela altura o ferro importado chegava às áreas de consumo mais barato que o nacional. E muitos anos se passaram, antes que os mais sérios problemas da nossa nascente siderurgia se fossem aos poucos resolvendo, o que só ocorreria já no século XX, entre as duas grandes guerras, quando muito se discutiu em prol da criação de uma moderna indústria siderúrgica no Brasil.

Os alicerces em que ela se assentaria, porém, já tinham sido lançados no decorrer do século XIX, por aqueles denodados pioneiros. Do Ipanema ao Pilar e às várias usinas da Esperança haviam procurado mostrar aos seus patrícios que somente a existência de matérias-primas não bastava para a implantação de tal indústria. Outros fatores devem ser levados em conta, principalmente o trabalho racional, aliado a uma tecnologia sempre em evolução.

Os Intendentes Câmara, José Pereira Souza Mursa, Monlevade, Queiroz Júnior e tantos outros, pelo seu denodo e espírito de sacrifício, marcaram uma época na história da siderurgia do ferro no Brasil.

CAPÍTULO II

AS TENTATIVAS DE INDUSTRIALIZAÇÃO NO BRASIL

ABRIU-SE o século XIX sob o signo do progresso, da industrialização e a todas as nações era dado aspirar à posição já alcançada pela Inglaterra. Essa será, para os povos ainda submetidos ao regime colonial e que iniciaram então as suas lutas pela emancipação, uma aspiração complementar à da independência política, pois a industrialização revelar-se-á elemento necessário e indispensável à independência econômica e, portanto, à grandeza e soberania nacionais.

Nesses termos é que se pode colocar a história da indústria no Brasil novecentista, pois, pelo menos, até a década de 70, não se admite falar em industrialização em nosso país. O que houve foram apenas tentativas para participar das vantagens econômicas e sociais que o avanço tecnológico proporcionava ao mundo ocidental, tentativas que condições tanto de ordem interna como externa levaram, entretanto, ao malogro.

1. A INDÚSTRIA SOB D. JOÃO VI

As aspirações industrialistas Manifestam-se essas aspirações ainda em plena vigência do regime colonial, como, por exemplo, entre os Inconfidentes mineiros em cuja República as manufaturas constituíam peças capitais da ordem econômica a ser instaurada. É significativo o papel de José Álvares Maciel, encarregado, pelos Inconfidentes, de dirigir essa industrialização. Estivera ano e meio na Inglaterra observando seu desenvolvimento industrial e representava a nova geração brasileira que, na Europa, recebia uma educação menos clássica e mais voltada para as ciências experimentais. É evidente, pois, a existência de um interesse local por técnicas mais avançadas; portanto, conforme T. C. Cochrane, de um fator

AS TENTATIVAS DE INDUSTRIALIZAÇÃO NO BRASIL

importante da transferência de conhecimentos tecnológicos e de atitudes perante os empreendimentos e, conseqüentemente, para o desenvolvimento econômico.

Condições de Industrialização Mas haveria condições para tal? Não representariam tais aspirações meras veleidades sem possibilidade de concretização? Alguns estudiosos, particularmente economistas, mostram-se inclinados a rejeitar a viabilidade de industrialização do Brasil no início do século XIX e apontam principalmente para a ausência de um mercado consumidor. Parece, contudo, um tanto precipitada tal conclusão que só seria legítima apoiada em maior evidência e em análises pormenorizadas das condições econômico-sociais do período, análises ainda inexistentes.

De outro lado, tudo indica que, pelo menos demograficamente, não estávamos tão distantes dos Estados Unidos da América do Norte, principalmente se levarmos em conta que podíamos dispor também do mercado constituído pelas colônias portuguesas da África.

Em relação aos recursos naturais, era o Brasil considerado, na época, bem superior à ex-colônia inglesa da América. Era mesmo sobre essa convicção que se fundamentavam as aspirações industrialistas de então, que viam na industrialização o meio de valorizar nossa riqueza e transformar em realidade o potencial representado pelos nossos recursos naturais.

Havia uma mão-de-obra subempregada, e a existência dessa população desocupada preocupava as autoridades; era mesmo um argumento a favor da industrialização. Seus conhecimentos tecnológicos eram reduzidos, mas a existência de um pequeno número de artesãos já possibilitava um início modesto. Podia-se, além do mais, contar com a importação de técnicos, o que realmente se fez para alguns setores como o siderúrgico.

É verdade que o capital era escasso, mas tudo indica que, graças à expansão das atividades comerciais do fim do século XVIII, já se podia contar com alguma disponibilidade nesse setor. O importante era que fosse convenientemente canalizado. Ora, dado o papel preponderante desempenhado pelo Estado na economia da época, essa canalização dependia em grande parte de sua orientação. Não se tratando, pois, de um regime de livre empresa propriamente dito, o fator político representado pela ingerência estatal foi de importância capital no processo de industrialização do Brasil, no século XIX.

Tudo indica, portanto, na falta de estudos mais aprofundados, que as condições de ordem econômica não eram propriamente negativas. O fato é que anteriormente ao Alvará de D. Maria I uma pequena indústria pôde desenvolver-se, revelando mesmo uma certa vitalidade no setor têxtil.

Convenientemente amparadas, essas atividades manufatureiras poderiam, provavelmente, ter constituído, no início do século XIX, as bases de nossa industrialização. Economicamente talvez não tivessem muita importância. De uma perspectiva histórica, porém, representariam uma experiência que se incorporaria à nossa formação industrial, contribuindo para o nosso avanço tecnológico. É possível que a chave do problema possa ser encontrada no fato de o Brasil estar submetido a uma estrutura político-social de tipo Antigo Regime, com seus interesses mercantis solidamente estabelecidos. A transferência da Corte para o Brasil só fez, apesar de suas medidas liberalizadoras, integrar ainda mais o país nesse sistema.

A política industrial de D. João VI   A primeira tentativa de industrialização do Brasil deu-se, pois, dentro dos quadros tradicionais do mercantilismo estatal e procurou inspirar-se nas experiências tipo colbertistas já utilizadas com certo êxito por Pombal, na Metrópole. Na prática, nossas *fábricas nacionais*, se não apresentavam evidentemente nem a amplitude, nem a sistematização do colbertismo, lembravam, porém, as manufaturas reais de Colbert pela idéia central de privilégio e monopólio concedido pelo Estado e pelo fato de essas empresas estarem sob a tutela do Estado que as fiscaliza, sem, entretanto, tomá-las sob a sua direção própria, mas deixando-as nas mãos de particulares.

Condições diferentes levaram, porém, nossos dirigentes a adaptar as fórmulas colbertistas que perderam sua rigidez, num compromisso entre os princípios mercantilistas e as novas idéias liberais. Apesar dessa maior flexibilidade, teve, contudo, essa política industrial um sentido eminentemente tradicionalista. Introduziram-se numa colônia do Novo Mundo, graças a ela, métodos de proteção já considerados superados que se manterão no decorrer do século XIX, formando hábitos que ainda perdurarão em pleno século XX, criando entraves ao nosso processo industrial, pois, pelas meias medidas que se aplicavam, debilitavam-se os esforços dos que preconizavam um vigoroso protecionismo.

Os Alvarás de 1808 e 1809   Esta política traduziu-se nos Alvarás de 1º de abril de 1808 e o de 28 de abril de 1809. O primeiro revogou as peias do regime colonial, formulou os princípios e expôs os motivos da nova orientação. Todo o país abriu-se, por assim dizer, às perspectivas da industrialização com o objetivo de multiplicar a riqueza nacional, promover o desenvolvimento demográfico e dar trabalho a certo elemento da população que não se acomodava à estrutura socioeconômica vigente. O segundo estabelecia medidas de ordem prática, concedendo isenção de

AS TENTATIVAS DE INDUSTRIALIZAÇÃO NO BRASIL   41

direitos aduaneiros às matérias-primas necessárias às *fábricas nacionais*, isenção de imposto de exportação para os produtos manufaturados do país, utilização dos artigos nacionais no fardamento das tropas reais, concessão de privilégios exclusivos, por 14 anos, aos inventores ou introdutores de novas máquinas e a distribuição anual de 60 mil cruzados, produtos de uma loteria do Estado, às manufaturas que necessitassem de auxílio, particularmente as de lã, algodão, seda, ferro e aço.

Nenhuma inovação, portanto, mas a simples aplicação de fórmulas já usadas na Europa desde a época medieval, quando as transformações tecnológicas faziam-se lentamente e quando, pois, o sistema de privilégios tinha certa eficácia. Numa era, porém, em que as mudanças já se processavam em ritmo acelerado, revolucionário mesmo, empregar métodos medievais era entravar todo e qualquer desenvolvimento econômico.

O pensamento econômico brasileiro
Tendências que se faziam sentir no Brasil, por ocasião da vinda da Família Real, pareciam, entretanto, contrariar essas diretrizes tradicionalistas que presidiam à inauguração da nossa política industrial. As duas últimas décadas do oitocentos e as primeiras do novecentos foram assinaladas por uma série de acontecimentos que vieram despertar as esperanças dos brasileiros, sacudindo-os do seu torpor e incutindo-lhes a visão de um Brasil próspero, industrializado, que, pela vastidão do seu território, a imensidade e variedade dos seus recursos, poderia aspirar a uma posição de realce entre as nações mais poderosas. Mesmo não desejando propriamente a separação de Portugal, crescia, entre os brasileiros mais esclarecidos, a consciência da superioridade da Colônia em relação à Metrópole, cuja exaustão só poderia ser revigorada com a modernização de seu domínio americano. Francisco Marques de Góis Calmon em sua "Contribuição para o estudo da vida econômica e financeira da Bahia no começo do século XIX" *in Cartas Econômicas e Políticas* (Bahia, 1924), cita vários exemplos de brasileiros cujas iniciativas visavam a essa modernização do país, procurando introduzir técnicas novas e processos de produção mais aperfeiçoados.

Esses anseios de progresso, de rejeição de uma ordem colonial retrógrada e ultrapassada, revestiam ideologicamente tendências liberalizantes que se aproximavam das idéias preconizadas pelos fisiocratas franceses. Guardavam, contudo, vestígios de noções mercantilistas, fato compreensível em se tratando de um pensamento de transição para a economia clássica. Esta corrente, cujo expoente mais ilustre foi José da Silva Lisboa, destacava-se pela sua influência, o que se explica pela importância dos interesses agrícolas do país.

Já se podia, porém, discernir germes do nosso futuro industrialismo, como se pode constatar nos planos dos Inconfidentes mineiros, e, para citar apenas outro exemplo posterior, a posição de Hipólito da Costa, criticando no *Correio Braziliense* as idéias de José da Silva Lisboa. Este era de parecer que não se devia precipitar o desenvolvimento industrial do Brasil, nem procurar concorrer com a Europa na produção de artigos finos. Temia que o auxílio estatal às indústrias, com o fito de diminuir a importação de manufaturas, se refletisse na exportação dos produtos brasileiros, prejudicando "os mais proveitosos e já bem arraigados estabelecimentos deste Estado". Em sua opinião, a industrialização do país devia processar-se gradualmente e de acordo com o princípio da "franqueza de indústria". Admitia, timidamente, a necessidade de auxílios e favores especiais "aos primeiros introdutores de grandes máquinas e manufaturas de muito dispêndio". Como seus contemporâneos norte-americanos, Benjamin Franklin e Thomas Jefferson, não era um doutrinário. Não se mostrava, porém, favorável a um esforço do Estado no sentido de fomentar manufaturas no Brasil.

Contra esta posição insurgiu-se Hipólito da Costa, que refutou o argumento fiscal, sugerindo que o imposto de importação poderia ser substituído pelo de consumo. Contestava igualmente o das represálias por parte das nações industrializadas, além de salientar o benefício que as indústrias trariam ao país no sentido de ocupar parte da população.

Prevaleceu, entretanto, a corrente agrária cujas diretrizes coincidiam, de um lado, com os interesses gerais do império português em seu todo e, de outro, com a situação de dependência em que se achava a Casa de Bragança em relação à Inglaterra.

O tratado de 1810 As conseqüências do tratado de 1810 no sentido de ter retardado a industrialização do Brasil têm sido diversamente avaliadas. Historiadores, como Roberto Simonsen e Caio Prado Júnior, consideram essa convenção imposta a D. João pela Inglaterra como tendo sido indiscutivelmente prejudicial ao estabelecimento de manufaturas em nosso país. Já um economista, como Celso Furtado, é de opinião que o tratado de 1810, embora constituindo "séria limitação à autonomia do governo brasileiro no setor econômico", não teve a importância que lhe é comumente atribuída, como empecilho à industrialização do Brasil na primeira metade do século XIX.

É possível que do ponto de vista econômico este parecer seja correto. De uma perspectiva histórica, porém, o tratado de 1810 teve importantes implicações sobre o nosso desenvolvimento manufatureiro, pois atuou no

AS TENTATIVAS DE INDUSTRIALIZAÇÃO NO BRASIL   43

sentido de retardar experiências, viáveis ou não economicamente, que de outro modo se teriam já incorporado à nossa formação industrial. A prova é que, na década de 1840, depois de expirarem os diversos tratados comerciais do Brasil com as nações estrangeiras, várias fábricas de tecidos instalaram-se no país. Estimulados pelo ligeiro protecionismo instaurado pela tarifa Alves Branco, em 1844, animaram-se os empresários a tentar a aventura da industrialização. Mesmo do ponto de vista econômico, entretanto, há indícios que levam a admitir a viabilidade de certas atividades manufatureiras, como, por exemplo, as da indústria têxtil do algodão, justamente a que revelou certa vitalidade por ocasião da promulgação da tarifa Alves Branco e já o havia demonstrado, em pleno século XVIII, quando o Alvará de D. Maria I e o rigor das autoridades coloniais vieram aniquilá-la. Este setor, no entanto, não só se viu entravado pelo tratado de 1810, como não recebeu do Príncipe Regente as atenções que reclamava.

A indústria de construção naval   Outro ramo que parecia demonstrar possibilidade de desenvolvimento era o da indústria de construção naval. Já em 1779 Antônio Ferreira de Andrade, em carta a Martinho de Mello e Castro, chamava a atenção para o crescimento da marinha mercante da Bahia e lembrava ao Governo português a oportunidade de se utilizar dos recursos baianos neste campo para aumentar a Marinha Real. Consistiam esses recursos, segundo o missivista, na possibilidade de uma mão-de-obra especializada e na existência de mananciais inexauríveis de madeiras de construção. Em 1800, instruções do Governo português ao Capitão-General da Capitania, Francisco da Cunha Menezes, recomendavam-lhe a construção de navios mercantes, ressaltando a excelente qualidade das madeiras brasileiras. Transferindo-se para o Brasil, o Príncipe Regente continuou a mesma política, que era, aliás, uma diretriz tradicional do sistema mercantilista.

O Príncipe D. João e seus conselheiros pareciam, contudo, mais interessados na criação de uma marinha de guerra e para tanto no desenvolvimento de indústrias correlacionadas a esse objetivo. A vitalidade de que dava demonstrações a economia da colônia americana, no início do século XIX, e a riqueza de seus recursos potenciais favoreciam a visão de um revigoramento, do Império português, tendo agora como centro o Brasil. Havia mesmo quem sonhasse com a recuperação de Malaca, Cochim, as Molucas e demais domínios perdidos. Impulsionados por essas perspectivas era natural que esses homens do Antigo Regime raciocinassem mais em termos de poder do que de economia e concentrassem os esforços do Estado em recuperar a antiga hegemonia.

A siderurgia   Dentro do contexto dessa política é que se inserem com toda probabilidade as medidas e esforços de D. João no sentido de se desenvolver uma indústria siderúrgica no Brasil. Verifica-se, com efeito, que a atenção e a preferência de sua administração dirigiram-se principalmente para a indústria do ferro, em favor da qual não poupou sacrifícios de ordem econômica, contribuindo com fundos da Fazenda Real, providenciando a importação de técnicos e operários estrangeiros, empenhando-se com capitalistas do país para que subscrevessem ações e tentando efetivamente implantar a grande indústria siderúrgica no Brasil. Excetuando-se este setor, os demais só parecem ter recebido os tradicionais favores dispensados às fábricas ditas nacionais.

Ora, conforme já observou Roberto Simonsen, não tinha a siderurgia grandes possibilidades de desenvolvimento no Brasil da época. Seu êxito só seria viável com o incremento paralelo de outras atividades que exigissem o emprego do ferro. A mineração poderia ter desempenhado este papel, mas estava então em decadência. Eschwege, um pouco mais tarde, em 1822, depois que a experiência dos altos-fornos já havia sido tentada, concluía:

"Fábricas grandes por modo algum podem subsistir, principalmente no interior. A população ainda é muito diminuta, por conseqüência o consumo está nesta mesma proporção. Exportação para os portos do mar sem estradas e rios navegáveis, e onde o ferro de fora está por um preço tão baixo, apenas a que pode chegar ao Brasil, nenhum homem de senso se lembrara."[1]

A indústria têxtil   Todo esse esforço despendido por D. João VI durante sua permanência no Brasil talvez tivesse sido mais bem recompensado se, em relação à indústria têxtil do algodão, tivesse se empenhado com mais audácia, a mesma aplicada à siderurgia. Não teria, porém, o tratado de 1810 tolhido sua ação, inundando o mercado brasileiro de fazendas de algodão procedentes das fábricas inglesas então sem competidores? Há indicações de que, se o tratado não deixou de ter certa influência, foram, contudo, principalmente os interesses do comércio por-

---

[1] Barão de Eschwege, "Notícias e Reflexões Estatísticas da Província de Minas", *Revista do Arquivo Público Mineiro*, ano IV, fascículos 3º e 4º, julho-dezembro, 1899 (Belo Horizonte, 1900), p. 762.

AS TENTATIVAS DE INDUSTRIALIZAÇÃO NO BRASIL

tuguês que, de início, foi responsável pela atitude tímida, hesitante, do Gabinete de D. João em relação à indústria têxtil. Só em 1815, com a encomenda feita em Lisboa de uma máquina filatória e com a instalação, em 1819, na Lagoa Rodrigo de Freitas, de uma fábrica em moldes mais modernos, parece o governo de D. João VI inaugurar nova política. O que o teria levado a adotar diferente rumo?

O comércio português com a Ásia   Embora o estado atual das investigações nesse campo não permita grandes esclarecimentos, há indícios, contudo, de que se deva procurar uma explicação nas condições do comércio português com a Ásia. Herbert Heaton, baseando-se em notas de Luccock, afirma que os principais mercados para os tecidos ingleses, na América do Sul, eram as colônias espanholas. No Brasil, apenas a Corte e a pequena camada das classes altas. No mais não agüentavam a concorrência dos algodões da Índia. Opinião idêntica sustentava a Junta do Comércio. Ora, pelo menos até 1815, constituíam estas fazendas indianas mercadoria importante no comércio português com a Ásia. Os interesses dos mercadores portugueses aliavam-se, assim, aos dos agricultores brasileiros para desencorajar uma política mais vigorosa em prol da indústria têxtil "que tão natural parece na Terra, que produz algodão", conforme expressão de Bithencourt na Câmara.

O tradicional comércio com a Ásia mantinha sua importância nas atividades marítimas dos portugueses. Embora drenasse grandes quantidades de metal precioso e por essa razão fosse objeto de grandes controvérsias, grandes atenções lhe eram dispensadas pelo vulto dos interesses que envolvia. Durante as negociações que resultaram no tratado de 1810 foi zelosamente defendido pelo Governo português. Nesse comércio, as fazendas de algodão da Índia representavam elemento capital, não só pela quantidade importada, como pelas atividades econômicas que proporcionavam, sendo parte reexportada, seja para outras nações, seja para os domínios portugueses da África, e outra parte consumida em nosso território ou empregada nas indústrias de tinturaria e estamparia instaladas no Brasil, mas principalmente em Portugal. É bem possível que os grandes interesses envolvidos nesse negócio expliquem o fato de o Governo de D. João não se ter empenhado em fomentar a indústria têxtil do algodão no Brasil. As novas diretrizes que se anunciam, a partir de 1815, revelariam, de outro lado, alterações nas condições do comércio asiático, com o retorno da Inglaterra a esta área após o restabelecimento da paz na Europa. A ausência de elementos suficientes impede, entretanto, conclusões mais positivas a este respeito. O Brasil perdera, assim, uma oportunidade para iniciar, embora modestamente, o seu processo de industrialização.

2. NOVAS TENTATIVAS EM MEADOS DO SÉCULO

A tarifa Alves Branco Nova oportunidade surge em 1844, quando da promulgação da tarifa Alves Branco. A expiração dos diversos tratados comerciais com as nações estrangeiras, tratados que nos haviam imposto, na prática, um regime de livre-troca, vem reacender as aspirações industrialistas e induzir os empresários a tentarem, agora em outras bases, a atividade industrial.

Esta nova fase da industrialização brasileira, cujo núcleo fundamental era constituído pela indústria têxtil do algodão, distinguiu-se da primeira por não se apoiar mais nos privilégios e subvenções estatais, mas por reivindicar essencialmente uma tarifa protecionista e apresentar, portanto, um cunho mais acentuadamente nacionalista. Procurava-se, assim, superar o mercantilismo do estágio prévio. A tarifa Alves Branco, ao estabelecer uma taxa de 30% para a maior parte das mercadorias importadas e mesmo de 60% para alguns produtos já fabricados entre nós, parecia, realmente, à primeira vista, proporcionar uma proteção adequada que levou ao estabelecimento de várias fábricas em nosso país. Revelar-se-ia, entretanto, insuficiente para uma proteção eficaz; e o próprio Alves Branco reconhecia que, do ponto de vista protecionista, a nova pauta era pouco satisfatória, dando a entender que, em face das exigências do fisco, foi impossível ao Governo estabelecer taxas que realmente amparassem a produção brasileira.

A indústria têxtil do algodão, que entretanto já demonstrara grandes possibilidades de desenvolvimento, foi particularmente pouco favorecida. A comissão encarregada da organização da nova tarifa alfandegária recomendara para as fazendas de algodão uma taxa de 60% para as mais grosseiras e de 40% para as mais finas. Ora, todas as manufaturas de algodão pela tarifa Alves Branco só pagavam 30%.

O agrarismo triunfante As condições existentes no país mostravam-se cada vez mais contrárias à industrialização. O café já dominava a economia brasileira e viera confirmar a crença no destino eminentemente agrícola do Brasil. No início do século a presença de um grupo influente, que via na indústria o caminho para o enriquecimento e o progresso do país, permitia antever-se uma opção a favor da industrialização que as riquezas potenciais de nosso território justificavam. Agora, porém, em meados do século, em face do industrialismo, se erguia, dominante, o agrarismo, que representava, sem dúvida, os mais fortes interesses do país. Lutava, em vão, contra esses interesses a minoria dos que ainda acreditavam na industrialização. Mesmo aqueles que, como Rodrigues Torres, reconheciam a superioridade da indústria e do comércio como fonte de riqueza, por ser a capitalização um fenômeno muito lento nos países puramente agrícolas, recomendavam, contudo, muita cautela ao adotar-se uma política protecionista, a fim de não serem alimentadas indústrias fictícias, nem ofendidos os interesses agrícolas.

Em vista dessas circunstâncias, os industrialistas não conseguiam impor seus pontos de vista, nem obter tarifas realmente protecionistas. Os dirigentes brasileiros defrontados com o dilema – promover a industrialização do país, que reconheciam ser uma necessidade nacional, ou atender, ao mesmo tempo, os interesses da lavoura – hesitaram em adotar uma política francamente protecionista. De outro lado, repousando o sistema tributário brasileiro na renda alfandegária que, na década de 50, constituía 62% da arrecadação total do país, exigiam as necessidades orçamentárias uma tarifa essencialmente fiscal.

Nesse impasse permanecerá a política alfandegária brasileira, incapaz de satisfazer, nem aos partidários de uma política protecionista, nem mesmo aos defensores de um regime de livre-troca. Com as reformas alfandegárias de 1857 a 1860, instaurou-se um regime, não de livre-câmbio, conforme pleiteavam os liberais, mas sim de satisfação à lavoura monocultora, que exigia o barateamento dos gêneros de primeira necessidade por meio, entre outras medidas, de uma redução dos impostos de importação. Dadas essas circunstâncias, não havia clima nem condições para um vigoroso impulso industrial.

As atividades Animados, entretanto, pelas esperanças que a tarifa Alves
Industriais Branco proporcionara, alguns pioneiros de espírito audaz provocaram uma inusitada atividade industrial nos meados do século, reflexo, sem dúvida, mais da expansão econômica do Brasil na época do que de uma política verdadeiramente protecionista.

A indústria têxtil do algodão representou o núcleo mais proeminente dessa nova tentativa de industrialização, evidenciando mais uma vez as possibilidades de seu desenvolvimento, se eficazmente amparada. Dispondo de um mercado fornecedor da matéria-prima e também consumidor, representado pelo Nordeste e por sua própria região, contando com mão-de-obra relativamente adequada e certa disponibilidade de capital, foi a

Bahia o local preferido para a instalação de fábricas de tecidos de algo-dão, embora o Centro (Rio de Janeiro e Minas Gerais) tenha também par-ticipado da experiência. Mesmo Alagoas tentou a sua fábrica de têxteis de algodão.

Outros tipos de manufaturas foram igualmente ensaiados, destacan-do-se a indústria metalúrgica, em pequena escala naturalmente, estimula-da, nas regiões açucareiras, particularmente no Recife, por esse gênero de atividade produtora. Nesse setor destaca-se, contudo, a figura ímpar de Irineu Evangelista de Souza, com seu estabelecimento em Ponta da Areia, nos arredores de Niterói, produzindo até barcos a vapor.

Favorecido por suas relações pessoais e comerciais com capitalistas britânicos e pelo auxílio do Governo imperial, que não lhe recusou empréstimos, pôde Mauá promover empreendimentos que outros, igual-mente audazes e empreendedores, não tiveram meios suficientes para rea-lizar. Basta lembrar, para citar apenas alguns exemplos, os ingentes esfor-ços do Barão de Cotegipe no sentido de reaparelhar e reestruturar a indús-tria açucareira da Bahia e, em Minas Gerais, os Felício dos Santos e os Otoni tentando reerguer a outrora abastada Capitania.

Esses esforços não encontraram, entretanto, nem condições nem estí-mulos que conduzissem ao desenvolvimento industrial do país. As poucas fábricas que subsistiram durante as décadas de 1840 a 1870 se mantive-ram graças a privilégios de exploração, de subvenções governamentais na forma de empréstimos e isenções de direitos de importação; em certas regiões, como o único substituto possível à produção agrícola decadente – tal o caso da Bahia – enquanto, em outras, as dificuldades de comunica-ção e o alto custo do transporte atuavam como meios de proteção.

3. O SURTO INDUSTRIAL NO FINAL DO SEGUNDO REINADO

A guerra civil nos Estados Unidos e a Guerra do Paraguai Uma série de acontecimentos iria, contudo, reanimar as atividades industriais, no fim da década de 60. A guerra civil nos Estados Unidos havia produzido um surto notável na cultura algodoeira do Brasil, e a expansão do cultivo do algodão, por sua vez, provocou um renascimento da indústria têxtil do algodão, em nosso país.

A Guerra do Paraguai foi, entretanto, um fator provavelmente mais decisivo, já que o impulso não se limitou à indústria de tecidos, mas

AS TENTATIVAS DE INDUSTRIALIZAÇÃO NO BRASIL   49

atingiu vários outros setores, como o de produtos químicos, instrumentos ópticos e náuticos, couros, vidros, chapéus, cigarros, papel etc. A Guerra do Paraguai, com seu cortejo de emissões, favoreceu a expansão econômica e, exigindo, pelos encargos que impôs ao país, uma agravação dos direitos aduaneiros, veio oferecer à indústria uma proteção mais adequada.

É possível também que, para a expansão industrial do Brasil, a partir da década de 70, tenha contribuído a disponibilidade de capitais antes empregados na agricultura e então desviados de alguns setores dessa atividade pela queda dos preços de certos gêneros agrícolas, particularmente o açúcar e o algodão. O café só entraria em crise no decênio seguinte. Mas no Vale do Paraíba já se pressentia a decadência da lavoura cafeeira e alguns fazendeiros já se interessavam por investimentos na indústria têxtil do algodão.

A tarifa Rio Branco O agrarismo continuava, entretanto, a dominar o ambiente nacional e uma vaga de liberalismo espraiava-se pelo país. Bastiat, divulgado na década anterior, principalmente por Tavares Bastos, tornava-se a grande autoridade dos que falavam em nome da "ciência econômica". Agrarismo e liberalismo refletiram-se nas tarifas aduaneiras e, terminada a Guerra do Paraguai, alterações alfandegárias foram feitas, visando, particularmente, a aliviar os gêneros alimentícios e as matérias-primas. Essa tendência culminou na tarifa Rio Branco de 1874 que, embora presa ainda às exigências do fisco, inaugurou, contudo, um liberalismo moderado que não contentou os liberais e alienou os conservadores; que não satisfez nem à lavoura nem à indústria.

A crise de 1875 e o progresso tecnológico Dois acontecimentos foram necessários para despertar o país e reforçar as hostes daqueles que lutavam pela industrialização como agente de progresso e de estabilidade econômica. O primeiro veio abalar o próprio agrarismo e sua fé no cultivo do solo "altamente remunerador, mesmo com processos rotineiros": foi a depressão econômica que já atingira os países industrializados e que, em 1875 alcançaria o Brasil onde a manifestação mais espetacular da crise foi a falência de vários estabelecimentos de crédito, dentre eles o Banco Nacional e o Banco Mauá. O país entraria num longo período de mal-estar econômico, ora atenuando-se, ora agravando-se, principalmente com a crise cafeeira de 1880-1886, mal-estar este que seria um fator decisivo no desenvolvimento do nosso nacionalismo econômico.

O segundo veio provocar e unir em suas reivindicações a própria indústria existente que se debatia em crise, incapaz de se firmar diante da concorrência cada vez maior dos produtos estrangeiros. O progresso técnico das indústrias européias e, de outro lado, o desenvolvimento dos meios de transporte, a penetração da estrada de ferro pelo interior do Brasil, a instalação das linhas telegráficas, tudo contribuía para mais um avanço na conquista dos mercados brasileiros pelas mercadorias estrangeiras. A técnica européia invadia a arcaica estrutura econômica do Brasil, ameaçando destruí-la. Do ponto de vista comercial, efetuava-se uma verdadeira conquista de nossos mercados consumidores. Era como se novo tratado de 1810 tivesse sido assinado, firmando a capitulação da nossa independência econômica. Desta vez, porém, já existia, no Brasil, frágil embrião de indústria que, em nome do nacionalismo, reagiria e procuraria impor-se por meio de uma política protecionista.

As reivindicações   Caracterizou-se essa fase do movimento industrialista
industrialistas   pelo congraçamento da indústria existente, que pela primeira vez no país se vai unir para tentar defender seus interesses e impor seus objetivos.

Iniciou o movimento a indústria de chapéus. A partir de 1873-1874, as fábricas de chapéus, cuja matéria-prima era o pêlo de lebre, começaram a sofrer a concorrência dos chapéus de lã fabricados na Alemanha, onde novos processos manufatureiros os faziam tão perfeitos a ponto de se confundirem com os de lebre e, naturalmente, por preço inferior. Seriamente ameaçados, os chapeleiros apelaram, inutilmente, tanto à Associação Comercial, como à comissão encarregada de rever a tarifa. Desesperados, recorreram à Sociedade Auxiliadora da Indústria Nacional, agremiação que, fundada em 1828, se ocupava, principalmente, com o aperfeiçoamento técnico da agricultura. Digladiado entre os pareceres das seções de agricultura, de indústria fabril e de comércio que sustentavam pontos de vista antagônicos, é significativo que, submetido à votação, tenha saído vitorioso o parecer da seção de indústria que advogava uma taxa alfandegária de quase 100%. Em vista desse resultado, resolveu-se enviar ao Governo uma representação, em nome da Sociedade Auxiliadora, concitando-o a promover o desenvolvimento industrial e amparar as fábricas já existentes, por meio de uma tarifa adequada. A representação não mereceu a menor atenção por parte dos poderes públicos. Não se dando, porém, por vencidos, continuaram os industriais, pela imprensa e por meio de opúsculos distribuídos gratuitamente, a defender a sua causa.

A constituição   Em meados de 1880, foi convocada, por uma circular
da Associação   assinada por 21 firmas industriais, uma reunião "de todos
Industrial   aqueles que se interessassem pelo desenvolvimento do

AS TENTATIVAS DE INDUSTRIALIZAÇÃO NO BRASIL

trabalho nacional". Durante a reunião foram discutidos problemas concretos, como, por exemplo, a instabilidade da tarifa aduaneira, a necessidade de um inquérito industrial e, evidentemente, a urgência de uma política que animasse a indústria nacional. Como resultado prático deliberou-se fundar uma associação para a defesa dos interesses da classe e, poucos dias depois, estava constituída a Associação Industrial, cuja diretoria definitiva foi eleita em 1881. Estava a indústria organizada para a luta, tendo como líder, no Congresso, Antônio Felício dos Santos.

Era este natural de Minas Gerais e pertencia a uma família que se distinguira por suas atividades empreendedoras no campo da indústria. Formara-se em Medicina, mas a política e as atividades industriais parecem ter absorvido grande parte do seu tempo e constituído a dedicação de sua vida. Era industrial de tecidos e, durante a República, o encontramos interessado na indústria de papel.

Manifesto da Associação Industrial   Iniciou a Associação Industrial sua luta divulgando um manifesto redigido por Felício dos Santos e que é um dos documentos básicos para se conhecerem as idéias que animavam o movimento inicial em prol da industrialização do Brasil. Era, essencialmente, um instrumento de propaganda e não defendia nenhuma doutrina econômica. Pleiteando, ao contrário, a objetividade e a consideração da realidade brasileira, constituía um libelo contra os doutrinários, os acadêmicos que, por convicção ou por interesse, queriam condenar o Brasil a permanecer um país essencialmente agrícola. Era um ataque contra o romantismo da posição liberal, dos "poetas-economistas", como dizia Felício dos Santos. Sua argumentação a favor da industrialização do país resumia-se no seguinte: o Brasil, graças a ela, não só obteria a independência econômica, mas resolveria alguns dos seus problemas, pois atrairia para o país braços e capitais estrangeiros, ocuparia uma população urbana desocupada que poderia suscitar uma questão social, livraria o país da vulnerabilidade de uma economia monocultora e, abastecendo o mercado interno, diminuiria a importação, aliviando a balança comercial.

Quanto ao protecionismo pleiteado, ele não se baseava em nenhum sistema preestabelecido. Pretendia, ao contrário, fundar-se na situação real do país, atingindo apenas as indústrias viáveis, conceito um tanto vago que sancionaria a existência de um regime de favoritismo. Refutando as acusações dos que advogavam um regime proibitivo, alegavam os industrialistas que as taxas solicitadas eram moderadas, pois reconheciam que taxas exageradas isolariam o país e não era isso o que desejava a indústria nacional. O que ela exigia, antes de tudo, era uma certa estabilidade aduaneira.

Dentre os argumentos protecionistas destacava-se o do desequilíbrio, no comércio exterior do Brasil, do balanço de pagamentos, argumento que talvez tenha sido o mais decisivo para uma certa mudança na orientação da política econômica brasileira, no fim do Império, e que, certamente, foi o elemento mais poderoso na evolução do nosso nacionalismo econômico. Já apontado no manifesto da Associação Industrial, esse argumento foi desenvolvido por Felício dos Santos, que chamava a atenção para o desequilíbrio real do nosso balanço de pagamentos, mascarado pelos saldos fictícios da balança comercial. Os conceitos exarados por Felício dos Santos e outros industrialistas do fim do Império floresceriam e se precisariam mais tarde, durante as primeiras décadas republicanas.

A tarifa Belisário — A campanha industrialista e a conjuntura econômica pareciam inclinar os poderes públicos para uma reformulação da política aduaneira. A queda dos preços do café, as oscilações cambiais, a situação econômica do país, toda uma conjuntura que traduzia as grandes transformações por que passava a nação, contribuíam para levar o Governo imperial a encarar o problema da necessidade de amparo à produção nacional em todos os seus aspectos e, em particular, ao fomento dos recursos naturais do Brasil. O desequilíbrio de nossa balança de pagamentos, especialmente, alarmava alguns de seus membros.

Do ponto de vista alfandegário, a nova orientação do Governo imperial evidenciou-se na tarifa Belisário, de 1887, que, entretanto, mais uma vez, se pautou pelos interesses do fisco. A proteção visou, principalmente, a certos produtos agropecuários, como o charque, o milho, o arroz, com o objetivo de favorecer a produção nacional e, particularmente, a dos estabelecimentos coloniais. Os industriais não deixaram de demonstrar seu descontentamento. As fábricas de tecidos de algodão e de juta moveram uma violenta campanha contra a tarifa de 1887, que havia aumentado os direitos sobre suas matérias-primas, o fio tinto de algodão e o fio de juta, e havia reduzido as taxas sobre os sacos, tanto de algodão, como de aniagem, a fim de favorecer a lavoura. Acentuavam-se, portanto, na política alfandegária brasileira duas tendências – a proteção à matéria-prima nacional, o que equivalia a uma defesa da produção agrícola e extrativa do país, e a defesa do consumidor, representado, principalmente, pelas classes rurais. Dentro, porém, dessas limitações, estava o Governo imperial disposto a levar avante uma política econômica de defesa e amparo da produção nacional, como atesta o projeto de revisão aduaneira encontrado nos arquivos do Ministério da Fazenda, quando se deu a transformação do regime, com a queda da Monarquia e a proclamação da Repú-

AS TENTATIVAS DE INDUSTRIALIZAÇÃO NO BRASIL

blica. Sob o novo regime é que se vai dar realmente o grande impulso industrial do Brasil. Suas bases, entretanto, estabeleceram-se nessas últimas décadas do Império. Os industriais, ainda em pequeno número, formavam já um núcleo coeso, capaz de impor ao Governo seus pontos de vista, embora não se tenha conseguido formular uma política protecionista propriamente dita.

Incapaz de se libertar das imposições fiscais e premido pelos interesses agrários, o Brasil já se envereda pelo caminho que, de modo geral, será seguido pela Primeira República, isto é, submeter-se-á a uma política de expediente que visará a proteção de interesses industriais já estabelecidos no país, mas que não conseguirá articular nem pôr em prática um vigoroso plano de industrialização.

CAPÍTULO III

VIAS DE COMUNICAÇÃO

UMA CARTA das vias de comunicações do Brasil, ao iniciar-se o Império, poucas modificações apresentaria com relação aos últimos tempos coloniais. É bem verdade que a grande expansão sertanista do século XVIII, mineradora ou pastoril, levara o povoamento a extensas áreas do interior, assegurando para Portugal, e conseqüentemente para o Brasil, a posse de tão dilatadas regiões e tornando o mapa do Brasil, resultante dos tratados de Madri e Santo Ildefonso, praticamente igual ao de hoje. É também verdade, contudo, que a administração colonial pouco interesse demonstrou pela abertura de caminhos interligando as várias partes do Brasil interior ou mesmo pondo-as em contato com o litoral. Ao contrário, o que se verifica durante boa parte daquele século é uma política de sentido proibicionista, traduzida em numerosos dispositivos determinando a proibição de abertura de caminhos ou mandando fechar os poucos existentes, especialmente nas áreas de mineração, onde o zelo excessivo em torno do problema do contrabando pode ser invocado como atenuante a uma série de medidas opressivas e de flagrante prejuízo para o país e para a própria Metrópole. Apenas as áreas pastoris, cobertas rapidamente pela grande expansão do gado, oferece-nos uma rede importante de caminhos de tropas, balizas de uma ocupação permanente, origem, por sua vez, de um povoamento ligado àquela atividade pastoril e às muitas que lhe eram correlatas: currais, pousos, roças, feiras etc.

Sensível modificação operar-se-á sob os últimos vice-reis. Uma preocupação de melhor conhecimento do Brasil por parte do Estado português, derivada sobretudo das obrigações decorrentes dos tratados de limites, vai determinar, naquele fim de século XVIII, um inusitado trabalho de exploração geográfica, através de levantamentos topográficos e cartográficos e reconhecimento dos rios, especialmente os da Bacia Amazônica, de

VIAS DE COMUNICAÇÃO 55

que são testemunhos os relatos de Lacerda e Almeida e Alexandre Rodrigues Ferreira. Mesmo antes, ao tempo de Lavradio, por exemplo, houve um interesse maior na abertura de estradas e no aproveitamento de algumas vias fluviais, como transparece do famoso relatório deixado por aquele ilustre vice-rei.

Caminhos para as Minas no início do século XIX

Na área mineradora, a de maior densidade de população ao iniciar-se o século XIX, o chamado *caminho novo* aberto por Garcia Rodrigues Paes em princípios da centúria anterior, praticamente constituía a única ligação efetiva entre as Minas Gerais e o Rio de Janeiro. Nele, ao tempo de D. João VI, abriram-se algumas variantes visando facilitar as comunicações do litoral com o planalto: o *Caminho do Comércio*, a *Estrada Nova* e o *Caminho da Serra*, este partindo da cidade do Rio de Janeiro e não dos portos do interior da Guanabara, como os outros, embora o percurso misto (marítimo e terrestre) continuasse sendo, por muito tempo, o mais usual, entre outras razões, para evitar-se a travessia dos terrenos úmidos na Baixada Fluminense. Quase todos os viajantes estrangeiros que do Rio viajaram para Minas, na primeira metade do século XIX, e se utilizaram, portanto, dessas estradas deixaram expressivas descrições. Assim, por exemplo, sabemos que até 1814, ano em que D. João ordenou a pavimentação do *Caminho da Serra*, ele nada mais era do que uma picada, um desses caminhos de tropa abertos através da floresta, que as chuvas esburacavam e que a sombra densa das árvores tornava sempre lamacentos; só entre escorregões e quedas podiam os burros caminhar, enterrando-se até os joelhos nos buracos mais fundos; alguns quase morriam chafurdados na lama, enquanto outros, às vezes, morriam no próprio local, o que era assaz deprimente para a estrada mais importante do país. Do Porto da Estrela (um dos muitos portos de transbordo na Baixada Fluminense), deixou Saint-Hilaire vívida descrição: "Desde que estou no Brasil ainda não vi lugar com tanta vida e animação." Pelas ruas, com seus empórios variados, seus grandes armazéns de sal, seus hotéis, havia, ainda, a balbúrdia dos mineiros com suas mercadorias, animais carregados e descarregados, enfim, uma confusão em que ninguém se entendia. A evocação deste passado torna mais impressionantes a solidão e o silêncio que hoje dominam aquelas paragens completamente abandonadas.

Partindo do Porto da Estrela, entrava-se pela planície ora arenosa, ora pantanosa. "O caminho é impraticável em tempo de chuva", diz Cunha Matos, e Langsdorff acrescenta: "Pode-se passar com o risco de vida. Os animais que conduzem fardos de algodão, mercadorias e víveres caem nos brejos, são carregados pelas águas e não existem pontes e nem estradas apenas a seis léguas da Capital. Negros, animais e mercadorias perdem-se bem próximos à residência real." Era com dificuldades, portanto, que, em três horas, se alcançava a Fazenda Mandioca, onde tinha começo a subida da serra pela estrada calçada. Esta provocara grande admiração, por ser a única no gênero; comparavam-na às estradas de montanha da Europa. Entretanto, a maioria dos viajantes que dela se serviram refere-se mais aos seus defeitos do que às suas qualidades. Numa distância de cerca de légua e meia, da raiz ao alto da serra, ela era construída de grandes pedras irregulares, simplesmente colocadas sobre o leito, e num perfil fortemente inclinado. Os animais mal podiam equilibrar-se e os carros ofereciam grande perigo, pela quantidade de ziguezagues e subidas às vezes íngremes. Sem dúvida, representava um enorme progresso, em vista das dificuldades e dos perigos a que se estava exposto anteriormente. Levavam-se, por esta estrada, duas horas para alcançar o alto da serra, onde o calçamento era substituído pela velha picada.

À medida que avançamos para os meados do século XIX, assistimos à época do esplendor da terra fluminense, graças ao café que dominará inteiramente a região serrana, desempenhando o importantíssimo papel de remover a solução de continuidade que até a primeira metade do século existia no povoamento entre a Baixada e a divisa de Minas Gerais. Extensas áreas, até então praticamente desertas, foram ocupadas definitivamente e, dentro em breve, vieram a se transformar num dos celeiros da agricultura fluminense e num dos esteios mais fortes da economia nacional. Papel preponderante neste movimento de ocupação das novas áreas cafeeiras desempenhou o *rush* de mineiros que, já desde fins do século XVIII, se dirigia para as terras fluminenses, como conseqüência da acentuada decadência da mineração e que, agora, nos meados dos século XIX, passou a colonizar os férteis vales do Muriaé, do Pomba, do Médio e Baixo Paraíba, onde surgiram alguns dos maiores centros cafeeiros do país. Tão grande expansão povoadora, ligada diretamente ao café, determinou a necessidade de melhorar os meios de transporte. Daí as inúmeras estradas ligando os municípios cafeeiros, todas elas em condições favoráveis ao escoamento da produção, verdadeiras *estradas do café*, que só perderam sua função com o advento da era ferroviária, na segunda metade do século.

Caminhos paulistas Se na área próxima à Corte são precárias as vias de comunicação neste início de século, não será difícil avaliar-se o que ocorria, a este respeito, nas outras regiões do país.

VIAS DE COMUNICAÇÃO

Precária era igualmente a via de acesso da Baixada Santista ao Planalto Paulista. Ali, também, no velho *caminho do mar*, fizeram-se melhoramentos no fim da era colonial (a *calçada* do Lorena), mas foi apenas com o advento do café que as comunicações foram efetivamente adaptadas a um tráfego mais intenso: a *Estrada da Maioridade* e, posteriormente, a *Estrada do Vergueiro*. Cumpre lembrar, porém, que o Planalto Paulista constituía, desde o século XVIII, um excelente nó de comunicações, dali partindo o caminho para o Sul, o caminho para Goiás e, pouco depois, o caminho pelo Vale do Tietê, subsidiário das *monções* para Mato Grosso, que tinham seu ponto de partida em Porto Feliz. À medida que o Oeste paulista se foi povoando, novas rotas de penetração foram sendo abertas, substituindo as velhas picadas ou os antigos caminhos de tropas que acompanhavam os espigões divisores das águas dos vários afluentes do Paraná. Por uma delas, já o futuro Visconde de Taunay, então oficial de engenharia, pôde regressar de Mato Grosso, em 1866, por ocasião da desastrada retirada de Laguna. O fato é digno de menção, se considerarmos que, dois anos antes, para atingir o sul mato-grossense, a malograda expedição de que Taunay participou teve de seguir pelo caminho de Goiás, até Uberaba, e de lá infletir para Mato Grosso.

Ainda está por se fazer a história destes caminhos paulistas, especialmente o do sul, balizas todos eles de um povoamento definitivo que o café sedimentará. Ainda aqui, no interior de São Paulo, haverá que se esperar pelo café para que se modifique o panorama no que respeita aos transportes e às comunicações. E quando esta fase chegar, como se verá oportunamente, os velhos caminhos de tropas serão os pontos de referência para o assentamento dos trilhos da estrada de ferro.

A segunda metade do século XIX A era de melhoramentos materiais, que se abre para o Brasil ao aproximar-se a metade do século e que se traduz numa série de grandes iniciativas no que toca ao desenvolvimento urbano (transportes, abastecimento de água, saneamento, iluminação a gás...), refletir-se-á igualmente no setor da navegação e dos transportes terrestres. Se é exato que o mar foi a nossa principal via de comunicação durante todo o período colonial, saliente-se, contudo, que o aproveitamento das nossas grandes vias fluviais constitui capítulo importante neste setor, especialmente na Bacia Amazônica, onde, até hoje, os rios constituem a grande via de penetração, ou na Bacia Platina, onde os interesses brasileiros levaram, em mais de uma ocasião, a conflitos com nações vizinhas igualmente interessadas naquele sistema potamográfico. Única via de acesso para extensas áreas do Brasil Central, compreende-se o interesse direto e permanente do Império no Prata. Quanto ao Amazonas, as imensas possibilidades que se anteviam para o grande vale levaram o Governo imperial a abri-lo à navegação internacional (1866), tornando muito mais fáceis as comunicações do Amazonas com a Europa e com os Estados Unidos do que com o próprio Império. Fase de desenvolvimento vinculada ao chamado "ciclo da borracha", que fará o grande vale, inclusive, alvo da cobiça internacional em mais de uma ocasião.

Algumas outras vias fluviais – São Francisco, Doce, Araguaia – tiveram suas condições de navegabilidade sempre dificultadas por inúmeros fatores, desde as deficiências técnicas oferecidas pelos próprios rios até o sentido nem sempre muito lógico dos atos governamentais que lhes diziam respeito. Em muitos casos, como, por exemplo, no do Araguaia, fazendo com que a realidade se chocasse duramente com o entusiasmo e o idealismo de um Couto de Magalhães.

Compreende-se, portanto, que apesar de possuirmos vasta rede hidrográfica, das maiores do mundo, ela tenha sido tão pouco aproveitada, e assim, durante os séculos XIX e XX, os grandes empreendimentos, públicos ou particulares, visarão especialmente aos transportes terrestres.

Rodovias. A Estrada de Santa Clara Dois exemplos importantes, pelo menos, merecem menção neste setor. Na sua tentativa, nem sempre muito feliz, de colonização da área do Mucuri, no norte de Minas Gerais, o grande homem público que foi Teófilo Ottoni cuidou igualmente dos transportes, fazendo construir a *Estrada de Santa Clara* (1856), com cento e setenta quilômetros de extensão, ligando a colônia de Filadélfia (transformada na grande cidade de Teófilo Ottoni) ao litoral. Passa por ser a primeira rodovia do Brasil, embora as condições precárias em que viveu a colônia nos seus últimos anos a tenham tornado praticamente sem função. Mas não poderia deixar de ser mencionada num panorama como este.

A União e Indústria Muito mais importante foi a iniciativa, quase contemporânea, de Mariano Procópio fazendo construir a *Estrada União e Indústria*, ligando Petrópolis a Juiz de Fora. Trata-se, com efeito, do mais notável empreendimento rodoviário do século XIX, seja pelas condições de traçado da estrada e pelo seu acabamento, como pela sua importância econômica no período que precedeu as ferrovias. Datando de 1852, pretendia a *União e Indústria* ser um plano complementar do de Mauá, que, nessa mesma época, obtinha concessão para construir a primeira estrada de ferro no país. A Lei provincial 51, de 1854, garantiu juros de

VIAS DE COMUNICAÇÃO

5% sobre o capital que a Companhia formara para a construção da estrada, e o Governo imperial, por sua vez, concedeu mais 2%, ficando, assim, elevados a 7% os juros anuais sobre o capital destinado ao empreendimento. Iniciada em 1856, só em 1861 alcançava Juiz de Fora, numa extensão de 144 quilômetros.

Os viajantes estrangeiros que a percorreram mostraram-se entusiasmados com essa grande realização. Eis o que escreveu Agassiz: "Essa estrada é célebre, tanto pela sua beleza como pela sua perfeita execução. Vai-se de Petrópolis a Juiz de Fora de carro, do levantar ao pôr-do-sol, numa boa estrada de rodagem que não faz inveja a qualquer outra do mundo. A cada intervalo de dez ou doze milhas encontra-se uma muda de animais descansados em elegantes estações em forma quase sempre de chalés suíços. Esses postos são quase todos mantidos por colonos alemães, outrora contratados em seu país para a construção da estrada, e cuja emigração constitui por si mesma uma grande vantagem para a província. Por direito, nenhum escravo pode ser empregado da Companhia. Os trabalhadores são alemães ou portugueses. Os contratos proíbem expressamente o emprego de escravos. Infelizmente, a regra nem sempre é estritamente observada, por isso que nos trabalhos de certo gênero não se achou meio de substituir essa pobre gente" (*Viagem ao Brasil*, p. 94). Ainda sobre a *União e Indústria* escreveu Emmanuel Liais: "Em meio de um vale dos mais acidentados do globo – verdadeiro vale alpino – uma estrada magnífica, com declives suaves e regulares, como poucas existem mesmo na Europa, trabalho gigantesco pelas imensas obras de arte que exigiu, liga Petrópolis a Juiz de Fora."

Com seu leito macadamizado – processo que era novidade na própria Europa –, com suas pontes metálicas, suas estações de muda (uma delas ainda pode ser vista, prestes a ser transformada em museu rodoviário), com sua linha regular de diligências, talvez a única do Brasil, tão regular que justificou a publicação de um *guia da viagem* (precioso documento, único mesmo na história dos transportes em nosso país, há alguns anos reeditado pelo Museu Imperial de Petrópolis), constitui a *União e Indústria*, com efeito, uma estrada única no Brasil, sem dúvida o maior empreendimento rodoviário de todo o século XIX. Todavia, não foi dos mais felizes o fim da importante empresa. O alto custo da estrada, a amortização demorada dos capitais levantados em Londres e no Rio de Janeiro e a penetração da ferrovia (a *Pedro II*) pelo Vale do Paraíba, arrecadando-lhe as mercadorias, num transporte direto para a Corte, foram os motivos de sua encampação pelo Governo imperial sob as bases do Decreto nº 3.325, de 29 de outubro de 1864. Finalmente, em 1869, a Companhia foi obrigada a transferir para a *Pedro II* todo o seu transporte de cargas, que ficaria centralizado em Entre-Rios (atualmente Três Rios). Venceu, assim, a estrada de ferro no seu primeiro combate com a estrada de rodagem, no Brasil. Era a época francamente "ferroviária" que havia chegado.

A era ferroviária. Primeiras iniciativas Apenas decorrido um lustro desde o estabelecimento definitivo da estrada de ferro no mundo, cuidou o Brasil da introdução de tão importante melhoramento. As dificuldades a vencer eram, ainda, inúmeras, não sendo das menores a falta de confiança no novo invento, o qual, mesmo na Europa, não vencera ainda a resistência daqueles que nele não acreditavam. Eis por que se nos afigura da maior importância a chamada Lei Feijó, sancionada pelo então Regente do Império, aos 31 de outubro de 1835, visando ligar o Rio de Janeiro às capitais de Minas Gerais, Rio Grande do Sul e Bahia. Estabelecia, entre outras vantagens, privilégio de 40 anos, isenção de direitos de importação para todas as máquinas durante os 5 primeiros anos, cessão gratuita dos terrenos necessários à estrada, se pertencessem ao Governo, e o direito de desapropriação no caso de pertencerem a particulares, estabelecendo, ainda, o prazo de 80 anos para a concessão, findo o qual reverteria ao patrimônio nacional. Apenas não definia nem delimitava zona privilegiada.

Essa rede, se construída, teria uma extensão superior a 5.500 quilômetros. Entretanto, transcorreu o primeiro centenário da Lei Feijó sem que o seu plano estivesse completo, pois a ligação Rio–Bahia só se fez em nossos dias com o entroncamento da Estrada de Ferro Central do Brasil com a Viação Férrea Leste Brasileiro, na cidade mineira de Monte Azul. O ambiente ainda pouco favorável às estradas de ferro, a grandiosidade do plano em relação às nossas possibilidades, bem como as agitações políticas que conturbaram a vida do país naqueles anos difíceis da Regência foram os responsáveis por nenhum resultado ter produzido essa primeira lei ferroviária, o que não impede seja considerada digna de menção, pois, como já se acentuou, naquela época, mesmo na própria Europa, muita gente punha em dúvida as vantagens da estrada de ferro.

As primeiras leis ferroviárias paulistas Votada a lei de 1835, logo no ano seguinte a Assembléia provincial de São Paulo estudava outro plano grandioso de viação, num sistema combinado de estradas de ferro, canais e rodovias, e que foi traduzido em lei aos 18 de março de 1836. Não teve, entretanto, sequer começo de execução esta lei: foi revogada e

VIAS DE COMUNICAÇÃO

substituída pela de 30 de março de 1838, que a reproduziu com pequenas alterações. Outorgava à firma Aguiar, Viúva, Filhos & Cia. e à Platt & Reid concessão para ligar Santos ao planalto ou, mais precisamente, às então vilas de São Carlos (Campinas), Constituição (Piracicaba), Itu ou Porto Feliz e Moji das Cruzes, acrescentando que se cuidaria também da ligação do Paraíba ao Tietê. Deveria ser atacada em primeiro lugar a estrada São Paulo–Santos, cujas obras começariam dentro de 3 anos. As localidades mencionadas eram, então, as mais importantes da Província. Tinham sua economia baseada ainda na cana-de-açúcar, mas o café, vindo pelo Vale do Paraíba, já fazia sua investida pelo Oeste paulista, particularmente na região de Campinas. Seria, dentro de poucos anos, o esteio da vida provincial, suplantando de longe a preciosa sacarífera.

Tal como a Lei Feijó, e tal como a anterior de 1836, não chegou a produzir resultado esta segunda lei paulista, embora a firma interessada houvesse confiado os estudos preliminares a um engenheiro inglês por ela contratado. As mesmas razões que prevaleceram no caso da lei geral podem ser também invocadas para explicar a inexeqüibilidade da lei provincial de 1838. Convém observar, todavia, que foi essa a primeira concessão de estrada de ferro outorgada no Brasil. Já se previa que a ferrovia teria de galgar o planalto por meio de planos inclinados e máquinas fixas, tal como foi, mais tarde, efetivamente realizado. Deve-se notar, ainda, que o Governo provincial já se preocupava com os problemas de colonização e de trabalho livre, tanto que uma das cláusulas do contrato proibia taxativamente o emprego de mão-de-obra escrava nos trabalhos de construção da estrada.

Thomas Cockrane Em 1839 surge no panorama brasileiro a figura idealista e realizadora de *Thomas Cockrane*, inglês de nascimento que vai ligar seu nome a novos empreendimentos, a princípio também fadados ao fracasso, mas cuja experiência será de grande vantagem para as realizações futuras, que culminaram nas primeiras vitórias da era ferroviária.

"Era natural – lembra Alberto de Faria – que a um súdito inglês coubesse a iniciativa na realização dos caminhos de ferro, uma vez que o Governo não a quis tomar a si. A Inglaterra é a pátria do caminho de ferro. Era de louco supor que um brasileiro pudesse ser o iniciador de tal empreendimento. Não havia capitais, não havia homens, nem podia haver ideais num corpo comercial e industrial cuja base de operações era a importação de escravos da costa d'África" (*Mauá*, p. 164, Rio, 1925).

A 1º de julho de 1839 requereu Cockrane, nos termos da lei de 1835, privilégio para construção de exploração comercial de uma estrada de ferro do Rio de Janeiro até o Vale do Paraíba. No ano seguinte foi-lhe outorgada a concessão até a província de São Paulo, com ponto terminal em Cachoeira, ou seja, até onde, na época, se considerava navegável o Alto Paraíba. Não se falava em garantia de juros, nem em subvenções quilométricas, havendo, contudo, o direito de cobrança de taxas sobre passageiros e mercadorias, além de outros favores.

Organizou-se, assim, a *Imperial Companhia de Estrada de Ferro*, com capital de oito mil contos, julgado, ao que parece, suficiente para a construção de toda a linha referida na concessão. Apesar do entusiasmo inicial que a idéia despertou, três anos depois não se havia, ainda, integralizado o capital. Cockrane atribuía tais dificuldades ao estado revolucionário das Províncias de Minas e São Paulo. Além disso, a ausência de garantia de juros era um obstáculo à realização da empresa. Em 1843 foi solicitada uma prorrogação por mais 2 anos do prazo estipulado para o início das obras, o que não isentou o pagamento de multa pelo não-cumprimento de disposições contratuais. Cockrane não se deixou dominar pelo desânimo. Lançou as vistas para a Europa, reconhecendo, então, que os favores concedidos no Brasil eram inferiores, por exemplo, aos que o Governo inglês outorgava para as vias férreas nas próprias Ilhas Britânicas. Dificilmente, portanto, poderiam capitais europeus ser atraídos ao Brasil. Por essa época, adotou a Rússia o sistema de garantia de juros, imitado logo por outros países e pela própria Inglaterra para a construção das primeiras ferrovias na Índia. Verificou Cockrane que, ao Brasil, não restava outro caminho senão acompanhar as nações européias no alargamento das vantagens concedidas às empresas ferroviárias. Todavia, seu pedido de garantia de juros arrastou-se na Câmara até 1852 sem qualquer solução.

A malograda tentativa de Thomas Cockrane consumiu todo o período de 1840 a 1852 e o único fruto que nos legou foi este, de ter evidenciado que, para a obtenção de capitais, se faziam necessários favores mais amplos, entre os quais avultava a concessão de garantia de juros.

Antes de encerrar esta parte relativa às tentativas, cumpre citar dois empreendimentos fluminenses, de pequenas estradas, um outorgado pela lei provincial de 9 de maio de 1840, e outro pela lei provincial de 28 de maio de 1846. A primeira estabelecia a ligação da Vila do Iguaçu a um ponto qualquer da Baía de Guanabara, indicado, depois, como sendo a Barra do Sarapuí; a outra, também no recôncavo da Guanabara, podendo atingir igualmente a Vila de Iguaçu. Nenhum destes projetos teve sequer começo de execução.

VIAS DE COMUNICAÇÃO

A segunda fase da história ferroviária

A partir de 1850 o meio brasileiro tornou-se bem mais favorável a empreendimentos de natureza tão arrojada. De um lado, porque a situação política do país tornou-se estável, com o fortalecimento da ordem pública interna, e, de outro, porque a extinção do tráfego de escravos pela Lei Eusébio de Queiroz, daquele ano, deixou livres muitos capitais até então empregados no comércio negreiro. A verdade é que uma nova era de prosperidade abre-se para o país na segunda metade do século, refletindo-se nos mais variados setores da vida nacional, principalmente no desenvolvimento da civilização material.

Assim, a Lei n° 641, de 26 de junho de 1852, marca o início da segunda fase da história ferroviária do Brasil. Vazada em moldes mais práticos do que as leis anteriores, isto é, cercando as concessões de favores mais sólidos e positivos, como o *privilégio de zona* e a *garantia de juros*, encerra a fase inicial, o período das tentativas e dos ensaios precursores, e abre a era em que efetivamente começa a construção de linhas férreas no país. Não se refere mais a toda a rede da Lei Feijó, mas apenas à ligação da Corte com as capitais das Províncias de Minas Gerais e São Paulo. Isto não significava obviamente que se não pudesse dar concessão para qualquer outra linha em outras regiões do país, mas nesse caso ficaria na dependência de aprovação por parte do Legislativo, ao qual caberia resolver sobre a conveniência da estrada projetada e a oportunidade de sua construção em face das despesas que acarretaria para o Tesouro.

Todos os favores da antiga Lei Feijó foram reproduzidos no novo dispositivo, porém, "em termos melhor explícitos e em disposições melhor concatenadas", segundo observação de J. Palhano de Jesus. As duas inovações, já mencionadas, da nova lei (privilégio de zona e garantia de juros) foram animadoras. A primeira estabelecia cinco léguas (trinta quilômetros) para cada lado do eixo da linha. A segunda garantia o juro até 5%. Não havia limitação do capital a ser empregado na construção. Quando a situação propiciasse distribuir dividendos superiores a 5%, começaria o reembolso dos juros despendidos pelo Tesouro, de acordo com uma escala de porcentagens, que seria estabelecida de acordo com cada caso. Convém lembrar que, além da taxa de 5%, algumas providências, com o evidente intuito de incentivo a novos empreendimentos, vão estabelecer, ainda, um juro suplementar de mais 2%. Esta nova iniciativa coube à Bahia, seguida logo depois por São Paulo, Pernambuco e Rio de Janeiro, como maior estímulo para a construção das primeiras ferrovias em seus territórios.

Tal como a lei paulista de 1838, a nova lei de 1852 vedava a utilização do braço escravo nos trabalhos da estrada. Mais ainda: os trabalhadores nacionais poderiam ser beneficiados com a isenção do recrutamento militar, bem como com a dispensa do serviço ativo da Guarda Nacional. Tais disposições demonstram claramente o novo espírito de que se achava, então, animado o Governo imperial com relação à política ferroviária.

Mauá   Marca, pois, a lei de 1852 o verdadeiro ponto de partida da viação férrea brasileira. Fato curioso, todavia, é o que se vai observar: se é certo que só o regime de garantia de juros poderia dar o indispensável impulso à construção da rede ferroviária, ocorreu, entretanto, que o trecho de estrada efetivamente realizado o foi independentemente de tal vantagem. Data desse mesmo ano de 1852 a concessão feita a Irineu Evangelista de Souza para a ligação do Rio de Janeiro ao Vale do Paraíba e, mais tarde, a Minas, por um trajeto misto: por mar, do Rio até o porto Mauá, na Baía de Guanabara; por estrada de ferro, de Mauá até a raiz da Serra da Estrela; por estrada de rodagem, daí até Petrópolis e novamente por estrada de ferro de Petrópolis em diante. Não se cogitava, então, de vencer a escarpa do planalto, pois as possibilidades técnicas ainda não o permitiam. Aliás, convém notar que a primeira estrada de montanha, nos Alpes, só foi inaugurada em 1853.

Afinal, a 30 de abril de 1854 foi inaugurado o primeiro trecho ferroviário do país, graças à tenacidade e ao esforço daquele que, desde então, teve associado ao seu nome o título evocador do pequeno porto guanabarino, ponto inicial de sua grande obra. Este primeiro trecho compreendia pouco mais de quatorze quilômetros, de Mauá até a estação de Fragoso. Só 2 anos mais tarde os trilhos alcançariam a raiz da serra.

Vale a pena recordar as palavras proferidas por Mauá, no ato da inauguração de sua estrada, presente o Imperador: "Esta estrada de ferro que se abre hoje ao trânsito público é apenas o primeiro passo na realização de um pensamento grandioso. Esta estrada, Senhor, não deve parar, e se puder contar com a proteção de Vossa Majestade, seguramente não parará mais senão quando tiver assentado a mais espaçosa de suas estações na margem esquerda do Rio das Velhas! Ali se aglomerará, para ser transportada ao grande mercado da Corte, a enorme massa de produção com que devem concorrer para a riqueza pública os terrenos banhados por essa imensa artéria fluvial, o Rio S. Francisco e seus inúmeros tributários" (*Autobiografia*, p. 127).

Vassouras e os   Enquanto se estudava um meio de vencer a serra, a pe-
Teixeira Leite   quena ferrovia encontrava na estrada até Petrópolis e, daí

em diante, na *União e Indústria*, duas magníficas auxiliares para o transporte das mercadorias do interior. Mas a construção da *União e Indústria* fora demorada e a ferrovia ficou limitada a servir apenas ao trecho do Rio a Petrópolis, o que, economicamente, não oferecia interesse. Só muitos anos mais tarde se viu prolongada, pois a transposição da serra naquela direção era empresa quase impossível para a época. Mais ainda: além de dificílima, não se recomendava muito para uma linha que devia servir à zona cafeeira, uma vez que as maiores fazendas de café estavam a oeste de seu eixo. Daí a idéia de outra ferrovia, propugnada pelo chamado *Movimento de Vassouras*, com os Teixeira Leite à frente e que teria a sua realização na *Pedro II*, hoje *Central do Brasil*. Acresce, ainda, que havia mais interesse em fazer partir a estrada de ferro da própria cidade do Rio de Janeiro e não de um dos portos do interior da Guanabara, como ocorreu com a estrada de Mauá.

Assim, à origem da *Central* estão ligados os nomes dos Ottoni e dos Teixeira Leite, os quais, ao lado do de Mauá, podem ser considerados os pioneiros da história ferroviária do Brasil, na sua fase de plenas realizações. Foram, aliás, os Teixeira Leite que deram maior impulso à opinião pública ao reclamarem a Lei nº 641, autorizando a garantia de juros de 5% para uma estrada de ferro partindo do Rio de Janeiro e bifurcando-se, além da serra, para Minas e para São Paulo.

"Era uma família rica, influente e considerada [os Teixeira Leite] e seus créditos concorreram para facilitar a associação de capitais. Não pareciam animados do simples desejo de ganhar dinheiro, mas possuídos da ambição da glória de prestar ao país um bom serviço. Contudo, com a concessão, fizeram despesas, relacionaram-se com capitalistas, fizeram vir da Inglaterra dois engenheiros, os irmãos Waring, que à custa deles, futuros concessionários, instituíram um reconhecimento da Corte até a margem do Paraíba" (Afonso de E. Taunay, *História do Café no Brasil*, IV, p. 400). Sobre a participação dos Teixeira Leite à frente do chamado *Movimento de Vassouras* escreveu Cristiano Ottoni: "Não se pode pensar na origem da Estrada de Ferro de D. Pedro II sem que, ao espírito, acuda, como idéia, a cidade de Vassouras (...) Foram os homens ilustrados de Vassouras (...) os protagonistas que se puseram em luta contra a incredulidade dos nossos maiores estadistas" (Taunay, *op. cit.*, IV, 401).

A essa "incredulidade" não escapavam algumas das mais preeminentes figuras da política imperial. É conhecida a frase de Bernardo Pereira de Vasconcelos: "É estrada de ouro, não de ferro; carregará no primeiro dia do mês toda a produção e ficará 30 dias ociosa!" Ou então a do Marquês do Paraná, respondendo aos vassourenses: "Caísse do céu prontinha a estrada que todos desejam e a renda não seria bastante para o custeio" (Alberto de Faria, *Mauá*, p. 184).

A Central do Brasil Ocorreu, a princípio, longo período em que se discutiu a situação jurídica da concessão feita 12 anos antes ao Dr. Thomas Cockrane, enquanto se abria concorrência pública para a construção da estrada, da qual participaram os já citados Teixeira Leite. Tanto o contrato de Cockrane foi dado por nulo – visto não ter sido possível ao interessado apresentar os estudos definitivos dentro do prazo estipulado – como a concorrência foi tornada sem efeito, julgando o Governo mais conveniente a organização de uma companhia, em Londres, com capacidade financeira para executar as obras. As disposições da praça de Londres eram boas e favoráveis à organização da empresa, e, por outro lado, as vantagens oferecidas pelo Governo brasileiro (garantia de juros e privilégio de zona) eram de molde a atrair capitais estrangeiros. Todavia, as perturbações do Oriente, que culminaram na Guerra da Criméia, modificaram sensivelmente a situação, e a essa circunstância deve-se o completo malogro das negociações celebradas em Londres, em setembro de 1853.

Só em princípios de 1855 assinou-se o contrato com o técnico inglês Edward Price para a construção do primeiro trecho da estrada, cujos pontos extremos deveriam ser: o inicial "um ponto ao lado norte da estrada de São Cristóvão, nos arrabaldes do Rio de Janeiro" e o terminal no "lugar próprio para estação, em uma planície junto ao Rio Guandu, que corre entre as fazendas denominadas Bom Jardim e Belém".

Simultaneamente, organizava-se, no Rio de Janeiro, a companhia, à qual, por decreto de 9 de maio de 1855, foi transferido o contrato assinado em Londres, com privilégio exclusivo pelo prazo de 90 anos, para "construir, usar e custear" uma estrada de ferro que, partindo da Capital, transpusesse a Serra do Mar no ponto mais conveniente e no espaço compreendido entre essa serra e o Rio Paraíba se dividisse em dois rumos, um dirigindo-se para Cachoeira, em São Paulo, e o outro ao Porto Novo do Cunha, nos limites do Rio de Janeiro e Minas Gerais. No mês seguinte foram iniciados os trabalhos da primeira seção, até Belém, cujo percurso foi completado e inaugurado em 1858. Aí começaram as grandes dificuldades de transposição da serra, vencida por uma série de 13 túneis, um dos quais com mais de dois quilômetros de extensão. Em 1863 inaugurava-se a Estação de Rodeio.

Desejavam os vassourenses que, vencido o chamado Túnel Grande, a linha se dirigisse para a sua cidade. Não o conseguiram, pois, estando a

VIAS DE COMUNICAÇÃO

companhia sem recursos, foi proposta a encampação pelo Governo, que viu maior conveniência em alterar o primitivo traçado, conduzindo a estrada pelo Vale do Sant'Ana até a Barra do Piraí, que se tornou o ponto da bifurcação, atingida pelos trilhos em 1864. Em 1867 a linha férrea alcançava Entre-Rios (atualmente Três Rios) e, em 1871, o Porto Novo do Cunha. Também nesse ano eram inaugurados os primeiros quilômetros do ramal de São Paulo, completado até Cachoeira em 1875.

Desde 1870 procediam-se aos estudos definitivos do traçado da chamada *Linha do Centro*, partindo de Entre-Rios e seguindo o Vale do Paraibuna, a fim de atravessar a Mantiqueira, em demanda do Vale do São Francisco. Na Mantiqueira, num traçado facilmente identificável com o roteiro das penetrações paulistas do século XVIII, seguiu a linha pela rota tradicional das bandeiras, pela "garganta" de João Aires, baseado na conveniência de levar a grande via de comunicação ao ponto mais central e mais importante para o sistema de viação geral da província – o Planalto de Barbacena, comum aos três vales (São Francisco, Doce e Grande), que englobam pelo menos quatro quintos da superfície total de Minas Gerais. Atingido esse ponto, poderia a estrada optar por três direções: a) pelas nascentes do Rio Piranga ou de seus afluentes penetrar no Vale do Rio Doce; b) pelo Rio das Mortes penetrar no Vale do Grande e estender-se até a sua seção navegável; e c) seguindo pelo traçado indicado para o Vale do Rio Doce, atravessar a Serra das Vertentes e penetrar diretamente no Vale do São Francisco, por qualquer de seus afluentes, o Paraopeba ou o das Velhas. Foi este último, o traçado preferido. Partindo de Juiz de Fora (atingida em 1875), os trilhos galgaram a Mantiqueira, alcançando Barbacena em 1880 para, 8 anos mais tarde, atingirem Ouro Preto, então capital da Província mineira. Nessa ocasião, a extensão total da estrada, incluindo os pequenos ramais de Paracambi (inaugurado em 1865) e de Santa Cruz (entregue ao tráfego em 1878), era de 828 quilômetros, e a renda líquida era de 5.692:815$000 (ou, em moeda atual, mais de cinco mil e seiscentos cruzeiros).

A Santos–Jundiaí Graças às garantias asseguradas pela lei de 1852, outras estradas surgiram, em diferentes regiões do país: a do *Recife a S. Francisco*, que teve sua primeira seção – do Recife a Cabo – inaugurada em 1858: a *Estrada de Ferro da Bahia ao São Francisco*, cuja construção foi iniciada em 1863; e a *Estrada de Ferro de Santos a Jundiaí*, estabelecendo a ligação entre o litoral e o planalto de São Paulo e fadada a desempenhar papel de relevância na vida econômica do país.

Sua concessão data de 1856, quando o Governo, pelo Decreto n? 1.759, de 26 de abril daquele ano, autorizou o Marquês de Monte Alegre, o Conselheiro Pimenta Bueno e o Barão de Mauá a incorporarem, fora do país, uma companhia que se encarregasse de "construir, usar e custear uma estrada de ferro que, partindo das vizinhanças da cidade de Santos, onde for mais conveniente, se aproxime da de São Paulo e se dirija à vila de Jundiaí".

A necessidade da construção da grande artéria era reconhecida por todos quantos se interessavam pelo progresso de São Paulo. Em 1855, o Conselheiro José Antônio Saraiva, Presidente da Província, calculava em dois milhões e meio de arrobas a produção do café, açúcar e outros gêneros que deviam ser transportados pela estrada projetada e em um milhão de arrobas a quantidade de gêneros importados; portanto, três milhões e quinhentas mil arrobas transportáveis pela via férrea. Isto, sem calcular o transporte de passageiros, cujo número seria avultado, pois passavam anualmente pela barreira do Cubatão cerca de 40 mil cavaleiros. E apontava as vantagens que adviriam da construção dessa estrada: o desenvolvimento do comércio de Santos, o desenvolvimento do trabalho livre e da colonização, a redução do preço dos transportes a uma terça parte do que se pagava, o melhoramento dos processos industriais, o aumento do valor das terras, a cessação das despesas públicas com a estrada a ser substituída pela linha férrea, a influência da facilidade das comunicações sobre o "estado moral e político" da província e, finalmente, a criação do "espírito de empresa".

A concessão de 1856 tornou possível a organização, em Londres, da *São Paulo Railway*, e em novembro de 1860 puderam ser iniciados os trabalhos da construção. A barreira da escarpa do planalto, com uma diferença de nível de 800 metros, implicou numerosas dificuldades de ordem técnica, superadas, afinal, pelo sistema de planos inclinados e pela construção de inúmeros túneis e viadutos. Em julho de 1864 inaugurava-se o primeiro plano inclinado e, em 1866, a linha atingia São Paulo. Estava, pois, construído o primeiro lance do sistema ferroviário paulista, precisamente o mais importante e mais difícil, ao qual viriam ligar-se posteriormente numerosos outros, à medida que a onda verde dos cafezais ia se alargando pelo território paulista. Durante mais de meio século constituiu a *São Paulo Railway* o "funil" por onde deveria escoar-se toda a produção do planalto paulista.

Outras estradas em São Paulo
Pouco depois de inaugurada a estrada de Santos a Jundiaí (1867), cuidou-se do primeiro projeto de articulação ferroviária, fazendo partir uma nova via férrea da estação de Rio Grande,

VIAS DE COMUNICAÇÃO

naquela estrada, para o Vale do Paraíba, até Jacareí. Da importância desta linha, dizia Saldanha Marinho, então Presidente da Província, que se obteria "um extraordinário aumento da riqueza pública e notável prosperidade da Província de São Paulo". Esse melhoramento interessava a cerca de 200 mil habitantes, os quais seriam, assim, tirados da grande segregação em que viviam, obtendo fácil, rápida e barata comunicação não só com a capital, como, principalmente, com o considerável mercado de Santos. Uma parte importante do sul de Minas se aproveitaria com isto, o que seria de grande vantagem para São Paulo. Apesar da boa vontade do Governo, como se depreende do relatório cheio de entusiasmo da Saldanha Marinho, fracassou este primeiro projeto de ligação com o Vale do Paraíba, e as disposições que lhe diziam respeito foram revogadas em 1871, pela mesma lei que autorizou a construção da linha São Paulo a Cachoeira, a fim de encontrar a *Pedro II* procedente do Rio de Janeiro.

O mesmo homem público que então dirigia os destinos de São Paulo lembrava, ainda, que a estrada de ferro não deveria parar em Jundiaí. O prolongamento deveria ser feito para Campinas, a capital agrícola da Província, onde mais se desenvolvera a cultura cafeeira. Essa idéia não poderia deixar de interessar aos grandes fazendeiros da região de Campinas, já que a companhia inglesa não se interessava pelo prolongamento de suas linhas e o Governo provincial não dispunha de meios suficientes para levar avante a empresa. Dela resultou a *Companhia Paulista*, a cuja frente se colocaram os grandes nomes da lavoura de café de então. A 11 de agosto de 1872 inaugurou-se o primeiro trecho, até Campinas, alcançando Rio Claro em 1876. Estrada tipicamente cafeeira, a *Paulista* estenderá mais tarde seus trilhos aos vales do Pardo e do Mojiguaçu, de um lado, e de outro na direção de São Carlos, Araraquara, Jabuticabal, até o Vale do Rio Grande, figurando, numa carta do Estado, como verdadeira espinha dorsal, lançando ramificações ou entroncando-se com outras estradas, contribuindo de maneira notável para a valorização das áreas por ela servidas, criando zonas pioneiras e levando uma de suas linhas a transpor o Tietê e ao longo do espigão divisor Peixe-Aguapeí alcançar as margens do Paraná.

O mesmo ano da inauguração das primeiras linhas da *Paulista* assistiu à fundação de quatro outras estradas de ferro em São Paulo: a *Ituana*, a *Sorocabana* (reunidas mais tarde), a *Mojiana* e a *São Paulo–Rio de Janeiro*, esta última posteriormente incorporada à *Central do Brasil*. A primeira estabeleceu a ligação Jundiaí–Itu (1873), alcançando, depois, Piracicaba (1879); a segunda ligou São Paulo a Sorocaba (1875) e a Ipanema

(1877). Com o tempo, estenderá suas linhas ao longo do território paulista, sendo a primeira via férrea a atravessá-lo praticamente em toda a sua extensão, numa faixa contínua de trilhos. Com a *Mojiana*, fundada em Campinas em 1872, repetiu-se o caso da *Paulista*: seus incorporadores eram, na maioria, fazendeiros nos vales do Jaguari e do Mojiguaçu. O primitivo projeto visando atingir apenas Mojimirim foi modificado e os trilhos alcançaram Casa Branca em 1878, São Simão em 1880, Ribeirão Preto em 1883, Franca em 1887 e as margens do Rio Grande em 1888, com ramais para Amparo, Serra Negra, Socorro, Pinhal e Poços de Caldas.

O Vale do Paraíba continuava, na segunda metade do século passado, a parte do território paulista onde mais condensada se achava a população. Por ali penetrara o café. Bananal e Areias foram os primeiros municípios produtores e em breve todo o vale se cobriria da rubiácea, de tal modo que, em 1835, os portos paulistas exportavam cerca de 96.700 sacas, sem contar uma parte da produção que, por facilidade de transporte, saía pelos portos fluminenses de Parati e Angra dos Reis. A marcha do café para o Oeste paulista mudará a situação, justificando a criação de novos meios de transporte, que encontraram nas ferrovias paulistas que mencionamos a plena realização e desenvolvimento de uma vida econômica que cada vez mais solidificava a Província paulista. As experiências de trabalho livre iniciadas em meados do século (Limeira, Campinas) e pouco depois a imigração italiana oficializada a partir de 1887 vieram contribuir não só para que São Paulo resistisse à crise da Abolição, mas, ainda, para afirmar brilhante posição econômica ao encerrar-se a centúria: mais de 3.300 quilômetros de ferrovias, quase dois milhões e trezentos mil habitantes e mais de meio bilhão de cafeeiros.

Ferrovias fluminenses e mineiras   No território do Rio de Janeiro outros centros de irradiação ferroviária surgiram na segunda metade do século. O primeiro, Porto das Caixas, sobre o Macacu, era tal como o Porto da Estrela, ponto de grande movimento pelo transbordo do café, transportado até ali em lombo de burros. Ali teve início (1860) a *Estrada de Ferro de Cantagalo*, a qual por muito tempo estacionou na raiz da serra, só no qüinqüênio 1871-75, prolongando-se para Nova Friburgo, a fim de capturar a zona cafeeira de Cantagalo. Macaé foi alcançada pela ferrovia nesse mesmo período, o mesmo acontecendo com Niterói, o que veio dar golpe de morte em Porto das Caixas. Foi este um dos últimos portos da Baixada a desaparecer, dando, assim, início à decadência dessa extensa região, por mais de meio século completamente inaproveitada. O outro ponto de irradiação ferroviária, encontramo-lo em Campos, onde,

VIAS DE COMUNICAÇÃO

por iniciativa de fazendeiros da própria região, foi construída uma rede de estradas, algumas pequenas, outras grandes, como a de *Carangola*, que estabeleceu ligação da planície campista com duas importantes áreas cafeeiras: a Zona da Mata, em Minas Gerais, e o sul do Espírito Santo.

Pela mesma ocasião, no oeste fluminense, sua rede ferroviária ligava e interligava cada vez mais os centros cafeeiros, acompanhando o Vale do Paraíba, na direção de São Paulo, e o Vale do Paraibuna, no rumo das Minas Gerais. Outras ferrovias ligando o Vale do Paraíba ao Sul de Minas vão, posteriormente, formar a trama incrível e pouco racional da Rede Mineira de Viação, enquanto que, em Minas Gerais, se procurava ligar o Planalto de Barbacena ao oeste de Minas, atingindo até a barra do Paraopeba.

Considerações finais Se nos alongamos, talvez em demasia, nos pormenores relativos aos primórdios da viação férrea no Brasil, nas áreas paulista, mineira e fluminense, foi apenas com dois objetivos: primeiramente, demonstrar os percalços e as dificuldades de toda a ordem que os pioneiros da estrada de ferro tiveram de enfrentar para que tão importante melhoramento se firmasse no consenso público e para que seus benefícios fossem definitivamente reconhecidos; em segundo lugar, para deixar bem clara a relação da estrada de ferro com a propagação da cultura cafeeira. Praticamente, a ferrovia, no Brasil, nasceu vinculada ao café e assim permanecerá durante quase toda a sua história. Uma crônica das numerosas estradas brasileiras mostrará à sociedade essa vinculação. Disso decorre, inclusive, a existência de uma rede que, examinada hoje num mapa ferroviário, nos dá a impressão de ausência total de plano e às vezes de verdadeira ilogicidade. Mas lembremo-nos de que ela foi, na maior parte, construída em função dos interesses dos fazendeiros de café, e quando, posteriormente, tais ferrovias foram agrupadas em redes maiores, como a *Leopoldina*, a *Paulista* ou a *Rede Mineira*, estas grandes empresas herdaram numerosas pequenas estradas, a maior parte das quais, pela itinerância do café, haviam perdido muito de sua função e se tornaram, por isso, verdadeiramente obsoletas. Tal fato é particularmente sensível em algumas áreas do Rio de Janeiro, do sul de Minas ou da zona servida pela *Mojiana*, em São Paulo.

A propósito da *Mojiana*, cumpre notar um fator altamente significativo e que se tornará uma das características da rede ferroviária paulista: o processo de captura, para a economia paulista, de extensas áreas de Minas, de Goiás, de Mato Grosso e do Paraná, as quais, por serem servidas por ferrovias paulistas, se tornaram tributárias de São Paulo, com ligações mais fáceis com a capital paulista do que com as suas próprias capitais.

Note-se, por outro lado, que em diversos pontos do território nacional procurou-se pôr em prática um sistema conjugado das ferrovias com a navegação fluvial. Foi o que aconteceu, por exemplo, com a *Paulista*, em relação ao Mojiguaçu, a *Sorocabana* com relação ao Piracicaba e ao Tietê, a *Rede Sul Mineira* com relação ao Rio Grande. Observe-se que a própria *Paulista*, numa certa época, denominou-se *Companhia Paulista de Vias Férreas e Fluviais*. Esse sistema conjugado poderia ter dado excelentes resultados se tivesse havido com relação às vias fluviais o mesmo interesse que houve para com a estrada de ferro. O que ocorreu, entretanto, foi exatamente o oposto: a não-adaptação da rede fluvial a condições de circulação mais eficiente implicou o abandono cada vez maior dessa pequena e quase primitiva navegação fluvial, a ponto de desaparecer completamente. Os nomes de Porto Ferreira, Porto Martins ou Porto João Alfredo, em São Paulo, apenas evocam um passado que, afinal, não está tão distante.

Poucas províncias chegaram ao fim do Império sem os benefícios da ferrovia. Apenas Amazonas, Maranhão, Piauí, Sergipe, Goiás e Mato Grosso. Nas demais, o ritmo do desenvolvimento foi bem menor e em algumas delas o que hoje existe pouco difere daquilo que o Império nos legou. Uma geografia das estradas de ferro brasileiras nos ajudaria a compreender situações importantes para a história do povoamento e da economia. Por exemplo, as necessidades de ligação de regiões geográficas diferentes, com bases econômicas igualmente diversas: o litoral do Nordeste ao agreste; o recôncavo baiano ao Vale do São Francisco; o litoral meridional ao planalto; a Lagoa dos Patos à serra ou à campanha gaúcha... No mais das vezes, as ferrovias, procurando as linhas de menor resistência do relevo, prosseguiam antigas rotas de penetração de mineradores ou de criadores de gado. E em algumas ocasiões com dificuldades imensas, como ocorreu com o planalto curitibano, onde a estrada que o ligou a Paranaguá constitui verdadeiro prodígio de engenharia. Como resultado, mais de 9.500 quilômetros de ferrovias apresentava o país ao proclamar-se a República.

Escaparia ao nosso objetivo prolongar este panorama até as primeiras décadas do século XX, que ainda transcorreram sob o signo da estrada de ferro. Com todos os seus defeitos, que vêm de sua própria origem, a rede ferroviária brasileira, especialmente nas regiões meridionais, desempenhou importantíssima função econômica e foi um poderoso fator para a

VIAS DE COMUNICAÇÃO 73

fixação do povoamento em dilatadas áreas. Em São Paulo, principalmente, este papel da estrada de ferro parece ter sido mais intenso do que em outras regiões do país, dando às ferrovias uma função também colonizadora, fazendo surgir e desenvolver importantes frentes pioneiras. Em São Paulo, a estrada de ferro vinculou-se de tal maneira ao povoamento, que os paulistas, ainda hoje, denominam as diferentes regiões de seu Estado com os nomes das ferrovias que as servem, o que não se observa em nenhuma outra região do Brasil: Paulista, Sorocabana, Noroeste, Mogiana, Alta Paulista, Média Mojiana etc., nomes que, no consenso popular suplantaram os nomes verdadeiramente geográficos que poderiam servir para a referida identificação regional.

BIBLIOGRAFIA SUMÁRIA

A. PINTO, Adolfo. *História da viação pública em São Paulo*. São Paulo, 1903.

BAPTISTA, José Luiz. "O surto ferroviário e seu desenvolvimento", *in Anais do III Congresso de História Nacional*, VI, Rio, 1942.

FARIA, Alberto de. *Mauá*, Rio, 1925.

NOGUEIRA de Matos, Odilon. "Evolução das vias de comunicação no Estado do Rio de Janeiro", *in Boletim Paulista de Geografia*, São Paulo, 1949.

_____ "O desenvolvimento da rede ferroviária e a expansão da cultura do café em São Paulo", *in Boletim Geográfico*, Rio, 1956.

PALHANO DE JESUS, J. "Rápida notícia da viação férrea do Brasil", in *Dicionário Histórico, Geográfico e Etnográfico do Brasil*, Rio, 1922.

SILVA, Moacyr. *Quilômetro zero: caminhos antigos, estradas modernas*, Rio, 1934.

_____. *Geografia dos transportes no Brasil*. Rio, 1940.

TAUNAY, Afonso de E. *A propagação da cultura cafeeira no Brasil*, Rio, 1934.

_____. *História do café no Brasil*, Rio, 1939.

CAPÍTULO IV

POLÍTICA TRIBUTÁRIA
NO PERÍODO IMPERIAL

Antecedentes A O SER proclamada a Independência do Brasil, herdava
o país defeituoso sistema tributário, a que se unia a
precariedade da organização administrativa, sobretudo no setor fiscal.
Não obstante o sentido figurado da frase, grande dose de verdade havia
na afirmativa que o então Príncipe Regente Constitucional fizera, dias
antes do grito do Ipiranga, de que Portugal, em suas relações com a antiga
colônia, queria "que os brasileiros pagassem até o ar que respiravam e a
terra que pisavam".[1] Mas, por outro lado, não deixava de ser altamente
imaginosa a promessa por ele também feita, na mesma ocasião, segundo a
qual os brasileiros teriam um sistema de impostos que respeitaria "os suo-
res da agricultura, os trabalhos da indústria, os perigos da navegação e a
liberdade do comércio", sistema esse tão "claro e harmonioso" que facili-
taria "o emprego e a circulação dos cabedais" desvendando "o escuro
labirinto das finanças", que não permitia ao cidadão "lobrigar o rasto do
emprego que se dava às rendas da Nação".[2]

Na realidade, os direitos aduaneiros de entrada, tolhidos em sua
maior área de incidência pelo tratado de comércio e navegação assinado
em 1810 entre a Inglaterra e Portugal, a cujos súditos foram concedidos,
em 1818, idênticos favores alfandegários, é que constituíam, então, numa
predominância que se manteria durante todo o Império, a principal fonte
de receita pública. Mas desde a abertura dos portos do Brasil ao comércio
direto estrangeiro, pela carta régia de 28 de janeiro de 1808, vários tributos,

---

[1] Manifesto do Príncipe Regente do Reino do Brasil aos Governos e Nações Amigas – de 6
de agosto de 1822.
[2] Manifesto de Sua Alteza Real o Príncipe Regente Constitucional, Defensor Perpétuo do
Reino do Brasil aos Povos deste Reino – de 1º de agosto de 1822.

POLÍTICA TRIBUTÁRIA NO PERÍODO IMPERIAL 75

a maioria dos quais tinha suas raízes em remota legislação colonial, foram criados ou reformulados, para ocorrer às urgências do Erário. Uns eram de caráter geral, outros de aplicação local, sendo utilizados, não raro, em favor apenas de determinadas instituições ou serviços. Era o caso, por exemplo, dos impostos criados por decreto de 13 de maio de 1809, para prover às despesas da Divisão Militar da Guarda da Polícia e da iluminação da cidade do Rio de Janeiro, pelo qual se vê que mesmo as licenças para pedir esmolas não eram concedidas gratuitamente.

Quadro tributário em 1822   Não resta dúvida, entretanto, de que os bens de consumo, seja através dos direitos aduaneiros, seja através de outros tributos internos, que repercutiam, naturalmente, no preço das mercadorias, é que suportavam a maior carga fiscal, ao lado de singelas tentativas de tributação da riqueza ou de suas manifestações exteriores. Assim, o quadro tributário que o Brasil nos oferece, no ano de 1822, pode ser delineado, na ordem de importância das contribuições que o compunham, da seguinte forma:

I – direitos aduaneiros de entrada, cobrados à razão de 15% sobre o valor oficial, estabelecido em pauta alfandegária, das mercadorias de procedência portuguesa e inglesa, e de 24% sobre o valor oficial dos artigos de outras origens, excluídos tanto de uma quanto de outra taxa os vinhos, licores, azeite e vinagres, cujos direitos de importação eram cobrados de acordo com tabela especial, baixada com o alvará de 25 de abril de 1818; nas alfândegas eram arrecadados, ainda, os direitos de entrada de escravos e, entre outras contribuições de menor vulto, os direitos de baldeação, os de guarda-costa, os de reexportação e o imposto de ancoragem dos navios estrangeiros;

II – dízimos, em que incorriam os gêneros de cultura e criação de todas as províncias, e para cuja cobrança, antes feita por administração ou por contrato de arrematação, com grave prejuízo e vexame dos contribuintes, o decreto de 16 de abril de 1821 estabeleceu novas regras;

III – imposto de exportação representado pela taxa de 2%; sobre todos os gêneros não sujeitos a qualquer outro subsídio ou direito de saída, na forma do alvará de 25 de abril de 1818;

IV – décima sobre o rendimento líquido anual dos prédios urbanos, ou sobre o valor do aluguel arbitrado, no caso de neles morarem seus donos; foi criada pelo alvará de 27 de junho de 1808 e ampliada por outro de 3 de junho de 1809;

V – sisa cobrada à razão de 10% sobre o valor de todas as compras, vendas e arrematações de bens de raiz, conforme também dispunha o alvará de 3 de junho de 1809;

VI – novo imposto de carne verde, estabelecido pelo alvará de 3 de junho de 1809, e que era constituído pela contribuição de cinco réis em cada arratel de carne fresca de vaca;

VII – imposto conhecido como "subsídio literário", pois destinava-se ao pagamento dos mestres-escolas, originariamente instituído pela carta régia de 10 de novembro de 1772, e que, no Brasil, corresponderia a um real em cada arratel de carne verde que se cortasse nos açougues, e a 10 réis em canada de aguardente da terra; nos termos da carta régia de 25 de agosto de 1805, a contribuição sobre a carne passou a ser de 320 réis sobre cada rês abatida, e a da aguardente para 10 réis por medida, regulada esta pela canada de Lisboa;

VIII – impostos sobre aguardente de consumo, fixados em decreto de 30 de agosto de 1813 e alvará de 30 de maio de 1820;

IX – imposto sobre seges, lojas e embarcações, conhecido também como "imposto do Banco", pois fora criado por alvará de 20 de outubro de 1812 para, com o seu resultado, constituir-se a cota da Fazenda Real no capital do Banco do Brasil;

X – imposto sobre o tabaco de corda, cobrado na base de 400 réis por arroba, de conformidade com o alvará de 28 de maio de 1808;

XI – novos e velhos direitos, que remontavam à antiga legislação portuguesa e de que eram vários os atos regulamentares, direitos esses pagos para o provimento de empregos e de outros títulos expedidos pelas autoridades gerais e provinciais;

XII – direitos sobre os escravos que se despachavam para as minas, velha contribuição decorrente do alvará de 3 de março de 1770 e que passou a ser cobrada na forma estabelecida pelo decreto de 20 de agosto de 1808;

XIII – imposto do selo do papel e décima das heranças e legados, ambos regulados por alvará de 17 de junho de 1809;

XIV – meia sisa dos escravos ladinos, assim entendidos, como expõe o alvará de 3 de junho de 1809, que criou este imposto, "todos aqueles que não são havidos por compra feita aos negociantes de negros novos e que entram pela primeira vez no país, transportados da Costa de África";

XV – contribuições diversas, como taxas dos correios, dízimos de chancelaria, terças de ofícios, direitos de portagem, pedágios, taxas de trânsito entre as províncias, cobradas, não raro, pelas autoridades locais.

POLÍTICA TRIBUTÁRIA NO PERÍODO IMPERIAL 77

Como se vê, amplo era o raio de ação do fisco ao liberar-se o Brasil da tutela portuguesa, embora os resultados financeiros não correspondessem à amplitude do campo tributário, nem a repercussão desses impostos ou os favores fiscais esporadicamente concedidos pudessem concorrer de forma especial para o desenvolvimento do país. E ao sistema, cuja rentabilidade provinha em sua maior parte dos impostos indiretos, faltava o sentido de eqüidade na distribuição dos encargos públicos, o que a décima urbana – tributo aplicado sobre um rendimento líquido, teoricamente a ser pago pelo proprietário do imóvel – poderia, de certo modo, atenuar.

*

* *

Primeira reforma aduaneira do Brasil independente   O primeiro ato importante, de natureza fiscal, expedido por D. Pedro I, em evidente represália política, foi o decreto de 30 de dezembro de 1822, que mandava sujeitar os gêneros de indústria e manufatura portuguesa aos direitos de 24% de importação; admitia a entrada do rapé estrangeiro em geral, mediante o pagamento do mesmo imposto, salvo o de produção inglesa, que incorria apenas em 15%, de conformidade com o tratado de comércio de 1810; e, finalmente, estabelecia taxas fixas em mil-réis para os gêneros denominados molhados. Agora, e por alguns anos ainda, ficaria a Inglaterra em situação de absoluto privilégio em suas relações mercantis com o Brasil, pois voltara a usufruir sozinha o tratamento de nação mais favorecida.

Precariedade financeira   A Martim Francisco Ribeiro de Andrada que, como primeiro Ministro da Fazenda do Brasil independente, procurara pôr em ordem as combalidas finanças a seu cargo, reorganizando, sobretudo, os serviços de arrecadação, sucedeu Manuel Jacinto Nogueira da Gama, o qual, em exposição datada de 26 de setembro de 1823, apresentava ao Imperador o estado em que encontrara a Fazenda Pública e que não era dos mais animadores.

Mas da precariedade de recursos do nascente Império, em luta ainda com a ex-metrópole, dá bom testemunho a circular expedida em 12 de janeiro de 1824 à administração das já extenuadas províncias, em que o novo Ministro da Fazenda, Mariano José Pereira da Fonseca, recomendava que elas, após satisfeitas as despesas necessárias à sua manutenção, concorressem com a maior porção possível de sua renda pública para os gastos extraordinários que a nação enfrentava para a defesa e reconhecimento de sua independência. É verdade que apelar para a criação de novos impostos, dada a impossibilidade de aumentar substancialmente os direitos alfandegários em face do regime aduaneiro vigente, seria mais difícil, sem dúvida, do que recorrer ao crédito externo ou às emissões de papel-moeda através do Banco do Brasil, expedientes logo postos em execução.

Política tributária da Constituição de 1824

Outorgada em 25 de março de 1824, a Carta Magna do Império, após a dissolução da Assembléia Constituinte, declarava ela em seu artigo 179, número 15:

"Ninguém será isento de contribuir para as despesas do Estado em proporção dos seus haveres."

Tratava-se, como se vê, de adiantado princípio de política tributária que muito se aproximava dos dispositivos da Constituição Francesa de 1791 ou da Carta Constitucional de 1814, sobre idêntica matéria, e que, a ser observado, implicaria a reforma completa do sistema fiscal brasileiro então em vigor. Mas, como não poderia deixar de ser, tal preceito ficou apenas na letra da lei, o que, aliás – em face da estrutura socioeconômica do país – não depõe demasiadamente contra os financistas da época, nem mesmo daqueles que os sucederam.

É de notar, ainda, que a Constituição de 1824, ao criar, pelo seu artigo 72, um Conselho Geral em cada Província, não conferiu àqueles órgãos competência para legislar sobre imposições fiscais, cuja iniciativa, nos termos do artigo 36, era atribuição privativa da Câmara dos Deputados.

Reconhecimento da Independência do Brasil e os tratados de comércio

E na Europa continuavam as negociações para o reconhecimento do novo Império, a que Portugal opunha tenaz resistência, só vencida quando a Grã-Bretanha se dispôs a precedê-lo nesse ato, ao ver ameaçada a renovação pelo Brasil do tratado de comércio de 1810, prestes a terminar. E, agora, desenvolvia a França também hábil luta diplomática, resolvida a conquistar as mesmas vantagens aduaneiras que sua antiga competidora comercial aqui desfrutava. Mas Portugal acabou reconhecendo o Brasil como Império independente, em tratado de paz e aliança assinado em 29 de agosto de 1825, o qual restabeleceu as relações comerciais entre as duas nações, cujas mercadorias ficaram, reciprocamente, sujeitas aos direitos de 15%. E por tratado de amizade, navegação e comércio firmado entre a França e o Brasil em 8 de janeiro de 1826, complementado pelos artigos adicionais de 7 de junho do mesmo ano, passaram as

POLÍTICA TRIBUTÁRIA NO PERÍODO IMPERIAL

mercadorias daquele país, mas sem a cláusula de reciprocidade, a pagar nos portos brasileiros os direitos também de 15%, idênticos, portanto, aos que a Inglaterra vinha usufruindo desde 1810 e que foram renovados no tratado com ela assinado em 17 de agosto de 1827. E, ainda em 1827, firmaram também tratados de comércio com o Brasil a Áustria, a Prússia, as Cidades Hanseáticas, pelos quais ficaram seus artigos igualmente sujeitos aos direitos de entrada estabelecidos para a nação mais favorecida. No ano imediato, eram ratificados, com idênticos favores, acordos comerciais com a Dinamarca, Países Baixos e Estados Unidos da América, cujo Governo, com o recebimento oficial de Silvestre Rebelo em 26 de maio de 1824, como Encarregado de Negócios do Brasil, fora o primeiro a reconhecer a Independência do Império.

Mas a assinatura dos tratados de comércio anteriores ao convencionado com os Estados Unidos, que, evidentemente, envolviam matéria tributária, instituindo privilégios em favor de determinadas nações, irritara sobremodo a Câmara dos Deputados, que se julgava diminuída em suas prerrogativas constitucionais. Daí, para cortar o mal pela raiz, a lei de 24 de setembro de 1828, em cuja elaboração Bernardo Pereira de Vasconcelos tivera papel preponderante, a qual em seu artigo 1º estipulava:

> "Os direitos de importação de quaisquer mercadorias, e gêneros estrangeiros, ficam geralmente taxados para todas as nações em quinze por cento, sem distinção de importadores, enquanto uma lei não regular o contrário."

A realidade dos fatos, entretanto, é que essa política liberal não iria alterar substancialmente as diretrizes do mercado consumidor brasileiro, que continuaria a depender, por muitos anos, em larga escala, dos fornecimentos da Grã-Bretanha.

Primeira lei orçamentária no Império   Não obstante algumas providências de ordem administrativa adotadas pelo Governo, no sentido de melhorar a arrecadação e fiscalização dos tributos, faltava a elas a necessária sistematização, do que decorriam, sem dúvida, as dilapidações e extravios a que se referia D. Pedro I, na fala com que abriu a Assembléia Geral de 3 de maio de 1827. E o passo inicial para "um sistema de finanças bem organizado" que o Imperador reclamava foi a votação da primeira lei de orçamento de 14 de novembro do mesmo ano, a qual, embora se referisse apenas ao Tesouro Público na Corte e Província do Rio de Janeiro, não deixava de traçar algumas normas em relação à receita e despesa das demais províncias. E por circular de 17 de dezembro, também de 1827, dirigia-se Miguel Calmon du Pin e Almeida, recém-nomeado Ministro da Fazenda, às Juntas das Províncias determinando a remessa ao Tesouro Nacional de relação circunstanciada não só de todos os "tributos e impostos", que ali se arrecadavam, como da despesa geral, "dividida pelas classes eclesiástica, civil, militar e naval". Dois dias depois, voltava ele a pedir em nova circular, desta vez dirigida aos próprios Presidentes das Províncias, informação minuciosa de todos os impostos "mais gravosos aos contribuintes e por isso mais nocivos ao desenvolvimento da riqueza pública", com indicação do meio mais suave e econômico de fazer sua arrecadação.

E o parlamentar Bernardo Pereira de Vasconcelos fazia acerbas críticas aos impostos existentes, analisando-os, sobretudo, pelos danosos efeitos que, a seu ver, causavam à província de onde era natural e que considerava "a mais pobre do Império". Isto em sua famosa "Carta aos Senhores Eleitores da Província de Minas Gerais", de dezembro de 1827, e em seu "Parecer sobre o sistema tributário", de abril de 1828. E em ambos os documentos – releva observar – invocava o político mineiro, para fortalecer sua argumentação, o preceito constitucional de que todos deveriam concorrer para as despesas do Estado na proporção de seus haveres.

Ensaio para a tributação dos lucros das pessoas jurídicas

É interessante notar que, ainda no ano de 1827, José Clemente Pereira apresentara na Câmara dos Deputados, em sessão de 16 de agosto, projeto de lei, que não chegou a ser aprovado, tributando, com dez por cento, os rendimentos líquidos de "todas as companhias, ou associações de homens de comércio ou acionistas, cujos rendimentos provêm do maneio de capitais em fundos ou crédito ou da sua agência", taxa essa que seria aplicada, se não fossem apurados dividendos, sobre o rendimento presumível, que corresponderia a seis por cento do capital da empresa. Tratava-se, pois, da primeira tentativa de tributação dos lucros das pessoas jurídicas em nosso país, que só bem mais tarde seria introduzida no sistema fiscal brasileiro.

*
* *

Evolução orçamentária

Apesar de a lei de 8 de outubro de 1828, que, aliás, alterou a contagem do ano financeiro, até então coincidente com o ano civil, para 1º de julho a 30 de junho, já apresentar características definidas de ordem orçamentária para todo o Império, foi a

POLÍTICA TRIBUTÁRIA NO PERÍODO IMPERIAL

de 15 de dezembro de 1830 que primeiro especificou a despesa, Província por Província, assim como a que competia a cada Ministério, estimando a receita, porém, numa importância única, sem discriminação das contribuições públicas que para ela concorriam.

Mas a disciplina orçamental levava, indubitavelmente, ao melhor conhecimento do sistema tributário e de seus efeitos, quer nas finanças, quer na economia do país. E, já na Regência Provisória, o Ministro da Fazenda, José Inácio Borges, ao apontar em relatório apresentado à Assembléia Legislativa, em maio de 1831, as incongruências e falta de equilíbrio dos tributos então vigentes, observava que o açúcar era taxado cinco vezes, a aguardente oito, o tabaco e a criação de gado seis, o algodão três, sem contar o imposto de exportação e a contribuição a favor da Junta do Comércio e da Polícia em que alguns desses gêneros incorriam. Daí a necessidade, dizia ele, "de acabarmos com tais anomalias, e estabelecer as nossas rendas debaixo de um sistema de justiça e regularidade apropriado à nossa civilização e indústria".

É de particular interesse, pois, a lei de 15 de novembro de 1831, a qual, ao orçar a receita e fixar a despesa para o ano financeiro de 1832-1833, introduziu amplas modificações no sistema tributário, não só suprimindo impostos, como alterando ou criando outros. E destas alterações a mais importante seria, certamente, se viesse a ser respeitada, a abolição de "todas as imposições de qualquer denominação sobre a importação e exportação de gêneros e mercadorias transportadas de umas para outras Províncias do Império, tanto nos portos de mar, como nos portos secos e registros". É de notar que a mesma lei isentava de direitos de importação os livros e as máquinas que ainda não estivessem em uso nas Províncias.

Coube a Bernardo Pereira de Vasconcelos que, em julho de 1831, sucedeu a José Inácio Borges na pasta da Fazenda, proceder a mais largo exame, em seu relatório de 1832, da precária situação financeira do Império, após as freqüentes comoções políticas que havia sofrido até a abdicação de D. Pedro I e em virtude das quais "todos os trabalhos úteis, todos os serviços produtivos caíram em mortal torpor". E com toda a severidade, como era de seu feitio, discorria ela sobre o sistema fiscal que o contribuinte brasileiro enfrentava, indicando as providências que tomara e as que ainda se impunham para corrigir-lhe os malefícios. Aliás, a lei de 4 de outubro de 1831, na organização que deu ao Tesouro Público, incluiu entre suas atribuições – o que traduzia um estado de espírito dos homens que vinham ocupando o Ministério da Fazenda – a de "observar os efeitos, que produzem, ou vierem a produzir os tributos ora existentes, ou que para o futuro se derramarem sobre os diversos ramos de riqueza nacional e propor a tais respeitos o que entender mais vantajoso à prosperidade da nação".

*

* *

Receita Geral e   Embora as leis orçamentárias se aperfeiçoassem de ano
Receita Provincial   para ano, na parte da despesa, quer geral, quer provincial, os componentes da receita continuavam a ser apresentados de forma fragmentária, não permitindo ao contribuinte brasileiro a visão completa do modo como era onerado. Daí a importância da lei de 24 de outubro de 1832, que orçou a receita e fixou a despesa para o ano financeiro de 1833-1834. Nesta lei aparecem, pela primeira vez, as "Rendas Públicas" divididas em "Receita Geral" e "Receita Provincial"; sob a receita geral enfileiravam-se os vários itens que a compunham, mas quanto à receita provincial limitou-se a lei a dizer que lhe pertenciam "todos os impostos ora existentes não compreendidos na receita geral".

Releva observar que as províncias não gozavam ainda de autonomia orçamentária, limitada, como se encontrava, sua ação pela Carta Magna de 1824. A receita e despesa provinciais teriam de ser estabelecidas pelos Conselhos Gerais, com base em proposta dos Presidentes das Províncias, para envio dos respectivos orçamentos à Câmara dos Deputados, por intermédio do Ministro da Fazenda, a fim de serem corrigidos e aprovados pela Assembléia Geral.

O Ato Adicional e   Eis, porém, que a Constituição é reformada pela lei de
suas diretrizes de   12 de agosto de 1834, o famoso Ato Adicional. Subs-
natureza tributária   tituídos os Conselhos Gerais pelas Assembléias Provinciais, ficaram estas autorizadas, entre outras atribuições, a legislar "sobre a fixação das despesas municipais e provinciais, e os impostos para elas necessários", contanto que estes não prejudicassem as "imposições gerais do Estado". Era-lhes defeso, porém, legislar sobre impostos de importação. Mas o certo é que, não obstante a autonomia política outorgada às Províncias, bem restrito continuou o âmbito de ação, no setor tributário, de suas assembléias legislativas, uma vez que as leis orçamentárias anteriores ao Ato Adicional já haviam assente o que pertencia à Receita Geral e que representava quase tudo quanto vinha sendo taxado nos diferentes ramos de atividades.

POLÍTICA TRIBUTÁRIA NO PERÍODO IMPERIAL 83

Discriminação das rendas gerais e provinciais   E a situação de penúria fiscal em que permaneceram as Províncias, com graves reflexos em sua economia, mais clara ficou na Lei nº 99, de 31 de outubro de 1835, onde, além das imposições pertencentes à Renda Geral do Império, aparecem, discriminadamente, as fontes de receita do Município do Rio de Janeiro. Ora, estas rendas que, no caso particular daquele Município, ficaram integradas na Receita Geral, segundo a Lei Orçamentária nº 38, de 3 de outubro de 1834, é que correspondiam, praticamente, à competência tributária das demais Províncias, como a seguir se vê:

I – donativo e terças partes de ofícios;
II – selo de heranças e legados;
III – emolumentos da Polícia;
IV – décima dos prédios urbanos;
V – dízimo de exportação;
VI – imposto das casas de leilão e modas;
VII – imposto de 20% no consumo de aguardente da terra;
VIII – imposto sobre o gado de consumo;
IX – meia sisa dos escravos.

E às Províncias coube, ainda, o "rendimento do evento", que outra coisa não era senão o produto da venda de gado, bestas ou escravos encontrados sem ser conhecido o seu dono.

Quanto à Renda Geral, excluídos os itens que correspondiam, propriamente, à receita industrial ou patrimonial, verifica-se que as contribuições públicas a ela subordinadas, nos termos da referida Lei nº 99, de 31 de outubro de 1835, eram as seguintes, algumas delas aqui indicadas englobadamente:

I – direitos de importação cobrados à razão de 15% sobre todas as mercadorias, com exceção da pólvora que pagava 50% e do chá que passou a incorrer em 30%, e de algumas isentas; havia, ainda, diversas contribuições aduaneiras, como de baldeação, reexportação, expediente, ancoragem, armazenagem e prêmios dos assinados;
II – direitos de exportação, cobrados na base de 2%, 7% e 20%, estes sobre os couros da Província de S. Pedro do Rio Grande do Sul, mas reduzidos no ano seguinte a 15%;
III – direitos de 15% na compra de embarcações estrangeiras;
IV – impostos sobre a mineração do ouro;

V – sisa dos bens de raiz;

VI – imposto sobre lojas abertas;

VII – imposto sobre seges;

VIII – imposto de 5% na venda de embarcações nacionais;

IX – imposto do selo dos papéis;

X – imposto sobre os escravos;

XI – décima urbana adicional;

XII – segunda décima das corporações de mão morta;

XIII – dízima da chancelaria; novos e velhos direitos dos empregos gerais, bem como outras taxas e emolumentos.

*

* *

Sistema tributário do Segundo Reinado   Ao ser iniciado o Segundo Reinado, o sistema tributário, que lhe deixava a Regência, não diferia substancialmente do que acabamos de apresentar. Vale observar que para a receita auferida no ano financeiro de 1840-1841, na área das rendas gerais, a qual atingira o total de 18.675 contos de réis, o imposto de importação contribuiu com 12.096 contos de réis (64%) e o de exportação, com 2.959 contos de réis (16%). Quanto aos demais tributos, nem a arrecadação do mais importante deles – a sisa dos bens de raiz – chegou à cifra dos 800 contos de réis. E as Províncias, por seu lado, dentro dos limitados recursos de que dispunham, em que sobressaíam ora os dízimos, ora a décima urbana ou o imposto sobre a aguardente, segundo a estrutura econômica de cada uma, não viam outro caminho, para atenuar suas dificuldades financeiras, senão invadir, amiúde, o campo de tributação do Governo Central.

Mas às vésperas da Maioridade de D. Pedro II, Manuel Alves Branco, Ministro da Fazenda, ao expor, em seu relatório de maio de 1840 à Assembléia Geral Legislativa, várias medidas tomadas e a tomar para a arrecadação dos impostos vigentes, em grande parte objeto de acintosa fraude, entendia que o equilíbrio da receita com a despesa só seria possível mediante o aumento dos direitos de importação. E "para o aumento da cota de importação", afirmava ele, "temos a mais feliz oportunidade, porquanto acabando o tratado com os Estados Unidos a 17 de novembro do corrente ano de 1840; o da Holanda e Bélgica, em 18 de abril de 1841, no ano da lei (orçamentária) agora proposta apenas existirá ainda o da Grã-Bretanha, que contudo tem de findar nele, isto é, em 15 de novembro

POLÍTICA TRIBUTÁRIA NO PERÍODO IMPERIAL

de 1842". Entretanto, o tratado de comércio com a Inglaterra, que era o que realmente pesava pelo vulto das mercadorias de procedência britânica que entravam no Brasil, só veio a ser considerado vencido em 1844, em virtude de divergências de interpretação.

E os déficits continuavam a atormentar os gestores das finanças do Império, que não obtinham do defeituoso sistema fiscal em vigor os recursos de que necessitavam para fazer face às crescentes despesas públicas, agravadas pelas comoções políticas que freqüentemente abalavam o país.

Tarifa Alves Branco   Mas a Lei nº 243, de 30 de novembro de 1841, que orçou a receita para o exercício de 1842-1843, na gestão de Miguel Calmon Du Pin e Almeida, como Ministro da Fazenda, já autorizava o Governo, entre outras providências, para cobrir o déficit previsto, a "cobrar por meio de uma nova tarifa, que organizará para as Alfândegas, logo que findem os Tratados em vigor, direitos de importação, cujo mínimo seja de 2% e o máximo de 60%". E de acordo com esta autorização, que foi reiterada na lei orçamentária do ano seguinte, é que veio a ser baixada, por decreto de 12 de agosto de 1844, nova tarifa para as Alfândegas do Brasil, a que ficou desde então ligado o nome de Manuel Alves Branco, que pela terceira vez se encontrava à frente da pasta da Fazenda.

A nova pauta alfandegária, que entrou em vigor em 11 de novembro de 1844, elevava a 30% os direitos da maioria dos artigos, instituindo taxas não só inferiores, que variavam de 2% a 25%, como superiores, que se situavam entre 40% e 60%, as quais recaíam "sobre as mercadorias estrangeiras que já são produzidas entre nós", como esclarecia Alves Branco no relatório que apresentou à Assembléia Geral Legislativa, em maio de 1845, onde expunha os fundamentos de tal reforma.

Era importante passo, sem dúvida, no sentido de uma política aduaneira que não tinha em vista apenas a obtenção de maiores recursos financeiros, mas que procurava, também, incentivar, quer o trabalho, quer a indústria nacional. Partidário eloqüente do protecionismo, a respeito do qual já se manifestara em reuniões do Conselho de Estado, Alves Branco considerava a tarifa ainda pouco satisfatória sob aquele aspecto, porque lhe haviam faltado tempo e meios para melhor obra. E dizia ele: "É de mister que com fé firme nos fatos, que temos ante os olhos, marchemos em demanda da indústria fabril em grande, por meio de uma tarifa anualmente aperfeiçoada, e de mais a mais acomodada ao desenvolvimento do nosso país."

Imposto sobre vencimentos

Fato interessante ainda a assinalar, em relação à Lei Orçamentária nº 317, de 21 de outubro de 1843, que autorizara a reforma da tarifa, foi a instituição de um imposto sobre os vencimentos recebidos dos Cofres Públicos Gerais, cobrável através de taxas progressivas, que iam de 2% a 10%. Coube também a Manuel Alves Branco baixar o regulamento deste tributo, que deveria vigorar por dois anos, não tendo, porém, produzido qualquer receita, em virtude de haver sido revogado antes de começar a produzir seus efeitos. A tributação dos rendimentos do trabalho, naturalmente a mais fácil de ser introduzida, seria mais tarde renovada e viria, de fato, a constituir um dos primeiros passos para a criação, já na República, do imposto geral sobre a renda.

Aplicação da tarifa Alves Branco

A tarifa Alves Branco, que seu autor calculava viesse a produzir provavelmente cerca de 18.000 contos de réis por ano, satisfazendo, assim, "se não a todo, ao menos a maior parte do déficit do Estado", não demonstrou nos primeiros anos de sua aplicação a rentabilidade que dela se esperava. A perspectiva, aliás, da elevação dos direitos aduaneiros, como acentuava Holanda Cavalcanti, ao apresentar à Assembléia Geral Legislativa a proposta de orçamento para 1847-1848, havia promovido um "movimento acelerado" no desembaraço de mercadorias, antes que aquela reforma se concretizasse. Daí a importação geral que em 1844-1845 ultrapassara os 55 mil contos de réis, produzindo direitos no valor de 14.818 contos, haver caído, no exercício financeiro de 1845-1846, para pouco mais de 52 mil contos, embora, é verdade, os direitos aduaneiros tivessem ascendido a 15.873 contos de réis, os quais, mesmo assim, deixavam de atingir a previsão fazendária. Mas tanto este exercício como o seguinte foram dos poucos, em todo o período imperial, em que o balanço da receita e da despesa apresentou superávit.

Isenções aduaneiras

Na gestão de Holanda Cavalcanti as fábricas de tecidos de algodão, nos termos do Decreto nº 386, de 8 de agosto de 1846, foram agraciadas com diversos privilégios, entre estes a isenção, por 10 anos, dos direitos de entrada sobre máquinas, ou peças de máquinas, cujo número e qualidade o Governo determinasse, importadas para uso das mesmas fábricas.

E no ano seguinte, com Alves Branco novamente no Ministério da Fazenda, foi baixado o Decreto nº 526, de 28 de julho, que confirmava a prática de conceder-se, de acordo com dispositivo do regulamento das alfândegas, isenção de direitos de importação sobre matérias-primas destinadas ao uso das fábricas nacionais, segundo sua grandeza e os meios que

POLÍTICA TRIBUTÁRIA NO PERÍODO IMPERIAL

apresentassem de desenvolvimento e prosperidade, favor esse a que fariam jus todas as que eram ou viessem a ser estabelecidas no Império.

Mas o amparo aduaneiro, com que se procurava incrementar a indústria nacional, não deixava de pôr em relevo os percalços atravessados pela agricultura, que se sentia desarmada de estímulos fiscais. Os preços dos principais artigos despachados para o exterior, declarava Joaquim Rodrigues Tôrres, como o café, o algodão, o açúcar, o arroz, haviam sofrido no mercado internacional, nos últimos 10 anos, acentuadas reduções, o que era agravado pelo crescente aumento das despesas de produção. E outro meio não havia, no entender do Ministro da Fazenda, em seu relatório de 1850, "de favorecer os principais gêneros de nossa lavoura, se não o de reduzir gradualmente, até abolir de todo, os direitos de exportação". E embora não fosse contrário à proteção cautelosa das fábricas nacionais, achava que ela não deveria ser feita à custa e com sacrifícios da "indústria agrícola". Expunha, então, os inconvenientes da isenção indiscriminada de que gozavam as matérias-primas, não só em virtude do desfalque de receita causado ao Tesouro, como da possibilidade de se "alimentarem por semelhante meio indústrias fictícias, cujo resultado será, antes, exaurir do que aumentar as forças produtivas do país".

E para que o assunto fosse colocado nos devidos termos, dando-se ao Governo maior poder de intervenção no julgamento das indústrias merecedoras de proteção – cujas matérias-primas, todavia, deveriam pagar os direitos de 5% a 15%, conforme fosse "menor ou maior a facilidade de produzi-las no país" –, Rodrigues Tôrres encarregara a Seção de Fazenda do Conselho de Estado de efetuar a revisão da Tarifa, trabalho que ele reconhecia exigir sério estudo e minuciosas averiguações. Mas acabou por ser incumbida desse trabalho outra comissão composta de pessoas, conforme Rodrigues Tôrres informava em seu relatório de 1851, mais afeitas aos problemas a serem examinados para a elaboração do projeto de reforma alfandegária, segundo as principais bases por ele traçadas, que obedeciam a moderado protecionismo, sem perder de vista os aspectos fiscais da matéria. E a esta comissão, presidida por Ângelo Muniz da Silva Ferraz, que ocuparia o Ministério da Fazenda em 1859, é que se deve volumoso estudo, que constitui verdadeiro libelo contra a tarifa vigente, numa rigorosa condenação do sistema protetor, em que são apontadas as mazelas da indústria fabril, sobretudo na Inglaterra e França, em contraste com as benesses da lavoura que, no Brasil, vivia "desprotegida e acabrunhada". Mas, apesar de suas deficiências e necessidades, a agricultura – asseverava a Comissão – vinha progredindo razoavelmente, podendo os seus produtos, ao contrário do que se apregoava, competir com proveito nos mercados externos.

Nova tarifa em 1857   O Projeto Muniz Ferraz, embora a Comissão houvesse tentado respeitar as normas que lhe tinham sido traçadas, obedecia às idéias de livre comércio de seus autores, apresentando, ainda, perspectivas de diminuição de receita, que só mais tarde poderia ser recuperada. Condenado esse projeto pela Seção de Fazenda do Conselho de Estado, acabou por ser aprovado o que ela organizou, de tendências menos liberais. Surgiu, assim, a nova tarifa das alfândegas, que foi baixada com o Decreto nº 1.914, de 28 de março de 1857, assinado por João Maurício Wanderley, futuro Barão de Cotegipe.

A tarifa de 1857, entre as alterações introduzidas no sistema aduaneiro, reduziu, sobretudo, os direitos que incidiam sobre os gêneros alimentícios, bem como sobre os instrumentos e utensílios empregados nos trabalhos da lavoura. Mas, por outro lado, todas as matérias-primas passaram a pagar os direitos uniformes de 5%, inclusive as destinadas ao uso das fábricas nacionais, cuja isenção, concedida dentro de determinadas condições, vinha sendo apontada como altamente onerosa ao Tesouro. E João Maurício Wanderley entendia, ademais, que tal favor fiscal apresentava, entre o outros inconvenientes, "o de favorecer a alguns fabricantes com prejuízo de outros, e especialmente os donos das pequenas oficinas".

Invasão da competência tributária do Poder Central   É de notar que ao tecer ainda, em seu relatório de 1857, várias considerações sobre os impostos então existentes, Wanderley chamava a atenção do Poder Legislativo para outro grave problema. É que as Assembléias Provinciais, contrariando proibição expressa da lei de 12 de agosto de 1834 (Ato Adicional), continuavam a legislar sobre importação e exportação, bem como sobre outras contribuições, "com prejuízo não só dos impostos gerais, mas também dos interesses de toda a União". E ele esclarecia: "A circulação dos produtos da indústria nacional é gravada em algumas Províncias com imposições quase proibitivas; em outras os próprios gêneros que já pagaram direitos de importação são novamente tributados, segundo a sua natureza e qualidade, com o intuito de proteger algumas fábricas estabelecidas nas ditas Províncias." Impunha-se, assim, uma decisão sobre o assunto, pois, do contrário, não só seria perturbado o sistema fiscal, "como prejudicada profundamente a riqueza pública".

Dois anos depois, Sales Tôrres Homem acentuava, também, e igualmente na posição de Ministro da Fazenda, as distorções causadas pela exorbitância legislativa das Assembléias Provinciais, em matéria de impostos, com grave reflexo nas atividades do país. Mas esse era, sem dúvida, o resultado, que se agravava com o decorrer do tempo, do excessivo poder de tributar que detinha o Governo Central, em detrimento das Províncias, as quais, na falta de recursos, exigidos pela evolução de sua própria economia, não viam outro meio para obtê-los senão desrespeitar os limites fiscais que lhes haviam sido traçados.

Alterações   A tarifa de 1857 sofria, porém, seguidas alterações,
na tarifa de 1857   entre elas a redução dos direitos sobre os gêneros alimentícios e outros de primeira necessidade, mas que não chegavam a atingir seus objetivos de barateamento da vida das classes menos abastadas. E a importação, que subira grandemente nos exercícios de 1856-1857 e 1857-1858, exercício este em que atingiu 130.264 contos de réis, a mais alta até então verificada, caiu para 127.268 contos de réis em 1858-1859, e para 113.028, em 1859-1860, com evidente reflexo na receita dos direitos aduaneiros.

Daí a Lei n? 114, de 27 de setembro de 1860, haver autorizado o Governo a cobrar uma taxa adicional de 2% a 5% sobre o valor dos artigos importados, de acordo com a sua qualidade e os direitos a que estivessem sujeitos. E uma taxa adicional de 2% também poderia ser cobrada, a exemplo do que já anteriormente se fizera, sobre o valor das mercadorias exportadas, que pagavam 5%.

Tarifa Silva Ferraz   Mas, em vez da cobrança de taxas adicionais sobre a importação, o então Ministro da Fazenda, Ângelo Muniz da Silva Ferraz, entendia que se impunha reforma aduaneira de maior profundidade, para corrigir as discrepâncias existentes, a seu ver, na legislação alfandegária em vigor.

E, assim, nova tarifa foi expedida pelo Decreto nº 2.684, de 3 de novembro de 1860, a qual, na opinião de José da Silva Paranhos, sucessor de Ângelo Muniz, visara, sobretudo, a melhorar o sistema de arrecadação aduaneira, "conservando o pensamento essencialmente fiscal com que fora organizada a de 1857, sem desamparar as indústrias nacionais produtoras de artigos similares da importação estrangeira, nem tampouco auxiliá-las e protegê-las de modo gravoso ao consumidor, excluindo toda a concorrência".

As taxas da tarifa anterior, das quais a mais comum era a de 30%, haviam sido mantidas, em sua maior parte, de acordo com a natureza das mercadorias, alterando-se, porém, os direitos das matérias-primas e gêneros alimentícios, "segundo as alternativas de seus preços no mercado depois das últimas reduções por que passaram". A verdade, porém, é que essa política de apoio às classes menos favorecidas, da qual deveria resultar o aumento da importação, e, conseqüentemente, a elevação da receita, não produzia, como já antes acontecera, os resultados que se esperavam. Os preços não caíam e os favores aduaneiros só haviam redundado, como em 1862 afirmava o futuro Visconde do Rio Branco, "em proveito do comércio importador, e em não pequeno prejuízo dos cofres públicos".

Por essa altura, isto é, no ano financeiro de 1860-1861, a receita apurada pelo Tesouro Nacional atingira 50.052 contos de réis, da qual 30.028 contos de réis (60%) eram representados pelos direitos de importação e 7.266 contos de reis (14%) provinham dos direitos de exportação. A sisa dos bens de raiz e o imposto do selo concorreram, respectivamente, com 2.152 e 2.987 contos de réis, ou seja, com 4% cada um da receita total; o imposto de lojas entrou apenas com 2%, isto é, 1.001 contos de réis, o mesmo acontecendo com a décima urbana do Município da Corte, cuja arrecadação importou 1.062 contos de réis. Quanto às demais contribuições fiscais, nenhuma ultrapassou a cifra de mil contos de réis.

*

*   *

Reforma tributária   Embora, desde a fundação do Império, o saldo do balanço comercial do Brasil fosse quase sempre negativo, a partir do exercício de 1861-1862 passou ele a ser ininterruptamente positivo, com uma única exceção (1885-1886), até o fim do século.

Mas se a receita tributária, em que os direitos aduaneiros representavam o sustentáculo do orçamento, crescia de um lado, as despesas subiam de outro em maior proporção. Daí os déficits constantes, que tomaram extraordinário vulto a partir de 1864, quando ocorreu a famosa crise comercial a que ficou ligada a falência da Casa Souto, ano em que teve início, também, a guerra com o Paraguai, que tão pesada deveria ser aos cofres públicos.

E os responsáveis pelas finanças do Império, que não deixavam de recorrer aos adicionais de 2% a 5% nos direitos de importação e de 2% nos de exportação, para cuja cobrança fora dada autorização pela Lei nº 1.114, de 27 de setembro de 1860, continuamente renovada, reclamavam medidas fiscais de maior produtividade. E com grande amplitude foram elas sugeridas, em 1866, no relatório com que o Ministro da

POLÍTICA TRIBUTÁRIA NO PERÍODO IMPERIAL

Fazenda, João da Silva Carrão, encaminhou à Assembléia Geral Legislativa a proposta orçamentária para o exercício financeiro de 1867-1868. E após longos debates no Parlamento e consulta ao Conselho de Estado, foi votada a Lei n? 1.507, de 26 de setembro de 1867, que alterava não só os impostos vigentes, como instituía novas contribuições, numa tentativa mais acentuada de reforma tributária.

Surgiram, assim, o imposto de 3% sobre o "rendimento locativo anual não inferior a 480$ na Corte; a 780$ nas capitais das Províncias do Rio de Janeiro, São Paulo, São Pedro, Bahia, Pernambuco, Maranhão e Pará; a 120$ nas demais cidades, e a 60$ nos mais lugares", o qual seria cobrado de toda pessoa que tivesse casa de habitação arrendada ou própria, ainda que não morasse nela; o imposto de 3% sobre os vencimentos pagos pelos cofres públicos gerais, provinciais ou municipais, excetuados apenas os inferiores a um conto de réis por ano; e, finalmente, o imposto de 1,5% sobre os benefícios distribuídos anualmente pelas sociedades anônimas, tributo esse classificado, aliás, entre o de indústrias e profissões que substituía o antigo imposto de lojas, criado pelo alvará de 20 de outubro de 1812.

Dessas três contribuições, embora todas representassem modalidades de tributação do rendimento, a primeira – inicialmente proposta pela Comissão de Orçamento da Câmara dos Deputados como um "imposto de quotidade", com taxas progressivas, e que recebeu o nome também de "imposto pessoal" – foi a que provocou maiores controvérsias, no calor das quais era não raro lembrado o *income tax* inglês, com seus problemas e conseqüências. Acontecia ainda – argumentava-se – que a décima urbana já era cobrada com base no valor locativo dos imóveis. Mas Zacarias de Góes e Vasconcelos, Presidente do Conselho e que passara a ocupar a pasta da Fazenda, afirmava na Câmara dos Deputados, em sessão de 27 de agosto de 1867, que o imposto predial (décima urbana) nada absolutamente tinha a ver com o "imposto pessoal", uma vez que a casa, nesta hipótese, servia apenas como meio de avaliar-se a riqueza do indivíduo. E com toda a precisão, antecipando-se no tempo, esclarecia: "Como não se poderia, com bom êxito, exigir de todos a declaração dos seus lucros, o legislador procurou um meio indireto de chegar a esse resultado, e o meio indireto é o valor da casa que ocupa o indivíduo, porque não há dúvida que, em regra geral, tal é a casa que o indivíduo habita, tal é também o seu estado de fortuna." Teve Góes e Vasconcelos de submeter-se, porém, mesmo por escrúpulos de ordem constitucional, a que o imposto fosse cobrado por meio de uma taxa proporcional e não mediante aplicação de tabela em que se encontrava implícita a progressividade – o que parecia contrariar o preceito da Carta Magna que estipulava ninguém estar isento de contribuir para as despesas do Estado em proporção de seus haveres.

Mas o certo é que, de qualquer forma, o "imposto pessoal" não deixou de representar um passo no caminho da tributação da renda, embora esta fosse avaliada através de um só e falho indício de riqueza. Vigorou, todavia, apenas até 1875, enquanto que o imposto sobre os vencimentos pagos pelos cofres públicos era em breve extinto.

O reforço da receita pública, exigido pela Guerra do Paraguai, não poderia, naturalmente, ser realizado sem recorrer-se também, como de hábito, aos direitos aduaneiros. E mais uma vez, pela mesma Lei n? 1.507, de 26 de setembro de 1867, foi o Governo autorizado a reformar a tarifa das alfândegas, com a faculdade de elevar "até mais 20% as taxas dos tecidos de seda, porcelana e cristais, fumo de qualquer modo preparado, madeira em obra ou quaisquer objetos de luxo". E teve permissão, também, para cobrar em moeda-ouro, pelo valor legal, 15% dos direitos de importação, medida que foi, entretanto, de curta vigência. Nos termos, ainda, desta lei, os direitos sobre a exportação, que não sofreriam modificações de grande vulto nos anos restantes do período imperial, passaram a ser cobrados à razão de 9%.

A tarifa Itaboraí　　A nova tarifa, aprovada pelo Decreto n? 4.343, de 22 de março de 1869, referendado pelo Visconde de Itaboraí, que dois anos antes, em sessão do Conselho de Estado, se manifestara, apoiado em razões de ordem econômico-financeira, contra a redução das taxas sobre as matérias-primas, gêneros alimentícios e outros produtos, proposta em projeto da Comissão de Orçamento da Câmara dos Deputados, não diferia, demasiadamente, sob o ponto de vista fiscal, daquela que vinha substituir. Mas, a exemplo do que ocorrera com as tarifas anteriores, não deixou a de 1869 de ser objeto, em breve, de várias alterações, instituindo-se taxas adicionais para compensar, sobretudo, o prejuízo do Tesouro, decorrente da cobrança de direitos sobre o valor oficial das mercadorias, que não acompanhara a elevação dos preços, nem as variações cambiais. Mas esse agravamento fiscal, que atingia, com diferentes percentagens, quase todos os artigos, foi atenuado, a seguir, em relação a certos gêneros alimentícios e matérias-primas.

É de notar que a receita do exercício de 1869-1870 somou 94.847 contos de réis, para a qual os direitos de importação concorreram com 52.369 contos de réis (55,2%) e os de exportação, com 17.843 (18,8%).

POLÍTICA TRIBUTÁRIA NO PERÍODO IMPERIAL

Seguiram-se o imposto de transmissão de propriedade *inter vivos* e *causa mortis* com 3.847 contos de réis (4%); o imposto de selo, com 3.412 (3,6%); o imposto de indústria e profissões, com 3.033 e (3,2%), e a décima urbana, com 1.776 (1,8%). As demais contribuições, inclusive o chamado "imposto pessoal" e o imposto sobre vencimentos, foram de fraca produtividade.

Reforma aduaneira do Visconde do Rio Branco

Terminada a Guerra do Paraguai, entrou o país num período de franca recuperação, embora perturbado pela crise bancária de 1875. E, com a cessação do conflito, movimentos houve no Parlamento para a redução ou supressão de impostos que, segundo se entendia, não mais tinham razão de ser numa situação normal. Mas a esta pretensão o Visconde do Rio Branco, novamente na pasta da Fazenda, opunha o argumento em seu relatório de 1872, de que se a guerra cessara não tinham terminado os "pesadíssimos encargos que provieram desse período excepcional". Havia necessidade mesmo de receitas superiores às que anteriormente se arrecadavam, quer para o pagamento dos juros da dívida externa e resgate da grande soma de papel-moeda emitido, quer "para satisfazer", dizia o Ministro, "as nossas justas aspirações de progresso na ordem moral e nos interesses materiais". Mas de qualquer forma, entendia Rio Branco que, além dos melhoramentos que poderiam ser introduzidos em alguns dos impostos diretos, era na tarifa das alfândegas que se devia procurar "o maior alívio dos contribuintes". Assim, embora não fosse favorável à elevação dos direitos estabelecidos na tarifa em vigor e sugerisse até a diminuição dos que incidiam sobre determinados artigos, julgava necessário corrigir os valores oficiais das mercadorias, por "diferirem notavelmente dos preços correntes nos mercados do Império", preços esses que seriam majorados ou reduzidos a um termo médio razoável.

E nova reforma aduaneira surgiu, a qual foi aprovada pelo Decreto nº 5.580, de 31 de março de 1874. O sentido desta tarifa, no conjunto de suas disposições, era sem dúvida fiscal, embora houvesse concedido isenção de direitos aos maquinismos em geral e a plantas destinadas, entre outras fins, à agricultura, bem como reduzido as taxas que recaíam sobre os artigos das classes menos abastadas. E antes de decorridos três meses já essa pauta sofria várias alterações, as quais, como esclarecia o Ministro da Fazenda, em seu relatório de 1875, "redundaram todas em proveito de alguns gêneros alimentícios e das ferramentas para a lavoura e outros ofícios".

Ainda a invasão da competência tributária do Poder Central

Mas durante sua gestão financeira, o Visconde do Rio Branco preocupara-se seriamente com o assunto, a respeito do qual vários de seus antecessores também haviam manifestado suas apreensões: a incursão que as Províncias constantemente faziam, e com elas as municipalidades, na área tributária do Governo Central, em desacordo com as limitações estipuladas na lei de 12 de agosto de 1834. "É sabido", dizia Rio Branco em 1875, confirmando um dos aspectos da centralização tão combatida por Tavares Bastos, "que os impostos gerais já abrangem a maior parte da matéria tributável, e no entanto outros locais, provenientes daquela dupla origem, têm sido estabelecidos e vão sendo cobrados, quase sempre com agravação dos primeiros, e sem medirem-se os efeitos nocivos, que de uma tal desarmonia pode provir às forças produtivas do país, isto é, à lavoura, à indústria fabril, ao comércio e ao capital móvel ou imóvel."

No ano anterior, já Rio Branco falara da necessidade de uma lei interpretativa do Ato Adicional que pusesse termo a tais abusos, mas a impassibilidade do Parlamento, nesse sentido, animava, cada vez mais, as Assembléias Provinciais a legislarem sobre matéria fiscal estranha à sua competência, provocando controvérsias que raramente obtinham solução. E seu sucessor na pasta da Fazenda, o Barão de Cotegipe, não era menos categórico sobre o assunto: "Nunca a situação econômica do país reclamou tanto, como presentemente", dizia ele em seu relatório de janeiro de 1877, "as providências legislativas por vezes pedidas para que as Assembléias Provinciais não transponham os limites dentro dos quais podem decretar impostos. Já não é só a receita geral do Império que sofre com a concorrência das imposições provinciais; o comércio e a população toda se ressentem e protestam contra a exageração com que em algumas Províncias se têm onerado de tributos a produção e o consumo."

A situação financeira agravara-se especialmente nesta época, com déficits orçamentários que faziam lembrar os do período em que o Brasil estivera em luta com o Paraguai. No exercício de 1876-1877 a despesa ultrapassara a receita em 37.039 contos de réis; no exercício seguinte a diferença fora de 42.271 contos de réis, para atingir 69.667 no exercício de 1878-1879, o que, em parte, decorria da terrível seca que assolara o Norte do país. É de notar que a receita do exercício de 1878-1879 alcançara o total de 111.802 contos de réis, para a qual contribuíram o imposto de importação com 53% (59.308 contos de réis); o imposto de exportação com 16% (18.138 contos de réis); o imposto de transmissão de propriedade com 4,2% (4.739 contos de réis); o imposto do selo com 3,4%

POLÍTICA TRIBUTÁRIA NO PERÍODO IMPERIAL

(3.853 contos de réis); o imposto de indústrias e profissões com 3% (3.393 contos de réis) e o imposto predial, como passara a denominar-se a décima urbana, com 2,8% (3.188 contos de réis).

O imposto territorial   E Gaspar Silveira Martins, que em 1878 se encontrava à frente do Ministério da Fazenda, ao expor as medidas com que seria possível equilibrar a despesa ordinária com a receita, apontava a necessidade de se instituir no Brasil o imposto territorial, a respeito do qual discorre longamente, em termos, quase se pode dizer, de reforma agrária, examinando seus aspectos históricos, sociais e econômicos. E o imposto territorial, não raro lembrado pelos financistas do Império, seria "o meio indireto", afirmava Silveira Martins, "de forçar os proprietários a irem vendendo braças e quilômetros dos terrenos inaproveitados de seu domínio, e que não podem cultivar, por lhes faltarem agentes e cooperadores da produção, principalmente hoje, que se vai preparando a substituição do regime do trabalho". Além disso, muito o Tesouro teria a lucrar com tal medida, não só pela produtividade do imposto que poderia, gradativamente, substituir o de exportação, "como pelo aumento da riqueza que do aproveitamento desses terrenos e das novas construções, neles erigidas", resultaria para a comunhão social. E concordando com Tavares Bastos, a cujas manifestações sobre o assunto recorre, Silveira Martins entendia também que a receita do imposto territorial deveria ser provincial, com exceção da do Município Neutro, uma vez que as Províncias estariam mais habilitadas a conhecer o valor das terras tributáveis, localizadas nas respectivas circunscrições.

Debates sobre a criação do imposto de renda   É nessa ocasião também, em face de parecer da Comissão de Orçamento, ao examinar a proposta relativa ao exercício de 1879-1880, que se travam, na Câmara dos Deputados, os mais veementes debates em torno da criação do imposto de renda, a respeito do qual já se haviam manifestado várias pessoas, em resposta à circular que lhes dirigira Afonso Celso de Assis Figueiredo, sucessor de Silveira Martins na pasta da Fazenda. Discordantes tinham de ser, pelos interesses em conflito, as opiniões expendidas quer dentro, quer fora do Congresso Nacional. Mas realmente exaustivas foram as discussões que se prolongaram durante dias na Câmara dos Deputados, onde à repulsa evidenciada por alguns contra a nova contribuição se opunha o entusiasmo de outros, como o Deputado Fábio Reis, que chegou a declarar: "Entendo que o imposto sobre a renda é o único racional, é o único que não vai afetar os capitais, o único imposto em que se pode guardar melhor proporcionalidade, o único em que se pode evitar a repercussão sobre terceiros, e, por conseguinte, o único imposto legítimo."

Mas de tais debates, em que foram discutidos os mais relevantes aspectos doutrinários do imposto de renda, assim como sua repercussão nas atividades comerciais, agrícolas e industriais do país, só restou no orçamento aprovado pela Lei n.° 2.940, de 31 de outubro de 1879, simples contribuição de 5% – no ano seguinte reduzida a 2% – cobrável sobre os vencimentos recebidos dos cofres públicos gerais. Deste tributo, que abrangia o subsídio dos Deputados e Senadores, ficaram isentos apenas os vencimentos anuais inferiores a um conto de réis.

Releva observar que pela mesma lei orçamentária foi instituída, a título de imposto territorial, uma taxa de 20 réis por metro quadrado de terrenos não edificados na Cidade do Rio de Janeiro e isentos do imposto predial, mas revogada no ano seguinte. E criado foi também, e igualmente extinto, o célebre "imposto do vintém", que correspondia à taxa de 20 réis cobrada dos passageiros que circulassem nas linhas de transporte da cidade do Rio de Janeiro ou seus subúrbios, imposição esta que havia de provocar graves tumultos na capital do Império, inspirados, sobretudo, por José do Patrocínio e Lopes Trovão.

Entretanto, a Comissão de Orçamento da Câmara dos Deputados, que propusera a criação do imposto de renda, num conjunto de regras assaz primárias, não deixara de dizer que, "reconhecida a necessidade de novas contribuições ou do aumento das atuais, a primeira idéia que ocorre é rever as taxas aduaneiras, os mais abundantes dos nossos impostos e os de mais fácil arrecadação". É que desde 1875 estava o Governo autorizado pelo Legislativo a rever a tarifa aprovada no ano anterior, autorização essa repetida em 1879, não obstante as alterações que a pauta alfandegária vinha sofrendo isoladamente, quer para majorar, quer para reduzir os direitos de determinados artigos. E, neste caso, a redução visou, sobretudo, a conter o contrabando que se fazia pelas fronteiras do Rio Grande do Sul e Mato Grosso, com mercadorias que deveriam ser desembarcadas nas alfândegas de Rio Grande, Porto Alegre, Uruguaiana e Corumbá.

Nova tarifa em 1879 Afinal, após longos estudos, em que não deixaram de influir as sugestões não só de homens do comércio, mas principalmente da indústria, nova tarifa foi baixada com o Decreto n.° 7.552, de 22 de novembro de 1879, quando Afonso Celso ainda geria a pasta das finanças. Era a primeira tarifa, após a referendada em 1844 por Alves Branco, que poderia ser tida como protecionista, e, como tal, com algumas exceções, tem sido considerada.

POLÍTICA TRIBUTÁRIA NO PERÍODO IMPERIAL

Mas esta tarifa, no entender de Amaro Cavalcanti "uma das mais bem *refletidas* e mais bem *calculadas*" que havíamos tido, "sob o ponto de vista das condições econômicas do país", e que procurara, de certo modo, atender às reivindicações da indústria, em seus diferentes setores, não conseguira satisfazer a todos os interesses em jogo. E, entre eles, encontrava-se naturalmente a necessidade que o Governo tinha de maior receita para cumprir seus crescentes compromissos, representados, em grande parte, pelos serviços da dívida pública, quer interna, quer externa. Assim, antes mesmo que a nova pauta alfandegária tivesse completado um ano de vigência, já a Lei nº 3.018, de 5 de novembro de 1880, autorizava sua substituição por outra, na organização da qual, obedecidas certas recomendações, deveria ser seguido, quando possível, o plano da tarifa de 1874. Elaborado o respectivo projeto, foi ele submetido ao parecer das Associações Industrial e Comercial do Rio de Janeiro, bem como das Associações Comerciais da Bahia, Pernambuco, Maranhão, Pará, Santos e Rio Grande do Sul, conforme expõe o gestor das finanças, Conselheiro José Antônio Saraiva, em seu relatório de 1882. E o Ministro justificava essa consulta dizendo que cumpria conciliar "quanto possível em tão importante assunto os interesses da Fazenda com os do Comércio, que tão eficazmente contribui para o incremento das rendas públicas".

Tarifa provisória de 1881 — A nova tarifa, que mantivera a mesma razão de direitos da anterior, de acordo, aliás, com as recomendações da lei, aumentando ou reduzindo a um termo médio razoável os valores das mercadorias que diferissem acentuadamente dos preços correntes nos mercados importadores, foi expedida, mas a título provisório, pelo Decreto nº 8.360, de 31 de dezembro de 1881. Mas, apesar de provisória, estava destinada a vigorar por vários anos, com alterações de menor importância.

*
* *

Ainda o problema da divisão de rendas — Elemento altamente perturbador do sistema tributário do Império, na estrutura que o Ato Adicional permitiu formular e que sofreu algumas modificações no decorrer do tempo, foi, como já ficou evidenciado, a invasão da área fiscal do Poder Central pelas Províncias, no que eram acompanhadas pelas municipalidades.

É certo que vários ministros da Fazenda haviam manifestado claramente sua preocupação com tal anomalia, mas foi o Visconde de Paranaguá quem, naquele posto em 1882, designou uma comissão com o encargo de rever a legislação que regulava a cobrança das rendas gerais, provinciais e municipais, para que fosse melhorada sua divisão e classificação, em projeto a ser submetido ao Poder Legislativo. No ano seguinte, esta comissão apresentava importante relatório, onde eram examinadas as dificuldades financeiras que as Províncias e municipalidades atravessavam, assim como os defeitos, como os males por eles causados, da discriminação de rendas existente. E o remédio que sugeria, consubstanciado em projeto de lei que integrava o relatório, era a transferência para a receita provincial do imposto de indústrias e profissões e do imposto de transmissão de propriedade, com exceção, neste caso, do que recaía sobre a transmissão de títulos da dívida pública fundada, que continuaria a pertencer à receita geral.

Mas para compensar a perda desses dois tributos no orçamento do Império, propunha a comissão que, *"ad instar do income tax*, de que a Inglaterra tira uma das mais avultadas verbas de sua receita", fosse criado o imposto sobre a renda, a respeito do qual discorre longamente, lembrando as tentativas já havidas para sua instituição no Brasil. E, sob o ponto de vista técnico, bem mais seguras eram, do que nos projetos de 1867 e 1879, as bases sugeridas por esta comissão para a cobrança do "imposto geral sobre a renda", como ela o designou. Mas tal projeto, que encontrou cerrada oposição em consulta do Conselho de Estado, cuja maioria de seus membros manifestava, com vigor, sua repugnância pela contribuição proposta, praticamente morreu no nascedouro.

Entretanto, a tão debatida centralização fiscal, que obrigava as Províncias a irem além de sua faculdade legal de tributar – o que em certos casos era uma questão de sobrevivência –, constituía problema que se agravava de ano para ano, não só por seus reflexos financeiros como econômicos. E o Barão de Cotegipe, que, já em 1877, como Ministro da Fazenda, chamara a atenção do Legislativo para esse fato, voltava, em 1886, a inquietar-se com o assunto. Daí a circular dirigida aos Presidentes das Províncias, em 6 de novembro daquele ano, em que solicitava informações minuciosas sobre sua receita e despesa, bem como sobre os impostos criados pelas Assembléias Provinciais de janeiro de 1878 a dezembro de 1885, pois era seu intuito encaminhar à Assembléia Geral, em sua próxima sessão, trabalho elucidativo da matéria, para as providências julgadas necessárias. Mas as informações prestadas pelas Províncias, de modo incompleto, apesar de reunidas em relatório, parece que não chegaram a transpor os escaninhos burocráticos, embora, mais tarde, João Alfredo Correia de Oliveira viesse a apoiar-se naquele estudo ao tratar do mesmo problema.

POLÍTICA TRIBUTÁRIA NO PERÍODO IMPERIAL

Últimas manifestações de reforma aduaneira no Império

A tarifa provisória de 1881 sucedeu a que foi aprovada, na gestão de Belisário Soares de Souza, pelo Decreto n? 9.746, de 22 de abril de 1887, a qual decorrera de autorização dada ao Governo pela lei orçamentária do ano anterior para nova reforma aduaneira, de acordo com as diretrizes ali traçadas.

A tarifa Belisário de Souza não deixava de oferecer aspectos realmente favoráveis ao desenvolvimento de certos ramos da indústria nacional, dificultando a entrada do similar estrangeiro e criando condições propícias à importação das matérias-primas a ela destinadas. Mas, por outro lado, com a correção dos valores oficiais das mercadorias, adaptados à situação cambial e outras circunstâncias de mercado, além da consolidação, nas taxas da tarifa, do imposto adicional de 60%, vinha a reforma atender, com vantagem, à necessidade de maior receita tributária.

Essa tarifa, porém, não permaneceu intacta por muito tempo. Meses depois, a Lei Orçamentária n? 3.348, de 20 de outubro de 1887, ao isentar dos direitos de expediente as máquinas e aparelhos importados para a primeira instalação de fábricas de qualquer natureza, observadas as limitações que o Governo julgasse convenientes, concedia especiais favores aduaneiros não só às fábricas de papel como às de tecidos. Foi o que levou o Ministro da Fazenda, Conselheiro João Alfredo Correia de Oliveira, a dizer em seu relatório de maio de 1888, ao referir-se à mesma tarifa: "A lei do orçamento vigente já modificou algumas de suas disposições no sentido de alargar a proteção dada a certas indústrias, e de desenvolver outras. Parece-me, porém, que sem entrar francamente no regime de proteção, convirá que o Governo seja autorizado a proceder anualmente a uma revisão da tarifa das alfândegas, mais lata do que a permitida no art. 179 da Consolidação dos seus regulamentos, a fim de favorecer certas indústrias que necessitam urgentemente de auxílio do Estado."

Crescia desse modo, embora a passos cautelosos, sempre tolhidos pelas necessidades financeiras o interesse pelo desenvolvimento da indústria nacional, que mais uma vez se manifestou oficialmente, às portas da proclamação da República, na Lei n? 3.396, de 24 de novembro de 1888, que orçava a receita geral do Império para o exercício de 1889, o segundo, de acordo com recentes normas orçamentárias, a coincidir novamente com o ano civil. Esta lei autorizava o Governo a estabelecer tarifa móvel, que acompanhasse a elevação do câmbio acima da taxa de $22^{1/2}$ dinheiros por mil-réis, para a cobrança dos direitos sobre gêneros para cuja produção já existissem fábricas que empregassem matéria-prima do país; a elevar os direitos de importação sobre os artefatos de algodão e de juta, a fim de não sofrerem, com a concorrência, iguais produtos das fábricas brasileiras; a conceder, entre outros favores, à empresa que se propusesse a desenvolver, em grande escala, a produção da seda e a estabelecer sua manufatura no Império, isenção de direitos não só para todo o material necessário à construção e funcionamento das fábricas, como, dentro de certas restrições, para a seda crua desfiada, torcida e em rama, e para os necessários produtos de tinturaria. A agricultura também não era esquecida, pois deveriam ser reduzidas as taxas cobradas sobre produtos químicos ou outros artigos aplicáveis como adubo ou corretivo na indústria agrícola, ficando integralmente isentos de direitos determinados fertilizantes e adubos destinados à lavoura.

E a mesma lei orçamentária autorizou o Governo, ainda, a rever a tarifa então vigente, podendo dar às alfândegas do Rio Grande do Sul uma tarifa especial, integral, a fim de satisfazer as reclamações apresentadas pelo comércio das praças daquela Província, que oferecia, naturalmente, características especiais.

A tarifa móvel foi expedida pelo Decreto nº. 10.170, de 26 de janeiro de 1889, e a tarifa especial e integral das alfândegas do Rio Grande da Sul foi mandada executar pelo Decreto nº. 10.199, de 9 de março do mesmo ano, últimos atos de importância, no setor aduaneiro, baixados pelo Governo imperial.

*
*   *

Considerações finais Era neste quatro, pois, que declinava o Império, a braços com os problemas políticos, econômicos e sociais criados pela libertação dos escravos. De política tributária efetiva, no decorrer de seus 67 anos de existência, não se pode, a rigor, falar. As fontes de receita fiscal que se apresentam no último orçamento do extinto regime, embora aglutinadas algumas ou mudado o nome de outras – como o imposto predial que substituiu a décima urbana, o de indústrias e profissões que sucedeu o de lojas abertas, com as alterações exigidas pelo crescimento do país ou por necessidades do Erário –, não diferem muito, em essência, das que inicialmente eram consideradas como integrantes da "Renda Geral".

Vem a propósito dizer que a receita arrecadada no exercício de 1889, a qual reflete, evidentemente, os resultados da última lei orçamentária do

POLÍTICA TRIBUTÁRIA NO PERÍODO IMPERIAL

Império, de novembro do ano anterior, atingiu 160.840 contos de réis, dos quais 90.216 (56%) correspondiam a direitos de importação; 17.389 (11%), a direitos de exportação; 6.130 (3,8%), ao imposto de transmissão de propriedade; 5.718 (3,5%), ao imposto do selo; 4.983 (3%), ao imposto de indústrias e profissões; e, finalmente, 3.790 (2,3%), ao imposto predial. O imposto sobre subsídios e vencimentos não chegou sequer a 700 contos de réis.

Amaro Cavalcanti, cujas observações são válidas, aliás, para todo o período imperial, tinha razão ao dizer: "Com efeito, quem compulsar os anais do Segundo Reinado verá que o estudo e discussão das rendas públicas e, nestas, a matéria dos impostos fizeram a preocupação constante de seus legisladores e homens de Governo; mas verá, também, que, apesar de tantos trabalhos e esforços, o Império chegou ao seu termo, sem ter podido fundar um sistema tributário ao menos que satisfizesse a estes dois fins: 1) uma distribuição e arrecadação conscientemente baseadas nas condições econômicas do país: 2) uma divisão razoável das contribuições públicas, entre a receita geral do Império e a receita particular das Províncias."

Na área provincial, como se viu, os governos locais, premidos pela falta de meios, eram levados a recorrer, com freqüência, a impostos que conflitavam, ostensivamente, com sua reduzida competência tributária. Na área do Governo Central, com a firme oposição a contribuições que poderiam ferir os interesses das classes mais abastadas – como o imposto territorial e o imposto de renda, que mais tarde encontraria em Rui Barbosa seu grande defensor –, os direitos aduaneiros, sobretudo os de importação, os quais eram essencialmente específicos e não *ad valorem*, nunca deixaram de constituir o sustentáculo das finanças do Império.

Mas a ininterrupta supremacia dos direitos de entrada sobre os demais impostos não foi bastante, realmente, para dar foros de política tributária ao regime impositivo do país, que, no dizer de Veiga Filho, "se caracterizou sempre pela desigualdade e confusão".

Até 1844, a tarifa aduaneira padeceu da imobilidade que lhe impôs, principalmente, o tratado de comércio firmado em 1827 entre o Brasil e a Inglaterra. Na reforma Alves Branco, que só foi possível quando aquele tratado chegou a seu termo, era o protecionismo introduzido como elemento indispensável, a que se deveria dar gradativo impulso, para a implantação da indústria nacional, embora as preocupações maiores, na adoção das novas taxas de direitos, ainda tivessem sido, então, de natureza financeira. Mas aos que, daí em diante, lutavam pela adoção de tarifas protecionistas, quer por convicção doutrinária, quer em prol de seus empreendimentos industriais, opunham-se os que defendiam uma legislação liberal, que, além de não criar empecilhos à entrada das mercadorias estrangeiras, de alto consumo no mercado interno brasileiro, não provocasse represálias dos países importadores de nossos produtos agrícolas.

Entretanto, aos anseios da indústria, da lavoura ou do comércio, força maior se contrapunha: os déficits orçamentários, que obrigavam o Governo, em contínuas reformas aduaneiras, a fazer prevalecer as medidas de caráter acentuadamente fiscal. Assim, as tarifas, não obstante os elementos protecionistas que chegavam a conter, com favoráveis reflexos na evolução da indústria nacional, deixavam de servir, em grande parte, a outros propósitos que não fosse o de carrear para o Tesouro maiores recursos financeiros, sem especial vinculação com o desenvolvimento econômico do país.

E a verdade, por outro lado, é que o princípio de política tributária, segundo o qual todos deveriam concorrer para as despesas do Estado em proporção de seus haveres, não chegou, até o ocaso do Império, a transpor, de modo sensível, o plano teórico da Carta Magna de 1824.

CAPÍTULO V

A GRANDE LAVOURA

A grande lavoura brasileira no quadro da economia mundial

A HISTÓRIA da grande lavoura brasileira, no período monárquico, apresenta uma problemática fundamental de desenvolvimento que se equaciona nos grandes fenômenos econômicos e tecnológicos do hemisfério ocidental no século XIX, compreendidos e suscitados pela Revolução Industrial.

Independente politicamente, o Brasil monárquico preservou as feições que distinguiam sua economia desde a aurora do período colonial. Inspirada nos princípios e práticas do mercantilismo e, assim, orientando sua produção exclusivamente segundo as solicitações do mercado exterior, a economia colonial havia-se desenvolvido, atribuindo importância essencial aos valores do intercâmbio mercantil, com o objetivo de formação de saldos da balança comercial da Metrópole. As características especiais que assumiu a economia mundial no século XIX vieram reafirmar e acentuar essas diretrizes.

Com o desenvolvimento da revolução industrial, estabeleceu-se um sistema de divisão internacional de trabalho à base do mercado mundial. De início o centro propulsor estava na Inglaterra, graças ao avanço considerável deste país quanto ao processo tecnológico e de capitalização. Mais tarde, o pólo econômico se ampliou com os progressos de industrialização, principalmente na França e na Alemanha. As novas dimensões que assumiu o processo de produção industrial exigiam o consumo considerável de matérias-primas. Por outro lado, a agricultura européia perdeu a importância de que desfrutava no passado, e veio a ser suplementada pela importação de gêneros alimentícios. Criaram-se, deste modo, as condições para uma especialização no plano internacional, com base na interdependência entre as economias de todas as partes do mundo. Aos países não industrializados, mas com abundantes recursos do solo e do subsolo, coube a função de fornecedores de matérias-primas e de gêneros alimentícios. Sob esses termos se colocou a economia brasileira no contexto mundial. Durante todo o período monárquico, as exportações brasileiras se concentraram quase exclusivamente em oito produtos rurais. A grande lavoura tradicional se manteve como o motor dinâmico da economia nacional, com sua produção de gêneros alimentícios e matéria-prima industrial. Em contrapartida, a importação supria os artigos fabricados, destinados ao uso direto do consumidor.

Todas as transformações econômicas que afetaram os países industrializados, suas crises de produção ou de consumo, repercutiram no sistema mundial e, portanto, em nossa economia, pondo à mostra sua dependência. Em grande parte, a prosperidade de alguns setores da grande lavoura, assim como os retrocessos, as resistências de outros, explicam-se à luz dos seus condicionamentos com referência àquele amplo contexto.

Na história da grande lavoura brasileira, durante o período monárquico, assinala-se o êxito espetacular do desenvolvimento de uma nova cultura, a do café, que operou a transformação completa da paisagem agrária em áreas imensas da parte meridional do país. A imagem do Brasil que veio a se projetar no consenso internacional, como o grande produtor mundial do café, elaborou-se durante grande parte do século XIX que coincide com o período monárquico. Nas províncias de Minas Gerais, Espírito Santo, Rio de Janeiro e São Paulo, as lavouras cafeeiras substituíram progressivamente, em vastas superfícies, os antigos canaviais ou a primitiva cobertura florestal. Dessa paisagem nova, que se compôs, na área rural, permanecem ainda alguns vestígios sob nossos olhos, nas velhas fazendas cafeeiras.

O sucesso do café constituía, em parte, uma resposta à decadência da mais importante das lavouras tradicionais do país, a da cana-de-açúcar, que fora o sustentáculo da economia da Colônia. Concomitantemente com a expansão avassaladora das lavouras cafeeiras, as superfícies ocupadas pelos engenhos de açúcar, oprimidos pelos preços baixos, sofreram, no período em estudo, apreciáveis reduções. No Sul do país, excetuado o Município de Campos, a cana-de-açúcar transformou-se gradualmente em lavoura de subsistência, não preenchia sequer, em muitas áreas, as necessidades de abastecimento local. A mais importante área de produção situava-se no Nordeste, na antiga Zona da Mata, em extensa faixa desde o Rio Grande do Norte até o sul da Baía de Todos os Santos. Mantinha-se fiel aos fundamentos econômicos que datavam das Capitanias e, apesar da decadência, a lavoura canavieira conservou-se nos limites físicos marcados pelas condições naturais que haviam comandado sua expansão. No Maranhão, os engenhos de açúcar realizaram consideráveis progressos após a revolta da Balaiada e teve seu período áureo nos anos 1872/83, após a decadência do algodão, quando os canaviais com suas casas-grandes pontilharam todo o Vale do Pindaré. Todavia, no período monárquico, o Brasil do açúcar é sobretudo o Nordeste, com suas terras da Zona da Mata trabalhadas secularmente, com seus velhos engenhos em luta para sobreviver às vicissitudes.

Definem-se, deste modo, duas grandes áreas de especialização, a grande lavoura açucareira do Nordeste e a grande lavoura cafeeira do Centro-Sul do país, mostrando um sentido básico do desenvolvimento agrícola brasileiro durante os anos em estudo. O quadro completo inclui também as áreas menores votadas aos outros produtos da grande lavoura. O mais importante é o algodão, que domina as regiões semi-áridas do Nordeste e constitui a base da economia maranhense. A cultura do fumo mantém seus centros tradicionais de produção em Cachoeira e Santo Amaro na Bahia, em alguns Municípios de Alagoas e Sergipe. Quanto ao cacau, as colheitas se desenvolvem em áreas restritas do Pará e da Bahia meridional.

A dicotomia, contudo, é mais complexa do que a referência geográfica: implica dois pólos díspares de densidade econômica, o Nordeste açucareiro decadente e o Centro-Sul cafeeiro em prosperidade. Em cada uma dessas áreas repercutiram as crises econômicas internacionais, assim como os fenômenos da revolução industrial – as novas técnicas de produção, de transportes, de comercialização, de finanças, que transformaram a agricultura da Europa Ocidental e dos Estados Unidos no século XIX. De modo geral, estes formaram o consenso quanto aos principais problemas de desenvolvimento da grande lavoura no período monárquico brasileiro.

A Introdução e a dispersão do café em território brasileiro

Tendo ingressado no Brasil em 1727, pelo Pará, graças às sementes obtidas por Francisco de Melo Palheta, o cafeeiro se expandiu em território brasileiro, muito devagar, ao longo dos anos restantes do século. Em 1731 era cultivado em quintais e sítios dos arredores de Belém (PA) e no Maranhão. Pequenas quantidades, nessa época, já se encaminhavam em direção a Portugal. O consumo da Metrópole avaliado, então, em 420 arrobas aproximadamente, ou seja, sete sacas, supria-se principalmente graças às exportações da Martinica e às que procediam do Oriente. Cerca de meio século depois, o café, colhido no Grão-Pará e Amazonas, se juntava ao cacau e seguia os caminhos comerciais para sua distribuição em

Mato Grosso, no Maranhão, nos sertões do Piauí, em Pernambuco, na Bahia, chegando até o Rio de Janeiro.

Durante o século XVIII, e mais especialmente no seu último quartel, a planta foi levada a vegetar por meio de sementes e mudas, em pontos do território brasileiro distantes em relação ao centro original de sua disseminação. Muitas vezes, seguiu as rotas dos mercadores e cresceu aqui e acolá, num pedaço de chão. Penetrou em várias Capitanias do Nordeste, como cultura experimental, no recinto de hortas ou quintais. É certo que foi cultivado no Ceará, desde 1747 ou 1763, sob o clima ameno da Serra de Baturité. Na parte meridional da Bahia, pequenos plantios de cafeeiros vicejavam em 1780, os de Ilhéus mais florescentes. Introduzira-se também em Goiás, em 1774, no Município de Santa Luzia. Por iniciativa oficial plantou-se café em Santa Catarina em 1786, limite extremo de sua expansão meridional. Condições adversas em muitas dessas áreas, de natureza econômico-social, ou do meio físico, quanto ao local da introdução, poderiam possivelmente explicar os fracassos de muitas tentativas primeiras, as reintroduções posteriores e, até, o nível de subsistência a que se viram relegadas as culturas cafeeiras, em várias Capitanias. Assim, de todas essas Capitanias mencionadas, apenas o Ceará figurava como exportador de café, no último quartel do período monárquico.

Procedente do Maranhão, o cafeeiro havia penetrado na Capitania do Rio de Janeiro na década de 60, no século XVIII, e acomodou-se logo entre os pequenos cultivos de pomares e hortas nos arredores da capital. Progrediu pelo Vale das Laranjeiras, subiu os contornos montanhosos da baía, as encostas do Morro da Tijuca. Um quarto de século depois, sua produção de pouca importância despontava na capitania. Contudo, a experiência com as plantações miúdas e a lenta conquista do espaço ganhavam significação da maior transcendência. Constituía-se, deste modo, na Capitania do Rio de Janeiro, através desses anos difíceis de adaptação da planta, um núcleo de mudas e sementes, e acumulou-se um conjunto de normas com respeito ao seu plantio e ao beneficiamento. A área fluminense funcionava, como o primeiro campo experimental, quanto à aclimação do cafeeiro sob novas condições do meio físico, muito diversas das que caracterizavam as regiões do Norte do país, e comandou a irradiação da planta pelas áreas vizinhas. O último quarto do século XVIII, portanto, é sobremodo significativo para a expansão do vegetal, pois, experimentada sua cultura em pontos os mais diversos do território brasileiro, tomou contato e se firmou nas áreas vitais para o desenvolvimento da cafeicultura durante o período monárquico.

A GRANDE LAVOURA

O Vale do Paraíba funcionou como via natural da irradiação do cafeeiro pelos contornos vizinhos. Levado pelos tropeiros e viandantes, a planta penetrou imperceptivelmente, na década dos 70, na Capitania de Minas Gerais, pelo "caminho novo"; nos anos finais do século chegou à área paulista, pela rota do vale, quando em Santos já vicejavam cafezais desde 1787. Ao alcançar a Capitania do Espírito Santo, cerca de 1815, o cafeeiro encontrava-se disseminado em grande parte do extenso Vale do Paraíba, nas três capitanias confrontantes: Rio de Janeiro, Minas Gerais e São Paulo.

A grande expansão cafeeira do século XIX — O ritmo da expansão ganhou impulso com a instalação da Corte portuguesa no Rio de Janeiro em 1808. Foi então que o cafeeiro partindo dos limites da antiga sesmaria da cidade alastrou-se pelo litoral da Capitania; Eschwege (1810) observou as plantações em Angra dos Reis, em Mangaratiba; alguns anos depois pequenas lavouras de café, quando muito 40.000 pés, progrediram na parte leste da baía, em Maricá, Itaboraí, Magé, São Gonçalo. Na realidade, o café alcançava resultados pouco satisfatórios no litoral, junto aos mangues, castigado duramente pelas temperaturas elevadas. A primeira fase da grande expansão se marca, de fato, com o desenvolvimento das lavouras do Vale do Paraíba do Sul, que só adquiriu grande impulso a partir do segundo quartel do século, mais propriamente na década de 30. Foi nestes anos que a lavoura do café, até então ao nível de cultura de subsistência, alcançou escala comercial.

Havia a enfrentar uma série de fatores pouco favoráveis. Em primeiro lugar, só o tempo viria retribuir o esforço para acumular os conhecimentos empíricos que se transmitiam principalmente através da prática e pela via oral, sob a liderança dos lavradores mais arrojados e empreendedores. Diversamente do que aconteceu com a cultura da cana e o preparo do açúcar, que se introduziram no Brasil já iluminados pela experiência portuguesa da Ilha da Madeira, o sucesso do plantio e benefício do café no Brasil veio coroar os resultados lentamente obtidos através da observação e experiência realizadas pela iniciativa particular, em áreas diversas do território nacional. As condições de intensa despauperização, em plano nacional, em seguida à decadência das minas de ouro, não propiciavam a rápida mobilização do capital financeiro, que estaria a exigir a grande expansão. Pela sua natureza, a lavoura de café é muito dispendiosa; requer, para sua formação, capitais imobilizados, pois, somente após seis anos, colhe-se o primeiro punhado de frutos. De início, os capitais que se transferiram para o Brasil com a Corte, em 1808, e as poupanças amealhadas com o desenvolvimento comercial do Rio de Janeiro; depois, os lucros que se acumulavam com a própria cafeicultura e, mais tarde, depois de 1850, as somas que a extinção do tráfico deixava em disponibilidade foram proporcionando os recursos financeiros para a economia cafeeira. O café ainda precisou atrair o seu público, ou seja, conquistar as classes médias da Europa e dos Estados Unidos ao gosto da bebida e, assim, ampliar os mercados consumidores em dimensões compatíveis com o crescimento da oferta.

Não resta dúvida que o desenvolvimento da cafeicultura contava também com fatores propícios. O mais importante foi, sem dúvida, a disponibilidade de terras. Tinha a seu favor terras arroteáveis e o estatuto legal que regia a ocupação. Desde os fundamentos portugueses da Colônia, até o meado do século XIX, a base da formação da propriedade rural repousava na sesmaria, concedida pela autoridade pública sob a condição apenas de ocupar e povoar. Deste modo, as terras devolutas foram sendo ocupadas, as frentes pioneiras avançaram pelo interior do território. A lei de terras de 1850 foi o primeiro instrumento legal no sentido de estabelecer a compra como único meio legítimo de ocupação das terras devolutas. Deu a garantia de propriedade às posses não excedentes de uma sesmaria. Contudo, na falta de aparelhamento administrativo adequado à fiscalização, não logrou impedir o avanço das ocupações de fato. Deste modo, conquanto a cultura cafeeira e, em seguida, as ferrovias operassem formidável valorização das terras de lavoura, a simples posse e a existência de terras de sesmarias de baixo preço, no sertão pouco explorado, propiciavam condições excepcionalmente favoráveis ao desenvolvimento da cafeicultura. Esta coincide com a grande expansão latifundiária no Centro-Sul do país. Aproveitou-se também da estrutura econômico-social jacente, na qual se ajustou. Assim, nas novas áreas postas em cultura, a organização da produção adquiriu desde o início os característicos que a distinguiam desde os tempos coloniais. Na grande propriedade, estabeleceu-se a grande lavoura do café, como monocultura, com o trabalho escravo organizado de forma coletiva. Nos engenhos de açúcar que abandonavam seus misteres em favor da nova planta, aproveitavam-se os escravos, as edificações, as ferramentas da lavoura, os vínculos comerciais já estabelecidos. Beneficiou-se também da depressão comercial do açúcar, que se fazia sentir desde a normalização do mercado internacional, após os tratados de Viena (1815).

Com esses alicerces econômicos o cafeeiro galgou as encostas da Serra do Mar na Capitania do Rio de Janeiro, atingiu o Vale do Paraíba,

A GRANDE LAVOURA

localizando-se de preferência nos pontos de conexão entre o porto do Rio de Janeiro e a região de Minas e São Paulo. As condições especiais do relevo, do clima e do curso fluvial, facilitavam os contatos entre as regiões limítrofes das três Capitanias, como grande área de passagem, com seus corredores naturais de penetração entre o mar, o planalto e o vale, percorridos desde época imemorável pelas correntes de circulação humana. Martius, em 1817, admirou cafezais viçosos em São João Marcos, em Valença, em Vassouras, em Resende, os maiores ostentando 100.000 e até 500.000 pés. Da área de Valença e Paraibuna estenderam-se paulatinamente pela Capitania de Minas Gerais. Nesta, desde 1810 a Zona da Mata atraía os sesmeiros e fixava os desbravadores que refluíam das lavras decadentes da mineração do ouro. Em pouco tempo as povoações fronteiriças como Mar de Espanha, Rio Novo, Pomba, Muriaé e tantas outras viram progredir as lavouras cafeeiras. Em 1830 o café assumia o lugar do algodão nas exportações de Minas Gerais. Muito mais tarde, a nova cultura alcançou Cantagalo, a leste, enquanto os lavradores do Município de Campos se mantiveram fiéis a seus engenhos de açúcar. Na área paulista do Vale do Paraíba, parece ter sido Areias, nos anos finais do século XVIII, um dos centros pioneiros da plantação de café; na década dos 30, ostentava-se como o maior produtor da Província de São Paulo, posição depois desfrutada por Bananal no meado do século (1854).

Até cerca de 1880, o Vale do Paraíba do Sul constituiu a mais importante área de produção cafeeira do país, o sustentáculo da economia do Império, que se consagrava no consenso com a famosa expressão "o Brasil é o vale". A região identificou-se, no período monárquico, com o símbolo de grandeza social e econômica, à base da prosperidade cafeeira. Aí, pela primeira vez no Brasil, veio a planta encontrar condições naturais muito propícias com referência ao solo e ao clima, mais ou menos semelhantes em toda parte, sob as quais revelou desde logo excelente rentabilidade.

Nessa área assumiu contornos próprios em sua primeira expressão a paisagem típica das fazendas de café. De início, próxima à corrente fluvial, a sede tosca, simples rancho coberto de sapé, não distante dos abrigos dos negros. Assinalam o local escolhido para as derrubadas recentes, 20 a 30 alqueires de chão, quando muito. Depois de alguns anos o pomar, a horta e, mais tarde, a residência senhorial com seus jardins, os salões imensos e as diminutas alcovas, sempre pródiga em hospitalidade. Ela se orna com o decorrer dos anos, com os espelhos de moldura dourada, os lustres de cristal, os serviços de porcelana e as camas francesas com cortinado, a prataria fina, os móveis pesados de madeira de lei. Por volta de

1860, a figura do fazendeiro de café que provinha sobretudo de mineradores decadentes, pequenos comerciantes e donos de terras havia se definido como um novo tipo social. Desenvolvia-se o patriciado do café, como sucedera com os senhores de engenho; projetava-se nos quadros políticos da Monarquia e afidalgava-se com os títulos nobiliárquicos derramados em profusão pelo Imperador sobre as grandes fortunas alicerçadas pela economia cafeeira. A hierarquia conferiu-lhe refinamento de trato, maneiras aristocráticas condignas. Ao se incorporarem à nobreza do Império, os fazendeiros paulistas mantinham uma tradição já firmada quanto à hierarquia social do grande fazendeiro do café.

A conquista do Oeste de São Paulo pela lavoura cafeeira pertence à segunda metade do século XIX. É certo que desde 1817 faziam-se as primeiras experiências de adaptação da planta nas terras vizinhas de Campinas e, desde os últimos anos da centúria anterior, o cafeeiro fora introduzido no Município de Jundiaí. Os progressos definitivos vieram, porém, depois de 1850. Nesse meado do século, a experiência com o cultivo da planta em seu novo hábitat sedimentava normas seguras e processava-se rapidamente na região de Campinas o abandono dos engenhos de açúcar em favor das lavouras cafeeiras. Formou-se deste modo, nesse Município, novo e importante pólo de disseminação do café, de onde partiu sua irradiação para todo o Oeste da Província. No grande planalto interior paulista, o cafeeiro vinha conhecer sua área propícia por excelência, a terra roxa, que se completava com condições favoráveis do clima, em vastas extensões. Havia a temer, em algumas áreas, as geadas ocasionais, trazidas pela infiltração das massas polares, mas os fazendeiros aprenderam a evitar os estragos da terrível "geada branca", que por muitos anos contrariou a implantação do café nas terras de Itu, de Rio Claro, Descalvado e vizinhanças. O desfloramento modificou as condições do clima, e a experiência ensinou a desviar as lavouras das baixadas e dos vales.

Reconhecidas e ocupadas as terras roxas entre os Vales do Mojiguaçu e o Pardo, estabelecidas as primeiras fazendas de café nessa área, cerca de 1856, progredia rapidamente a substituição dos engenhos de açúcar pela nova cultura. Partiram, então, os pioneiros para o Oeste mais longínquo, onde os mineiros os haviam precedido no reconhecimento e ocupação de muitas áreas. Deixando de lado as terras férteis da faixa permiana, alcançaram o escarpamento que a delimita e o transpuseram com facilidade. As lutas de grupos armados traduziram com freqüência, nessas paragens, a agressividade que a ambição imprimia a posseiros e "grileiros" ou a insensibilidade da luta contra os índios, os antigos ocupantes. Desde 1846, os

A GRANDE LAVOURA

povoadores mais arrojados já haviam se instalado ao pé do escarpamento, em Botucatu, o aglomerado humano mais importante do sertão entre os rios Paranapanema e Peixe. A corrente de pioneiros se avolumou na década dos 70; avidamente procuram e descobrem as manchas de terra roxa na face e no reverso da escarpa. Aí plantam seus pés de café, palmilham e reconhecem os terrenos até encontrarem o grande derrame de basaltos do Vale do Paranapanema, ao mesmo tempo em que, em outra direção, se descobriam as terras roxas das plantações no oeste; a "febre do café" apodera-se de todos os espíritos, pobres e ricos, citadinos e lavradores, e prossegue além dos limites cronológicos do período em estudo. Nos seus últimos anos, as numerosas freguesias fundadas nos sertões do oeste apontavam os limites alcançados pela extensão máxima das culturas de café na Província de São Paulo: Piraju, 1871; São Pedro do Turvo, 1875; Campos Novos Paulista, São Manuel e Bauru, 1880; Jaú, 1858; São José do Rio Preto, 1879; Barretos, 1874, Ribeirão Preto, 1870. O movimento de colonização na terra roxa, que distingue a segunda fase da grande expansão da cafeicultura no Brasil no período monárquico, foi realizado exclusivamente em território paulista.

Esta conquista do espaço, assim como a colonização pelo café no Oeste paulista, processa-se num meio econômico e social mais complexo do que o prevalecente nas três décadas anteriores. Ao raiar a década dos 70, as tropas de mula formam ainda a infra-estrutura do sistema. Mas a irradiação dos cafezais criou enormes distâncias entre as lavouras e o porto de Santos, dificuldade a que se aliam o volume crescente das safras e o elevado preço do transporte animal. Este se tornou antieconômico. Em toda a região Centro-Sul os interesses do café exerceram pressão sobre as autoridades governamentais no sentido de uma legislação favorável à construção das ferrovias; em São Paulo, em grande parte foi um investimento dos próprios fazendeiros de café. Inaugurada a S. Paulo–Railway (Santos a Jundiaí), em 1868, completava-se em 1872 sua ligação com Campinas; em 1873 funcionava a Ituana (Campinas a Itu); em 1875, os primeiros trechos da Mojiana e da Sorocabana; em 1877 a Pedro II alcançava Queluz; em 1883 os trilhos atingiam Ribeirão Preto. São todas estradas do café, orientadas pela localização das lavouras e pelos roteiros que levam ao porto de embarque em direção ao mercado exterior. Este é também o característico das principais ferrovias que se construíram na área centro-sul, no período.

Após meados do século, outras Províncias, como a Paraíba, Pernambuco, Mato Grosso e Paraná, tiveram suas culturas de café. Em Goiás, reintroduziram-se de novo, em lugares talvez mais propícios. A importância de suas colheitas, contudo, é restrita, limitada em geral às necessidades locais do consumo. Fora da grande região cafeeira centro-meridional, apenas o Ceará e a Bahia têm alguma importância na exportação do produto. Experimentada em quase todas as Províncias, a cafeicultura centralizou-se nas áreas mais favorecidas pela excelência das condições naturais.

O papel das condições naturais — Durante mais de um século, a lavoura do café, associada à liberação dos solos de derrubada, deslocou-se continuamente em busca de novas reservas florestais. Segundo afirmava Saint-Hilaire, "todo o sistema da agricultura brasileira é baseado na destruição das florestas, e onde não há matas não existe lavoura". A cultura do café mantinha a tradição colonial. Desde as primeiras décadas do século calculava-se com acerto que, em terras privilegiadas, o rendimento do cafeeiro, como cultura comercial, não ia além de 20 anos, no máximo um quarto de século. Nas terras roxas este limite encontrava-se, em média, aos 22 anos. O cafeeiro conquistava o espaço, fecundava a terra atraindo os elementos da civilização, para abandoná-lo depois à decadência inevitável. Ao esplendor das áreas onde se elabora a paisagem típica das fazendas de café, condensadoras de população e nutridoras de cidades, sucediam-se mais tarde as pastagens mofinas, salpicadas de vegetações espontâneas de samambaias e sapé, que distinguem logo os solos empobrecidos. Aí, em quietude sonolenta, vegetam as "cidades mortas", gastas pela emigração de seu potencial humano e de seus recursos materiais. Em 1850, Vassouras se ostentava como a capital do café; na década seguinte as lavouras da Província do Rio de Janeiro declinavam rapidamente. Em torno da capital do país, as colinas e morros cobriam-se de capoeiras raquíticas que ocupavam os solos onde haviam florido os primeiros cafezais. Todavia, a área paulista do vale mantinha-se próspera ainda nos vinte anos seguintes. Em 1880, quando as lavouras do "Norte" definhavam, as fazendas do Oeste paulista indicavam a nova terra prometida dos fazendeiros de café.

De modo geral coincidem, as observações coevas em que, aos 6 ou 7 anos de idade, com a primeira carga de frutos, a colheita alcançava cerca de 100 arrobas por mil pés, conservando o cafeeiro produtividade pelo espaço de 10 anos aproximadamente. O precioso depoimento de Saint-Hilaire sobre as plantações ao longo do Vale do Paraíba, nas três Capitanias fronteiriças, registrou a média de 90 a 120 arrobas por mil pés nas primeiras safras. Em pleno viço um pé de café produzia, na terra virgem, 1,377 a 1,836 grama. Esses números são em geral aceitos como indicação

A GRANDE LAVOURA

da rentabilidade da planta nos primeiros 10 anos, em seu máximo vigor. Tendiam a baixar em seguida e, após 20 a 25 anos, as colheitas minguavam depressa. Na opinião de Burlamaqui, o declínio rápido manifestava-se aos 15 anos de idade, referindo-se, naturalmente, aos cafezais fluminenses. Nesta área anotava, em 1861, a média de 31 arrobas por mil pés, rentabilidade que não mais oferecia interesse comercial. A média de 20 a 30 arrobas observava-se, em geral, para os cafeeiros com 30 anos. As terras roxas de São Paulo mostravam-se mais fecundas com a média de 70 arrobas por mil pés, para os cafezais velhos de Campinas em 1883. Quando decadentes, os cafezais se apresentavam "incapazes de dar uma colheita que pague o trabalho que exigem", mais valia do ponto de vista econômico desflorestar novas áreas, partir para as faixas pioneiras e formar novas fazendas de café.

A mão-de-obra escrava, muito abundante até 1850, e a disponibilidade de terras garantiam a extensão progressiva das culturas, sem elevar sensivelmente os custos. Nenhuma pressão econômica se fez sentir no sentido de intensificar a capitalização, com o intuito de fazer crescer a rentabilidade das terras cansadas. Quando declinou o fluxo emigratório dos escravos do Norte do país, na década de 70, a mecanização começou a conquistar alguns prosélitos, mas a oferta de terras continuava a comandar o emprego dos demais fatores de produção. Atingido certo nível de baixa rentabilidade, o empresário agrícola transferia seu capital para novos solos, investimento mais lucrativo do que aumentar a capitalização por unidade de superfície. A conquista de novas terras foi a base do sucesso dos fazendeiros de café, e o abandono das terras cansadas, a réplica do alqueive, adaptada às circunstâncias do meio e da época. Esta foi a forma de crescimento das economias agrícolas em geral, onde, escasso o capital financeiro, existiam solos e mão-de-obra em abundância. A ocupação das grandes planícies nos Estados Unidos, no século XIX, deixando milhões de acres de terras exauridas, completamente inutilizadas por muitos anos, propõe problemas semelhantes.

Na região centro meridional, o cafeeiro vinha encontrar as características típicas do meio tropical. Essas se marcam pelos verões ardentes, com suas chuvas fortes concentradas principalmente nos meses de novembro a março, os invernos sempre secos, as noites relativamente frias. Essas condições do esquema teórico se amenizam com as altitudes, seja na Serra do Mar e da Mantiqueira, nos contrafortes do Vale do Paraíba, onde o pé de café viceja a 200, até 500/550m, seja no extenso planalto interior de São Paulo, a 500/600m. Encontrava a pluviosidade média de 1.000mm, muitas vezes a ideal, com 1.200 a 1.600mm, o mês mais quente com temperatura acima de 22°C, o mais frio acima de 18°C, as médias anuais de 20°C, reputadas excelentes. Estes dados são apenas os essenciais, mas permitem atribuir relativa homogeneidade quanto aos elementos fundamentais do clima, em toda a grande área da expansão do cafeeiro, no Vale do Paraíba e no Oeste paulista. Esta base comum empresta a toda a área uma unidade característica quanto ao ritmo dos trabalhos agrícolas, pois a lavoura do café exige chuvas bem distribuídas durante a época da floração e a longa estiagem para as tarefas da colheita e do beneficiamento.

No vale, a eliminação da cobertura vegetal pôs à mostra os excelentes solos chamados salmorões e massapés, originados da decomposição dos granitos, dos gnaisses e outras rochas arqueanas, juntamente com as aluviões do quaternário. Ofereciam de início ótima produtividade. Ainda que pouco profundos, sujeitos à erosão em conseqüência da topografia, após ser destruída a floresta, podiam sustentar cafezais remuneradores pelo espaço de 20 anos. Contudo, foi a admirável terra roxa que deu prestígio invulgar à cafeicultura paulista. Originários da decomposição dos basaltos, seus solos profundos, argilosos, ricos em matéria orgânica, muito permeáveis, revelaram-se excepcionalmente fecundos desde os primeiros plantios na região de Campinas. Eles fixaram as lavouras de café e assinalaram o local onde se ergueram as povoações nascentes. Sendo mais ou menos uniformes as condições do clima, foram as do solo que comandaram o avanço das frentes pioneiras e a implantação definitiva das lavouras na região centro-meridional. A floresta indicava as áreas privilegiadas; as de maior interesse são marcadas pela presença das árvores padrões, sendo mais estimadas, entre outras, o pau-d'alho (*Gallezia gorozema* M.,) o cedro branco (*Cabralea laevis* D.), a umbaúba (*Cecropia palmata*). "O verdadeiro agricultor", escrevia o Barão do Pati do Alferes, "conhece as madeiras da mata, verdadeira pedra de toque do profissional da agricultura". Durante 10 anos as plantas se nutriam fartamente na camada de húmus. Decaíam depois, com a laterização rápida, a que não escapavam as lavouras da terra roxa.

Os estudos realizados posteriormente ao período estudado vieram mostrar que o cafeeiro é relativamente pouco exigente quanto aos princípios nutritivos quando comparado com as mais importantes plantas cultivadas na Europa. Como vegetal nativo de sub-bosque, dá preferência às terras ricas em húmus, com substâncias azotadas e minerais, sobretudo o ácido fosfórico e a potassa. Empiricamente os fazendeiros de café reconheceram desde cedo a importância das cinzas que enriqueciam os solos

A GRANDE LAVOURA

em seu teor de potassa e a consagraram como "o adubo por excelência' para manter as terras férteis. Todavia, sendo o cafeeiro tolerante quanto à natureza dos elementos que constituem os solos, não o é quanto às suas propriedades físicas. As árvores padrões, consagradas pela tradição, ates tavam justamente essas propriedades, entre as quais a profundidade pare ce ser muito importante. A excelência das terras roxas se condicionava em grande parte à sua profundidade, em geral de dois a três metros, e excepcionalmente até 20, como na área de Ribeirão Preto. Como reserva natural de umidade compensava a alternância rígida de seca e de pluviosidade dos climas tropicais e os inconvenientes da porosidade excessiva que lhes é própria. Como manancial de elementos nutritivos, supria por mais tempo a ausência de fertilizantes e de roteamentos.

As técnicas de cultivo   A espécie mais cultivada no Brasil monárquico foi a variedade nacional da *Coffea arabica* L. A variedade Maragogipe, encontrada na Bahia em 1870, e a amarela, descoberta em Botucatu, no ano seguinte, tiveram expansão muito restrita. O processo de plantio e de tratamento das lavouras estabilizou-se em torno de algumas normas fundamentais, aproximadamente as mesmas em toda parte. Abatida a floresta, jaziam no terreno troncos das grandes árvores, cortados a 80 ou 100cm do solo, no período da estiagem. Depois de secas a ramagem e a vegetação miúda, o fogo vinha calcinar o remanescente. A semeadura em covas, diretamente nos terrenos de cultivo, firmou-se como o método mais prático e mais adequado às plantações extensas, com a grande expansão no Oeste, na década dos 70. Por esse processo a lavoura paulista formou a grande maioria de seus cafezais. Mas foi sobretudo à custa de mudas que os cafezais se expandiram até aquela data, aproveitadas de início as que vegetavam espontaneamente sob os cafeeiros adultos e, mais tarde, cultivadas em viveiros especiais.

Nos primórdios da adaptação do vegetal, faziam-se as plantações sem alinho. Possivelmente, a passagem do estágio dos cultivos de subsistência para as lavouras comerciais veio estimular a simetria, mais adequada às tarefas agrícolas e à vigilância da mão-de-obra escrava. O alinhamento como regra, contudo, não teve aceitação muito rápida. Recomendada nos anos 30, somente na década de 70 generalizava-se rapidamente. De início adotou-se o espaçamento estreito, ou seja, 2,20m a 2,60m de planta a planta. A cultura dos cafezais nas terras férteis de massapé mostrou a importância dos intervalos maiores: proporcionava arejamento, melhor exposição aos raios solares e, assim, mais abundante frutificação. No meado do século reconhecia-se o espaçamento de 16 palmos (3,52cm) em quadra ou em quincôncio, como o mais indicado para os solos férteis. Tendia-se à aproximação de uma das normas consagradas posteriormente (16 a 18 palmos de espaçamento). O problema foi colocado com mais pertinência nos anos 70, com o interesse despertado pelo maquinário agrícola, que impunha espaçamentos maiores.

Pouco cuidado se concedia à planta, de modo geral. Apesar dos aperfeiçoamentos registrados em algumas áreas, a lavoura cafeeira permaneceu como cultura tipicamente extensiva durante o período monárquico. Colher café significava o usufruto de um sistema consagrado pelo consenso de "esgotar a terra sem arte nem ciência". Por meio de carpas extirpavam-se as ervas daninhas. Todo o trabalho da lavra da terra consistia apenas em carpir três vezes por ano. "No mais", ouviu Ribeyrolles de um fazendeiro de café, "deixe que a plantação vá por si." Nos anos 70 tendia-se em São Paulo à prática de maior número de carpas, em geral quatro, mas até oito, nas melhores fazendas. Já se entendia que "lavrar a terra equivale a adubá-la, chegando à planta as ervas carpidas, que acolchoam o solo e impedem a evaporação". "Uma limpa equivale a uma chuva", dizia o provérbio dos lavradores de café. Desde os anos 60 aconselhava-se a utilização das cascas do café como adubo e o sombreamento das plantações, mas nem os escritos nem o exemplo de uns poucos conquistaram muitos discípulos. A poda do cafeeiro, como técnica de cultivo, estava ainda no terreno das controvérsias. São, antes, as características de uma agricultura depredatória, que são exaltadas até pelos mais responsáveis e cultos: Couty recomendava que se deixassem à Europa os fosfatos, o guano e outras substâncias caras, limitando-se a lavoura brasileira à utilização da riqueza natural da terra. Sugeria apenas a utilização da cal, já recomendada 20 anos antes por agrônomo paulista. Taunay e Fonseca aconselhavam o abandono completo dos cafezais velhos, concentrados os recursos nas plantações novas, proporcionais aos braços de que se podia dispor.

Segundo o costume firmado nas Antilhas, intercalavam-se culturas alimentícias entre cafezais novos, até 3 ou 4 anos. Proporcionavam sombra às plantinhas quando novas, com a vantagem de que as colheitas de feijão, chamado "o pai da casa", as de milho e de mandioca, serviam ao sustento dos proprietários, de seus agregados e escravos.

Dois instrumentos de trabalho são fundamentais e quase exclusivos na grande lavoura cafeeira – a enxada e a foice –, ferramentas tradicionais do trabalhador da terra em nosso país. Ajustavam-se à rusticidade da mão-de-obra escrava, à organização do trabalho coletivo, como também às condições topográficas do Vale do Paraíba. Este se manteve sempre

A GRANDE LAVOURA

como o domínio irredutível da enxada nas lavouras cafeeiras. O despertar do interesse pelo arado ou charrua, entre os fazendeiros de café, parece datar dos anos 70. Até então, as notícias espaçadas nos levam a crer que seu uso era muito raro; o ano de 1847 que registra o emprego do arado em lavouras de café, pela primeira vez, em território paulista (fazenda Ibicaba, Limeira), parece marcar apenas o esforço isolado de um pioneiro. Nas décadas de 50 e 60 repetem-se as referências dos Presidentes da Província aos lavradores paulistas como emperrados rotineiros que lavravam a terra como o faziam seus antepassados há mais de 100 anos. Carlos Ilidro da Silva, o grande agrônomo paulista dos anos 60, notava a indiferença completa dos grandes proprietários por métodos científicos de cultivo do solo. Nos grandes centros produtores de café, escrevia, a rotina havia firmado seu império, os fazendeiros abastados nenhuma importância davam à vulgarização dos conhecimentos indispensáveis sobre agricultura, de modo algum concorriam para que se avançasse um passo no caminho da renovação. Somente quando premidos pelo elevado custo do escravo, pelos elevados salários do trabalhador livre, dispuseram-se a utilizar aparelhamento mais moderno. "Tardia a adoção do arado e da enxada americana entre nós", afirmava um dos representantes paulistas ao Congresso Agrícola do Rio de Janeiro em 1878, reconhecendo que os progressos eram recentes. Quando em visita a algumas fazendas paulistas, em 1879, Couty escrevia que a época ainda se caracterizava por experiências e ensaios. Alguns fazendeiros haviam adquirido charruas de fabricação inglesa, de tipos diferentes; as máquinas custavam caro, muitas se haviam quebrado. Os progressos eram lentos nessa via, raro ainda o uso da maquinaria, nem se serviam dela os colonos. Mais tarde, em 1883, podia verificar que se generalizava a carpideira, aparelho que funcionava com o trabalho de um homem e um animal, fazendo o serviço de seis escravos. Com este recurso as lavouras de café na Província de São Paulo podiam receber seis a sete carpas por ano. Alcançava-se, deste modo, o que constituía a superioridade técnica paulista nas lavouras do Oeste de café: revolver a terra, superficialmente, com várias carpas.

Sem dúvida, o pioneirismo paulista se favorecia da topografia do planalto, da alta rentabilidade, da extensão das áreas de plantio. Impressionavam vivamente aos visitantes, nos últimos 15 anos do período, "o zelo, a atividade, o entusiasmo pelas idéias de progresso de que se acham imbuídos os paulistas. Por toda parte lavra-se a terra, por toda parte plantam-se novos pés de café, empregando-se os cuidados os mais completos". São as grandes fazendas, aquelas de mais de 100, até quase 200 mil pés que deslumbravam pela economia de força de trabalho, tratadas as lavouras com esmero apenas com 15 ou 20 escravos. São os exemplos enaltecidos pela imprensa, vinham sacudir a rotina que ainda embalava muitos. Representava a média de trabalho do escravo, na maioria das fazendas do Oeste da Província, o trato de 1.000 pés de café enquanto nas lavouras fluminenses a cada escravo se atribuíam em média 4.000 plantas, às vezes até 7.000, oprimidos os proprietários com o preço elevado do escravo e a rentabilidade decrescente de suas lavouras.

O declínio da rentabilidade dos cafezais fluminenses está associado também à ocorrência da praga conhecida sob o nome de "mal de Cantagalo". Surgindo em 1861 no Município de São Fidélis, devastou rapidamente seus cafezais e progrediu pelas áreas vizinhas. Ao fim do período monárquico cerca de 300.000ha da área da Província do Rio de Janeiro estavam definitivamente comprometidos, dizimadas suas plantações de café, em grande parte substituídas por lavouras de cana-de-açúcar. Tratava-se de um verme nematóide que se localiza em nodosidades patológicas nas raízes do cafeeiro, a *Heterodera radicicola*, espécie cosmopolita encontrada em muitas regiões do Globo. Estudada pela primeira vez em 1876, somente em 1886 Emílio Goeldi identificou em definitivo a moléstia.

O beneficiamento do café   O predomínio da força animal e da água no preparo das colheitas do café, durante todo o período monárquico, confirma o fato, já observado com respeito às lavouras, de que a máquina havia realizado poucos progressos. Sendo o vapor o elemento central da mecanização, seu uso permite aferir a extensão do uso daquela, desde que somente esta fonte de energia pode ser levada a toda parte e aplicada a todos os tipos de trabalho agrícola.

É expressivo das condições das primeiras experiências com culturas de quintal o secamento dos grãos em couros ou sobre grandes pedras de granito, tal como se dispunha em sua localização original ou sobre a calçada, em plena rua, como foi observado em Campinas e em outros aglomerados urbanos. Os terreiros de chão batido foram utilizados desde cedo e predominaram até o meado do século. Aí, expostos à plenitude do calor, os grãos de café diariamente secavam ao sol, logo em seguida à colheita. Adquiriam, deste modo, certo gosto de terra, que os distinguiam negativamente entre os consumidores do exterior. Nos anos 50/55 os terreiros de pedra ou de tijolo estavam ganhando a preferência. Para as pequenas colheitas, além do chão duro, surgiram os tabuleiros, construídos com uma estrutura de madeira e o fundo de esteiras de taquara, ou os tendais, feitos também da matéria-prima vegetal. Munidos de rodas, de construção

A GRANDE LAVOURA

barata, o manejo fácil, estavam desaparecendo no fim dos anos 60, mas perduraram muito tempo ainda nas pequenas plantações.

O secamento dos grãos sempre se revelou um problema dos mais difíceis na técnica do beneficiamento do café, com conseqüências muito importantes, pois a operação é fundamental para a preservação das qualidades do produto quanto à cor e ao aroma. Beneficiar o café significa despojar o grão dos dois invólucros que o revestem: o exterior, chamado polpa, e o interno, designado por pergaminho ou casquinha. No processo por via seca, o mais simples, o café depois de colhido e lavado era posto a secar pelo espaço de 20 a 30 trinta dias, passando depois por várias operações com o fim de retirar os dois revestimentos. No beneficiamento por via úmida, os grãos são depositados em água, a fim de amolecer a polpa antes de serem submetidos ao despolpamento.

O método de beneficiamento por via úmida, desenvolvido nas Antilhas, ajustava-se muito bem às colheitas pequenas. Tecnicamente, só podem ser tratadas por via úmida as cerejas maduras, que são colhidas em sucessivas apanhas. Naquela área, em conseqüência do meio natural excessivamente úmido, impunha-se a secagem por processos artificiais. Manipulando pequenas safras, o processo não oferecia dificuldades, propiciava a obtenção de cafés de qualidade superior, também chamados doces ou brandos, ou *mild* na nomenclatura do mercado internacional. No Brasil monárquico designavam-se ordinariamente como "lavados". Os cafeicultores do nosso país demonstraram desde cedo preferência marcada pelo beneficiamento por via seca. Até nossos dias é este o sistema de preparo da quase totalidade das safras brasileiras, que dá em resultado os cafés chamados não lavados ou de terreiro, duros ou *hard*, que são de qualidade inferior. Refletiram, desde a aurora da cafeicultura brasileira, as condições rudimentares do beneficiamento.

Efetuava-se a colheita por meio de derriça, ou seja, destituía-se o arbusto de todos os grãos de uma só vez, misturando-os, deste modo, em graus diferentes de maturação. Um escravo colhia em média três alqueires por dia (cerca de 46kg), serviço sempre organizado por tarefa para estimular o seu ritmo. Ignoravam-se as sutilezas que muito mais tarde viriam acompanhar o dia-a-dia da seqüência do processo de secar, quando se reconheceu sua importância. Secar café, entendia-se no século XIX como a exposição demorada ao sol, por 30 e até 90 dias, como recomendava Porto Alegre. A figura do trabalhador, revolvendo com rodos de madeira as camadas de café espalhadas no terreiro, dispondo-as em montes ao anoitecer, é típica do cenário das fazendas de café brasileiras, no período da colheita. A rotina estabelecida ajustou-se à rápida expansão das lavouras cafeeiras, permitia o tratamento rápido de enormes volumes de grão e se aproveitava das condições do clima, os belos dias quentes e ensolarados do período da estiagem. O tratamento pela via úmida significava acréscimo de custos, pois exigia mão-de-obra mais numerosa e maior quantidade de água, nem sempre acessível sem obras especiais. Talvez esses fatores todos possam explicar por que nenhum dos secadores mecânicos conseguiu desfrutar de popularidade em nosso país. Racionalizou-se a prática tradicional, com a opinião corrente de que nada melhor para secar o café do que o esplêndido sol de nosso país, que lhe confere melhor aroma.

Nas operações destinadas à retirada dos invólucros que revestem o grão de café, o primeiro grande esforço do fazendeiro foi ajustar ao novo produto o aparelhamento tradicional de que já dispunha para o tratamento de outros tipos de grãos. Esta adaptação se distingue como a diretriz do desenvolvimento dos processos de benefício até os anos 60. Em termos de experiência histórica não houve originalidade. O fato de que algumas dezenas de fazendeiros de mais acurado espírito de empresa tenham introduzido elementos de tecnologia mais avançada não altera as características gerais do período. Preserva-se a madeira, como o mais generalizado material de construção do aparelhamento agrícola; mantinha-se o animal como força motriz mais utilizada, adotou-se o aparelhamento existente. A cafeicultura tornou-se, contudo, o grande agente de vulgarização da força hidráulica no século XIX, na área centro-meridional, pois quando escrevia Augustinho Rodrigues da Cunha (1844) não se utilizava ainda a força hidráulica nas lavouras de café. A intensificação do uso do animal e da água não alterou as características gerais das primeiras décadas que, tecnologicamente, pertencem à fase pré-industrial.

Antigos processos que vigoravam na Arábia ainda são vigentes até o alvorecer dos anos 60. Por muito tempo fez-se uso do pilão comum de madeira, acionado manualmente pelo escravo, e que, desde o passado remoto, fazia parte do equipamento rural brasileiro para moer e descascar grãos. Os produtores menores, que manipulavam apenas três ou quatro arrobas de café, serviam-se de varas ou do antiquíssimo mangual, aplicando a mesma técnica com que descascavam o feijão. Muitos se utilizavam do rodeiro, a grande roda de madeira, de 1,50m de diâmetro, aproximadamente ou mais, empregada para amassar barro nas olarias; deslocava-se num canal circular, construído de pedra ou alvenaria, acionado por força animal ou hidráulica; descascava cerca de 50 arrobas de café em 12 horas, mas há autores que lhe atribuem um rendimento até de 150 arrobas. É o

A GRANDE LAVOURA

ribes, ripes ou carretão, famoso e tradicional aparelho das lavouras de café, encontradiço nos últimos anos da Monarquia e ainda remanescente no Norte, em pequenas lavouras. Satisfazia às necessidades das grandes colheitas, não quebrava tanto os grãos, como os pilões, não produzia muito pó, nem demandava muitos braços para a manipulação do café.

O primeiro artifício automatizado que se empregou no benefício do café foi o monjolo, que desde cedo compartilhou as tarefas com o pilão manual. Adaptou-se à força animal com o monjolo de rabo, ou seja, ajustando-se a almanjarra que o animal fazia girar para dar movimento à mão-do-pilão. Aos poucos este aparelho primitivo foi se ajustando aos volumes crescentes das safras; passou a reunir vários pilões, acionados por uma bateria conjugada de monjolos de rabo ou de monjolos acionados pela força hidráulica. Deste modo, o fazendeiro transferiu para a produção cafeeira a técnica das baterias de pilões, divulgada na zona da mineração desde que von Eschwege a introduziu em Congonhas do Campo. Já a conheciam também os plantadores de algodão das Províncias do Norte. No meado do século (1858), cada conjunto de quatro pilões descascava 24 arrobas de café por hora; as grandes fazendas, que possuíam quatro conjuntos, podiam descascar cerca de mil arrobas por dia (250 sacas de 60kg). Os abanadores ou ventiladores separavam a semente da casca e pela catação manual eliminavam-se os grãos impróprios para o mercado. Muitos fazendeiros gostavam de "bornir" o café, isto é, repassá-lo nos pilões para lhe dar certo brilho, última operação do beneficiamento antes de ser ensacado.

As conquistas da revolução industrial, que vieram beneficiar a cafeicultura, incidiram primeiramente no setor do beneficiamento, seguindo, aliás, tendência observada na Europa Ocidental e nos Estados Unidos. Nestas áreas, à parte o semeador (1856) que teve expansão rápida neste último país, a revolução tecnológica quanto à produção vegetal incidiu em suas fases iniciais nos processos de manipulação das colheitas. Nas fazendas cafeeiras o despolpador foi o primeiro aparelho da moderna tecnologia a ser utilizado. Inventada a máquina na Inglaterra, em 1786, significava verdadeira revolução na técnica de descascamento de grãos, vindo coroar demorado esforço para reduzir o tempo e o trabalho à base do mangual. Nos anos 60, muitas referências na imprensa brasileira enalteciam as vantagens do moderno aparelho e parece que foi nessa década que os primeiros se instalaram em nosso país (1866). O despolpador vinha suplantar o grande inconveniente da quebra dos grãos, que resultava do benefício por meio de pilões, além da considerável economia de tempo e de energia. Seu emprego ganhou impulso com a fabricação nacional; os pequenos aparelhos acionados manualmente manipulavam uma arroba de café por hora, os grandes, de propulsão a vapor, cerca de 400. O separador, o classificador, o brunidor, os transmissores correspondentes vieram depois; bem mais tarde, o ensacador e a balança automáticos completaram a linha de produção. Até os últimos anos da Monarquia a organização da produção se ressentia da ausência de coordenação, mas o emprego daquele maquinário mostrava o considerável progresso atingido em muitas fazendas e, de modo geral, alcançou-se melhoria dos tipos de café do Brasil que iam ter ao mercado. O vapor surgiu com a máquina, adotado primeiro aqui e acolá, pelos fazendeiros mais prósperos e empreendedores, com os pequenos aparelhos de dois cavalos de força para acionar os despolpadores. Só muito mais tarde, nos anos 80, o locomóvel apareceu como o elemento central da mecanização de todo o processo de beneficiamento. Sem dúvida, o despolpador marcou o advento da moderna tecnologia na cafeicultura brasileira. Devemos notar, entretanto, que a transformação lenta, paulatina, é característica das condições do país. Ao findar a Monarquia predominavam ainda, no conjunto da produção cafeeira, os processos antiquados caracterizados pelo uso da força animal e hidráulica, pela utilização da madeira como matéria-prima na construção do aparelhamento, enquanto a moderna tecnologia, em numerosas fazendas da Província do Rio de Janeiro e de São Paulo, havia ultrapassado a fase experimental e se incorporava em definitivo ao processo de produção da cafeicultura brasileira.

A grande lavoura canavieira   Muito poucas mudanças tinham vindo afetar os processos tradicionais do plantio da cana que se perpetuavam em nosso país, desde que se havia estabelecido, no século XVI, com o sistema de Capitanias. O desaparecimento das matas havia levado, na área tradicional da produção açucareira do Nordeste, à prática do alqueive mencionada desde o começo do século XIX com referência às terras cansadas, postas em poisio durante alguns anos para se recuperarem. Saint-Hilaire também o observou em São Paulo, onde os terrenos ocupados pela cana-de-açúcar em 20 anos consecutivos permaneciam em descanso cerca de três. Em 1879 é registrado em Alagoas e, com certeza, ainda era adotado em grande parte do Nordeste. A observância do alqueive indicava a ausência de práticas de adubação de qualquer espécie. As experiências feitas com o guano em Pernambuco, em 1885, não ofereceram resultados satisfatórios.

O grande progresso no século XIX, quanto ao cultivo, foi a adoção de novas variedades de cana de maior produtividade. A caiana, introduzida

A GRANDE LAVOURA

em 1810, da Guiana Francesa, já vegetava nas Antilhas desde fins do século XVIII, conhecida sob os nomes de Bourbon, Otaiti ou simplesmente Taiti. Representava enorme vantagem comparada com a crioula ou da terra, a única até então existente no país. Vegetava mais rapidamente, pois sua maturação se completava apenas em nove meses, resistia melhor às intempéries e aos reveses das estações, as socas apresentavam-se mais profícuas; o caldo, em maior quantidade, proporcionava cristalização mais regular, menos mel e açúcar mais alvo. Sendo de porte maior, diminuía a incidência de ervas daninhas poupando braços para a limpeza dos canaviais. Avaliava-se seu rendimento quatro vezes superior ao da cana crioula.

Nenhuma outra variedade alcançou no Brasil monárquico a propagação e o sucesso da cana caiana. Seu predomínio foi completo até o raiar da segunda metade do século. Desde 1838, em Campos, 1843, em Santa Catarina, começaram a aparecer os primeiros indícios da degenerescência da caiana, afetada pela gomose. Renovaram-se completamente os canaviais, graças às mudas novas importadas da Província do Pará, como também das ilhas Reunião e Maurícia, e os focos da doença pareciam ter desaparecido. Todavia, na década de 50 a moléstia se alastrava de novo nas Províncias do Norte e no Município de Campos; nos anos 1864 a 72 grassou intensamente na Bahia, castigando duramente seus canaviais; em 1873 surgia de novo em Pernambuco, e 10 anos depois fazia ainda sérias devastações nesta Província; em Sergipe, as notícias sobre sua ocorrência datam de 1880. O diagnóstico correto da moléstia havia sido publicado na Bahia, em 1869, identificando-se-a com a degenerescência do vegetal em razão das sucessivas replantas, na continuidade de longos anos. Desconhecia-se a capacidade reprodutiva das sementes, comprovada em 1858. Em muitas áreas voltou-se ao plantio da cana crioula. Na maioria das regiões afetadas, contudo, houve esforço para a renovação dos canaviais com a importação de outras variedades, desde que a experiência havia mostrado ser a caiana a mais sujeita à moléstia. Desta forma, desde os anos 50, graças à iniciativa oficial e particular, novas variedades foram importadas, como a Solangor, ou Penang, muito resistente, procedente de Java; a roxa de Batávia, a rosa de Diard e outras mais. Algumas variedades nacionais surgiram também, por mutação ou hibridação espontânea, como a cristalina, de muito sucesso.

As novas variedades se acomodaram aos antigos processos de cultivo, caracterizado pelas três limpas anuais, com as ferramentas de uso tradicionais – a enxada e a foice. O espantoso atraso da agricultura na Bahia começava no campo, afirmava o Presidente da Província em 1852. A utilização do arado se limitava à abertura de sulcos para o plantio dos canaviais, cobertos a enxada pelos escravos, tal como os havia descrito Vilhena em 1802. Todavia, em depoimento feito em 1872 por Duggan, espanhol que viveu muito tempo na Bahia, consta que o arado, propriamente, não existia na Província, apenas um instrumento de madeira muito primitivo, puxado por quatro juntas de bois, com o qual se abriam os sulcos na terra, sem outra preparação. Koster registrou um modelo de charrua, importado da Guiana Francesa, rusticamente construído, puxado por três juntas de bois, utilizado somente nas terras baixas. Entretanto, já em 1847 ia se divulgando o arado nas plantações de cana da Província do Rio de Janeiro, segundo escrevia o Barão do Pati do Alferes.

Nesta Província, os fazendeiros ingleses há alguns anos (1842) haviam introduzido em seus engenhos o sistema de plantio dos canaviais observado em Cuba e na Luisiânia (EUA). Consistia em adotar distâncias maiores entre as leiras, cerca de dois metros, dispondo a plantação em grandes retângulos de 66 metros. Podiam deste modo servir-se do arado na limpeza dos canaviais utilizando o aparelho de três relhas, puxado por dois bois ou três cavalos, e o concurso de dois ou três escravos; em um dia efetuava-se o trabalho regular de 40 escravos. Praticavam também a chamada adubação verde, com a mistura do bagaço, palha e ervas daninhas aos solos de cultivo. O novo método de plantio, que se condicionava à adoção dos instrumentos aratórios, foi ensaiado em Alagoas e em Sergipe. Possivelmente, a depressão dos preços e as epidemias não favoreciam a reformulação dos métodos de cultivo, como base para o uso do moderno aparelhamento. Segundo depoimento no Congresso de Recife (1878), apenas alguns senhores de engenho utilizavam o arado e a grade nos trabalhos da terra, a grande maioria mantinha apenas a enxada e a foice. O Presidente do Imperial Instituto Baiano de Agricultura publicou em 1871 seu testemunho precioso sobre a mentalidade rotineira que dominava a lavoura da Província: "... a cultura é em geral malfeita, emprega-se o arado mais como abridor de linhas do que como instrumento de arar. Neste ponto as enxadas antigas desempenham melhor o serviço e é por isso que ainda se vêem muitos lavradores que preconizam o velho instrumento, descrevendo as vantagens dele... Entre todos existe a convicção de que nem é preciso preparar o terreno, nem estrumá-lo, nem preparar o caminho para o transporte das colheitas. A terra é fértil e inesgotável, o alqueive pode recuperar o perdido, o estrume uma despesa improfícua porque desnecessária, o sol o melhor construtor de estradas, e as preparações do terreno pelo arado e acessórios, luxos de jardinagem que não visam a resultado,

A GRANDE LAVOURA

mas à beleza do campo que exploram." Nem os baixos preços do açúcar, nem a emigração dos escravos para as lavouras cafeeiras do Sul exerceram pressão econômica no sentido de uma transformação dos métodos de cultivo da terra na grande lavoura açucareira do Nordeste. É interessante observar, porém, que, no Sul, o uso do arado realizava significativos progressos na região de Campos, no fim dos anos 70 e, sobretudo, na década seguinte.

O bangüê e o engenho central   Todavia, é no setor da manufatura açucareira, prostrado, como veremos, pela concorrência internacional, que se desenvolveram os maiores esforços no sentido de uma reformulação geral dos processos, com a adoção dos recursos da mais moderna tecnologia criada pela Revolução Industrial. O esforço de renovação concentrou-se no processo de tratamento da matéria-prima vegetal, desde os albores do século, e revestiu-se de um caráter singular, no panorama da grande lavoura brasileira, até a década de 60, quando a cafeicultura estava ensaiando seus primeiros passos no caminho da técnica avançada.

O bangüê, ou seja, o engenho primitivo, é um símbolo da tecnologia colonial, caracterizada pela moenda de três tambores, o conjunto de caldeiras e tachas de cobre, as grandes fornalhas ao fogo vivo, os métodos empíricos de tratamento do caldo, a purgação do açúcar nas formas perfuradas. Este conjunto de operações tipifica o processo empírico de fazer açúcar, também conhecido por "processo Labat", identificado com o autor da obra sobre as Antilhas, na qual está pormenorizadamente descrito. Sabemos que, desde os primeiros anos do século XIX, pequenos aperfeiçoamentos realizados nas fornalhas para minorar o gasto de lenha, algumas tentativas para utilizar o bagaço como combustível, o aparecimento da moenda de quatro tambores, expressaram a inquietude de alguns importantes senhores de engenho no sentido de melhorar a rentabilidade dos velhos equipamentos. O mais importante desses aperfeiçoamentos, e talvez o único que se tenha firmado no período, foi, sem dúvida, a moenda de cilindros de ferro, já conhecida nas Antilhas. Segundo o depoimento de Koster, em 1816, haviam sido introduzidas recentemente no Nordeste. É possível que nos anos seguintes tenha sido adotada nos engenhos de grande porte, mas é certo que, em 1843, ainda a recomendavam com insistência. Tornou-se a mais indicada para o esmagamento da cana caiana, pois resistia melhor ao impacto desta variedade, nos cilindros, muito mais dura, mais rija, causa de inúmeros acidentes nas antigas moendas de tambores de madeira. Conhecia-se também, em muitos engenhos, o chamado "forno inglês", no qual graças à chaminé uma só fornalha aquecia todas as caldeiras e tachas, exceto a primeira que dispunha de uma própria. Faziam-se também experiências para se utilizar o carvão animal, feito à base de ossos (o chamado processo Derosne), aplicado no preparo do açúcar desde 1812, como também com a cal (hidróxido de cálcio) adotada há muito tempo nas Antilhas e que se tornou o elemento de uso universal para coagular as impurezas. O fato central, todavia, é a adoção do vapor. Não se admira que no Brasil, como em outras partes, a nova fonte de energia se inaugure no setor do beneficiamento da matéria-prima vegetal. Este reclamava um tipo de energia potente para esmagar as canas e entreter as múltiplas operações demoradas para tratamento do caldo, quando o combustível e os braços escravos se tornavam cada vez mais caros. Assim também nos Estados Unidos e na Europa, os primeiros setores da produção agrícola alcançados pelo vapor foram aqueles dedicados ao beneficiamento dos grãos.

O vapor foi introduzido no Brasil na segunda década do século XIX, ou seja, em 1815, em engenhos da Bahia; dois anos depois foi registrado em Pernambuco e, em 1827, no Município de Campos (RJ). Como energia motriz dos engenhos de açúcar, a expansão do vapor foi muito lenta, em todo o período e, no conjunto do parque açucareiro nacional, a força animal conservou sua preponderância. Apesar dos inconvenientes desta, pois limitava a rentabilidade das moendas a 25 ou 30 tarefas de cana por dia (os de água a 30 a 40), da onerosa manutenção dos animais no período da entressafra, o alto preço do aparelhamento da produção do vapor e os problemas técnicos exigidos para seu manuseio retardaram sua difusão. Verifica-se deste modo que, instalado o primeiro vapor em Pernambuco, em 1817, contavam-se apenas cinco em 1854, num total de 532 existentes na Província: em 1857 seu número elevava-se a 18. Progresso mais rápido verificou-se na Província da Bahia; com 893 engenhos em 1875, cerca de um terço possuía vapor (320 engenhos); em 1881, dos 372 engenhos, cerca de 67,6% utilizavam o vapor. As mesmas tendências observam-se na Província do Rio de Janeiro, mais propriamente na área de Campos; dispondo de 56 engenhos a vapor, num total de 363, em 1852, cerca de 30 anos mais tarde (1881) elevava-se a 252 o número daqueles, o que representava 67,74% do número total das unidades de produção. Ao que parece, reduzidos em seu número, os engenhos haviam acrescido sua capacidade produtiva. Em Alagoas, o primeiro engenho dotado de vapor pertence ao ano de 1846, mas, nas outras Províncias do Nordeste, a nova energia motriz somente alcançou os engenhos na segunda metade do século: Sergipe, em 1857, onde foram raríssimos os engenhos à

A GRANDE LAVOURA

força hidráulica; em 1865, o Rio Grande do Norte; em 1882, a Paraíba; no Maranhão, os primeiros estão associados ao benefício do arroz, em 1854; em São Paulo, a adoção do vapor nos engenhos de açúcar parece ter-se iniciado no ano de 1861.

Juntamente com o vapor vieram também outros elementos da tecnologia moderna com respeito ao tratamento do caldo. O primeiro aparelho a ser adotado nesse setor foi o centrifugador ou turbina que revolucionou toda a técnica de purgar o açúcar. Inventado em 1837, efetuava a separação do cristal e do mel, por movimento mecânico, num processo extremamente rápido, limpo e seguro. Obtinha-se açúcar muito mais seco e, deste modo, a turbina proporcionou as condições para a ampla vulgarização dos sacos de tecido como embalagem moderna, que substituíram as enormes caixas e os barris. Os primeiros centrifugadores, segundo parece, instalaram-se em Pernambuco em 1842/52; em Alagoas neste último ano; em Campos em 1856 e em São Paulo em 1859. A caldeira a vácuo surgiu em 1813, com base em princípio enunciado no ano anterior, mas vulgarizou-se depois de 1827. A primeira, instalada em 1832 na Guiana Inglesa, em Demerara, emprestou extraordinária reputação ao açúcar desta procedência nos mercados internacionais, passando a designar um tipo especial, até hoje considerado padrão. Com a caldeira a vácuo resolvia-se o grande problema de substituir a caldeira de cobre por um vasilhame que permitisse a fervura rápida a baixa temperatura; a nova técnica evitava a queima do caldo e a inversão, isto é, a transformação da sacarose em mel, que é o açúcar não cristalizável. O invento da caldeira a vácuo é considerado o mais importante progresso na tecnologia específica da moderna indústria açucareira do século XIX. Há informes sobre as tentativas de adoção de caldeiras a vácuo em Pernambuco em 1844, mas parece que seu emprego em termos operacionais se deu primeiro na Bahia, por volta de 1847 e somente em 1874/75 em Pernambuco; este também é o ano de sua introdução em Campos e, em 1878, em Alagoas. Esses progressos da tecnologia açucareira identificaram-se com o engenho central, quando se tornou o seu expoente, na década de 70.

Alcançada esta fase da renovação tecnológica, o bagaço podia ser intensamente utilizado como combustível. Sabemos que na Bahia, em Pernambuco, em Campos, várias modificações realizadas nas fornalhas, desde o começo do século, visavam a este objetivo, com resultados precários. O uso racional do bagaço condicionava-se à utilização das moendas horizontais, com vários conjuntos de moagem, que vieram aperfeiçoar o esmagamento da cana, proporcionaram a máxima extração do suco e, deste modo, propiciaram um tipo de combustível muito seco, excelente para os engenhos, que se ajustava admiravelmente ao cozimento a vácuo.

As notícias que registraram a introdução da moderna tecnologia da produção açucareira no Brasil monárquico mostraram-nos o caráter fragmentário e descontínuo de sua difusão. São iniciativas isoladas que concretizavam as aspirações de uns poucos senhores de engenho mais empreendedores e de maiores recursos financeiros. Seu reduzido número é comprovado pelo retrospecto realizado por Raffard em 1882, que podia citá-los nominalmente. Não existia consciência clara da unidade do processo tecnológico, tal como aconteceu com referência ao beneficiamento do café, como já notamos. Todavia, em relação ao açúcar, as conseqüências eram muito mais graves porque o processo de tratamento da matéria-prima é muito mais complexo. Vários elementos da moderna tecnologia se introduziram isoladamente; desapareciam depois de algum tempo, perdiam-se na adversidade, pelo desconhecimento exato de suas implicações, e reapareciam mais tarde, em contexto técnico mais adequado. Compreendemos, assim, por que, apesar de a cronologia indicar a introdução precoce de vários elementos tecnológicos mais avançados, afirmava o Presidente da Província de Pernambuco em 1878 que, "excetuados os melhoramentos em alguns engenhos, os processos de fabrico de açúcar são os mesmos de 200 anos atrás, não dá para pagar os gastos de produção aos que precisam empregar braços livres". Três engenhos apenas, esclarecia depoimento no Congresso Agrícola de Recife do mesmo ano, contavam com o vapor e aparelhamento moderno mais importante e alguns outros dispunham apenas da turbina. De modo geral notava-se "grande atraso no fabrico do açúcar, que ainda é produzido pelos processos do Reverendo Labat, com defecação, evaporação e cozimento a fogo nu". No mesmo ano a Província da Bahia registrava 1.010 engenhos, todos trabalhavam a fogo vivo, alimentado com lenha, exceto dois ou três. O vapor indicado nas estatísticas servia em geral apenas para acionar a moenda. No mercado predominava o volume do mascavo, prova da baixa capitalização de todo o parque manufatureiro do açúcar. Nas condições deficitárias do setor do preparo do açúcar refletiam-se também os problemas da lavoura propriamente dita, com a degenerescência da planta, a irregularidade das estações, as secas, as epidemias devastadoras da mão-de-obra escrava e livre.

Faltou a esta fase de renovação, que teoricamente vai até 1875, um sentido fundamental de unidade, de ritmia crescente em sua expansão geográfica, de permanência e de sedimentação das conquistas obtidas.

A GRANDE LAVOURA

Muitas vezes renovava-se apenas um setor do velho engenho. Não se conseguiam os rendimentos esperados com os centrifugadores, sem o concurso de moendas modernas e caldeiras a vácuo; mas estas exigiam a reforma do sistema de aquecimento, aquelas significavam a adoção dos conjuntos horizontais. Pouco adiantava mudar a posição dos cilindros, tratava-se de uma nova concepção mecânica. Havia a vencer hábitos arraigados, o patriarcalismo da organização social, a rotina multissecular do sistema de produção, o custo elevado do aparelhamento moderno e de seu custeio, importados do exterior.

A opinião generalizada na década dos 70, entre estadistas e senhores de engenho, era de que somente com o engenho central se poderia recuperar o setor açucareiro do Brasil. Reconhecia-se que a estrutura tradicional era obsoleta, mas o apoio governamental era imprescindível para facilitar a obtenção do capital técnico e financeiro. O amplo debate promovido pelo Congresso Agrícola de Recife em 1878 acentuou a magnitude da medida; mas, nessa década, também foi objeto de intensa propaganda na imprensa diária matéria de relatórios de autoridades, de muitos opúsculos e folhetos.

A lei de 29 de setembro e a de 6 de novembro de 1875 sobre os engenhos centrais marcam o advento da política de ajuda financeira por parte do Governo com o fim de incrementar a instalação da moderna indústria açucareira em nosso país, revigorada por novos dispositivos legais em 1888. Em várias províncias as autoridades tinham se antecipado. Ao que parece, a iniciativa partiu de Pernambuco que, em 1857, havia legislado em favor da fundação de uma "fábrica central de açúcar". Tratava-se apenas de anseios. Somente em 1871, esta e a Província do Rio de Janeiro concederam garantia de juros a engenhos centrais que viessem a ser montados; em 1874, com o mesmo propósito, legislaram as Províncias de Sergipe, Bahia e Rio Grande do Norte. No ano seguinte, projetos de instalação de engenhos centrais foram aprovados nas Províncias de São Paulo, Ceará e Maranhão. Em 1877 a primeira concessão foi dada ao Paraná; em 1879 a Minas Gerais e Pará.

O engenho central havia sido preconizado em 1838 por Cail (da firma francesa Derosne & Cail), e logo instalado na Ilha de Bourbon; em seguida várias unidades desse tipo foram construídas na Martinica e Guadalupe. É um expoente da moderna tecnologia desenvolvida sob a Revolução Industrial. Significava uma estrutura completamente nova na organização da produção açucareira para enfrentar a enorme soma de capital financeiro e técnico que requeria a moderna indústria. O "engenho central" propriamente dito constituía-se da unidade de transformação da matéria-prima, instalada como setor industrial da produção, ou seja, com as novas máquinas e processos desenvolvidos sob a Revolução Industrial. Operava, em geral, sob a forma de sociedades anônimas. O fornecimento de cana mantinha-se sob a responsabilidade dos bangüês de fogo morto e dos lavradores. Destruía-se, com a divisão do trabalho, a unidade fundamental, que distinguirá até então a antiga estrutura de produção açucareira, que centralizava, sob o engenho, as lavouras próprias e dependentes, mais as instalações destinadas ao preparo do açúcar. Aos técnicos, o engenho central parecia a solução única para enfrentar a concorrência do açúcar de beterraba; racionalizado o processo de produção ao nível de indústria, os custos deveriam cair a índices muito baixos, não competitivos.

As novas medidas consubstanciadas nos textos legais garantiram juros de 7% a um capital global de 30 mil contos que se empregasse na construção de engenhos centrais e, entre outros requisitos, prévia isenção de direitos alfandegários aos materiais importados e à mão-de-obra livre na unidade industrial. Havia ao tempo das primeiras leis gerais, como já dissemos, vários engenhos centrais projetados e aprovados nas províncias. A estes a lei geral concedeu a primazia dos favores legais. Em 1881, quase dois terços do capital global previsto (quase 20 mil contos) haviam sido garantidos pelo Governo geral. Aos engenhos centrais com capacidade para moer 200 toneladas de cana diariamente, com produção prevista de mil toneladas de açúcar por safra (16.666 sacas de 56 kg) fixava-se em 500 contos o teto do capital garantido; os de dupla capacidade se beneficiavam com a garantia de 750 contos, elevado a mil contos para os engenhos com produção de quatro mil toneladas. O montante do capital garantido no início da era republicana (1890) alcançava 60 mil contos.

A experiência dos engenhos centrais durou apenas 15 anos no Brasil. Aprovada a concessão de 87 engenhos centrais, ao fim do período monárquico apenas 12 encontravam-se em atividade. Contavam-se três na Província do Rio de Janeiro, três na de São Paulo, dois na Bahia, um em Sergipe, Pernambuco, Paraíba e Maranhão. Juntando-se estes aos que se projetavam, elevava-se a 56 o número de estabelecimentos desse tipo, instalados ou em perspectiva, com um capital garantido de pouco mais de 40 mil contos. Numerosas concessões haviam sido prodigalizadas, beneficiaram-se delas muitas pessoas estranhas aos interesses da grande lavoura, interessadas apenas em transferir com lucros os favores obtidos. Multiplicavam-se os casos de caducidade de concessões outorgadas. Na Província de São Paulo, com numerosas concessões aprovadas, apenas

A GRANDE LAVOURA   131

três engenhos funcionavam ao fim do período monárquico: Porto Feliz (1876), Piracicaba (1881) e Lorena (1881). No Rio de Janeiro, os de Quissamã (1877) e Barcelos (1878) tiveram grande sucesso.

Por que a grande maioria dos engenhos centrais havia fracassado? Em primeiro lugar havia os problemas tecnológicos. Muitos estabelecimentos instalaram máquinas usadas ou defeituosas, transferidas de outras áreas do exterior pelas firmas contratantes. Muitos engenhos centrais foram apenas antigos engenhos remodelados. Os técnicos, não raro, revelaram-se apenas charlatães. Os operários não haviam sido treinados para as tarefas que se lhes incumbiam. Os problemas de transporte eram graves, os excessos de gastos de combustível ultrapassavam a expectativa. Com todas essas condições contrárias, o fator principal da ruína foi o fornecimento da matéria-prima; nunca se conseguiu regularizar o fornecimento, dadas as falhas da administração central e a ausência de colaboração por parte daqueles a quem cabia a responsabilidade da lavoura. Tornou-se manifesta a resistência ou indiferença dos antigos senhores de engenho, que se viam diminuídos de seu antigo *status*. Deficitária a matéria-prima, permaneciam os engenhos ociosos grande parte do período da safra. Várias medidas foram tentadas pelos engenhos centrais, tais como a elevação do preço da cana aos fornecedores, adiantamentos em dinheiro, colônias de imigrantes estrangeiros para estabelecerem lavouras canavieiras, mas todas se revelaram aleatórias. O problema só foi resolvido com o advento da usina, a partir de 1890; esta refez a unidade do sistema de produção, agora sob a estrutura de indústria e com a aquisição de terras para lavoura próprias, que liberou a usina, em definitivo, da dependência exclusiva do fornecedor da cana. Contudo, desde 1880 a figura deste se delineava, nitidamente, na estrutura de produção, dentro de uma linhagem econômico-social que remontava aos lavradores de partido obrigados ou livres do período colonial. Por outro lado, é de notar a resistência notável do bangüê, que sobreviveu ao lado da usina, com seus açúcares de qualidade inferior, com sua técnica atrasada, sua rentabilidade baixa, e só veio a desaparecer depois de 1950.

A grande lavoura algodoeira   O fato de maior relevância na grande lavoura algodoeira no período monárquico foi a disseminação em nosso país das variedades do herbáceo, ou seja, os algodões de cultivo anual, graças às sementes importadas da Inglaterra e dos Estados Unidos, durante os anos da guerra civil americana (1860/65). É possível que, em algumas partes do país, apenas se renovava sua cultura, conhecida, nos anos 40 e 50, em várias Províncias.

Desde a época colonial exploravam-se no Brasil as variedades nativas de fibra longa, o algodão Mocó (*G. purpurascens Poit.*) e o crioulo ou rim-de-boi (*G. brasiliensis Macf*), já conhecido pelos índios. Tradicionalmente a grande lavoura algodoeira desenvolveu-se no Norte do país, se bem que, em toda parte onde podia vegetar, cultivavam-se alguns pés de algodoeiro das variedades nativas para o consumo doméstico. Pelas características de sua estrutura agrária, lavouras algodoeiras se assimilavam à grande propriedade escravocrata e monocultora. Localizavam-se, em geral, no interior, nas regiões semi-áridas, a 10, 15 léguas da costa, nas Províncias do Nordeste, não apenas porque a planta se ressente da umidade do litoral, mas também por causa do predomínio das lavouras de cana na Zona da Mata. Apesar de ser oneroso o preço do transporte, a produção média de 40 arrobas por escravo ao tempo de Gayoso (1812) era bastante remuneradora. Aproveitava-se das condições excelentes do mercado internacional durante as guerras napoleônicas quando muitos engenhos associaram o cultivo do algodão aos canaviais.

Nos anos 20 o cultivo do algodoeiro decrescia em toda parte, traduzindo o desânimo dos lavradores após a Paz de Viena (1815), em razão dos preços baixos e das moléstias que atacavam a planta. No Sul recuavam os algodoeiros ante o sucesso das lavouras cafeeiras e, no Norte, os recursos se concentravam na produção de açúcar. No meado do século ainda constava como o mais importante produto da economia maranhense, apesar de seriamente afetado pela emigração dos escravos para o Sul.

As novas plantas, conhecidas pela designação geral de algodão herbáceo, constituíam-se de algumas variedades das Upland de fibra curta, que procediam dos Estados Unidos. Sua larga disseminação na década de 60 resultou em grande parte da atividade das administrações imperial e provincial, e do concurso dos interesses ligados à indústria têxtil inglesa, como aconteceu em outras partes do mundo, tendo em mira suprir as necessidades do seu parque industrial, à beira do colapso desde que se haviam interrompido as remessas do algodão norte-americano. Interessavam, pela produção de tipos de fibras adaptadas ao maquinário têxtil de que dispunham, os algodões de fibra curta, de qualidades médias e inferiores, ou seja, as variedades Nova Orleans, que dominavam a grande massa de exportações dos Estados Unidos antes da guerra civil americana.

Desde 1861, sob o estímulo das autoridades, foram distribuídas pequenas porções de sementes, e divulgaram-se algumas noções sobre o cultivo do algodoeiro, obtidas em outros países. Graças à experiência com o trabalho de campo, por parte da iniciativa particular, formou-se um

A GRANDE LAVOURA

núcleo de informações básicas sobre o comportamento da planta em nosso meio. Quase todas as Províncias do Império conheceram nos anos 60 a "febre do algodão"; experimentada sua cultura em toda parte onde era possível a planta vegetar, foi abandonada depois em muitos Municípios, mas persistiu em várias zonas, depois que se normalizaram as atividades do mercado produtor norte-americano.

Comparada com o café ou o açúcar, a cultura do algodão herbáceo se apresentava relativamente fácil e pouco dispendiosa. Sobretudo, muitas áreas do território lhe pareciam propícias. A planta não tem grandes exigências quanto ao solo, o que não significa que todos lhe sejam igualmente propícios; nos Estados Unidos, reconheciam-se como ideais os solos arenosos de origem aluvional da bacia do Mississípi. Muito sensível às condições climáticas, a distribuição das chuvas é um fator muito importante para o cultivo. A planta vegeta admiravelmente sob temperaturas médias de 20 a 21°C, em altitudes médias, e para o amadurecimento das cápsulas é ideal a temperatura de 26°C. São particularmente fecundas as chuvas moderadas que tombam mansamente, em intervalos, para proporcionar a umidade necessária na época da sementeira e do crescimento. A estação quase seca lhe é propícia no período das floradas e a ausência de pluviosidade, condição fundamental para boas colheitas.

Em São Paulo, a longa faixa da depressão paleozóica que se estende de Mococa e Casa Branca ao norte, a Itaporanga e Itararé ao sul, nas vizinhanças do Paraná, transformou-se logo na área mais importante do cultivo do algodoeiro na Província. Suas características climáticas favoreciam a planta e seus solos argilo-arenosos, não atraentes para o cafeeiro, jaziam semi-ocupados pelas culturas de cana e de gêneros alimentícios. Os Municípios de Itu, Sorocaba, Itapetininga desempenharam papel muito importante como centros de difusão do seu cultivo. O grande impulso de expansão registrou-se em 1864 e adquiria dois anos depois grande intensidade. No Oeste paulista, as culturas chegaram a Lençóis, Botucatu, Santa Bárbara do Rio Pardo; no antigo "Norte" da Província, todo o Vale do Paraíba conheceu pequenas culturas de algodão. Mesmo nos Municípios de alta produtividade do cafeeiro, como Limeira, Rio Claro, Campinas, os algodoais realizaram não poucas incursões.

Sem dúvida, esta conquista se favorecia com a proliferação da praga do café *(Elachista coffela)*, identificada por Gõldi como o bicho mineiro dos cafezais *(Leucoptera coffela)*, que desde 1861 infligia ruinosos estragos na grande área meridional da rubiácea. Nas lavouras novas, o algodoeiro, plantado em geral nos mesmos terrenos ocupados pelo café, como cultura subsidiária, proporcionava renda suplementar nos primeiros anos enquanto os cafeeiros cresciam. Em outros, onde se mantinha a cana-de-açúcar, os preços baixos do produto incitavam a partilhar dos lucros elevados que a produção algodoeira estava proporcionando. Contudo, os Municípios cafeeiros se revelaram, de modo geral, pouco receptivos à planta. Seu desenvolvimento se manteve aí apenas em nível de cultura secundária, restrita aos anos de entusiasmo maior ou quando em coincidência com as geadas que, em 1870, prejudicaram seriamente as lavouras cafeeiras. Estas representavam "a vantagem certa, e a experiência", em face da aventura, dos percalços da outra, destinada a enfrentar a concorrência norte-americana.

Dadas essas circunstâncias, não é difícil compreender por que a cultura do algodão se caracteriza, no Sul, como a atividade dos menos abastados; é "a partilha do pobre", ocupação do grupo familiar, da mão-de-obra livre. Constituía-se, em geral, de pequenas áreas de cultivo; entre os emigrados sulistas americanos oscilavam em média entre sete e sete e meio alqueires. Consideravam-se grandes lavouras algodoeiras as que ostentavam 40 a 50 alqueires. Nem havia tendência à especialização, nada que se possa comparar com as grandes fazendas monocultoras do Sul dos Estados Unidos, especializadas na produção do algodão. Incluía-se, entre outros plantios da unidade rural, muitas vezes a cana e, com mais freqüência, o feijão, o milho, a mandioca. Os agricultores modestos, aos quais os recursos precários não favoreciam o acesso às lavouras de café, encontravam no algodoeiro uma forma de atividade que se coadunava muito bem com suas condições econômicas: como cultura anual liquidava-se ao fim de cada safra; não requeria muito cuidado nem grande capital de custeio; o beneficiamento, pouco oneroso, podia ser feito por um descaroçador que centralizava a manipulação do produto de numerosas lavouras. Estes fatores distinguem uma estrutura agrária completamente distinta da grande lavoura cafeeira.

Características semelhantes nortearam, também, na mesma época, a expansão das culturas algodoeiras na Nordeste do país. Em toda essa região, no agreste pernambucano, como no brejo paraibano, e em todo o espaço semi-árido, o herbáceo oferecia a vantagem de compartilhar com as culturas de subsistência os terrenos que vinha ocupar. Os grandes proprietários de fazendas de gado sentiram-se logo atraídos pela renda adicional que o novo plantio vinha lhes proporcionar e contavam ainda com a rama para alimentar o gado nos meses de estiagem, após a colheita. O fato de que muitos cediam a terra apenas "pela palha", expressão que

A GRANDE LAVOURA

designava a forma generalizada desta associação, mostra como o herbáceo se adequava às condições físicas e econômicas peculiares do meio. Nos vales açucareiros os algodoais disputaram com sucesso muito chão às lavouras de cana, associaram-se a estas, e atraíram para si os braços livres dos moradores "de condição". Os senhores de engenho entretinham algodoais com trabalhadores livres, reservando os escravos para o trabalho do açúcar. Montavam descaroçadores para manipular as safras de seus foreiros e trabalhadores. Muitos homens de cor ganharam ascensão social, conhecidos em Pernambuco como "os brancos do algodão". No Ceará matas seculares desapareceram, surgiram arraiais, e belas moradias mostravam a ascensão social de elementos que procediam das camadas menos favorecidas.

Sob o ponto de vista da técnica do cultivo, estendeu-se de início, ao algodoeiro, a mesma em uso para o cultivo do milho e do feijão, ou seja, as covas profundas de palmo e meio, feitas com a enxada, no solo duro, após a queimada. Duas a quatro carpas eram suficientes para o trato das lavouras, substituídas em parte por roçadas feitas a foice. Não poucos deixavam os plantios de herbáceo subsistirem por 2 ou 3 anos, estendendo-lhes, desse modo, a rotina firmada para a cultura do algodão arbóreo. Desse modo considerava-se excelente a média de 200 arrobas por alqueire nas boas lavouras. A enxada e a foice predominaram entre a maioria dos agricultores, mas na lavoura algodoeira firmou-se no Sul o uso de algumas máquinas agrícolas, nos anos 60, graças aos imigrantes sulistas norte-americanos estabelecidos em Santa Bárbara, Limeira e Campinas. No primeiro destes Municípios introduziram eles um tipo de arado, semelhante ao português, de madeira, com bico de ferro, que haviam aperfeiçoado. Trouxeram também o arado de discos com rodas e babeiro. Preferiam recuperar as terras safadas, com mais de uma aração; usavam também o cultivador, pouco faziam com a enxada. As técnicas avançadas empregadas pelo agrônomo paulista Carlos Ilidro da Silva, em sua fazenda em Itu, que serviu de escola prática de agricultura, foram notáveis na época, e pioneiras; distinguiram-se pelo uso de numerosos arados e charruas, de procedências diversas, como também de cultivadores, rolos e grades.

Os progressos maiores registraram-se na técnica de beneficiamento, com a difusão de descaroçadores modernos. Até então se utilizava no Brasil o antigo descaroçador, semelhante à "churka" indiana, de tradição colonial. Compunha-se de dois cilindros de madeira com diâmetro de $2^{1/2}$cm aproximadamente, dispostos horizontalmente, presos a uma estrutura de madeira. Moviam-se em sentido contrário, acionados por duas manivelas, uma de cada lado do aparelho. Exigia o trabalho de duas pessoas que manipulavam por dia cerca de uma arroba de algodão em caroço para obter quatro quilos em pluma. O primeiro aperfeiçoamento foi o de adaptá-lo à chamada roda de mão ligada ao aparelho por meio de dois fortes cordões de couro ou de matéria-prima vegetal. Com este recurso duas pessoas podiam descaroçar por dia seis a oito arrobas de algodão. No Norte, as maiores lavouras utilizaram a bolandeira puxada por animais, à qual adaptavam vários descaroçadores. O vapor chegou cedo, na década dos 50, no Maranhão e nas Alagoas, permitindo tratar 30 arrobas em 12 horas.

Os primeiros descaroçadores modernos, desenvolvidos à base do invento de Eli Whitney (1793), entraram no Brasil nos primeiros anos da década de 60, com a expansão do algodoeiro herbáceo. Esta, em seus primeiros tempos, contou, não raro, apenas com o descaroçamento à mão, nas lavouras do Sul, e muitas arrobas se exportaram em caroço. No Norte, mais afeito à tradição da cultura algodoeira, o descaroçamento já era tarefa especializada, ao tempo de Koster (1816). Por volta de 1862/63, chegaram ao Rio de Janeiro e a São Paulo os primeiros descaroçadores, dois anos depois se expandiam rapidamente pelo interior e, ao raiar a década de 70, os maiores centros algodoeiros possuíam máquinas possantes, algumas movidas a vapor. Verificava-se também no Sul a tendência à centralização das tarefas de benefício e enfardamento, que favoreceria a grande maioria de lavradores, não capacitada a enfrentar os gastos de aquisição dos aparelhos modernos. Em geral utilizavam-se a força animal e a hidráulica, sendo mais raro o emprego do vapor. Os pequenos descaroçadores beneficiavam quatro a oito arrobas; os grandes, 50 por dia.

Todas as críticas ao algodão brasileiro, procedente do exterior, incidiram, em geral, sobre as más condições de seu benefício e enfardamento. Os descaroçadores de serra, de maior rendimento, comparados com os de cilindro, apresentavam o grande defeito de arrebentar a fibra. Mais ainda, as misturas de qualidades diferentes, as fraudes no peso, a ausência completa de cuidados no enfardamento e no transporte levaram o algodão brasileiro ao descrédito no exterior. Restabelecidas as exportações norte-americanas para a Inglaterra, a "febre do algodão" arrefeceu rapidamente desde o início dos anos 70, e no meado dessa década a cultura havia desaparecido em muitas áreas. Mantinha-se, porém, em espaços limitados, nos Municípios da depressão permiana na Província de São Paulo e em áreas decadentes da Província do Rio de Janeiro, como culturas de subsistência. No Nordeste e no Maranhão alimentava a exportação, apesar dos estra-

A GRANDE LAVOURA

gos produzidos pela antracnose e o elevado preço do transporte animal. Essas lavouras algodoeiras, que resistiram ao abandono dos anos 70, estimularam o estabelecimento de fábricas de tecidos que se fundaram em muitas províncias para aproveitar a produção na fase da decadência.

As culturas de fumo e de cacau   Apesar da introdução de novas variedades procedentes dos Estados Unidos, o processo de cultivo e de preparo do fumo estabilizou-se nas normas já praticadas no período colonial. A forma mais generalizada de sua produção é a do fumo em corda, mas a manufatura de charutos na Bahia e a exportação para a Europa levaram ao desenvolvimento da produção da matéria-prima em folha, segundo as condições requeridas.

Nos anos 60, a cultura do fumo adquiriu considerável impulso na Bahia, em razão da guerra civil americana. Penetrou, então, em muitos Municípios do litoral, disputando terras votadas aos canaviais. Ao raiar a década de 70 tendia a exceder o açúcar em importância. Assumia, também, em muitas localidades, características distintas das que até então a identificavam com a grande lavoura escravocrata e monocultora, desde o período colonial, a que "dava substância" aos proprietários rurais de Cachoeira e Santo Amaro. Tal como se observava com as lavouras de algodão, os cultivos de fumo se expandiam entre os pequenos lavradores. "Só por exceção os grandes proprietários se ocupam do plantio do fumo", escrevia uma autoridade da Província da Bahia, "e poucos pequenos se ocupam das canas". Em sua maior parte, eram trabalhadores livres, entretendo-se o grupo familiar nas múltiplas tarefas. Pagavam foro às terras alheias, com a vantagem de não precisar repartir com o dono o produto de suas lavras, como sucedia com a cana. Quando muito, entretinham desta pequenos plantios, na extensão apenas que poderia justificar o usufruto dos pastos e das terras aráveis. A economia açucareira, em decadência, liberava as forças de trabalho para outros setores da economia agrícola, beneficiando em particular a do fumo, dada a melhoria da demanda no mercado internacional.

Na produção do cacau, o fato mais importante é o desenvolvimento da lavoura propriamente dita, que substituiu a coleta nos bosques naturais de cacaueiros. Os plantios haviam se iniciado na Amazônia, sob o estímulo da ordem régia de 1678, ganhando grande impulso no período pombalino, quando adquiriu as características de cultura comercial e tornaram-se ocupação regular nos Municípios de Cametá, Óbidos e Santarém. As vantagens das plantas cultivadas se evidenciavam com a concentração dos trabalhos de apanha e maior rentabilidade, pois o cacaueiro-bravo, como era chamado o de vegetação espontânea, proporcionava apenas uma colheita anual. Na década de 30, no tempo da Monarquia, o cultivo sistemático da planta se mantinha, mas decaiu mais tarde, a partir dos anos 50, dado o interesse pela exploração da borracha. Contudo, progrediam lentamente as plantações da Bahia. Desde 1746, realizaram-se experiências de cultivo junto ao Rio Pardo, no Município de São Jorge dos Ilhéus, a área pioneira, de onde se expandiram os cacauais na parte meridional da Bahia.

Nativo das regiões tropicais da América do Sul e Central, encontradiço nas Bacias do Orenoco e do Amazonas, o cacaueiro é planta dos climas quentes e úmidos, associados a solos profundos ricos em húmus. São os fatores climáticos que limitam o seu desenvolvimento, pois o vegetal não suporta as baixas temperaturas, sendo 12° o limite máximo de sua resistência ao frio, e ideais as temperaturas de 24 a 28°C. A umidade tem importância primordial; o limite mínimo da pluviosidade necessária é de 1.500ml anuais, sendo muito propícia a alternância dos dias de chuva e de sol e prejudiciais as chuvas prolongadas. A baixa altitude é também condição muito importante, pois a planta vegeta bem somente em altitudes de 100 a 200m. Os solos profundos, carregados de húmus, são os preferidos, indicados pela presença das "madrinhas do cacau", ou seja, árvores como o pau-d'alho (*Gallezia gorazema* M.), o jequitibá (*Couratari estrellensis* R.), a palmeira urucuri (*Attalea excelsa* M.) e outras que assinalam o tipo de solo. A planta tem grandes exigências quanto ao teor de potassa e de fósforo e, por essa razão, vinham favorecê-la as cinzas depositadas com a queimada. Na Amazônia, essas condições do meio natural se reuniam nas áreas das aluviões do grande rio e de seus tributários, onde vegetava espontaneamente. Na Bahia, na área de Ilhéus, ocupou os solos de decomposição das rochas cristalinas do arqueano, com seus massapés barrentos, característicos, que se embebem de água com as chuvas.

A variedade mais geralmente cultivada (*Theobroma leiocarpum*) foi o cacau comum ou forasteiro, segundo a nomenclatura internacional, que oferecia a grande vantagem da uniformidade na configuração das amêndoas. Na Bahia, plantado isoladamente, durante mais de um século, adquiriu notável estabilidade botânica, ostentando suas frutas grandes, quase cilíndricas, pouco dilatadas, cerca de 30 a 40cm em cada pé. Em 1874/76 a variedade Maranhão foi transplantada do Pará e, como vegetava muito bem em solos mais pobres, progrediu rapidamente.

As plantações regulares e mais importantes se associaram ao braço escravo. Mas os índios na Amazônia e os trabalhadores livres, de um

A GRANDE LAVOURA

modo geral, sempre encontraram atrativos na lavoura do cacau, tão pouco dispendiosa, tão modesta nas suas exigências de trato e tão simples no beneficiamento dos frutos. Ao tempo da viagem de Martius (1820), mil árvores cultivadas produziam 50 arrobas de cacau por ano. Aliás, constituía uma das formas mais rudimentares de cultivo da terra, e ainda pode ser vista, sob as mesmas características dominantes, em algumas áreas da Bahia e do Pará. O início de uma lavoura de cacau se marca com a derrubada ou, mais ordinariamente, com o corte dos arbustos e cipós, rareando-se apenas a mata, processo que se denomina "cabroamento". Permanecem as árvores de grande porte propícias ao sombreamento, outras são apenas "roletadas", isto é, destrói-se a machado uma parte da casca e do cilindro central, por meio de uma incisão profunda em forma de anel, que leva a planta ao lento definhamento. Ao fim da estação da seca, quando os frutos das árvores vizinhas estão maduros, as sementes são lançadas ao solo; são três ou quatro em pequeno orifício, aberto por meio do furão, um dos mais antigos instrumentos de lavoura utilizados pelo homem, simples bastão de madeira com a ponta aguçada. Às vezes usava-se apenas a ponta do facão. Não se cogitava de simetria, nem de espaçamento regular, quase impossível, ambos por causa dos troncos e a vegetação desbastada que jaziam sobre o solo. Empiricamente se observava o intervalo de mais ou menos 4 ou 5 metros, o suficiente para que as plantas se toquem e se prestem mútuo auxílio contra o vento, antes de engrossarem o tronco. Depois, todo o cultivo se resumia em duas limpas por ano, feitas com o facão, por baixo das árvores, pois jamais se arranha a terra na qual viceja o cacaueiro. Na primeira limpa desbasta-se a plantação, deixando-se apenas a muda mais vigorosa. Ao fim de 3 anos a árvore ostenta alguns frutos, mas a primeira colheita ocorre 1 ano depois, a produtividade plena se alcança aos 8 anos aproximadamente e dura em geral até 12.

O cacaueiro proporciona duas colheitas por ano. A principal, chamada a safra propriamente dita, realiza-se de março a julho no Pará, de setembro a dezembro na Bahia. As sementes são retiradas da casca e postas a fermentar por 3 a 8 dias; depois vão aos tabuleiros ou tendais para secar, pelo espaço de 4 ou 5 dias, às vezes 10, dependendo das condições climáticas. Completava-se desse modo o preparo do cacau para exportação, cuja lavoura e benefício se processavam sob as condições as mais rudimentares, entre todos os produtos da grande lavoura do nosso país.

*

* *

A comercialização dos produtos da grande lavoura Os processos de comercialização dos produtos da grande lavoura em todo o país permaneceram durante o período monárquico dominados pelo seu caráter patriarcal. No período colonial, os comerciantes portugueses acumulavam as funções de intermediários para a exportação de todos os gêneros do país; desenvolveu-se depois da Independência um grupo social integrado pelos comissários, ensacadores e corretores, filhos do país, que concentravam em suas mãos as operações de venda do café, como intermediários entre o fazendeiro e o exportador, este geralmente estrangeiro. Desse modo a economia cafeeira assumiu um característico que a distinguiu das economias do tempo colonial, ou seja, a concentração nas mãos de um grupo de empresários nacionais, das funções ligadas à comercialização do produto; na fase de grande desenvolvimento, os interesses dos produtores e comercializadores uniram-se para as operações de financiamento da expansão por meio da compra de terras e de mão-de-obra, para a implantação dos modernos meios de transporte internos, a melhoria dos portos, os contatos oficiais e o apoio político. Em Santos, o elemento dominante foi o comissário, cujo tipo profissional se delineou nitidamente na década de 70, ao mesmo tempo em que aquela praça começava a se firmar como porto do café, independentemente do Rio de Janeiro. Em toda a grande área centro-meridional da economia cafeeira, cabia ao comissário um papel muito importante junto ao fazendeiro, como fornecedor de capital, que analisaremos mais adiante. Recebia as safras de café que lhe confiavam os fazendeiros e as vendia aos ensacadores, que se incumbiam da manipulação das remessas de várias procedências e qualidades com o fim de obter os tipos regulares para exportação.

É interessante notar que as formas de distribuição, ao nível do produtor, permaneceram sempre à base das relações pessoais, com referência a todos os gêneros da grande lavoura. Nenhum esboço de organização de uma entidade surgiu com o propósito de defender seus interesses no plano da comercialização, ainda que se tenham a registrar umas poucas iniciativas de vendas diretas em países europeus, por parte de alguns grandes fazendeiros de café. O fato apenas reforça o caráter individual dos vínculos que caracteriza, no plano nacional, a distribuição dos produtos da grande lavoura. As primeiras organizações que vieram amalgamar grupos de interesses surgiram entre os intermediários, tais como o Centro da

A GRANDE LAVOURA   141

Lavoura e Comércio do Rio de Janeiro, uma das primeiras entidades a congregar os comissários de café para a defesa de seus interesses.

O comportamento da produção dos gêneros da grande lavoura brasileira no período monárquico condicionou-se estreitamente, como já dissemos de início, ao mercado internacional; aliás, a própria conceituação da grande lavoura sublinha esta vinculação fundamental. O ritmo do comércio exportador é marcado claramente pela chegada dos navios nos grandes portos do país, quando se efetuava uma parte considerável das vendas para o exterior. Em 1851 estabeleceu-se a primeira linha regular de vapores entre a Inglaterra e o Brasil, que no ano de 1878 incluiu Santos em seu itinerário. Os navios britânicos predominaram no serviço de transportes do café, se bem que, desde 1870 até o fim do período, fossem maiores as exportações de café para os Estados Unidos que as destinadas aos portos europeus (com as porcentagens qüinqüenais de 58,2% em 1870/4; 59,2% em 1875/9; 57,4% em 1880/4 e 62% em 1885/9). Quase 50% dos vapores entrados no porto do Rio de Janeiro durante a segunda metade do século XIX pertenciam à bandeira inglesa. Contudo, apesar do desenvolvimento da navegação a vapor, o número de veleiros, no conjunto, foi dominante, no porto do Rio de Janeiro e, provavelmente, nos demais. Somente após o advento do telégrafo submarino, na década de 70, foi estabelecida a conexão rápida com os mercados internacionais, o que permitia acompanhar em seqüência imediata as oscilações dos preços nos mercados externos.

As flutuações dos preços quanto aos gêneros da grande lavoura, exportados pelo Brasil no período monárquico, correlacionam-se com os movimentos cíclicos da economia internacional. Análises quanto ao fenômeno dispomos apenas com referência ao café, mas a simples verificação das cifras disponíveis quanto à exportação a permite reconhecer que as crises internacionais de 1825, 37, 47, 57, 66, 73 e 83 correlacionam-se com as flutuações das exportações brasileiras, ainda que a incidência de outros fatores, que traduzem condições internas do país, não possam ser negligenciadas. Esta sensibilidade aos fenômenos da economia internacional é característica dos países periféricos, cujo próprio conceito se define à base do ritmo das depressões.

Para se avaliar a importância da grande lavoura na economia do Brasil monárquico, é expressivo que cinco produtos apenas – café, açúcar, algodão, fumo e cacau –, totalizam nos primeiros anos do período monárquico 72,2% do valor das exportações brasileiras. A cifra mais elevada verificou-se na década de 70, quando alcançaram 82,5%. É impressionante a permanência dessa estrutura do comércio exterior, que reflete a própria estrutura da economia do país: a participação dos gêneros da grande lavoura nas exportações brasileiras se manteve sempre, quanto ao valor ao longo de todo o período monárquico, acima de 70%, sendo que, em duas décadas, na de 30 e na de 70, se manteve acima de 80%. A economia brasileira se define, portanto, no período estudado, pela grande lavoura.

PERCENTAGEM SOBRE O VALOR DA EXPORTAÇÃO							
Produtos	1821/30	1831/40	1841/50	1851/60	1861/70	1871/80	1881
Café	18,4	43,8	41,4	48,8	45,5	56,6	61,5
Açúcar	30,1	24,0	26,7	21,2	12,3	11,8	9,9
Algodão	20,6	10,8	7,5	6,2	18,3	9,5	4,2
Fumo	2,5	1,9	1,8	2,6	3,0	3,4	2,7
Cacau	0,5	0,6	1,0	1,0	0,9	1,2	1,6
Total	72,1	81,1	78,4	79,8	80,0	82,5	79,9

A exportação do café   O fato mais importante da economia brasileira no período monárquico foi o predomínio das exportações do café. Representando apenas 19,6% das exportações brasileiras em 1822 (com a média de 18,4% nos anos 1821/30), o produto passou a liderar as exportações brasileiras na década de 30 (desde 1831 com 28,6%), assumindo assim o lugar tradicionalmente ocupado pelo açúcar desde o período colonial. Nos meados do século XIX passava a representar quase a metade do valor das exportações e, no último decênio do período monárquico, alcançava 61,5%.

A cotação média obtida em 1821, excepcional, de 25$400 por saca (£ 5,50), somente atingida de novo em 1925 graças à intervenção governamental, assim como a elevada média do qüinqüênio 1821/25 (18$100 a saca), constituíram sem dúvida o grande estímulo à expansão rápida no Vale do Paraíba. Esta se sustenta, apesar da baixa das cotações em 1826 (preço médio de 10$850), possivelmente correlata com a crise da Grã-Bretanha do ano anterior, que perdurou até 1832 (11$103 a saca, o preço médio nos anos 1826/30).

Ao iniciar-se a década de 30, assumia o café a liderança das exportações brasileiras, com 28,6% do valor total. Aliás, os preços estavam em ascensão desde 1829 (14$920 a saca), oscilaram durante a década, mas

A GRANDE LAVOURA

conservaram-se acima de 14$000 até 1841. Em volume, a exportação do café atingiu sua culminância primeira em 1837, quando a exportação ultrapassou um milhão de sacas. Os preços declinaram de novo a partir de 1842 (11$103 a saca, o preço médio da década, com o mínimo de 9$205 em 1846/7), mas as exportações de café continuaram crescendo e atingiram, em 1848, mais de dois milhões de sacas, quando cotado a 10$215 a saca. Verifica-se, desse modo, já no primeiro meio século da expansão da rubiácea, o mecanismo muito característico da economia cafeeira, durante todo o período estudado: nos anos da depressão a cafeicultura continuava a se expandir, o que parece justificar-se pelo estímulo dos altos preços dos anos favoráveis, como também pela ausência de outras opções, pois tanto o açúcar como o algodão enfrentavam preços baixos no mercado internacional, exceto apenas quanto ao segundo produto nos anos 60, por causa da guerra civil americana. As novas lavouras de café começavam a produzir depois de 6 anos, suas safras podiam coincidir com anos de depressão. Assim, o impulso para a grande expansão da economia cafeeira no Vale do Paraíba está associado claramente aos preços excepcionais dos anos 1818/23, cujo máximo coincide com o ano de 1821.

Na segunda metade do século XIX, o comércio cafeeiro foi caracterizado pela extraordinária expansão do consumo e o conseqüente dinamismo das exportações. A análise dos preços do café a partir de 1857, realizado por Delfim Neto, comprovou que, no meio século seguinte, os preços do produto acusaram um comportamento cíclico, isto é, um comportamento oscilatório de preço, com período e amplitude variáveis, sem apresentar qualquer tendência secular. Os ciclos apresentam fase ascendente de seis ou sete anos e fase descendente maior e são em número de três nos anos de 1857 a 1900: 1857/68, 1869/85 e 1886/1906.

Na época em que os cafezais se expandiam rapidamente na conquista dos solos da área de Campinas (1850), os preços do café estavam em ascensão (15$718 a saca, 14$662 a média dos anos 1851/55), o que significava um acréscimo de mais de 50% em relação aos do ano anterior (10$215 em 1849). Declinaram em seguida, mas em 1857, apesar de ser um ano de crise generalizada, estavam subindo de novo. Os fatores favoráveis foram a recuperação da crise européia, o temor de que a praga *Elachista coffella* destruísse as culturas cafeeiras do nosso país e a elevação do custo da mão-de-obra escrava, após a extinção do tráfico em 1850, pois limitava-se a ampliação da oferta da força de trabalho no mercado nacional, quando já desfrutávamos da primazia, como principal produtor de café no plano internacional. Em resposta à demanda excepcional de mão-de-obra exigida pela expansão cafeeira, desenvolveu-se a transferência dos escravos dos canaviais do Norte, atraída pela maior rentabilidade dos cafezais, ao mesmo tempo em que os preços do açúcar se depreciavam.

Ao iniciar-se a Guerra do Paraguai (1864), os preços do café declinavam no mercado internacional (24$247 em 1865), ao mesmo tempo em que se reduzia a procura nos Estados Unidos, desde 1861, por causa da guerra civil, e ampliava-se a oferta com a expansão das lavouras brasileiras e o crescimento da produção da América Central, da Ásia e da África. Em 1866 acrescentaram-se os efeitos desfavoráveis da crise que afetou sobretudo a Inglaterra, a França, a Alemanha e os Estados Unidos. Contudo, as exportações do produto se mantiveram acima de três milhões de sacas nos anos de 1866/69, com a média anual de 3.400 mil sacas. Em grande parte, esses níveis de exportação se explicam pela grande expansão do consumo da bebida, graças à difusão da nova técnica de preparo do produto para venda ao consumidor, ou seja, o café torrado, em pacotes, que desde 1865 veio substituir o produto que se adquiria verde para ser torrado e moído no recinto doméstico. A nova tecnologia propiciou o aumento considerável do consumo, beneficiando largamente as exportações. Desse modo o mercado exterior absorveu o volume crescente das exportações brasileiras, com redução equivalente dos preços, ou seja, cerca de 50%. Contudo, em razão da taxa cambial, o preço médio da década foi de 24$364.

A nova fase de elevação dos preços do café começou em 1869 e prolongou-se até 1874. As safras brasileiras e antilhanas haviam sofrido redução e, em 1870, a geada dizimou porção considerável dos cafezais paulistas. O preço da saca de café, que em 1871 orçava em 17$600, alcançou quase 40$000 em 1873. As exportações brasileiras declinaram para a média de 3.300 mil sacas nos anos 1873/76, ao mesmo tempo em que dobravam os preços internacionais do produto. Estes fatos explicam por que, na década de 70, o valor das exportações de café totalizava quase 60% do valor das exportações do país. Explicam também a expansão febril das lavouras na área da Baixa Mojiana e da Baixa Paulista, na Província de São Paulo, nos anos 1868/74, que é considerada o primeiro *boom* com referência às lavouras do café em território paulista.

Apesar da violenta crise mundial de 1873, a redução das safras deu equilíbrio ao mercado cafeeiro e tornou possível a sustentação dos preços. Contudo, dada a progressiva queda dos rendimentos, particularmente dos salários na Europa, pois a crise afetou duramente a Inglaterra, a França e a Alemanha, os preços do café tiveram que se reduzir para manter as

A GRANDE LAVOURA

exportações na média de 3.600.000 de sacas nos anos 1874/78 (27$300 em 1878) e, pela primeira vez, em 1878/79, elevaram-se um pouco acima de 4 milhões de sacas. Como a remuneração do café em moeda nacional diminuiu menos rapidamente que no mercado internacional (31$352, preço médio na década dos 70), a produção do café não parou de crescer, intensificando, desse modo, a crise da mão-de-obra. A expansão se processou principalmente em São Paulo, dado o nível mais alto de rentabilidade. Em 1882 os preços do café declinaram ainda mais em conseqüência da crise européia, que foi seguida da crise norte-americana em 1884 (18$341 a saca em 1882, com a média de 25$495 nos anos 1881/85). Processou-se logo o movimento de compensação com o aumento das exportações que atingiram mais de 6.000.000 de sacas em 1882, refletindo a importância da produção paulista, graças ao grande desenvolvimento das plantações na década anterior. Não resta dúvida que a data marca ainda o nível máximo da produção fluminense, mas, em 1885, a produção paulista significava 40% do total das exportações brasileiras e, em 1890, pela primeira vez, ultrapassava a do Rio de Janeiro. A cafeicultura continuava a progredir, sobretudo em São Paulo, enquanto decaíam as lavouras fluminenses. Assim, enquanto a oferta se mantinha em níveis elevados, os preços mantiveram-se baixos durante quase 4 anos (1882/85).

O terceiro ciclo, de 1886/1906, ultrapassa cronologicamente o período em estudo; por essa razão dele nos ocuparemos apenas quanto aos primeiros anos. Iniciando-se em 1886, com violenta ascensão de preços (30$760 a saca), distinguiu-se logo por grandes flutuações da oferta brasileira. As exportações, que em 1886/87 haviam ultrapassado 6.000.000 de sacas, caíram para 3.300.000 em 1887/8, elevaram-se de novo a 6.500.000 de sacas no ano seguinte para se reduzirem a 4.600.000 em 1889/90. Essas oscilações da oferta, resultantes do próprio ciclo do cafeeiro, propiciaram a duplicação dos preços no mercado internacional (preço médio de 32$612 por saca nos anos 1886/90). Os preços altos estimularam com novo alento a grande expansão no Oeste paulista, com as lavouras em rápida progressão na Alta Mojiana (Ribeirão Preto), na Alta Paulista (Jaú), nas zonas araraquarense e douradense. Foi o segundo *boom* cafeeiro, que levaria poucos anos depois, em 1894/95, à exportação excepcional de 7.000.000 de sacas de café.

A exportação do açúcar   O produto brasileiro, que havia conhecido, durante as guerras napoleônicas, um período de prosperidade, enfrentava com a volta à normalidade, no mercado internacional, a concorrência cada vez maior dos engenhos antilhanos. Estes se favoreceram da política comercial das metrópoles, da proximidade geográfica e dos grandes aperfeiçoamentos técnicos. A esses fatores veio se juntar, em detrimento das exportações brasileiras, o açúcar de beterraba. Desenvolvida sua técnica de produção no fim do século XVIII, o novo tipo de açúcar, em 1860, supria 25% do mercado mundial e essa percentagem se elevava a 50% em 1882.

A participação do açúcar no quadro dos valores das exportações brasileiras reflete esses problemas: de 30,1% na década de 20, reduziu-se a apenas 9,9% nos anos 80. Tal foi, contudo, a predominância do café no conjunto das exportações brasileiras que, em níveis baixos, mantinha-se ainda o açúcar em segundo lugar, com exceção apenas dos anos 60, quando foi sobrepujado pelo algodão. Acrescenta-se que a produção açucareira do Brasil monárquico não se ressentia apenas da tecnologia antiquada, mas foi também afetada por vários reveses climáticos, tais como as grandes secas de 1845 e 1877, as epidemias que dizimaram a mão-de-obra (o cólera em Sergipe, em 1855, em Pernambuco, em 1856/57, a febre amarela na Bahia em 1860) e a degenerescência da cana caiena a que já nos referimos.

Na primeira década que se inicia em 1821 ainda a economia açucareira se mantinha relativamente próspera, pois durante os anos 1826/30 registra-se o mais alto preço médio do período monárquico (194$800 por t), da qual apenas nos aproximamos nos anos 1856/60 (192$800 por t). Comparados com aquela média, o preço médio da década de 30 mostra uma depreciação de cerca de 30% (118$500 por t), com flutuações, observando-se o nível mais baixo em 1837/38 (96$000 por t), justamente quando, pela primeira vez no período estudado, as exportações de açúcar atingem quase 90.000t. Os preços tendiam à recuperação nos anos finais da década e na primeira metade da seguinte (152$000 por t em 1845/46), mas já estavam caindo em 1846/47, alcançando o nível mais baixo em 1852/53 (115$000 por t). É interessante notar o mesmo mecanismo que já observamos com referência ao café: desde 1844 os volumes da exportação anual ultrapassam 100.000t, sendo que, em 1852/53, pela primeira vez, atinge-se o pico de quase 158.000t.

As condições da demanda no mercado internacional melhoraram na segunda metade do século com a remoção das tarifas sobre o açúcar na Grã-Bretanha, o que favoreceu largamente as exportações do produto para esse país. No qüinqüênio 1865/69 representava 37,60% do valor das exportações para aquela área quando se observa também uma recuperação nos preços relativos (177$660 a t nos anos 1866/70). Na década de 70 os preços declinam de novo (138$000 a t como preço médio na década),

A GRANDE LAVOURA

com o mínimo de 112$000 em 1874/5 quando se ultrapassa de 200.000t o volume da exportação. Os anos 80 assinalam o mais baixo nível de preço no período monárquico, com o mínimo de 117$000 por t no qüinqüênio 1886/90, e o mínimo de 72$000 em 1884/85, sendo de notar que justamente em 1883/84, quando os preços passaram a cair rapidamente, as exportações brasileiras pela primeira vez excederam de 300.000t (329.375t).

Verifica-se, portanto, que os senhores de engenho brasileiros tiveram que realizar um esforço extraordinário no sentido de aumentar o volume das exportações, contentando-se com ganhos mínimos nos anos de depressão mais acentuada.

As exportações do algodão   Ao iniciar-se o período monárquico, o algodão brasileiro ainda se beneficiava de um período de grande desenvolvimento das exportações, propiciado pelas guerras napoleônicas, com cotações relativamente altas (399$200 por t, média dos anos 1821/30). Durante os anos das hostilidades, haviam crescido nossas exportações para a Grã-Bretanha, via Portugal. Até então, os principais fornecedores da Europa Ocidental eram os centros de produção das Antilhas. Gradativamente, porém, a cultura da cana-de-açúcar suplantou a do algodão, nessa área; este foi completamente abandonado em algumas ilhas, como aconteceu em Cuba; em outras, como a Jamaica e as Bahamas, jamais o algodoeiro voltou a ocupar, após o restabelecimento da paz, a importância de que desfrutava no passado.

Desde os primeiros anos do século XIX, as culturas de algodão se expandiam no Sul dos Estados Unidos; ao mesmo tempo que aumentava a demanda interna e o algodão americano integrava-se como matéria-prima ao parque manufatureiro da Grã-Bretanha. Com uma exportação de apenas 653.259 arrobas em 1800, alcançava em 1816 mais de 2.500 mil e continuava a crescer rapidamente nos anos seguintes.

Normalizada a situação internacional após a Paz de Viena, as exportações brasileiras começaram a enfrentar sérias dificuldades para escoar. Sua participação, contudo, no conjunto do valor das exportações brasileiras ainda alcançava 20,6% na década de 20, cifra jamais alcançada depois, em todo o período monárquico. Com exceção dos anos da guerra civil americana, que se refletiram na elevada participação do produto no conjunto dos exportações dos anos 70 (18,3%), verifica-se o declínio das exportações que, nos anos 80, têm uma participação de apenas 4,2% no valor global das exportações brasileiras. Os preços no mercado internacional reduziram-se a menos de sua terça parte e mantiveram-se baixos, com flutuações. A deterioração dos preços do produto brasileiro, entre a década de 20, comparada com a de 40, foi de 16%, mas, em libras esterlinas, alcançou pouco mais de 40%.

Na década de 50, os preços do algodão melhoraram (média de 399$300 por t). Nos anos 60, cotações excepcionalmente elevadas foram propiciadas pela guerra civil americana, com a interrupção das exportações dessa área. Como já vimos, desenvolveram-se, então, no Brasil, as variedades de fibra curta, em resposta às condições extremamente favoráveis da demanda. O preço médio alcançado na década de 60 (937$500 por t) correspondia às condições excepcionais do mercado internacional. Os mesmos fatores explicam por que os volumes alcançados pela exportação nos anos 60 e 70 são os mais elevados do período monárquico. Contudo, ao se iniciar esta última década as colheitas de algodão já declinavam, mas as exportações continuaram ainda a registrar grandes quantidades, por causa da guerra franco-alemã de 1870, que determinara a retenção dos estoques. O algodão brasileiro, que significava 45% do valor das importações inglesas procedentes do Brasil, em 1860/64, elevava-se a 60% nos anos 1865/69, mas reduzia-se a 21% apenas em 1885/86.

O restabelecimento da paz nos Estados Unidos provocou logo a baixa das exportações de algodão, ao mesmo tempo em que, ao término da guerra, estavam bem conhecidas as condições pouco satisfatórias do produto brasileiro, que dificilmente podia competir com o norte-americano. Em 1866/67, o preço médio caía a 647$000 por t, quando no ano anterior havia sido de 1:107$000 por t. O ano de 1870/71 marcava a volta à normalidade no mercado internacional, com a produção americana de quase 2,5 milhões de fardos, consagrando assim o declínio dos preços do algodão brasileiro (539$000 por t). Ao longo das últimas duas décadas do período monárquico, os preços do produto declinaram com flutuações, atingindo em 1882/3 o preço mais baixo (368$000 por t), mas recupera-se nos anos finais (514$000 por t em 1889).

Graças principalmente às exportações do Nordeste e do Maranhão, mantinham-se ainda as exportações brasileiras acima de 200.000t, na última década do período monárquico, beneficiadas pela taxa cambial, com o preço médio de 456$000 para a década 1881/90.

As exportações de fumo e de cacau   O comportamento das exportações de fumo revela que estas oscilaram em torno de baixas percentagens, durante todo o período monárquico. Alcançando 2,5% do valor global das exportações, na década de 20 decaiu essa participação nas duas décadas seguintes (1,9% para 1831/40 e 1,8% para 1841/50), sendo que essa

A GRANDE LAVOURA

última década apresenta a mais baixa dos anos estudados. Na segunda metade do século, melhorou a posição do fumo no conjunto do valor das exportações, tendo alcançado nos anos 60 e 70 as maiores percentagens do período, com 3% e 3,4%, quando puderam se beneficiar das condições criadas com a guerra civil americana. Observa-se, na segunda metade do século, a elevação dos preços, já sensível na década de 40; comparados à média das cotações da década de 20 com a de 40, verifica-se a melhoria de mais 30% (132$000 em 1821/30 e 189$100 em 1841/50). Até 1850 as exportações brasileiras do produto destinavam-se principalmente ao mercado africano; o seu volume, nas três décadas iniciais do período, oscilou dentro da casa de 40.000t. Com os anos 50 ampliaram-se as exportações para atender à demanda das manufaturas de fumo que se desenvolviam nos centros europeus. Na década de 60 ultrapassaram pela primeira vez 100.000 t, e na última década em estudo as exportações de fumo alcançaram suas cifras mais altas, quando atingiram quase 200.000t. Os preços médios das décadas de 60 (381$300) e 70 (390$600), os mais elevados dos anos da Monarquia podem ser explicados pelas condições criadas no mercado internacional com a guerra civil americana. Ao declínio dos preços na última década (376$600 em 1881/90), corresponde o maior volume de exportação de todo o período. A ampliação da oferta do fumo brasileiro, explicada pelo incremento da demanda nos mercados europeus, se alia à decadência das culturas de cana e de algodão no Nordeste.

Com referência ao cacau, verifica-se o desenvolvimento crescente das exportações nos anos de 1821 a 90, que passam de pouco mais de 11.000t na década de 20, para 73.500t nos anos 80, fenômeno explicado pelo sucesso das lavouras implantadas na Bahia meridional, que suplementaram a produção do Pará. A participação do produto no conjunto do valor das exportações nacionais cresceu de 0,5% na década de 20 para 1,6% na última década da Monarquia, a mais alta porcentagem do período. Na segunda metade do século as exportações de cacau se beneficiaram da melhoria dos preços; comparados os preços médios do qüinqüênio 1851/55 (quando alcança 157$800 por t) com os da década do período monárquico (551$000 por t), verifica-se um aumento de quase 250%.

*

* *

A crise da grande lavoura

Os problemas que enfrentava a grande lavoura foram largamente debatidos pela imprensa já nos anos 50 e mais intensamente desde a década de 60, configurados na expressão repetida amiúde: "a crise da lavoura". Esta volumosa bibliografia, assinada por autoridades oficiais, eminentes figuras de Estado, assim como particulares, entre os quais avulta a dos lavradores diretamente atingidos pelos problemas, acompanha de perto os acontecimentos, sobretudo nos últimos anos do período monárquico. Muitas vezes é uma literatura de circunstância que, pelo seu caráter polêmico, nos mostra a intensidade emotiva com que foram vividos os problemas e, de modo geral, expressa a formação de correntes de opinião pública no país. De qualquer forma, contudo uma bibliografia profusa e muito rica em seu conteúdo nos revela a inquietude, as queixas, as aspirações dos fazendeiros da grande lavoura nas décadas finais da Monarquia.

As queixas vinham de longe. Desde a década de 30 podemos rastrear no Norte os pródromos da crise, que se vai avolumando com os anos. Nessa década os reclamos sobre a falta de braços nos engenhos podem ser relacionados com a absorção crescente da força de trabalho servil pelas lavouras cafeeiras do Sul, que passavam a adquirir caráter comercial, ao mesmo tempo em que se faziam sentir sobre a economia nordestina os efeitos do declínio dos preços dos seus produtos tradicionais. Já em 1842 o Presidente da Província da Bahia considerava não mais remunerativo produzir açúcar, em face do encarecimento da força de trabalho. A primeira fase do agravamento da crise no Norte coincide com a década de 50, com a emigração para o Sul de escravos da grande lavoura, desfalcados ainda pelas várias epidemias. Ao fim da década, muitos municípios açucareiros do Nordeste, outrora fecundos, mostravam-se decadentes. Avé Lallemant registrava em 1859, em viagem pelo Norte do país, a decadência da grande área açucareira do Cotinguiba (SE), pela falta de braços.

Nos anos 70 vários problemas levavam ao recrudescimento da crise que assumia caráter nacional, desde os primeiros anos da segunda metade do século: os preços do açúcar em seu mais baixo nível no período monárquico, a depressão do comércio algodoeiro após a euforia na década anterior, as severas restrições ao crédito advindas do término do regime de pluralidade de emissão, consubstanciadas na reforma de 1864; a crise comercial de 1875 marcada pela quebra da casa Mauá & Cia.; a grande seca dos anos 1877/79 no Nordeste, que impôs o socorro aos flagelados por parte do Governo imperial; os encargos financeiros assumidos durante a Guerra do Paraguai; o agravamento do problema do regime servil com o progressivo estancamento das fontes de suprimento localizadas no Norte do país e o clima psicológico criado pela Lei do Ventre-Livre. Estes,

A GRANDE LAVOURA

apenas, entre os mais importantes. A convergência desses problemas na cronologia dos anos 70 deu a essa década uma importância singular na história do período monárquico. Marca a tomada de consciência, em âmbito nacional, quanto à culminância de um processo de deteriorização do sistema econômico, com repercussões profundas na vida política do país. A Abolição (1888), levando ao abandono das lavouras em muitas partes do país, representa o ponto máximo da crise, que se prolongava pelos anos 80, arrastando o problema servil e acentuando-se com as crises internacionais de 1883 e 1884, as pequenas colheitas de café dos anos 1884 e 1885, os preços baixos do açúcar e do algodão e as restrições que pesavam sobre o meio circulante.

As iniciativas da parte do Governo geral foram na maior parte do período simplesmente de natureza informativa com os inquéritos de 1874 por meio da Comissão Especial e da Fazenda junto às autoridades provinciais e do Congresso Agrícola do Rio de Janeiro (1878), que convocou os lavradores da área cafeeira com o objetivo de "obter informações seguras e esclarecimentos indispensáveis para firmar a opinião que seja o móvel de suas deliberações". Essa sondagem completou-se com o Congresso Agrícola de Recife (1878), que reuniu sobretudo os senhores de engenho do Nordeste, sob a iniciativa do Governo provincial de Pernambuco. Segundo os termos em que a configuraram as Comissões de 1874, a crise da lavoura significava um complexo de problemas, os quais podiam ser especialmente definidos com respeito à carência de mão-de-obra, de capital financeiro, de modernos meios de transporte, de instrução agrícola e quanto às altas tarifas.

A dicotomia da grande lavoura a que já nos referimos de início – o Nordeste com as culturas tradicionais decadentes e o Sul com as lavouras cafeeiras em grande progresso – condiciona uma distinção quanto à natureza de alguns problemas. A economia nacional caracteriza-se por dois pólos de densidade econômica diferente. "A lavoura de algodão está se extinguindo", diziam os agricultores do Nordeste, "a da cana apenas mantém alguma aparência de vida por causa do prêmio de 10 a 12% com que é favorecida pela permanência do câmbio baixo, e ambas clamam pela adoção imediata de medidas enérgicas". Os engenhos de açúcar mantinham-se obsoletos em sua estrutura de produção, pois havia fracassado o plano de desenvolvimento de uma nova estrutura à base da tecnologia moderna com os engenhos centrais. Ao tempo do Congresso Agrícola de Recife (1878), a produção pernambucana provinha de grande número de pequenos engenhos, de 4 a 12 enxadas, com pequena safra que oscilava entre 400 e 1.200 pães (500 a 1.500 sacas de 60kg), sendo raros os engenhos de grande produção, assim considerados os que apresentavam safras de 6 a 7 mil sacas. A grande maioria, cerca de 80 a 90% dos engenhos pernambucanos, cujo total alcançava perto de 2.000, e nove décimos de suas lavouras canavieiras, produzia no máximo 10 pães por dia, ou seja, cerca de 12 sacas e meia de 60kg. O nível mínimo da rentabilidade do açúcar, para manter em atividade o engenho tradicional, situava-se, segundo o parecer dos senhores de engenho, em 2$000 por arroba, como remuneração do produtor. Desde 1875, os preços que haviam oscilado entre 1$500 e 1$800 consubstanciavam "a mais espantosa das crises". Considerando-se em 100 arrobas a produção média de um escravo, sua rentabilidade orçava em 150 a 180$000 por ano, muito baixa comparada com a dos escravos da área cafeeira. Esses dados, que se referem à produção açucareira pernambucana, parecem configurar um modelo característico do parque açucareiro do Nordeste com a falência de todo o sistema de produção tradicional. Este reclamava completa reformulação.

No Sul, a lavoura cafeeira com altos níveis de rentabilidade, sobretudo nas frentes da terra roxa, enfrentava os problemas típicos da expansão e do custeio. Considerando-se a média de produtividade nas áreas novas, de 100 arrobas por mil pés, e sendo também de mil pés a média que se atribuía ao trato, por escravo, verifica-se que a rentabilidade média deste, nos anos de 1875/80, orçava em bruto em cerca de 800$000 por ano (preço médio de 32$880 por saca nos seis anos indicados). Mesmo com referência às lavouras com produtividade média de 50 arrobas por mil pés, ou baixa, com 30 arrobas por mil pés, nas áreas de cafezais decadentes, sua rentabilidade superava, em termos de força de trabalho, à da produção açucareira nordestina.

Para os lavradores de café, os problemas com respeito a ferrovias, tarifas e ensino agrícola apresentavam-se de certo modo como secundários. A rede ferroviária do país, que em 1887 compreendia 8.486km em funcionamento, se havia desenvolvido sobretudo na Região Centro-Sul, como vias do café. As Províncias do Espírito Santo, Minas Gerais, Rio de Janeiro e São Paulo se beneficiavam com 60% daquela expansão; as do Nordeste apenas com 27%. Acresce que as poucas vias que serviam ao Nordeste vieram beneficiar, em seu maior desenvolvimento, a zona do açúcar, a faixa da antiga Zona da Mata junto ao litoral, enquanto no interior circulavam apenas as tropas de burros. Reclamavam-se ferrovias que

A GRANDE LAVOURA

colocassem o interior em comunicação com os portos, ou seja, que viessem a servir os centros de produção algodoeira, cuja área de desenvolvimento maior situava-se nas partes semi-áridas do interior.

Quanto às tarifas de exportação, ainda que, pelo texto constitucional, coubesse apenas ao Governo Central a atribuição de legislar sobre o assunto, as autoridades provinciais e até as municipais também o faziam. O Congresso Agrícola de Recife considerou "pesados, inconvenientes, injustos e inconstitucionais" os impostos que oneravam os produtos da grande lavoura sob a forma de direitos gerais e provinciais. Contudo, é de considerar que as autoridades não tinham outra alternativa, pois haviam fracassado as tentativas para a criação do imposto territorial, e a produção do país estava concentrada nos gêneros da grande lavoura, os quais, pela incidência dos impostos, deviam contribuir para a quase totalidade da receita em todas as esferas da administração. Desde que a lei de 1835 atribuiu às províncias uma parte dos direitos de exportação, tornava-se muito difícil extingui-los, ainda que, gradualmente, adotassem as Províncias a estratégia de aumentar esses impostos todas as vezes que a Assembléia Geral aprovava sua redução. Tal prática reconhecia-se como ilegal, mas possivelmente se mantinha também por razões políticas.

Nos últimos anos da Monarquia cobravam-se 7%, pela tarifa geral, sobre as exportações de café, de açúcar e de algodão; sobre o primeiro produto pesavam mais 6% de direitos provinciais e municipais. Sobre os outros dois gêneros da grande lavoura estamos pouco informados quanto aos impostos de exportação nas duas últimas esferas da administração. Em 1875, apesar da depressão dos preços, o açúcar e o algodão pagavam 7% de direitos de exportação. Ao iniciar-se o período monárquico, o gravame imposto pelo Governo Geral sobre a exportação alcançava apenas 2%; elevaram-se a 7% em 1835, correspondendo às necessidades da administração geral, em face dos problemas do período regencial. Ao que parece, essa mesma tarifa foi mantida nos anos 1835/53, 1856/59 e 1862/66; elevou-se a 9% para os anos de 1867/72, em decorrência das dificuldades financeiras impostas pela Guerra do Paraguai. Nos demais anos, a tarifa vigente foi de 5%, com exceção do ano de 1854, quando subiu a 6%. Há a notar as tarifas discriminatórias que em 1875 oneravam o algodão e o açúcar em 7%, quando os demais gêneros pagavam 5%. A partir dos anos 80, contudo, nota-se a tendência para diminuir o imposto de exportação sobre os gêneros da grande lavoura. Assim, em 1882, os direitos sobre o açúcar, o algodão e o café, que alcançavam 9%, foram rebaixados para 7% por causa da queda das exportações em decorrência da crise européia; em 1887, a isenção dos direitos sobre o açúcar vinha atender à situação de quase ruína total desse setor da produção.

Com referência ao nível técnico da grande lavoura, as reivindicações se inspiravam nos grandes progressos alcançados pela agricultura comercial da Europa de leste e dos Estados Unidos. Nos escritos sobre a lavoura, em nosso país, multiplicam-se as referências à revolução agrícola do século XIX, com o enaltecimento dos benefícios da técnica do afolhamento, do novo maquinário agrícola, da ciência da adubação, das novas variedades de plantas cultivadas. Contudo, como já notamos, os lucros obtidos com os processos vigentes nas lavouras de café, predominantemente rotineiros, estimulavam muito pouco o desenvolvimento do capital técnico.

Algumas observações sobre o processo social parecem indicar a tendência ao esvaziamento, na grande lavoura, dos melhores elementos quanto aos seus quadros dirigentes, que se desviavam para outros setores de atividade do país. Os lavradores enriquecidos orientavam os filhos para a jurisprudência e a medicina, preferivelmente a primeira, pois um filho "doutor" significava a meta suprema de suas ambições. Multiplicavam-se os bacharéis. O desenvolvimento do serviço público veio propiciar oportunidades nos altos escalões do funcionalismo, enquanto as instituições de cúpula da administração do país, tais como as Assembléias Legislativas e o Senado, as Presidências Provinciais, recrutavam seus elementos, em grande maioria, entre as famílias da grande lavoura. É claro que esses órgãos representativos tornaram-se bastiões de defesa dos interesses da classe, mas, por outro lado, com a atividade político-partidária perdia-se a iniciativa que poderia inspirar-se na vivência com os problemas da exploração da terra.

Sob a administração de D. João VI haviam-se estabelecido no Brasil os primeiros cursos de agricultura; declinaram ou desapareceram com a carência de recursos e de docentes capacitados, minguando-se também com o apoucado interesse que lograram entreter com teorias ou normas importadas de outros países, sem o lastro da realidade brasileira. Segundo o consenso da época, em nosso meio, a atividade de lavrador não exigia formação especializada e devia orientar-se, de modo geral, apenas pela prática e pelo costume.

A partir da década de 50, pretendeu-se sanar a lacuna com a criação de instituições, em várias províncias, as quais, assentadas na iniciativa particular e oficial, sob os moldes de Asilo Agrícola, ou Fazenda Normal, ou Instituto de Agricultura, destinavam-se a promover a melhoria dos processos da lavoura. Procuravam divulgar o conhecimento das modernas máquinas utilizadas na agricultura, em outros países, sementes e mudas importadas, processos racionais de cultivo, noções de zootecnia, sendo chamados algumas vezes para opinar sobre moléstias vegetais. Estas atividades deviam ser estimuladas agora, na segunda metade do século, pela idéia que se arraigava nos espíritos de que, sem instrução agrícola adequada, o país não oferecia condições para atravessar a crise de transformação que se tornava eminente com a mudança do regime de trabalho. Entre todos, cuja maioria sobreviveu sem brilho, distinguem-se o Imperial Instituto Fluminense de Agricultura e a Associação Auxiliadora da Indústria Nacional, ambos do Rio de Janeiro, pela ação relevante no sentido de divulgar novos métodos, máquinas e ferramentas, mudas e sementes; funcionaram como órgãos assessores do Ministério da Agricultura, Comércio e Obras Públicas, criado em 1860, do qual uma das diretorias se dedicava à Agricultura. Em razão do grande papel desempenhado posteriormente, devemos assinalar também, no período monárquico, a fundação da Escola Agrícola criada em Itabira (MG), em 1875, e posteriormente transferida para Piracicaba, e a do Imperial Instituto Agrícola de Campinas, em 1887. As reivindicações do país se impregnaram de um sadio fervor de nacionalismo, acentuando a necessidade de um estudo profundo dos solos brasileiros, das plantas e dos animais explorados comercialmente, com o objetivo de se constituir uma agronomia brasileira com base em observações realizadas em nosso meio e orientadas para os requerimentos da economia nacional.

Ainda que, em certas áreas, as reivindicações que acabamos de apontar pudessem ter grande importância, a inadequada oferta da força de trabalho constituiu o problema central da economia brasileira desde a supressão do tráfico em 1850. Este é o assunto do grande debate, este é que mobiliza a grande lavoura. Em 1850, segundo os estudos realizados, o número de escravos no Brasil orçava em dois milhões e reconheciam as autoridades que o problema da mão-de-obra era o primordial, talvez o prioritário. Quase um quarto de século depois, em 1874, o contingente escravo havia diminuído em 30%, mas a parcela em atividade talvez nem chegasse a um milhão, descontados os velhos e as crianças. A importação de *coolies* sugerida como recurso transitório foi rejeitada pela força inelutável da opinião pública mobilizada pela imprensa. Quanto aos ingênuos, cujo número cresceria sob os efeitos da Lei do Ventre-Livre, não se esperava deles a disciplina de trabalho imposta pela grande lavoura. O trabalho a jornal também não incentivava o elemento nacional livre, mais inclinado à condição de agregado ou de camarada nas fazendas de café e, no

Norte, às lavouras de exportação menos onerosas financeiramente, como a do algodão e do fumo. Delden Laerne ressaltou em 1883 que os ganhos dos fazendeiros de café estavam limitados pela oferta da mão-de-obra escrava.

A lavoura açucareira, no Norte do país, dada sua baixa rentabilidade, não lograva manter o braço escravo, nem os impostos detinham o seu fluxo migratório contínuo em direção ao Sul. Não dispunha também de capital de giro para pagar o braço livre na proporção indispensável. Passaram os senhores de engenho a facilitar o estabelecimento de moradores livres em suas terras, em troca da prestação de serviços gratuitamente ou a baixo preço, em 2 ou 3 dias na semana. Desenvolveu-se, assim, a categoria dos chamados "moradores de condição", que, na segunda metade do século passado, até o presente, constituiu a grande parcela dos trabalhadores rurais do Nordeste. Os senhores de engenho passaram a sacrificar a produção própria de gêneros alimentícios para adquiri-la dos foreiros e outros trabalhadores livres. Esta lavoura de subsistência também decaiu quando a exploração da borracha passou a fomentar, nos anos 70, mais intensa emigração das áreas cultivadas no Norte e do Nordeste no país. No Sul, as lavouras cafeeiras absorveram a mão-de-obra disponível das culturas de subsistência e os braços servis. Nas áreas decadentes como a fluminense, coincidindo o declínio da produtividade com a crescente restrição da oferta da mão-de-obra, abandonaram-se também as culturas alimentícias que requeriam, em média, um quinto da força de trabalho das unidades rurais. O problema adquiriu gravidade excepcional, conjugado o declínio da produtividade da grande lavoura no Nordeste com o grande aumento da população brasileira no período (de 7.234.000 habitantes em 1850, passa a 17.984.000 em 1900), o que requeria a expansão adequada da produção de bens e serviços. O país passou a importar víveres do exterior para abastecer os centros urbanos. Assim, a falta de suprimento de mão-de-obra gerava a escassez de gêneros alimentícios e acentuava a tendência à monocultura. Sobrevinham crises de fome em muitas partes do país, quando se agravavam as condições climáticas e, em áreas do Norte, a subnutrição veio a ser crônica. Os tumultos conhecidos sob o nome de Quebra Quilos, no Nordeste, expressaram um período de agravamento local de um mal-estar generalizado na região. As frentes pioneiras do café mantiveram-se como áreas privilegiadas quanto ao abastecimento alimentar, graças à prática das culturas intercaladas entre os cafeeiros novos, que constituía a norma nas fazendas do Oeste paulista.

A GRANDE LAVOURA

Apesar dos progressos realizados no Sul e no Nordeste com a adoção da força de trabalho livre, desde a histórica experiência da fazenda Ibicaba (Limeira, SP), em 1848, o período monárquico, com sua tênue corrente de imigração européia (27.221 imigrantes por ano no período 1878/87), deve ser considerado como o da fase experimental dos sistemas de parceria e do colonato, de avaliação e prática dos preceitos legais com referência ao trabalho livre. Os 40 anos que decorrem desde o início da segunda metade do século constituem uma fase de transição com respeito ao regime de trabalho, abordado ainda com preconceitos de classes e com profunda emotividade. Mesmo na Província de São Paulo, onde o processo de transformação encontrava-se mais avançado do que em qualquer outra província do Império, somente com os grandes investimentos no setor da imigração européia, a partir dos primeiros anos do governo republicano paulista, o problema da oferta da força de trabalho veio a ser solucionado.

A transformação do regime de trabalho constituía, na essência, um problema financeiro. Sob o trabalho servil, a prestação de serviços por parte de escravo não implicava dispêndio monetário ou este se restringia a nível ínfimo. O braço livre requeria novos investimentos para a construção de moradias, além do capital de giro indispensável ao pago de salários. Quando se realizava o Congresso do Rio de Janeiro (1878), segundo a opinião firmada pela comissão representativa dos lavradores paulistas e apoiada pelas demais, colocava-se então o grande problema dos meios, das medidas práticas que se deviam sugerir ao Governo para solucionar o problema. Tratava-se agora de reclamar a ação, ou seja, normas para a criação de instituições bancárias com organização específica para dar assistência financeira à grande lavoura; a premência dessas medidas já havia sido denunciada há muito tempo, clamavam os representantes.

Tais estabelecimentos, denominados de "crédito real", deveriam proporcionar à lavoura capitais a longo prazo com juros baixos e amortizações suaves. Sem desmerecer a importância das outras reivindicações, o capital financeiro constituía a chave de todos os outros.

Muitas sugestões já haviam sido apresentadas às autoridades e à opinião pública, com o propósito de instituir o crédito hipotecário quanto à propriedade rural. Não obstante as leis que vieram propiciar sua criação, fluíam as poupanças para outros caminhos muito mais onerosos para o lavrador-emprestador.

O crédito comercial, caracterizando-se pelo prazo curto e juros altos, permanecia no período monárquico uma das formas mais antigas e preferidas de aplicação de capital, dada a rapidez com que se liquidavam as operações, mantendo-se a velocidade da circulação. Outros campos de investimento surgiram e se desenvolveram ao lado deste. Com o crescimento das cidades, a hipoteca dos prédios urbanos veio a merecer, na capital do Império, a preferência das operações hipotecárias; possivelmente o mesmo acontecia em outros centros urbanos importantes. As ferrovias, sobretudo em São Paulo, abriram outro campo de investimento, muito atraente, porque se identificava com a valorização das propriedades agrícolas. Todavia, na maior parte das Províncias, os títulos de dívida pública tenderam, no período monárquico, a captar a parcela maior das poupanças, graças à segurança e liquidez, apesar dos juros baixos. Representavam também o setor mais importante dos investimentos estrangeiros no país. Segundo reclamavam os lavradores, o Estado se tornara o maior concorrente na disputa dos capitais disponíveis.

Os fazendeiros de café, até o meado do século, contavam apenas com os recursos próprios. Reinvestindo os lucros, promoveram a primeira grande expansão das plantações de café. A disponibilidade de capitais aumentou com a supressão do tráfico (1850), já quando a economia cafeeira estava em pleno desenvolvimento. As formas de crédito brotaram espontaneamente das relações entre o lavrador e o comissário, que foi o intermediário daquele na venda do produto. A originalidade da experiência brasileira consistiu neste vínculo. Distinguiu-se desde cedo pela sua feição nitidamente patriarcal e, no período em estudo, pelos laços de caráter pessoal sob os quais havia surgido. Até a década de 60, os comerciantes haviam desempenhado apenas o papel de intermediários na venda do café, entre o fazendeiro e o exportador. Naqueles anos começaram a fazer empréstimos aos lavradores para custeio da atividade agrícola, formação de novas lavouras, aquisição de escravos. Tornaram-se, desse modo, o esteio do desenvolvimento da grande lavoura do café. Até o fim dos anos 70, os adiantamentos de capital financeiro se faziam com base no recebimento das safras, sem dificuldades, com taxa normal de juros nunca além de 12% ao ano. As quantias maiores liquidavam-se a longo prazo, com amortizações periódicas; muitas vezes as garantias se concretizavam em letras que se descontavam nos bancos, mas a maior parte das vezes tais operações de crédito se mantinham apenas na base da confiança pessoal. A este tempo o comerciante havia-se transformado em comissário, isto é, as novas condições econômicas e sociais que caracterizavam a economia cafeeira haviam delineado agora a figura do comerciante especializado na função de receber o café que os fazendeiros enviavam sob consignação,

A GRANDE LAVOURA

mediante a cobrança de comissão, em geral de 3% sobre o valor das vendas. No Norte também o comerciante-correspondente identificou-se com o credor dos senhores de engenho.

No final da década de 70 várias mudanças se processavam na estrutura tradicional do crédito que afetaram o seu caráter patriarcal, pondo à luz os atritos que estavam surgindo dentro do sistema. No Norte impunha-se a reformulação de todo o sistema produtivo com respeito ao açúcar; no Sul, acentuava-se o declínio da produtividade dos cafezais fluminenses. Mais grave, pesava sobre todos a perspectiva sombria da Lei do Ventre-Livre, que havia fixado o limite, no tempo, para a extinção do braço escravo. Era evidente que a emancipação viria muito mais cedo do que previra o diploma legal. Segundo as normas tradicionais, a propriedade da terra não servia de base à hipoteca agrícola, mas somente as benfeitorias e os escravos, isto é, os elementos considerados de elevada expressão monetária na organização da produção. Na década de 70, os escravos passaram a ser estimados pela metade do seu preço de mercado nas operações de penhor agrícola. Ao mesmo tempo, a reforma de 1866 pôs fim à pluralidade de bancos emissores e inaugurou uma fase de grande restrição de crédito, que durou praticamente até o fim do período monárquico. A crise de 1864, com a falência da firma A. J. A. Souto & Cia., foi uma crise monetária motivada pela restrição do meio circulante e quase restrita à área fluminense, com pequena repercussão nas praças paulistas e mineiras; foi, portanto, uma crise financeira na mais importante zona cafeeira do país, na época.

O Estado não havia ficado insensível aos reclamos dos lavradores. A lei hipotecária de 1864 com respeito às propriedades urbanas e rurais estabeleceu o empréstimo a longo prazo aos lavradores (10 a 30 anos) a juros de 6% ao ano, garantido pela metade do valor das propriedades rurais e três quartos com referência às urbanas. Ficou omisso o problema da procedência dos capitais e ninguém se interessou em provê-los. O Governo não estava em condições de proporcioná-los: as condições financeiras do Tesouro Nacional haviam se deteriorado com a Guerra do Paraguai; as secas do Nordeste levaram à construção de ferrovias no Ceará como meio de proporcionar ajuda aos flagelados; em 1875 ocorria a queda do Banco Mauá e, de 1878 a 82, o declínio dos preços do café e do açúcar. O novo documento legal de 1875, com respeito ao problema do crédito à grande lavoura, cogitou exclusivamente das propriedades rurais, com a preocupação essencial de atrair o capital estrangeiro, à semelhança do que havia sido disposto com referência às ferrovias. As letras hipotecárias seriam negociadas nas capitais européias com garantia de juros de 5% e amortização no prazo de 30 anos. A lei não despertou interesse por parte dos capitalistas europeus; excluindo-se a urbana, a grande desvalorização da propriedade rural com o término do regime servil, que se vislumbrava próximo, constituía um óbice à criação de uma estrutura creditícia de base nacional.

Em resultado desses múltiplos fatores, restringindo-se o crédito dos comissários, ficaram os lavradores obrigados a se valer do crédito comercial, com sua elevada taxa de juros. O inquérito realizado pela Comissão Especial da Fazenda, em 1874, mostrou que em algumas províncias cobravam-se juros de 18 a 24%, mas até 48% e 72% foram assinalados. O registro hipotecário não constituía boa fonte para o cálculo do montante da dívida da lavoura que se calculava em 100 mil contos. A maior parte dos empréstimos efetuava-se por meio de letras, solidamente endossadas, que se descontavam nos bancos. Em 1873 o Governo imperial criou a Carteira Hipotecária do Banco do Brasil, que proporcionou empréstimos, sobretudo à lavoura cafeeira, a juros de 6%, os quais foram elevados a 10% e a 12% em 1884, com o prazo de 20 anos. Outros bancos na década de 80 se favoreceram da carteira de crédito, e alguns se estabeleceram como bancos de crédito real. Nenhuma organização bancária fornecia ao lavrador o total do empréstimo em dinheiro; este se reduzia a pequena parcela, completada pelas letras hipotecárias que se descontavam posteriormente. O montante desses empréstimos sempre foi considerado diminuto em face das necessidades da grande lavoura, sendo de notar que sua situação agravou-se na última década com as safras diminutas de 1883/5. Repetidamente se denunciou o caráter pessoal com que se distribuíram os empréstimos.

O problema de base é que as instituições bancárias não dispunham de recursos monetários adequados para atender à lavoura. De 1866 a 88, ano em que se retornou ao sistema da pluralidade bancária, tivemos cinco emissões como medidas de emergência para atender a situações financeiras prementes. Entre 1880 e 89, a quantidade de papel em circulação decresceu de 216 para 197 mil contos, enquanto o valor do comércio exterior aumentava de 411 para 477 mil contos. Assim, enquanto a generalidade dos lavradores do país reclamava a expansão das emissões como único recurso para atender às necessidades prementes da lavoura, as altas autoridades do país apegavam-se às regras do padrão-ouro e tolhiam a expansão dos meios de pagamento requerida pelo desenvolvimento do país. Em novembro de 1888 aprovou-se a lei de retorno à pluralidade

A GRANDE LAVOURA

161

bancária com o objetivo de dar apoio financeiro aos lavradores duramente atingidos pela Abolição e assim combater também a propaganda republicana. Por meio de acordos realizados com dezessete instituições bancárias nacionais, o Governo imperial, em 1889, visava a proporcionar amplos recursos à grande lavoura com empréstimos hipotecários orçados na importância global de 172 mil contos. Tais medidas, contudo, chegavam demasiado tarde.

Resumo   Para uma perspectiva dos acontecimentos significativos quanto a mudanças nas bases econômicas do país, as datas que enquadram o período monárquico carecem de expressividade. Nos anos de 1822 a 89, a economia brasileira mantém sua estrutura colonial à base da grande lavoura. Tal como nos primórdios de sua formação, caracteriza-se pela grande propriedade manocultora, cuja força de trabalho é o braço escravo. Por meio da grande lavoura preservou-se a feição essencial da nossa economia, que funciona para exportar os gêneros tropicais de que necessitam os países industrializados. Do ponto de vista político, inspirava-se o Brasil monárquico no modelo europeu, mas, econômica e socialmente, o país se mantinha hierarquizado em classes, com sua minoria branca latifundiária, que preenchia os quadros dirigentes, e a massa de escravos. Devemos notar a vitalidade extraordinária dessa estrutura: implantada desde os primórdios da colonização, a grande propriedade monocultora e escravocrata manteve-se relativamente estável em seus característicos até 1888, vindo a conhecer, durante o período monárquico, uma fase de grande expansão com o desenvolvimento da lavoura cafeeira. A permanência e a vitalidade decorreram, em parte, do sistema da economia mundial.

Em seus fundamentos tecnológicos a grande lavoura do período monárquico é uma expressão de sua força de trabalho. Permaneceu no quadro da lavoura tradicional, em maior parte da extensão que ocupava no país, dominada por técnicas de produção que se transmitiam inalteradas há muitas gerações, com o trabalho braçal, a atividade depredatória dos recursos da natureza, a conquista extensiva de vastos espaços, o recurso ao trabalho escravo, o instrumental reduzido ao machado, à enxada e à foice.

A década de 70 representa um marco importante, pois assinala algum progresso quanto a mudanças, apenas anunciadas em 1848 com a experiência do trabalho livre na Província de São Paulo e, em 1850, com a supressão do tráfico. Na maior parte do território brasileiro significam os anos 70 o momento histórico de conscientização quanto ao imperativo das mudanças. É a década em que se passa à definição clara dos problemas fundamentais que se aprofundavam com os anos e atingiram a culminância nos anos finais do período monárquico, em 1888 com a Abolição, no ano seguinte com a mudança do regime político.

O problema magno da grande lavoura, o do regime de trabalho, orientou-a para novas experiências e ensaios com o objetivo de melhorar sua rentabilidade, assimilando algumas técnicas desenvolvidas pela Revolução Industrial. O braço livre, máquinas de cultivo e beneficiamento, o vapor, a ferrovia introduziram-se no país por meio da grande lavoura. O demorado e lento estímulo desses elementos no sentido de deslocar a antiga estrutura foi conseqüência da estabilidade do regime de trabalho. Se o problema da Abolição se colocou tão tardiamente em sua forma imperativa, foi porque a distribuição dos fatores de produção disponíveis, segundo a forma tradicional, mantinha extraordinária eficiência. Devemo-nos lembrar de que os economistas clássicos deram grande importância ao fator trabalho, o que significa que a atmosfera intelectual, com respeito às idéias sobre economia, de que estavam imbuídos os mais cultos, propiciava a base racional para o enaltecimento desse fator. A distribuição tradicional dos fatores garantiu a aceleração da taxa de bens e serviços na zona cafeeira, base da prosperidade do país no período monárquico. Os fatores decisivos para este desenvolvimento foram as condições excepcionais de solo e clima que a Região Centro-Leste meridional oferecia à lavoura do café, completadas pela acessibilidade dos portos de exportação. O fato de que as técnicas de comercialização e de crédito da grande lavoura se tenham transmitido quase inalteráveis põe em relevo a permanência do feitio patriarcal como base tradicional do processo da vida social, com suas repercussões no processo econômico do Brasil monárquico.

Contudo, sob a pressão da inadequada oferta da força de trabalho, a grande lavoura experimentou seus primeiros esquemas de redistribuição dos fatores de produção. Algum progresso foi realizado no sentido da mecanização e do emprego do braço livre. A inquietude dos últimos 20 anos da Monarquia parece marcar a fase de transição. Naqueles anos são indicados os caminhos, experimentadas algumas soluções que vieram a ser adotadas nas décadas seguintes.

QUANTIDADE POR DECÊNIOS

Decênios	Café 1.000 sacas[1]	Açúcar[2]	Algodão[2] em pluma	Fumo[2]	Cacau[2]
1821-30	3.178	479.851	122.173	42.409	11.362
1831-40	9.744	707.264	113.844	45.454	16.558
1841-50	17.121	1.004.043	111.111	46.230	28.741
1851-60	26.253	1.214.698	141.248	80.126	35.192
1861-70	28.847	1.112.762	288.939	126.539	33.735
1871-80	36.336	1.685.488	382.436	170.535	49.967
1881-90	53.326	2.021.394	227.778	198.831	73.627

VALOR EM MIL-RÉIS POR DECÊNIOS
VALOR EM MIL CONTOS DE RÉIS

Decênios	Café	Açúcar	Algodão	Fumo	Cacau
1821-30	43,3	78,4	48,5	5,8	1,1
1831-40	152,4	83,6	38,3	6,7	2,1
1841-50	201,5	130,5	36,4	8,7	4,8
1851-60	439,4	190,7	55,9	23,7	9,2
1861-70	695,4	185,2	282,4	46,9	14,2
1871-80	1.108,1	232,9	186,7	67,6	24,0
1881-90	1.487,5	240,2	102,1	66,2	39,4

[1] Saca de 60 kg.
[2] Toneladas.
FONTE: *Anuário Estatístico do Brasil*, Ano V, Rio de Janeiro, 1939/40.

RELAÇÕES INTERNACIONAIS

LIVRO SEGUNDO

CAPÍTULO I

BRASIL-INGLATERRA, 1831/1889

NO PERÍODO compreendido entre 1831 e 1889, os interesses britânicos no Brasil giraram em torno de três assuntos estreitamente inter-relacionados: a escravatura, o comércio e os investimentos. Isto não significa terem sido os britânicos irrelevantes em outras áreas da vida brasileira. Sua influência sobre os intelectuais brasileiros – spencerianos ou poetas byronianos dos meados do século XIX, por exemplo – não recebeu ainda dos historiadores a merecida atenção. Também não devemos esquecer que diversos liberais do século passado, tais como Francisco Otaviano de Almeida Rosa, Zacarias de Góis e Vasconcelos, Joaquim Nabuco e, naturalmente, Rui Barbosa, deixaram-se atingir profundamente pelo modelo político britânico. De qualquer maneira, porém, é incontestável terem sido os interesses britânicos no Brasil de ordem acentuadamente econômica, a menos que se pretenda atribuir à escravatura um caráter, antes de tudo, social.

As relações entre os dois países em tão longo período podem ser divididas em duas fases distintas. Na primeira, que se encerra em meados da década de 1860, disseram elas respeito primacialmente à escravatura e ao comércio. Durante a segunda, a escravatura cessa de ser um problema, ao passo que investimentos diretos dão novo ímpeto aos interesses comerciais. O fim da primeira fase pode ser datado pela Questão Christie (1863). Mas o início da segunda relacionou-se com modificações internas no Brasil – tais sejam o desenvolvimento de oportunidades para investimentos industriais, estradas de ferro e serviços urbanos –, transformações essas a que não podemos atribuir uma data inicial precisa, embora a Guerra do Paraguai, ao rebentar (1865), tenha sido provavelmente importante para sua precipitação. É preciso lembrarmos, por outro lado, a crescente disponibilidade de capitais britânicos para investimentos, resultante de uma nova lei relativa às sociedades anônimas na Inglaterra (1862). Naturalmente, a periodização nunca pode ser precisa de maneira rígida: a escravatura continuou a interessar alguns ingleses mesmo após 1863, os investimentos nas estradas de ferro brasileiras começaram no início da década de 1850, e empréstimos públicos foram feitos ao Governo por banqueiros britânicos já na década de 1820. Não obstante, para nossos objetivos de momento, os meados da década de 1860 podem ser considerados como constituindo-se num ponto divisório.

Tráfico de escravos e escravatura   A escravatura dominou as relações anglo-brasileiras, desde os tempos da Independência até muitos anos depois da extinção do tráfico escravo, em 1850. A Inglaterra encerrara todo o comércio de escravos relacionado com seu próprio império nos anos 1806-1807, e por volta de 1833 se fizera no mesmo âmbito a abolição da própria escravidão. Como já foi assinalado por Olga Pantaleão em volume anterior desta série, uma das condições impostas pelos britânicos em troca do reconhecimento da Independência brasileira em 1825 foi justamente o fim do tráfico escravo, por volta de 1830. Essa concessão pode ter tido algo a ver com o decréscimo da popularidade de Pedro I entre os proprietários de terras, que antes o haviam apoiado. Mas o Imperador não podia ser responsabilizado por isso: sob pressão britânica, a despeito da abdicação de Pedro I em abril de 1831, o Governo brasileiro baixou uma lei, em novembro daquele mesmo ano, declarando livres todos os escravos importados da África a partir daquela data.

Mas a lei permaneceu letra morta. Os britânicos tentaram fazer funcionar o mecanismo das Cortes de Comissões Mistas no Rio de Janeiro e em Sierra Leoa, mas debalde. Apesar da captura de muitos barcos, os altos lucros resultantes do tráfico encorajavam a multiplicação de navios negreiros. Como foi demonstrado por Leslie Bethel, da Universidade de Londres, esses navios, em sua maioria, trafegavam sob a bandeira portuguesa, de tal modo que, em 1838, os britânicos unilateralmente passaram a tratar como piratas todos os barcos portugueses empenhados no comércio escravista. Os portugueses, então, concordaram em pôr fora da lei o tráfico de negros (1842), porém, mal alcançada essa vitória, os ingleses passaram a encontrar dificuldades no Brasil. Em 1844 expirara o tratado existente entre o Brasil e a Inglaterra. A Inglaterra, embora com relutância, concordou em que suas disposições relativas ao comércio não mais poderiam ser aplicadas, mas insistiu no caráter de perpetuidade da cláusula concernente ao tráfico escravo. Foi quando Aberdeen fez passar no Parlamento Britânico uma lei autorizando o Almirantado inglês a tratar

BRASIL-INGLATERRA, 1831/1889

todos os navios negreiros do Brasil como se fossem piratas. Mais uma vez, a despeito da captura de diversas embarcações em alto-mar, aumentou persistentemente a importação brasileira de africanos. Finalmente, em 1850, navios britânicos passaram a entrar nos portos e rios brasileiros, caçando os navios negreiros e queimando ou aprisionando os barcos aparelhados para esta finalidade.

O tráfico escravista para o Brasil sofreu, então, rápido declínio, podendo ser considerado como finalmente extinto em fins de 1852. Há estimativas segundo as quais 60.000 escravos ingressaram no país em 1848, cerca de três vezes o número correspondente ao ano de 1845. Mas em 1850 entraram somente 23.000, e apenas 3.000 em 1851. No ano seguinte esta cifra reduzia-se a 700, e depois dai há somente referência a uns poucos casos isolados de tráfico negreiro.

Mas, já então e até hoje, muito se tem discutido acerca do verdadeiro papel da ação britânica, isto é, se ela teria sido de fato a responsável pela extinção do tráfico. Em setembro de 1850, o Congresso brasileiro baixara a Lei Eusébio de Queiroz, proibindo o comércio de escravos e incluindo um importantíssimo dispositivo capaz de forçar sua aplicação. A eficácia dessa lei pôs fim ao tráfico. O ponto de vista brasileiro concernente aos fatores causativos aqui envolvidos foi habilmente apresentado à Câmara dos Deputados, em 16 de julho de 1852, pelo próprio Queiroz. Argumentava ele que a grande importação de africanos após o Ato Aberdeen alarmara os proprietários de terras no Brasil, pois a vaga de adventícios trazia consigo a ameaça de insurreições. Além do mais, os proprietários deviam razoáveis quantias aos traficantes portugueses, acalentando a esperança de cancelamento de seus débitos com a passagem de uma nova lei. Seus detalhes estavam prontos para serem apresentados, quando ocorreram as primeiras capturas; as belonaves britânicas, nesse caso, apenas tornaram mais difícil a tarefa do Governo.

Os historiadores devem dar crédito tanto ao Governo do Brasil quanto ao da Inglaterra. Os líderes no Rio de Janeiro, especialmente Pedro II, estavam agora em condições de impor a vontade do Governo Central de um modo que até então não lhes fora possível, em virtude das revoltas e perturbações características da vida política brasileira até aquela data. Sem a boa vontade das autoridades brasileiras, é claro que todos os esforços britânicos seriam insuficientes para a consecução do objetivo em vista, a menos que se fizesse a ocupação de fato do território brasileiro. Por outro lado, é certo que a pressão britânica impelira o Brasil a caminhar na direção desejada. Seus líderes sabiam que nenhum governo terá longa duração se não for capaz de impedir a violação dos direitos nacionais. Além disso, o Governo brasileiro pretendia fazer empréstimos monetários em Londres e obter o apoio britânico para a sua política no Rio da Prata. Assim sendo, as autoridades de uma e outra nação cooperaram no sentido de aplicar a nova lei, da mesma forma como haviam sido responsáveis pela sua adoção.

O fim do tráfico negreiro não significou o encerramento das preocupações britânicas com a questão da escravatura brasileira. Nos anos seguintes a 1850 os representantes diplomáticos ingleses no Rio de Janeiro mantiveram constante barragem de exigências e recriminações dirigidas contra a escravatura e seus defensores. O mais significativo aspecto de suas considerações dizia respeito à questão dos escravos importados da África a partir de 1831. Como já vimos, tais escravos haviam sido declarados livres pela lei daquele ano, cuja aprovação fora imposta por um tratado entre o Brasil e a Grã-Bretanha. Os ingleses pensavam estar dentro de seus direitos exigir, como dissera um de seus ministros em 1857, fossem agora tomadas medidas "no intuito de evitar que sejam reduzidas à escravidão pessoas de cor". William Dougal Christie, Ministro britânico no Rio de 1859 a 1863, foi particularmente meticuloso a tal respeito. Os britânicos, naturalmente, tinham informações suficientes para saber que insistir nessa exigência correspondia a ameaçar a própria escravatura, pois inexistiam possibilidades de se determinar quais os escravos importados a partir de 1831. Mesmo se houvesse alguma técnica censitária com este objetivo, o número de tais escravos seria tão grande que sua libertação equivaleria a solapar na integridade o sistema de mão-de-obra brasileiro. É curioso notar que os abolicionistas brasileiros da década de 1880 voltaram à questão sobre tais escravos, buscando aí sua mais segura base legal. Em janeiro de 1881, por exemplo, Joaquim Nabuco, nas páginas de O *Abolicionista*, gabava-se de que ele e outros abolicionistas já haviam levado "a escravidão a reconhecer-se ilegal". E que Luís Gama passou a libertar centenas de escravos mediante processo judicial.

Christie também levantou outras questões relativas à escravatura. Os assim chamados *emancipados* ou *africanos livres*, encontrados a bordo de navios condenados pela Corte de Comissão Mista no Rio antes de 1845, eram avaliados em cerca de 10 mil. Tinham sido entregues "como aprendizes" a pessoas particulares, ou postos a trabalhar em projetos do Governo, empregando-se facilmente a fraude para tirar qualquer significado à sua libertação. De fato, a lei nem sequer recebera uma aplicação simbólica. Além do mais, Christie, bem como o próprio Governo britânico, estava

BRASIL-INGLATERRA, 1831/1889

profundamente interessado em acabar de uma vez com a escravidão no Brasil. Era raciocínio predominante que, onde houvesse escravidão, lá poderia também ressurgir o tráfico escravo, e assim a Inglaterra podia legitimamente interessar-se pelo assunto. Mas, obviamente, o interesse britânico em liquidar com a escravidão no Brasil transcendia o tráfico escravo, refletindo profundas preocupações de articulados grupos de interesses britânicos.

O incidente Christie de 1862-1863 apresentava essas questões como seu principal pano de fundo. Baseando-se em assuntos irrelevantes, exigia ele desculpas e reparações por parte do Brasil e, como tais exigências não fossem satisfeitas, ordenou represálias contra a navegação brasileira. O Governo brasileiro, entretanto, desafiou-o a pôr em prática as ameaças. Mesmo cedendo "sob protesto" a algumas exigências britânicas, passou a fazer contra-exigências e, finalmente, rompeu as relações diplomáticas. Faltava aos ingleses, é claro, a intenção de lutar pelas pequenas questões suscitadas e não podiam, seriamente falando, encarar a possibilidade de uma efetiva invasão do país para acabar com a escravatura. Por outro lado, a verdade é que o Governo brasileiro começou a tomar medidas nesse sentido exatamente nesse momento, em grande parte em virtude de temer um incremento da pressão britânica. Quando ainda não se sabia qual a resposta inglesa à ruptura das relações diplomáticas, Pedro II insistiu com o Gabinete para que considerasse o futuro da escravatura, de modo "que não nos suceda o mesmo que a respeito do tráfico de africanos". Quando rebentou a guerra ao longo da fronteira sul do Brasil, a Inglaterra concordou com os termos brasileiros nos problemas publicamente discutidos, mas o Governo brasileiro secretamente passou a encaminhar-se para a libertação de todos os filhos de escravos nascidos a partir de determinado momento. Numa atitude conciliatória, foi então revogado o Ato Aberdeen (1869). A Lei do Ventre-Livre, em 1871, muito deve à pressão britânica.

Com isto chegava ao fim uma das mais acirradas controvérsias entre o Brasil e a Inglaterra. É interessante notar-se, de passagem, a maneira pela qual o Brasil conduziu suas relações diplomáticas com uma grande potência que, de modo contínuo, fazia exigências exorbitantes. Em geral, sua resposta consistia em concordar verbalmente e satisfazer publicamente. Mas enquanto os brasileiros, na aparência e para uso externo, faziam concessões com prazenteira boa vontade, por outro lado adiavam, procrastinavam e tornavam insignificante grande parte da substância objetivada pelos britânicos. Somente quando não restava mais qualquer alternativa ou quando a pressão doméstica se acrescentava às exigências britânicas, só então o Governo brasileiro cedia na realidade. Assim aconteceu com o tratado de 1826, com a lei de 1831, com a aplicação desta lei nos anos subseqüentes, com a maneira de tratar os *emancipados* e com as concessões exigidas em 1863. A técnica funcionava admiravelmente. O tráfico escravo durou 25 anos após o tratado de 1826. A libertação dos filhos de escravos, declarada em 1871, foi uma concessão vazia, pois eles permaneciam virtualmente escravos até os 21 anos de idade e, sob suas provisões, a escravatura poderia ter-se mantido até a década de 1930. De fato a escravatura sobreviveu até 1888; e a transformação dos escravos em consumidores – talvez possamos dizer – ainda não se efetivou.

Comércio   O consumo de produtos manufaturados britânicos constituía-se em outro importante aspecto a dar forma às relações anglo-brasileiras durante o período de 1831 a 1889. Como é notório, a significação relevante dos produtos britânicos entre as importações brasileiras remonta ao menos aos tratados de Methuen, entre Portugal e a Grã-Bretanha, em 1702-1703. Os ingleses, além disso, foram os principais beneficiários da abertura dos portos, em 1808, o que já foi amplamente demonstrado por Alan K. Manchester. Em 1810 foram eles distinguidos com especiais concessões comerciais, incluídas num tratado "de amizade". E o tratado de 1826 renovava essas concessões, inclusive o direito de terem um Juiz Conservador Britânico para julgar as causas que envolvessem ingleses. Em 1842, mais da metade das importações desembarcadas no Rio de Janeiro era de procedência inglesa. E a expiração do tratado comercial em 1844 em nada alterou a predominância britânica nos mercados brasileiros: durante o período de 1845 a 1849, a média anual das importações brasileiras correspondia a 56.721 contos; deste total, cabiam aos britânicos 27.540 contos.

Têxteis, especialmente artigos de algodão, eram os principais artigos de importação da Grã-Bretanha. Quando os ingleses começaram a publicar estatísticas regulares e sistemáticas relativas ao comércio exterior, em meados do século XIX, os têxteis representavam três quartos de suas exportações para o Brasil. E sempre foram responsáveis por mais de 65% das importações brasileiras da Grã-Bretanha até 1870. Quando as manufaturas têxteis brasileiras começaram a produzir, essa proporção começou a declinar, mas, mesmo assim, tecidos e roupas continuaram a representar mais de metade das importações de produtos manufaturados britânicos até 1890. Naturalmente, não morriam de amores uns pelos outros os manufatureiros do Brasil e os importadores ingleses. Bernardo Mascarenhas, por exemplo, queixava-se amargamente da "terrível guer-

BRASIL-INGLATERRA, 1831/1889

ra de concorrência" movida contra ele pelos agentes de "fabricantes ingleses".

Fazer uma lista dos bens de consumo importados da Grã-Bretanha corresponde a catalogar o que Gilberto Freyre denominou "europeização" da população urbana brasileira. E também nos leva a refletir acerca do malogro dos brasileiros em produzir para cobrir suas próprias necessidades. Assim, manteiga, queijo, cerveja, remédios, artigos de beleza, roupas (especialmente para homens), pianos, relógios, louças, selas, chapéus de palha, capas de chuva, armas de fogo, caixões de defunto, tinta de escrever e garrafas vazias, tudo isto constava das listas apresentadas aos funcionários da alfândega pelos navios que transportavam carga da Inglaterra.

Artigos de produção também vinham da Grã-Bretanha, e isto contribuía para aumentar a dependência brasileira em relação àquele país, mesmo quando o Brasil já estava, gradualmente, criando a base (potencial) para sua própria independência econômica. Assim sendo, carvão, maquinaria, cimento, ferro, outros metais, ferramentas, artigos de ferro, procediam com grande freqüência da Grã-Bretanha. A categoria dos bens de produção cresceu lenta, mas constantemente, cerca de 1850 em diante, subindo de 11% das exportações britânicas para o Brasil naquele ano a 28% durante o último lustro do Império.

A Inglaterra importava relativamente pouco do Brasil. É verdade que, na começo do período aqui considerado, o açúcar era ainda o principal artigo de exportação brasileira, muito de sua produção era encaminhado para a Grã-Bretanha ou, melhor, para o Norte da Europa via Grã-Bretanha. Debatia-se na época, talvez com sólidas razões, que era precisamente por causa da competição proporcionada pelo açúcar brasileiro ao produto das Índias Ocidentais que a Inglaterra estava tão interessada na extinção do tráfico negreiro. Mas o açúcar de beterraba europeu logo fez com que ambas as áreas entrassem em depressão econômica, declinando severamente as importações britânicas do Brasil. Quando o café substituiu o açúcar como o principal artigo de exportação do Brasil, os Estados Unidos tornaram-se o mais importante cliente brasileiro. Somente no fim do período imperial, quando a borracha começou a adquirir importância no mecanismo exportador brasileiro, foi que a Grã-Bretanha voltou a tornar-se grande compradora de produtos do Brasil.

Nessas condições, as exportações para o Brasil deviam ser pagas por outros meios. Um dos mais relevantes consistia nos lucros adquiridos pelos comerciantes britânicos no Brasil e que geriam o grosso de seus interesses comerciais no âmbito internacional. Na década de 1840, quase metade das exportações brasileiras de açúcar, metade das de café e acima da metade das de algodão bruto eram exportadas por firmas britânicas. Em meados da década de 1870, a sociedade de Philipps Brothers & Co. exportava anualmente cerca de meio milhão de sacas de café, avaliadas em 2 milhões de libras esterlinas. Outra firma famosa era a de E. Johnston & Co., criada por um londrino residente no Rio de Janeiro desde 1821. Fundou ele esta empresa exportadora em 1842 e transferiu-se para Liverpool em 1845, onde estabeleceu uma sociedade mercantil. Na década de 1850 abriu filiais em Nova York e Nova Orleans. Sempre alerta à mudança de condições no Brasil, a firma inaugurou uma filial em Santos em 1881. E no começo do século XX foi ela a principal responsável pelo estabelecimento da Companhia Paulista de Armazéns Gerais.

Navegação e portos   Outro instrumento da influência exercida pelos britânicos sobre o comércio do Brasil consistia no seu controle dos transportes das mercadorias. Durante as décadas de 1830 e 1840, contaram eles com uma intensa concorrência dos norte-americanos, então utilizando rápidas veleiros. Mas quando se deu a introdução do uso do vapor, os britânicos passaram a dominar o panorama. A Royal Mail Steam Packet Company foi a pioneira nas comunicações regulares a vapor entre o Brasil e o Velho Mundo, em 1851. Rivalizando com ela, a firma de Lamport & Holt, de Liverpool, lançou um serviço semelhante em 1865, sendo logo imitada por outras empresas, tais como a Anglo-Brazilian Steam Navigation Company, a Pacific Steam Navigation Company, a Booth Steamship Company e a White Star Line. Entre 1866 e 1889, quando a navegação de cabotagem brasileira esteve aberta a estrangeiros, coube também aos britânicos monopolizá-la. Durante certos anos do século XIX, que tem merecido estudos especiais, os britânicos sempre respondem por quase metade dos vapores chegados ao Rio de Janeiro, entre as embarcações procedentes de todos os portos estrangeiros.

As condições dos portos brasileiros era de interesse direto para as empresas comerciais e marítimas, atraindo, portanto, as atenções britânicas. A partir do momento em que o Governo brasileiro atingiu estabilidade política, voltou-se ele para vários melhoramentos públicos, inclusive obras portuárias. Envolvido em grande número de tais projetos estava o engenheiro britânico Charles Neate. Em 1851 foi este engenheiro encarregado dos estudos relativos às obras do porto do Rio de Janeiro, passando depois a tratar de sua realização. Foi demitido mais tarde, quando parte do trabalho já feito desmoronou, mas tornou-se um bom amigo de seu

BRASIL-INGLATERRA, 1831/1889 **175**

sucessor, André Rebouças. Neate deu também pareceres em planos elaborados por dois ingleses para melhoramentos do porto do Recife. Propôs então seus próprios planos, com os quais obteve o apoio financeiro do Barão de Mauá. Mas aqui, como no caso da Companhia das Docas da Bahia, com sede em Londres e proposta por Mauá, nada resultou de seus esforços. Outro engenheiro britânico, John Hawkshaw, fez elaborados estudos concernentes às obras portuárias brasileiras na década de 1870, mas apenas mereceram efetiva adoção suas sugestões relativas a Fortaleza.

Crédito Os negócios de importação e exportação eram suavizados em todos os pontos pelas facilidades de crédito proporcionadas ao intercâmbio pelos britânicos. De início, já os importadores britânicos, via de regra, vendiam a crédito, uma vez que seus clientes – comerciantes varejistas – costumeiramente demonstravam ampla generosidade nos prazos concedidos aos proprietários de terras. Em segundo lugar, os exportadores emprestavam fundos aos seus fornecedores e, ocasionalmente, aos próprios donos de plantações, com a garantia de futuras colheitas. Tanto importadores como exportadores dependiam dos bancos britânicos no concernente ao seu capital de empréstimo. A nova lei de empresas inglesa de 1862 facilitava em especial a criação desses bancos, e os comerciantes britânicos empenhados no intercâmbio com o Brasil eram os principais organizadores dessas últimas. O London and Brazilian Bank, o Anglo-Portuguese Bank e o English Bank do Rio de Janeiro foram de grande importância nesse período. Mais tarde, durante a República, fizeram consideráveis empréstimos ao elemento manufatureiro, mas até 1889 seu principal interesse centralizou-se no comércio de exportação e importação.

Estradas de ferro De maneira semelhante, os mais significativos investimentos diretos feitos pelos britânicos tinham como objetivo facilitar as exportações brasileiras. A construção da rede ferroviária brasileira tornou-se possível, em grande parte, em virtude desses investimentos britânicos ou de empréstimos contraídos em Londres. Ferrovias construídas na Região Sul-Central facilitaram a expansão da cultura cafeeira para áreas que, de outra forma, apresentariam sérias dificuldades para o embarque do produto (como o Oeste de São Paulo), ou, em outros casos, fizeram baixar o custo de produção e deram a esta cultura um novo alento em zonas, onde, sem elas, a produção teria cessado bem mais cedo (como no Estado do Rio de Janeiro). No Nordeste, ferrovias britânicas tornaram bem mais cômoda a exportação de açúcar, mas, por si sós, não puderam contrabalançar outras forças que colaboravam para o declínio daquela economia.

Raros foram os casos em que elementos britânicos não estiveram envolvidos na construção da rede ferroviária brasileira. Forneceram os materiais, os trabalhadores especializados para a construção, os engenheiros, o material rodante e o carvão. Empréstimos britânicos financiaram praticamente todas as ferrovias brasileiras. A Estrada de Ferro Central foi imaginada primeiramente por Thomas Cockrane; sua primeira seção foi construída – a custos exorbitantes – pelo inglês Edwar Price; um empréstimo britânico habilitou-a a começar a funcionar, e subseqüentes empréstimos continuaram a financiar sua construção. Empréstimos britânicos concederam-se à Estrada de Ferro São Paulo e Rio, à Sapucahy, à Oeste de Minas, à Companhia Mojiana, à Sorocabana, à Ituana e mesmo à Paulista.

A Estrada de Ferro Leopoldina foi uma companhia brasileira que contraiu empréstimos em Londres; incapaz de solver seus compromissos, tornou-se propriedade dos credores, que então organizaram a Leopoldina Railway Company, para pôr em movimento os seus bens. Outras companhias de propriedade britânica: a Recife and São Francisco Railway Company, a E. F. Nova Cruz (RN), a Conde d'Eu (Paraíba), a Alagoas e a Alagoas Brazilian Central, a Great Western of Brazil (Pernambuco e estados vizinhos), a Bahia and São Francisco, a Paraguassu Steam Tram-Road (mais tarde rebatizada Brazilian Imperial Central Bahia Railway), a Porto Alegre and Nova Hamburgo, a Minas and Rio, a Rio Claro-São Paulo e a São Paulo Railway Company.

Essa última merece consideração especial. Mauá esteve estreitamente associado aos inícios de sua história, resultando daí amargas controvérsias entre a companhia e esse homem de negócios. Coubera-lhe suscitar o aparecimento da companhia, na Inglaterra, em 1859, utilizando-se de planos e de um esboço já por ele elaborado. Investiu quase um décimo do capital original na empresa, sendo bem possível o malogro da companhia sem os seus adiantamentos de consideráveis somas aos empreiteiros, somas essas que ele nunca pôde recuperar. Evidentemente, a maior parte do capital era de procedência britânica; a administração era britânica; os técnicos eram britânicos. Os engenheiros da companhia enfrentaram problemas sem precedentes, em vista da acentuada escarpa a ser escalada, das chuvas torrenciais e dos solos soltos característicos daquela área.

Amplas foram as compensações colhidas pelos britânicos em troca de seus esforços. Apesar de muito curta (139km), a linha servia como um funil pelo qual se escoava a riqueza agrícola dos distritos cafeeiros de São Paulo, em direção aos porões dos navios britânicos em Santos. À medida

BRASIL-INGLATERRA, 1831/1889

que o café prosperava, o mesmo acontecia à ferrovia. Sete anos após sua abertura ao tráfego, em 1868, seus lucros eram suficientes para pagar dividendos de 7%, sem suplemento governamental. Em 1877, os dividendos anuais atingiram 9%; e, após 1880, 10% anualmente. Nesse ínterim, também o preço de suas ações subia vertiginosamente. Por volta de 1875 valiam elas 150% do seu valor ao par e 250% em 1889. Naturalmente, houvera também em Londres indivíduos suficientemente insensatos que, ao investirem em ferrovias brasileiras, tinham comprado ações da Paraguassu Steam Tramroad, em vez da São Paulo Railway.

Serviços urbanos Os investimentos britânicos em serviços urbanos não estavam tão diretamente relacionados com a economia de exportação como acontecia à rede ferroviária, mas o fato é que a oportunidade para sua construção derivava do desabrochante crescimento das cidades, e esse, por sua vez, era estimulado pelas exportações. Tornaram-se eles significativos especialmente a partir de 1860. Em 1862 foi organizada em Londres a Rio de Janeiro City Improvement Company Ltd., destinada a construir e operar um sistema de água e esgotos na capital brasileira. Este exemplo logo foi seguido por outras cidades. Em Santos, uma companhia foi fundada por Thomas Cockrane. Em São Paulo, engenheiros britânicos, apoiados em empréstimos concedidos por britânicos, deram origem à Companhia Cantareira de Águas e Esgotos. Em Pernambuco, a Recife Drainage Company, de seu lado, parece ter estado permanentemente empenhada em controvérsias legais com os Governos da cidade e do Estado.

A iluminação a gás era outro elemento simbólico de vida européia exigido pelas cidades brasileiras. Por volta de 1876, já havia companhias de gás de propriedade britânica no Rio de Janeiro, Niterói, São Paulo, Santos, Salvador, Fortaleza, Belém e Rio Grande do Sul. Segundo os estudos de J. Fred Rippy, por volta de 1890 eram em número de 12 as companhias de serviços públicos no Brasil, de propriedade britânica, com um capital nominal de 33 milhões de libras esterlinas.

Investimentos Industriais Quando se tratava de investir em atividades industriais, havia para os britânicos a probabilidade de serem atraídos para o serviço de processamento de produtos agrícolas, preferencialmente com vistas à exportação. Assim sendo, as fundições de ferro, freqüentemente de propriedade britânica, fabricavam maquinaria para moer cana-de-açúcar ou para remover a casca dos grãos de café. Os maiores prejuízos sofridos por investidores britânicos no Brasil resultaram das usinas centrais de açúcar. Havia cinco principais companhias britânicas, quase todas organizadas em 1882, e coube-lhes adquirir concessões para a construção de 32 usinas nos Estados de São Paulo, Rio de Janeiro, Espírito Santo, Bahia, Alagoas, Sergipe, Pernambuco, Rio Grande do Norte e Ceará. Algumas companhias brasileiras organizadas nessa época, ou mesmo antes, tiveram êxito, mas o mesmo não sucedeu às britânicas. O principal motivo do malogro foi o crasso desmazelo administrativo de seus negócios, revelado pelos diretores e gerentes locais. A complexidade dos problemas que se lhes deparavam exigia homens de excepcional talento, em lugar de mediocridades. Além disso, a voracidade de lucros imediatos conduzia à instalação de equipamento obsoleto. Quatro manufaturas completas foram trazidas do Egito, após muitos anos de serviço naquele país. O Governo brasileiro nada fez para inspecionar o equipamento antes de seu embarque para o Brasil, a despeito da circunstância de estar dando garantias de juros sobre investimento provavelmente inflacionado. As companhias também enfrentavam oposição local aos seus arriscados empreendimentos. Alegava-se, de maneira bastante plausível, que as usinas poluíam os rios, e chegava a ser necessário reclamar a proteção da polícia para evitar a depredação das fábricas. Por volta de 1889, a maior parte delas já fora adquirida por brasileiros, algumas vezes, mesmo, por cooperativas de proprietários de plantações.

Êxito bem maior foi registrado por uma usina de farinha de trigo construída no Rio de Janeiro durante os últimos anos do período imperial (Moinho Inglês). Mas, mesmo nesse caso, os anos iniciais foram embaraçados por dificuldades derivadas da distância que separava a usina da administração central e do subdesenvolvimento da economia brasileira. Não obstante, o Moinho Inglês conseguiu sobreviver para tornar-se mais tarde extremamente próspero, situação em que chegou até os nossos dias.

Evidentemente, é errônea a idéia de que todos os britânicos estavam empenhados em manter a economia de exportação do Brasil e em impedir a industrialização do país. A participação britânica na indústrial têxtil, por exemplo, fez com que alguns ingleses tomassem posição contrária à de seus próprios compatriotas. John Eddington estabeleceu uma indústria de algodão na Bahia em 1875. No mesmo ano, uma sociedade industrial de Manchester comprou terras em São Paulo, com vistas ao estabelecimento de manufatura de algodão que, posteriormente, foi vendida a brasileiros. Dois britânicos fundaram, no mesmo período, a Fábrica Santa Rita, no Rio de Janeiro. Ingleses, ainda, eram os proprietários de uma outra fábrica, em Juiz de Fora. E um fabricante britânico de correias de

BRASIL-INGLATERRA, 1831/1889

polias investiu quase 43% do capital original na companhia que comprou e modernizou a Usina Têxtil Carioba, na Província de São Paulo. Lembre-se, é verdade, que nenhum destes investimentos era de grandes dimensões, e que a indústria têxtil brasileira foi, primordialmente, criação de brasileiros. Mas isso não impede afirmar-se que nem todos os britânicos estavam exclusivamente empenhados em vender têxteis de fabricação britânica.

Empréstimos públicos Um aspecto final dos investimentos britânicos no Brasil diz respeito aos governamentais. Durante a totalidade do período imperial, todos os empréstimos externos brasileiros foram contraídos em Londres. Entre 1831 e 1889, houve 14 importantes lançamentos de títulos brasileiros naquele mercado. Alguns objetivavam o refinanciamento de obrigações preexistentes, outros se destinavam a fornecer fundos para a construção de estradas de ferro e dois tiveram o fim especial de proporcionar fundos a interesses agrícolas prejudicados pela abolição da escravatura; mas, em sua maioria, tornavam-se necessários simplesmente para equilibrar déficits orçamentários. Agente única para as transações financeiras do Brasil, em Londres, após 1855, foi a Casa Rothschild. O Ministro brasileiro em Londres, invariavelmente, tornava-se íntimo amigo desta família de banqueiros; Oliveira Lima conta que o Barão de Penedo admitia ter recebido deles, como "presentes", 200 mil libras esterlinas. A opinião dessa firma bancária a respeito da política econômica brasileira era cuidadosamente levada em conta pelos líderes do Império, e esse foi o motivo pelo qual os títulos brasileiros tiveram tão boa aceitação no mercado.

Conclusões Qualquer julgamento relativo à presença britânica no Brasil depende da avaliação que se faça de aspectos mais amplos da história do Brasil. Por exemplo, se a economia de exportação do café é considerada meramente como uma continuação do *status* colonial do Brasil e como um obstáculo ao desenvolvimento econômico, então os britânicos devem ser tidos como colaboradores de relevo para o atraso do país. Isto porque, espalhando as estradas de ferro pelo Sul brasileiro, contribuíram para a fixação monocultural que ainda caracteriza o Brasil. Suas casas exportadoras, companhias de navegação, serviços de docas, bancos e companhias de seguros facilitaram o comércio de café e aumentaram os interesses britânicos nele. Por outro lado, é possível considerarmos o crescimento das exportações de café nas regiões abertas à agricultura no Oeste de São Paulo como um grande impulso para o desenvolvimento. Alterou ele o equilíbrio regional até então em vigor, atraiu milhões de emigrantes, financiou a industrialização nas cidades e condicionou a ascensão de toda uma geração de homens dotados de nova e progressiva mentalidade. Assim, ao menos nos primeiros anos, devemos reconhecer aos britânicos seu mérito pelo estímulo da transformação da economia brasileira. Após, digamos, 1875, quando a indústria brasileira passou a ser suficientemente forte para fazer exigências, embora ainda fraca para impô-las, então, mesmo segundo este ponto de vista, podemos dizer que o controle britânico sobre o complexo exportação-importação abafou o desenvolvimento. Mas acontece que alguns britânicos investiram no processo de industrialização, de tal modo a tornar praticamente impossível um julgamento rígido a respeito.

Outro ponto a dar certa coloração à opinião de quem considere a presença britânica é o da maneira de se encarar a propriedade estrangeira. Se se acreditar no desenvolvimento econômico como sendo o objetivo principal, podemos considerar uma ferrovia de propriedade britânica da mesma forma como se fosse de propriedade brasileira: desde que contribua para o desenvolvimento, a questão da propriedade torna-se irrelevante. Mas, se o desenvolvimento se dirigir a objetivos mais amplos, mais intangíveis, de dignidade, orgulho e autoconfiança, nesse caso a questão da propriedade adquire uma importância bem maior. A Estrada de Ferro Paulista e a São Paulo Railway, então, serão vistas como sendo de qualidade inteiramente diferente. Nessas condições, uma avaliação do papel desempenhado pelos britânicos depende de problemas bem mais amplos dos que os sugeridos por uma mera descrição de suas atividades.

CAPÍTULO II

BRASIL-FRANÇA

Primórdios do comércio francês no Brasil AS RELAÇÕES comerciais entre a França e o Brasil, após a chegada da família real portuguesa, e a imediata abertura dos portos brasileiros às nações amigas, pelo alvará de 28 de janeiro de 1808, só tiveram início depois que foi restabelecida, em 1814, a paz na Europa.

Bem mais modestas foram, entretanto, as primeiras manifestações do comércio francês no Brasil do que, 6 anos antes, as do comércio britânico, que inundou principalmente o Rio de Janeiro, como presenciou John Mawe, dos mais variados artigos de sua indústria, alguns em completa desarmonia com os costumes e o clima tropical em que deveriam ser utilizados.

Mas os despretensiosos carregamentos que começavam a aportar ao Brasil, trazidos da França não raro por improvisados negociantes, que procuravam aqui recompor sua vida, após os reveses por que passara sua pátria, não deixavam de ser bem vistos pelos brasileiros, até então sob o jugo do comércio inglês. E, naturalmente, grandes erros haviam de ser cometidos também pelos franceses naquele chamado comércio de pacotilha, cujos carregamentos, constituídos em boa parte de modas, bugigangas e quinquilharias, segundo testemunho do escrivão português, Luís Joaquim dos Santos Marrocos, tanto podiam arruinar seus proprietários como proporcionar-lhes compensadores resultados.

Entretanto, a indústria francesa, embora se mantivesse, em larga extensão, dentro dos limites do artesanato, crescia de vulto, sobretudo com os incentivos que Napoleão lhe proporcionara. Não levou muito tempo assim para que viajantes estrangeiros, de passagem pelo Brasil, observassem como a influência francesa, que não se limitava apenas ao vestuário, principalmente feminino, era grande em nosso país. A Rua do

Ouvidor, no Rio de Janeiro, com suas lojas bem sortidas de gêneros franceses, seria comparada, por mais de um visitante, na Rua Vivienne, de Paris. E as habitações remodelavam-se e a própria alimentação tornava-se mais requintada. É o que, aliás, bem indica essa síntese de Spix e Martius, em sua *Viagem ao Brasil*, realizada de 1817 a 1820: "A França tem exportado recentemente (para o Rio de Janeiro), sobretudo do Havre de Grace e de Brest, artigos de luxo, jóias, móveis, velas de cera, medicamentos, licores finos, pinturas e gravuras em cobre, livros franceses, tecidos de seda, espelhos, ferragens, finos cristais e porcelanas, frutas secas, azeite e manteiga."

A verdade, entretanto, é que a França levava, no Brasil, séria desvantagem em relação à Inglaterra, pois, enquanto que seus artigos pagavam direitos aduaneiros à razão da taxa de 24%, os de sua competidora – ao abrigo do tratado comercial assinado em 1810 com Portugal – estavam sujeitos apenas à incidência da taxa de 15%. Além disso, ausentes muitas vezes os artigos franceses da pauta alfandegária por onde eram calculados os direitos de entrada, a avaliação das mercadorias, feita ao arbítrio dos funcionários brasileiros, tornava mais pesada ainda aquele tributo.

O tratado de comércio de 1826 Proclamada a Independência do Brasil, para cujo reconhecimento foram habilmente exploradas, principalmente junto aos Governos francês e britânico, em negociações que se arrastaram durante anos, as vantagens que poderiam ser auferidas num acordo comercial com o novo Império, lançou a França mão de todos os recursos para ver-se, nos portos brasileiros, em igualdade de condições com a Inglaterra. E essa, que era a principal medianeira junto ao Governo português para a aceitação do fato político consumado, não deixava de impor, também, o "preço" para o reconhecimento, por sua vez, da Independência do Brasil, ou seja, a manutenção ou renovação do vantajoso tratado comercial de 1810, além da extinção do tráfico negreiro. E triunfante por fim em suas gestões junto ao Governo português, que aquiescera, com polpuda indenização, em reconhecer o Brasil como império independente, estava a Inglaterra habilitada para seguir-lhe os passos, respeitando o princípio de legitimidade tão defendido pela Santa Aliança. Mas Charles Stuart, enviado inglês ao Rio de Janeiro – inicialmente como Plenipotenciário de Portugal –, preocupado pela atividade que o Conde de Gestas, Cônsul-Geral da França, vinha desenvolvendo junto ao Governo brasileiro, apressou-se a assinar, em 18 de outubro de 1825, tratado de amizade e navegação entre a Inglaterra e o Brasil, bem como uma convenção que extinguia o tráfico de escravos, atos esses que tiveram a sorte de não agradar a seu Governo, que deixou de ratificá-los. E George Canning, que desejava introduzir modificações nesses documentos ou a simples prorrogação do tratado de 1810, ao tomar conhecimento de sua publicação extemporânea no *Diário Fluminense*, de 14 de novembro de 1825, fez cientificar o Governo brasileiro da pretensão do Governo britânico de transferir para Londres as discussões sobre o assunto.

Mas como o Cônsul francês no Rio de Janeiro não permanecera, realmente, de braços cruzados, já em 6 de janeiro de 1826 era assinado um tratado de amizade, navegação e comércio entre o Brasil e a França, com o qual ficava reconhecida a Independência do novo Império. E estabelecido como fora nesse tratado que as mercadorias francesas pagariam no Brasil os mesmos direitos que pagavam ou viessem a pagar à nação mais favorecida, um dos artigos adicionais ao mesmo convênio, subscritos em 7 de junho de 1826, esclareceu que tais direitos corresponderiam à taxa de 15%.

Entretanto, quanto à importação de produtos do Brasil pela França, dispôs o tratado que, quando transportados em navios franceses ou brasileiros, pagariam naquele país unicamente os direitos que não excedessem os que então eram cobrados sobre produtos importados de outras nações em navios franceses. Mas como a França se distinguiu na Europa pelo protecionismo de sua tarifa, além de seu ferrenho sistema colonial, é que, sem dúvida, a título de consolação, o mesmo tratado suprimia a favor da navegação brasileira a sobretaxa de 10% que era imposta sobre as mercadorias importadas em navios estrangeiros, bem como extinguia, em benefício dos algodões do Brasil, a distinção existente na pauta francesa entre os algodões de fio curto e os de fio comprido. É de observar que estes dispositivos, bem como o que regulava a entrada das mercadorias francesas no Brasil, deveriam ter apenas a duração de seis anos, contados da data da ratificação do tratado, que se verificou ainda em 1826.

Mas a multiplicidade de tratados comerciais que se seguiram ao realizado com a França, dos quais o imediato foi o assinado em 17 de agosto de 1827 com a Inglaterra, levou a Assembléia Geral – empolgada pelas idéias livre-cambistas, de que Bernardo Pereira de Vasconcelos era talvez o principal defensor – a votar a lei de 24 de setembro de 1828, que estabeleceu em 15% para todas as nações os direitos de importação de quaisquer mercadorias e gêneros estrangeiros.

Vicissitudes das relações comerciais entre a França e o Brasil   Não obstante o desenvolvimento que o comércio da França com o Brasil ia adquirindo, consolidado como fora pelo tratado de 1826, com substancial redução dos direitos que recaíam sobre suas mercadorias – embora, é certo, a taxa de 15% se tornasse em breve extensiva a todas as nações – a ignorância sobre nosso país e as possibilidades que oferecia ainda eram grandes.

É o que ressalta, aliás, o importante livro que Edouard Gallès escreveu em 1828 a respeito do Brasil, no qual procurava elucidar seus compatriotas sobre os artigos franceses de melhor aceitação nos mercados brasileiros, bem como sobre os problemas de ordem administrativa que aqui deveriam ser enfrentados. Dos artigos mais procurados vinham, em primeiro lugar, os tecidos, principalmente os de seda, a que se seguiam os vinhos, os sabões, os comestíveis, as perfumarias, os papéis de parede e muitos outros. Mas para o Rio de Janeiro, advertia Gallès, onde os produtos franceses eram de fácil venda, quando belos e de boa qualidade, é que poderiam "ser levados objetos de luxo, de todos os preços, desde que escolhidos ao gosto do país".

Todavia, a grande dificuldade que os armadores franceses encontravam em seu comércio com o Brasil era o carregamento de seus navios para a viagem de retorno. Embora Gallès tocasse ligeiramente no assunto, as causas desse embaraço acham-se claramente expostas na obra, de maior fôlego, que seu compatriota Horace Say escreveu em 1839, sobre a história das relações comerciais entre a França e o Brasil, e na qual são apresentadas, embora com base em apurações francesas, que também não eram então das mais perfeitas, estatísticas do comércio entre as duas nações, no período de 1827 a 1836, mas que se estendem a 1837, na parte relativa aos artigos importados de nosso país.*

E um sistema aduaneiro restritivo, que tinha por finalidade proteger a produção de suas colônias, obrigadas, por sua vez, ao consumo dos produtos da metrópole, é que fazia com que a França importasse do Brasil, em 1836, pouco mais de 10 milhões de francos, quando no ano de 1827 já havia importado além de 13 milhões de francos. Por outro lado, ao passo que a exportação da França para o Brasil não chegava a 12 milhões de francos em 1827, ela ultrapassava de 25 milhões de francos em 1836, resultado, sem dúvida, da liberalidade de nossa legislação aduaneira.

No período de 1827 a 1837 – em 11 anos, portanto –, a França importou do Brasil, em números redondos, 18.010 toneladas de algodão; 17.908 toneladas de café; 11.347 toneladas de açúcar; 14.240 toneladas

---

* Desses mesmos elementos é que se serviu o Conselheiro José de Araújo Ribeiro, Visconde do Rio Grande, em sua *Breve Exposição sobre o comércio e navegação entre o Brasil e a França*, existente, em manuscrito, na Biblioteca Nacional do Rio de Janeiro (1-32-13-16).

de couros e 4.832 toneladas de cacau. Mas do café brasileiro apenas 4.000 toneladas, e do açúcar somente 727 foram desembaraçadas nos portos franceses para consumo interno. Decorria isso do fato de o café e o açúcar constituírem, na época, produção quase exclusiva das ilhas francesas das Antilhas, assim como da ilha de Bourbon, no Oceano Índico. Ademais, a fabricação do açúcar de beterraba, que se desenvolvera durante o bloqueio continental imposto por Napoleão, assumia cada vez maior importância na França, a ponto de concorrer com o próprio açúcar de suas colônias.

Mas da política colonial adotada pela França ressentia-se, também, sua marinha mercante, que sofria a concorrência dos navios estrangeiros, uma vez que, abastecendo-se, não raro, de produtos franceses, com destino ao Brasil, aqui se proviam de produtos brasileiros que transportavam para outros países, onde podiam ser consumidos. Em 10 anos, escreve Horace Say, de 996 navios mercantes que deixaram a França com destino ao Brasil, apenas 485 a ela retornaram, com os seus carregamentos. E desses 996 embarcações somente 567 eram francesas e 21 brasileiras, correspondendo o saldo de 408 a navios de outras nacionalidades.

Em artigo publicado na revista *Niterói*, de 1836, e assinado em Paris, onde ela era editada, Francisco de Sales Torres Homem, que justifica seu trabalho pelo fato de acabar de ser votada na Câmara francesa lei aduaneira, "sem que atendidas fossem as mais justas reclamações do Brasil", discorre, também, sobre os malefícios da política fiscal seguida pela França. E ao esclarecer que um direito de 95 francos por 100kg pesava sobre o café brasileiro, quando importado por navios franceses, e de 105, quando por navios estrangeiros, Torres Homem comentava: "Ora, esta tarifa transcende todos os limites da moderação; é tão elevada, que surte efeitos idênticos aos de uma proibição formal, e absoluta; por meio dela, a concorrência é nula, e a importação impossível." E o mesmo se dava quanto ao açúcar, uma vez que, devido "à influência do regime anticomercial das tarifas francesas", não podia ele também ser admitido nem ao consumo, nem à refinação.

E o que deveria fazer o Governo brasileiro? Em sua opinião, dizia o futuro Visconde de Inhomerim, "procurar aumentar de 10% os direitos de entrada sobre as mercadorias de origem francesa, não com o intento hostil de uma represália, mas unicamente para convidar de um modo mais eficaz os Ministros do Rei a ouvir as razões, que militam em prol da redução das exorbitantes tarifas das suas alfândegas".

Intercâmbio comercial no período de 1840-41 a 1849-50

Embora não fosse seguida a sugestão que Torres Homem fizera em 1836, a verdade é que, por decreto de 6 de maio de 1839, foram elevados para 50%, durante o ano financeiro de 1839-1840, os direitos sobre os vinhos e bebidas espirituosas de procedência estrangeira, quando produzidos por países com os quais o Brasil não tivesse tratado de comércio em vigor. E esta majoração de direitos – na qual estava incluída a taxa de $1^{1/2}\%$ de expediente – foi incorporada, depois, nas leis de orçamento, atingindo em boa parte a França, que se seguia a Portugal, como fornecedora de vinhos ao nosso país.

Entretanto, o resultado do comércio entre o Brasil e a França, inicialmente no qüinqüênio de 1840-1841 a 1844-1845, que abrange a reforma aduaneira realizada em 1844 por Manuel Alves Branco, melhor se vê pela estatística das relações mercantis entre os dois países no mesmo período, cujos dados apresentamos no seguinte quadro:

Anos	Exportação	Importação	Balanço comercial
		(Em contos de réis)	
1840-41	1.551	7.947	– 6.396
1841-42	2.531	8.158	– 5.627
1842-43	2.467	6.084	– 3.617
1843-44	2.671	6.976	– 4.305
1844-45	2.462	7.441	– 4.979
Total	11.682	36.606	– 24.924

Exportação total do Brasil no qüinqüênio: 212.650 contos de réis.
Exportado para a França: 5,5%.
Importação total do Brasil no qüinqüênio: 274.925 contos de réis.
Importado da França: 13,3%.

Fontes: Resumo analítico dos resultados do comércio e navegação do Império do Brasil no decurso dos seis últimos anos financeiros até 1844-45, inclusive. Rio de Janeiro, 1848.
Coleção dos mapas estatísticos do comércio e navegação do Império do Brasil no ano financeiro de 1841-1842. Rio de Janeiro, 1848.
Coleção dos mapas estatísticos do comércio e navegação do Império do Brasil no ano financeiro de 1842-1843.
Comércio exterior do Brasil – Publicação n? 1-C. E., de 1937, da Diretoria de Estatística Econômica e Financeira do Tesouro Nacional.

BRASIL-FRANÇA 187

A exportação, como o quadro evidencia, não sofreu grandes alterações no período de 1841-1842 a 1844-1845, e, como resultado ainda da rigorosa política aduaneiro francesa, manter-se-á quase estacionária no qüinqüênio imediato. A importação, depois de queda brusca em 1842-1843, volta a recompor-se nos dois anos seguintes, o que se justifica pelo movimento acelerado, que deve ter havido, no desembaraço de mercadorias, provocado pela perspectiva do aumento de direitos que se verificou a partir de 11 de novembro de 1844, nos termos do Decreto nº 376, de 12 de agosto do mesmo ano, que mandou executar o novo regulamento e tarifa para as alfândegas do Império.

A tarifa Alves Branco, que aplicara à maioria dos artigos estrangeiros os direitos de 30%, incluiu na taxa de 50% algumas bebidas espirituosas e mais os vinhos de qualquer qualidade e procedência; outras mercadorias, como o papel para forrar paredes, os sabonetes, as velas de estearina, as frutas em conserva, os lustres, os objetos de vidro, passaram a pagar 40%. Mas, diversos produtos, que não deixavam, também, de entrar na exportação francesa para o Brasil, tiveram suas taxas reduzidas para 25%, 20% e 10%, sendo bem poucos os abrangidos pelas taxas menores da pauta, ou seja, 6%, 5%, 4% e 2%.

Anos	Exportação	Importação	Balanço comercial
	(Em contos de réis)		
1845-46	2.926	5.709	– 2.783
1846-47	3.115	5.726	– 2.611
1847-48	3.184	4.808	– 1.624
1848-49	3.234	6.351	– 3.117
1849-50	3.065	6.804	– 3.739
Total	15.524	29.398	– 13.874

Exportação total do Brasil no qüinqüênio: 275.327 contos de réis.
Exportação para a França: 5,6%.
Importação total do Brasil no qüinqüênio: 266.019 contos de réis.
Importado da França: 11%.

Fontes: Documentos estatísticos sobre o comércio do Império do Brasil nos anos de 1845 a 1849 que acompanham o relatório da Comissão encarregada da revisão da tarifa das alfândegas do Império. Rio de Janeiro, 1853.
Coleção dos mapas estatísticos do comércio e navegação do Império do Brasil – Anos financeiros de 1846-1847 a 1849-1850. Rio de Janeiro, 1853, 1854 e 1855.
Comércio exterior do Brasil – Publicação nº 1-C. E., de 1937, da Diretoria de Estatísticas Econômica e Financeira do Tesouro Nacional.

É interessante observar, portanto, que ao passo que o valor dos artigos exportados pela França para o Brasil, no qüinqüênio de 1840-1841 a 1844-1845, atingira 36.606 contos de réis, no qüinqüênio seguinte – não se perdendo de vista as possíveis falhas das estatísticas brasileiras de então, nem as oscilações cambiais – caiu para 29.398 contos de réis.

Estrutura do comércio entre o Brasil e a França no ano fiscal de 1849-1850 Decorridos, praticamente, 35 anos de relações comerciais entre o Brasil e a França, será oportuno examinar de que artigos se compunha seu intercâmbio mercantil, nos meados do século. Assim, os produtos que constituíram a exportação do Brasil para aquele país, no ano financeiro de 1849-1850, foram os que passamos a apresentar:

Mercadorias	Quantidade em quilograma	Valor em contos de réis	% sobre o valor total
Café	5.265.854	1.203	39,2
Açúcar	7.379.560	830	27,1
Algodão	869.030	291	9,5
Couros	–	251	8,2
Cacau	1.220.500	198	6,4
Madeiras	–	70	2,3
Cabelo e crina	138.948	67	2,2
Diversas	–	155	5,1
Total	–	3.065	100,0

Fonte: Coleção de mapas estatísticos do comércio e navegação do Império do Brasil no ano financeiro de 1849-1850. Rio de Janeiro; 1855. As quantidades acham-se, ali, expressas em arrobas.

Embora, como se vê, os dois principais artigos importados do Brasil pela França fossem o café e o açúcar, que então representavam também os dois principais itens da exportação brasileira em seu comércio internacional, do primeiro importou ela apenas 5.265.854kg do total de 87.184.590 daqui exportados, e do segundo recebeu 7.379.560kg dos 116.528.511 que teriam saído de nosso país, segundo o mesmo mapa estatístico. Era o efeito natural do sistema aduaneiro em que persistia a França, ao qual Horace Say faria, novamente, severas críticas sob o verbete "Douane", no *Dictionnaire de l'Économie Politique*, publicado em Paris, em 1852. A

BRASIL-FRANÇA

seu ver, a tarifa francesa, a menos liberal de quantas existiam, arraigada ainda aos princípios de proteção dos produtos coloniais, concorria para que a marinha mercante de seu país diminuísse continuamente de importância, levando o comércio exterior a perder suas melhores oportunidades de desenvolvimento.

Quanto à exportação feita pela França para o Brasil, no mesmo ano financeiro de 1849-1850, o quadro a seguir apresentado demonstra, em linhas gerais, de que artigos era ela constituída.

Mercadorias	Valor em contos de réis	% sobre o valor total
Manufaturas e tecidos de algodão	736	10,8
Manufaturas e tecidos de seda	346	5,1
Manufaturas e tecidos mistos	274	4,0
Manufaturas e tecidos de lã	174	2,6
Tecidos diversos	560	8,2
	2.090	30,7
Vinhos e outras bebidas........................	455	6,7
Manteiga	426	6,2
Xales e lenços	308	4,5
Chapéus e objetos de chapeleiro	291	4,2
Quinquilharia e armarinho.....................	283	4,1
Papéis diversos	270	4,1
Jóias	199	2,9
Comestíveis diversos..............................	190	2,8
Couros preparados.................................	185	2,7
Farinha...	143	2,1
Relógios	123	1,8
Obras de seringueiro	99	1,5
Ferragens e ferramentas.........................	95	1,4
Louça	85	1,3
Diversas..	1.562	23,0
Total	6.804	100,0

Fonte: Coleção de mapas estatísticos do comércio e navegação do Império do Brasil no ano financeiro de 1849-1850 – Rio de Janeiro, 1855.

Verifica-se, pois, pelo quadro acima, que na exportação da França para o Brasil, no ano financeiro de 1849-1850, predominavam os tecidos e suas manufaturas, sobretudo os de algodão, cabendo observar que o título "tecidos diversos", constante do mesmo quadro, abrange uma série de panos de diferentes materiais, panos esses que aparecem com designação própria nas apurações de onde foram extraídos os presentes elementos.

O Brasil, a rigor, importou da França, no período indicado, como, aliás, o fazia anteriormente, apenas bens de consumo, pois no valor das mercadorias que ali deixamos de especificar – 1.562 contos de réis – encontram-se incluídas, ainda, razoáveis importâncias correspondentes a calçados, chapéus de sol, perfumarias, drogas e espécies medicinais, velas e vidros e obras diversas. A França foi a principal fornecedora ao Brasil, no ano examinado, de tecidos e manufaturas de seda, de jóias, de couros preparados, de chapéus, de conservas alimentares, de calçados, de livros impressos, de instrumentos de música, de papéis vários, inclusive para forrar o interior das habitações.

Não era sem propósito, pois, que José Maria da Silva Paranhos escrevia, em setembro de 1851, numa de suas cartas "Ao Amigo Ausente": "É espantoso o incremento que há poucos anos a esta parte tem tomado o comércio francês no Brasil, com especialidade no Rio de Janeiro, cujas ruas do Ouvidor, Ourives, Cano, S. José e outras estão providas de ricas lojas de modas e fazendas." E, depois de indicar alguns dos mais importantes armazéns situados na Rua do Rosário, a qual, de empório de molhados que antes era, passara a ser provida de casas francesas que vendiam por atacado, Silva Paranhos esclarecia: "Dou esta notícia por me parecer que interessará aos negociantes brasileiros do interior que ali se poderão sortir com vantagem em primeira mão."

Movimento comercial no qüinqüênio de 1853-1854 a 1857-1858

Foi altamente desfavorável ao Brasil o resultado de seu intercâmbio mercantil com a França, no qüinqüênio de 1853-1854 a 1857-1858, como evidencia o seguinte quadro:

BRASIL-FRANÇA

Anos	Exportação	Importação	Balanço comercial
		(Em contos de réis)	
1853-54	5.967	9.840	– 3.873
1854-55	8.172	9.978	– 1.806
1855-56	6.092	10.982	– 4.890
1856-57	9.527	16.476	– 6.949
1857-58	6.955	18.872	– 11.917
Total	36.713	66.148	– 29.435

Exportação total do Brasil no qüinqüênio: 472.721 contos de réis.
Exportação para a França: 7,7%.
Importação total do Brasil no qüinqüênio: 519.280 contos de réis.
Importados da França: 12,7%.

Fontes: Relatório dos Ministros da Fazenda, de 1855 a 1859. Comércio Exterior do Brasil – Publicação nº 1 – C.E., de 1937, da Diretoria de Estatística Econômica e Financeira do Tesouro Nacional.

Embora a exportação do Brasil para a França, no começo de 1853-1854 a 1857-1858, tivesse ido além do dobro da que foi apurada no qüinqüênio de 1845-1846 a 1849-1850, a importação não deixou de comportar-se da mesma forma. Daí o elevado déficit no balanço das transações comerciais entre os dois países, que no primeiro qüinqüênio atingiu, como se viu, 13.874 contos de réis, e no de 1853-1854 a 1857-1858, 29.435 contos de réis.

Releva observar, aliás, que o Brasil, sem ser sensivelmente perturbado pelas lutas políticas que se desenvolviam na Europa, atravessava, então, um período de relativa prosperidade, na qual influíam os preços de seus produtos agrícolas, que, em termos médios, haviam ultrapassado apreciavelmente os dos anos anteriores.

Mas, apesar do desejo, tantas vezes manifestado, de promover-se o desenvolvimento da indústria nacional, as medidas aduaneiras adotadas nesse sentido, além de tímidas, viam-se logo tolhidas pela premência das necessidades do Tesouro. Nem a tarifa Alves Branco, de 1844, nem os atos depois baixados, com o fim de favorecer a entrada de máquinas e peças, bem como de matérias-primas destinadas às fábricas nacionais, haviam conseguido elevar nossa incipiente indústria a um estágio que pudesse defender o Brasil do domínio quase absoluto da produção estrangeira. E isto era dificultado, sem dúvida, quer por falta de mão-de-obra especializada, quer por falta de capitais, que praticamente só depois de

1850, com a extinção do tráfico negreiro, começaram a desviar-se para outros setores, de resultados a mais longo prazo.

Chegou-se, assim, à tarifa alfandegária de 1857, que, na verdade, representava um recuo no sentido de amparo à indústria nacional, orientada que foi, principalmente, pela necessidade de obter maiores recursos para atender às carências do Erário. E houve ainda o propósito, reiterado em posteriores modificações sofridas pela mesma tarifa, uma vez que as atividades agrícolas estavam quase inteiramente voltadas para as culturas de exportação, de facilitar-se a entrada não só de comestíveis, como de outras mercadorias de consumo das classes menos favorecidas.

E a importação, naturalmente, crescia de vulto, sobretudo no Rio de Janeiro, que, além de ser o centro nacional de mais elevado padrão de vida, representava o grande empório do Brasil.

É no ano financeiro de 1857-1858 que se verifica o maior déficit do balanço comercial do Brasil durante o Império, ou seja, 34.064 contos de réis, do qual só a França participou, como vimos, com 11.917 contos de réis. E à alta exportação para o Brasil, que já crescera desmesuradamente no ano fiscal anterior, não estaria alheia, certamente, à liberalidade, sob certos aspectos, da tarifa recém-aprovada, nem das alterações de que logo a seguir foi objeto.

Ao escrever em 1856 sobre o Brasil e das possibilidades comerciais que oferecia, as quais não eram devidamente aproveitadas por seu país, Charles Reybaud informava que a França tinha o monopólio quase exclusivo dos transportes entre as duas nações. Assim, de 103 navios que haviam deixado a França em 1854, com destino ao Brasil, 87 exibiam o pavilhão francês, enquanto que de 121 navios que haviam entrado na França, saídos do Brasil, 95 também pertenciam à marinha francesa.

Realmente, o Brasil, nessa época, e mais tarde ainda, como observava Tavares Bastos em suas *Cartas ao Solitário*, estava longe de possuir marinha mercante de longo curso que pudesse atender ao movimento de seu comércio internacional.

É de notar que, pela primeira vez, em 9 de fevereiro de 1854, deu entrada no Rio de Janeiro, como noticiam os jornais da época,[*] um navio francês a vapor – *L'Avenir* – que partira originariamente de Marselha, onde fora construído. Mas a navegação a vapor entre a França e o Brasil, que vinha sendo disputada, há anos, por empresários de diversas cidades mercantes francesas, especialmente Bordéus, só viria a tomar impulso depois de 1860.

---

[*] *Jornal do Commercio* e *Diário do Rio de Janeiro*, de 10-2-1854.

BRASIL-FRANÇA

Continuidade dos déficits nas relações comerciais entre o Brasil e a França

A exportação brasileira para a França, que sofrera, como se viu, grande redução no ano fiscal 1857-1858, nos dois exercícios seguintes subiu a 9.972 e 13.688 contos de réis, respectivamente. E como a importação – 18.442 contos de réis em 1858-1859 e 19.353 contos de réis em 1859-1860 – manteve-se mais ou menos estável, o saldo negativo do balanço comercial caiu para 8.470 contos de réis no primeiro ano e para 5.665, no segundo.

O valor das trocas comerciais, no qüinqüênio seguinte, entre os dois países, período este influenciado por vários fatores, quer de ordem fiscal-econômica, quer de ordem política, apresentou manifestações de alta tanto na exportação como na importação, o que fez com que o balanço comercial continuasse desfavorável ao Brasil, como demonstra o seguinte quadro:

Anos	Exportação	Importação	Balanço comercial
		(Em contos de réis)	
1860-61	13.851	20.534	– 6.683
1861-62	16.478	17.891	– 1.413
1862-63	15.446	18.382	– 2.936
1863-64	17.061	23.110	– 6.049
1864-65	18.827	30.646	– 11.819
Total	81.663	110.563	– 28.900

Exportação total do Brasil no qüinqüênio: 638.675 contos de réis.
Exportado para a França: 12,8%.
Importação total no Brasil no qüinqüênio: 590.914 contos de réis.
Importado da França: 18,7%.

Fontes: Relatório dos Ministros da Fazenda de 1862 a 1866.
Comércio exterior do Brasil – Publicação n? 1 – C.E., de 1937, da Diretoria de Estatística Econômica e Financeira do Tesouro Nacional.

Ao assinar, em 1860, importante tratado comercial com a Inglaterra, a França, abandonando sua política aduaneira tradicionalmente protecionista, tornou-se, como observa L. C. A. Knowles, "a pioneira do movimento para a liberdade de comércio na Europa". Sua indústria já havia atingido elevado estágio, não só na qualidade, como na diversificação de seus produtos. Mas ao Brasil – país essencialmente agrícola – pouco adiantaria essa política liberal da França, não tivesse esta, em sucessivos atos, a partir de 1861, concedido praticamente a emancipação comercial de suas colônias. Ficaram elas, é certo, com a liberdade de transacionar diretamente com todas as nações, mas, ao mesmo tempo, a entrada, nos portos franceses, de artigos idênticos aos da produção colonial, provenientes de outros países, deixou de ser tão dificultosa, para consumo interno, como antes era.

Ocorreu no Brasil, também em 1860, nova reforma tarifária, que, embora tivesse procurado atualizar o valor oficial de algumas mercadorias que serviam de base para a cobrança dos direitos de entrada, não deixou, também, de reduzir as taxas sobre os artigos considerados de primeira necessidade. O certo é que a nova tarifa, como afirmava o Ministro da Fazenda, José da Silva Paranhos, em seu relatório de 1861, conservara "o pensamento essencialmente fiscal com que fora organizada a de 1857".

Daí não podia o Brasil deixar de importar quase tudo de quanto carecia sua população, apesar dos esforços que continuavam a ser feitos para o desenvolvimento fabril do país, com o apoio, sobretudo, da "Sociedade Auxiliadora da Indústria Nacional", fundada em 1828 no Rio de Janeiro. E, assim, mantinha-se a França na posição de grande fornecedora do Brasil de tecidos, vinhos, calçados, chapéus, manteiga e outros comestíveis, papel, porcelana e cristais.

É no ano fiscal de 1864-1865, em que à crise bancária deflagrada no Rio de Janeiro, com a falência da Casa Souto, se seguiu o início da guerra com o Paraguai, que a importação – 30.646 contos de réis – alcançou a maior importância até então verificada nas relações mercantis com a França. E o déficit do balanço comercial – 11.819 contos de réis, o mais elevado do qüinqüênio – não atingiu maior vulto graças à exportação de nosso algodão para a França, que, a partir de 1862, tomara grande incremento, privada como ficara não só ela, como outros países da Europa, dos fornecimentos dos Estados Unidos da América, a braços com a Guerra de Secessão. O café mantinha-se, porém, como o principal produto de exportação do Brasil para a França, embora grande parte fosse dali transferida para outros países, o que as estatísticas brasileiras dificilmente poderiam constatar. E o açúcar, superado pelo algodão, assim como o cacau, as peles e os couros, ora em maiores, ora em menores proporções, continuavam presentes na pauta dos gêneros brasileiros enviados para os portos franceses.

Fugaz supremacia do Brasil em seu comércio com a França

Embora a partir do ano fiscal de 1861-1862 o balanço comercial do Brasil, em suas relações com o exterior, passasse a ser sempre positivo e assim se

BRASIL-FRANÇA

conservasse até o fim do Império, excetuado, apenas, o ano de 1885-1886, o saldo de seu intercâmbio com a França só em 1869-70 lhe foi pela primeira vez favorável. Realmente, à importação de 19.639 contos de réis sobrepôs-se a exportação de 23.306 contos de réis, donde a diferença, a favor do Brasil, de 3.667 contos de réis. Mas, no qüinqüênio imediato, como se vê pelo quadro a seguir, voltaram as transações comerciais entre os dois países a apresentar saldo contrário ao Brasil.

Anos	Exportação	Importação	Balanço comercial
		(Em contos de réis)	
1870-71	10.260	12.414	– 2.154
1871-72	13.878	20.212	– 6.334
1872-73	18.806	22.847	– 4.041
1873-74	16.302	22.855	– 6.553
1874-75	19.553	27.328	– 7.775
Total	78.799	105.656	– 26.857

Exportação total do Brasil no qüinqüênio: 971.794 contos de réis.
Exportação para a França: 8,1%.
Importação total do Brasil no qüinqüênio: 791.549 contos de réis.
Importado da França: 13,3%.

Fontes: Estatística do Comércio Marítimo do Brasil organizada pela Comissão dirigida pelo Dr. Sebastião Ferreira Soares. Rio de Janeiro, 1876, 1878 e 1881.
Introdução retrospectiva da estatística do Comércio Marítimo do Brasil do exercício de 1874-1875 organizada pelo Dr. Sebastião Ferreira Soares. Rio de Janeiro, 1883. Comércio Exterior do Brasil – Publicação n? 1 – C.E., de 1937, da Diretoria de Estatística Econômica e Financeira do Tesouro Nacional.

É de estranhar, naturalmente, a queda brusca havida não só na exportação, como na importação, no ano fiscal de 1870-1871, comparadas tanto uma quanto a outra com os elementos do ano anterior, em que, como expusemos, o saldo do balanço comercial chegou a ser favorável ao Brasil. Mas essa queda não se manifestou apenas nas trocas havidas entre o Brasil e a França, mas fez sentir-se tanto na exportação como na importação total de nosso país.

E no entender de Sebastião Ferreira Soares, que dirigia, então, a estatística comercial do Brasil, a redução sofrida pela exportação explicava-se "pela sensível baixa do preço do nosso algodão e pela diminuição da produção do açúcar e pela baixa do seu preço, bem como pela baixa do preço do café, que só aumentou de produção".

É de notar, outrossim, que uma nova tarifa alfandegária tinha sido expedida em março de 1869, a qual veio a sofrer importantes modificações a partir de 1870, em relação, principalmente, aos tecidos, artigos de luxo, matérias-primas e gêneros de primeira necessidade. E, segundo, ainda, Sebastião Ferreira Soares, a redução que a importação total apresentara era resultado dos grandes depósitos de mercadorias que existiam em fins de 1869, as quais foram despachadas para consumo antes que entrassem em execução as novas disposições aduaneiras, naturalmente mais gravosas em muitos casos.

Ora, essas observações, de caráter geral, servem para justificar, sem dúvida, a anomalia apontada no caso particular do intercâmbio comercial entre o Brasil e a França. Aliás, no período ora examinado, nota-se, também, especial aumento da importação no ano fiscal de 1874-1875, que deve ter resultado, como aconteceu em reformas alfandegárias anteriores, da nova tarifa aduaneira aprovada em março de 1874, mas que entrou em vigor em 1º de julho. Embora as duas ocorrências se tivessem verificado no mesmo ano civil, a aprovação da reforma se deu num exercício financeiro – 1873-1874 – e a sua execução teve início no exercício financeiro seguinte – 1874-1875.

Composição das trocas comerciais entre a França e o Brasil no ano fiscal de 1872-1873

Já foram discriminadas, neste estudo, as mercadorias de que se compuseram, no ano fiscal de 1849-1850, as trocas comerciais entre o Brasil e a França. A população de nosso país era calculada, então, em 8.020.000 habitantes, dos quais 5.520.000 livres e 2.500.000 escravos. Pelo recenseamento de 1872, a população havia subido a 10.112.061 pessoas, constituída de 8.601.255 livres e de 1.510.806 escravos.

Parece-nos interessante, pois, oferecer idêntica discriminação do intercâmbio comercial entre os dois países no ano fiscal de 1872-1873, de que existe a mais completa estatística, embora, evidentemente, o aumento da população, quer em número, quer em qualidade, com as implicações daí decorrentes, não tivesse sido o único fator a influenciar o desenvolvimento de nosso comércio externo.

Temos, assim, quanto à exportação:

Mercadorias	Quantidade em quilogramas	Valor em contos de réis	% sobre o valor total
Café	21.618.005	11.917	63,4
Algodão	2.853.686	1.857	9,9
Couros	3.578.229	1.358	7,2
Cacau	3.581.302	1.275	6,8
Diamantes...................	–	884	4,8
Açúcar	4.713.062	624	3,3
Madeiras.....................	–	422	2,1
Crina e cabelo.............	111.359	115	0,6
Diversas	–	222	1,9
Total..........................	–	18.806	100,0

Fonte:　Estatística do Comércio Marítimo do Brasil do exercício de 1872-1873 organizada pela Comissão Dirigida pelo Dr. Sebastião Ferreira Soares. Rio de Janeiro, 1881.

O café, praticamente duas décadas depois, continuava como o primeiro artigo de exportação do Brasil para a França. Mas, apesar de sua participação no valor total de nossas remessas para aquele país ter subido de 39,2%, em 1849-1850, para 63,4%, em 1872-1873, a quantidade do café exportado para a França correspondia apenas a 10% do total saído para o exterior. O açúcar, que ocupava antes o segundo lugar, com a participação percentual de 27,1%, passou para sexto lugar, com 3,3%. E a quantidade deste artigo importada pela França, onde a produção do açúcar de beterraba era considerável, não atingia a 3% do volume total que o Brasil havia exportado de açúcar de cana, em seu comércio internacional. O nosso algodão, do qual se remeteram 869.030kg em 1849-1850 para a França, aparecia com 2.853.686kg em 1872-1873, embora este número representasse 6% do total exportado pelo Brasil para o estrangeiro. Quanto aos couros, outro importante item de nossa exportação para a França em 1872-1873, como também o foram em 1849-1850, pouco excederam, em quantidade, de 10% das remessas desse produto para o exterior. Apenas o cacau brasileiro, que de 1.220.500kg enviados em 1849-1850 para a França, ascendera a 3.581.302kg em 1872-1873, tinha sua exportação quase inteiramente absorvida por aquele país.

Com referência ao que o Brasil importou da França em 1872-1873, o seguinte quadro é bem esclarecedor:

Mercadorias	Valor em contos de réis	% sobre o valor total
Manufaturas e tecidos de algodão	3.486	15,3
Manufaturas e tecidos de lã	2.184	9,6
Manufaturas e tecidos de seda	1.451	6,3
Manufaturas e tecidos de linho	885	3,8
	8.006	35,0
Vinhos e outras bebidas	2.289	10,0
Manteiga	1.137	5,0
Calçado	1.136	5,0
Chapéus	914	4,0
Papel e suas aplicações	809	3,6
Produtos químicos e medicamentos	694	3,0
Obras de ouro e prata	658	2,9
Comestíveis diversos	560	2,5
Obras de ferro e aço	480	2,2
Perfumarias	477	2,1
Louças e vidros	442	1,9
Obras de cobre	386	1,7
Peles e couros trabalhados	375	1,6
Instrumentos de música	360	1,5
Máquinas, aparelhos e ferramentas	359	1,5
Diversas	3.765	16,5
Total	22.847	100,0

Fonte: Estatística do Comércio Marítimo do Brasil do exercício de 1872-1873 organizada pela Comissão dirigida pelo Dr. Sebastião Ferreira Soares. Rio de Janeiro, 1881.

Confrontado que seja o presente quadro com o que se refere à exportação feita pela França para o Brasil em 1849-1850, verifica-se que, em substância, a natureza dos artigos pouco se alterou. Continuam a predominar, como sempre, os tecidos e suas manufaturas, os vinhos, os comestíveis, incluídos entre estes a manteiga, o papel em suas diferentes aplicações, e outros bens de consumo. É de notar, aliás, que entre os medicamentos e produtos químicos, de que se importou, relativamente, apreciável importância da França, estão incluídas, de acordo com a classificação aduaneira, quase 10 mil toneladas de sal de cozinha, no valor de 283 contos de réis.

BRASIL-FRANÇA 199

A França colocou-se em primeiro lugar na remessa de manufaturas de seda para o Brasil, assim como de chapéus, dos quais se importaram só daquele país 435.029 unidades, de materiais diversos, além de 172.747kg correspondentes aos confeccionados em palha. A manteiga francesa, de que foram importados 1.218.186kg, também teve a preferência dos brasileiros. E a França, que ocupou, no mesmo ano de 1872-1873, o segundo lugar no fornecimento de calçado, predominou, ainda, na exportação para o nosso país de peles e couros trabalhados, de perfumarias, de obras de ouro, de relógios de bolso, de instrumentos de música, e, em menores proporções, de instrumentos matemáticos e instrumentos cirúrgicos. Mas onde sua contribuição se revelou de fato reduzida foi no fornecimento de máquinas, aparelhos, ferramentas etc., pois de um valor total de cinco mil contos de réis importados couberam a ela apenas 359 contos de réis.

Entretanto, se o Brasil era grande importador de artigos franceses, bem maior o era dos artigos que a Inglaterra produzia. E essa nossa dependência dos fornecimentos estrangeiros levava Sebastião Ferreira Soares a preocupar-se com problema que não era novo, ou seja, o abandono da cultura dos gêneros alimentícios, voltados como estavam os agricultores para a produção do café, do algodão, do açúcar e do fumo. E comentava ele ainda: "A importação de tecidos de algodão, lã, linho numa tão elevada soma revela a plena luz que não temos indústria têxtil, quando a poderíamos ter, ao menos das fazendas mais comuns e necessárias às diversas classes de nossos conterrâneos, como já a tivemos em outros tempos."

Contrastes das estatísticas comerciais no Império

As estatísticas do comércio exterior do Brasil apresentam, no decorrer do período imperial, contrastes realmente desconcertantes. Ora excessivamente minuciosas, apesar dos possíveis defeitos de apuração que possam conter, ora de um laconismo imprevisto, que bem revela, quando não são os próprios órgãos oficiais que procuram justificá-lo ou condená-lo, o plano secundário a que estavam relegados trabalhos dessa natureza. É o que se dá especialmente a partir de 1875, quando, não obstante os esforços de Sebastião Ferreira Soares, um dos pioneiros da estatística econômica no Brasil, só se dispõe, em relação ao comércio exterior, de simples quadros globais, que usualmente acompanhavam os relatórios apresentados pelos titulares do Ministério da Fazenda à Assembléia Geral Legislativa.

São da maior valia, pois, apurações isoladas como as que existem, publicadas pela então Tipografia Nacional e pela Tipografia da Alfândega, relativas ao comércio e navegação do porto do Rio de Janeiro, de

1878-1879 a 1890, bem como as que constam do "Relatório apresentado ao Exmo. Sr. Presidente da Província de São Paulo pela Comissão Central de Estatística", em 1888, onde é estudado o movimento comercial e marítimo do porto de Santos, no período de 1877-1878 a 1886-1887.

Amostra das relações comerciais entre o Brasil e a França através do movimento do porto do Rio de Janeiro

Dado que o Rio de Janeiro continuava ainda a ser o porto brasileiro de maior movimento, quer na exportação, quer na importação, destacamos o qüinqüênio de 1882-1883 a 1886-1887, para demonstrar, embora de modo parcial, o lugar que a França ocupava então em nosso comércio exterior. Deixamos, intencionalmente, de nos servir dos elementos relativos ao segundo semestre de 1886, quando foi determinado que o ano financeiro passasse a coincidir com o ano civil, bem como dos correspondentes a 1888 e 1889, em virtude da grande contradição que existe sobre eles nas diferentes publicações oficiais.

Assim, de acordo com os mapas da Alfândega do Rio de Janeiro, o valor das mercadorias exportadas para a França "no qüinqüênio de 1882-1883 a 1886-1887, por aquele porto, atingiu 37.922 contos de réis, ao passo que a importação feita daquele país, pela mesma via e no mesmo período, somou 68.729 contos de réis. A exportação representou aproximadamente 8% do valor total dos produtos que saíram da Alfândega do Rio de Janeiro para o exterior, e a importação, 14% do valor total das mercadorias entradas. Houve, desse modo, nas trocas comerciais entre a França e a capital do país, um saldo negativo contra o Brasil de 30.807 contos de réis.

E é ainda, sem dúvida, a estrutura da importação realizada através do porto do Rio de Janeiro que revela a contínua submissão do povo brasileiro ao consumo dos artigos que sua minguada indústria, em todo o país, não estava habilitada a proporcionar-lhe. À reforma tarifária de 1874 sucederam-se as de 1879, 1881 e 1887, até o período ora examinado, as quais espelham, bem como as modificações de que foram objeto, os avanços e recuos que o Brasil era obrigado a fazer em sua política de proteção à indústria nacional. Mas o certo é que ora premido por dificuldades orçamentárias – uma vez que os direitos de entrada eram sua maior fonte de receita – ora obrigado a atender a reivindicações desta ou daquela corrente, que viam na livre concorrência o melhor meio de estimular o empresário brasileiro, sem sacrifício do consumidor, o Governo acabava sempre por tender para a expedição de tarifas aduaneiras de natureza predominantemente fiscal.

É sem surpresa, pois, que se verifica, através dos anos, a supremacia, na importação, dos mesmos artigos que vestiam e alimentavam o brasileiro ou lhe guarneciam a morada.

No caso particular do Rio de Janeiro, e em relação exclusivamente à França, observa-se que, no ano de 1886-1887, numa importação de 12.840 contos de réis, 38%, ou seja, 4.937 contos de réis correspondiam, segundo a classificação tarifária, a algodão, lã, linho, seda e respectivas manufaturas. A esses artigos seguiam-se os comestíveis; as peles e couros manufaturados, em que se incluíam os calçados; os sumos e sucos vegetais, em que predominavam os vinhos. Apresentam-se, depois, as obras de ouro, prata e platina; o papel e suas aplicações; os materiais ou substâncias de perfumaria, tinturaria etc., e, a seguir, máquinas, aparelhos e ferramentas. Mas, se além desses produtos alguns mais eram importados, de maior ou menor utilidade, ou mesmo de uso supérfluo, deve ter-se presente que o item "Papel e suas aplicações", da pauta alfandegária, compreendia os livros impressos, com que a França vinha, de longa data, ao lado de outros fatores, exercendo poderosa influência na cultura brasileira. E é certo, também, que não foi possível dar visibilidade, pelos levantamentos estatísticos consultados e em face da generalidade dos títulos em que se dividia a tarifa, a algumas matérias-primas com que a França teria concorrido para o incremento da indústria brasileira de então, grande parte dela de curto fôlego ou ainda situada dentro das limitações do artesanato.

Quanto à exportação para a França, pelo porto do Rio de Janeiro, consistiu ela, no ano de 1886-1887, quase que exclusivamente de café. Basta dizer que, do valor de 8.249 contos de réis, 93%, ou seja, 7.722 contos de réis correspondiam a 14.518.474kg daquele produto, de que o Rio de Janeiro era ainda o principal centro exportador. Ao café, na relação dos artigos saídos do citado porto, com destino à França, no mesmo ano, seguem-se os couros, no valor de 339 contos de réis, e outros produtos em quantidades ínfimas, como a farinha de tapioca e o jacarandá.

Entretanto, se das trocas comerciais entre o Rio de Janeiro e a França, no qüinqüênio de 1882-1883 a 1886-1887, resultou, como vimos, um saldo negativo, contra o Brasil, de 30.807 contos de réis, este déficit foi largamente compensado pelo saldo credor que nos deixou o comércio feito com aquele país através de Santos. A exportação realizada por este porto para a França, no referido qüinqüênio, a qual se constituiu também quase unicamente de café, somou 66.435 contos de réis, e a importação correspondeu a 9.228 contos de réis. Houve, assim, um saldo a favor do Brasil de 57.207 contos de réis, que cobriu não só o déficit apurado nas operações feitas pela Alfândega do Rio de Janeiro, como deve ter absorvido o verificado em outras Províncias, que se abasteciam também nos mercados da França.

CAPÍTULO III

BRASIL-ESTADOS UNIDOS, 1831/1889

A S RELAÇÕES entre os Estados Unidos da América do Norte e o Brasil monárquico, apesar de variarem em seus estágios e matizes, conservam uma característica fundamental que as tornava completamente distintas das relações com outros países – elas se desenvolveram entre a primeira República americana e a primeira monarquia européia na América.

É sobremaneira importante o fato de essas relações envolverem dois países americanos de expressão em seus respectivos hemisférios. Seus sistemas políticos emprestavam-lhes diferenças, porém, nos dois casos, propiciavam também a ambos certa estabilidade política não conhecida pela maioria de seus vizinhos. Há ainda a considerar, nessas relações, que tanto nos territórios de fronteira do Império brasileiro, como nos de além-fronteiras americanas, não havia estados fortemente estabelecidos ou capazes de ameaçar a integridade nacional de ambos. Se houve avanço ou ameaça, esta partiu tanto da República do Norte como do Império brasileiro, principalmente contra antigos territórios espanhóis.

A dessemelhança básica nos regimes dos dois países, no entanto, resultava perturbadora, sobretudo para os norte-americanos, aos quais ela se afigurava capaz de comprometer seriamente a possibilidade de o Brasil encontrar seu destino e seu rumo no quadro daquela mística americanista que os norte-americanos simbolizaram por primeiro no Novo Mundo.

A exportação de fórmulas ideais, partindo dos Estados Unidos e cujas soluções seriam tidas como capazes de serem moldadas aos mais diversos problemas da humanidade, transcendendo assim as fronteiras nacionais, tem sido todavia objeto de relutante admissão entre os americanos, desde há muito tempo. James Fenimore Cooper aponta, muito cedo, o comportamento norte-americano nesse sentido, como não proselitista: "We are not a nation much addicied to the of prosselytizing", escrevera Cooper.[1]

A crença de uma tendência natural ao isolacionismo, talvez alimentada por esse tipo de pensamento, baseou-se inicialmente não tanto num desejo de separação da Europa, mas no medo de que a Europa viesse a "contaminar" os Estados Unidos.

Esse conceito fez parte do pensamento do próprio Jefferson, em "cuja mente cosmopolita essa idéia lutava contra o senso de "missão em favor de uma humanidade oprimida",[2] conceito ligado à ilustração.

Símbolos da revolução mundial, os americanos pregavam em seguida ao afastamento da Europa, "dando a seu feito um sentido não de proselitismo cristão e portanto universalista", porém, na realidade, traduzindo um "curioso separatismo quase hebraico", eis o que afirma Louis Hartz.[3]

Essa argumentação, perfeitamente válida em função de um trabalho como o de Hartz,[4] que objetiva esclarecer o caráter sumamente singular do pensamento liberal americano em sua trajetória para incorporar-se à prática da democracia, de maneira alguma invalida a existência de outras realidades que não se inserem perfeitamente nessa argumentação, empenhada em minimizar a vocação proselitista dos Estados Unidos.

Houve, de fato, uma alteração na senda do pensamento americano, vinculado à idéia de redenção da humanidade ao tempo dos "Pais" da revolução. O ideal de crescimento e pujança isolada da contaminação da Europa deve ter preocupado àqueles que desejavam ardentemente realizar, sem embaraços, a experiência liberal perfeita nos Estados Unidos.

Proselitismo americanista   Ainda que levadas em conta todas essas transformações, não é possível ignorar-se o proselitismo contido na mente de homens que sonharam republicanizar o Canadá em 1815 ou consolidar a idéia de unir, sob os mesmos ideais americanistas, o continente americano em 1823, contra as investidas da Europa.

O sentido de "missão", que de mundial se teria transformado no "separatismo quase hebraico" dos Estados Unidos, desembocou num "americanismo" que, na realidade, possuía raízes longínquas no passado norte-americano e nada possuía de "separatista" em relação ao Continente.

---

[1] Cf. Blau (J.L.) ed., *Social Theories of Jacksonian Democracy*, Nova York, 1947, 58, e Hartz (Louis), *The Liberal Tradition in America: an Interpretation of American Political Thought since the Revolution*, Hartcourt, Brace & World, Inc., Nova York, 1955.

[2] Cf. Hartz (Louis), *The Liberal Tradition in America*.

[3] *Ibidem*.

[4] Hartz (Louis), *The Liberal Tradition in America... passim.*

Americanismo indisfarçavelmente proselitista, foi incrementado consistentemente pelos Estados Unidos através de atos inequívocos, deliberados no sentido de minimizar a influência européia em todo o continente da América, e o Brasil, apegado à Monarquia, foi seu principal campo de luta.

Um tal esquema haveria de encontrar, em seus vários estágios, um poderoso obstáculo na vinculação da Monarquia brasileira à tradicional aliança britânica e os norte-americanos vinham de longe mantendo-se atentos a esse problema.

Embora não se possa enquadrá-los definitivamente em qualquer programa para provocar a queda do regime monárquico no Brasil, a circunstância de a Monarquia portuguesa estar em solo americano, sob os auspícios britânicos, os perturbava.

O Departamento de Estado, entre 1801 e 1803, suprimira a representação diplomática norte-americana em Portugal, atendendo a medidas de poupança sugeridas por Jefferson. Apressou-se em tentar reatar essas relações diplomáticas tão logo a Corte portuguesa pisou o solo brasileiro.

Em 4 de março de 1808, Jefferson enviou credenciais para que atuasse como cônsul em "St. Salvador", Henry Hill, negociante de Nova York residente na Bahia. Em dezembro do mesmo ano, seguiu ele para o Rio de Janeiro.[5]

No Rio, Hill iniciou logo conversações para reatar as relações diplomáticas da Corte portuguesa com os Estados Unidos.

Em 7 de março de 1808, o Senado americano aprovou a nomeação de Henry Hill como Cônsul na Bahia, juntamente com a de Thomas Sumter, designado para Ministro no Rio.

O Cônsul Sumter   Sumter era pessoa de prestígio, embora já então ele fosse conhecido como dono de um caráter por demais independente, motivo de várias discórdias entre esse diplomata, quando ainda servia em Paris, e o então Secretário de Estado James Madison.

Originário da Virgínia, era natural que Sumter se sentisse bastante identificado com os ideais pan-americanos de Thomas Jefferson, e, bem assim, com importantes interesses sulistas, que viam no crescimento da influência americana em direção ao sul do continente o esquema ideal.

Quando afinal assumiu seu posto, em junho de 1810, Sumter decepcionou-se ao ver muitos dos caminhos que facilitaram receptividade

---

[5] Detalhes sobre Henry Hill em *Miscellaneous Record Book-American. Consular Service* (Consulado Americano), Salvador, Bahia, 23 a 29.

BRASIL-ESTADOS UNIDOS, 1831-1889

dos brasileiros à implementação de uma política pan-americana[6] bloquea-
dos pela inexpugnabilidade da supremacia britânica montada na aliança
com a Casa de Bragança e no domínio total do comércio brasileiro em
favor da Grã-Bretanha. Apesar disso, os norte-americanos não esmorece-
ram. Sua concorrência comercial prosseguiu. Em 1810 e 1811, centuplica-
ram o valor de suas vendas no Brasil.[7]

A guerra de 1812 com a Inglaterra deixou o Ministro americano em
situação particularmente difícil, pois, como a sua correspondência com o
Departamento de Estado tornou-se precária, com seu caráter afoito
Sumter andou agindo por conta própria, acabando por tomar atitudes
intempestivas, fadadas a comprometer a situação de seu país.

Nessa ocasião, a grande queixa dos americanos era o tratamento pre-
ferencial que estaria sendo dispensado aos ingleses nos portos brasileiros e
demais partes do Império Português. O incidente ocorrido nos Açores
com o navio americano *General Armstrong* não foi o único do gênero,
porém foi apontado pelos americanos como sendo o mais patente em
matéria de violação de neutralidade, pois foi provada a colaboração das
autoridades portuguesas em Fayal com os ingleses. Por isso mesmo, o incidente foi motivo de ressentimentos do Governo dos Estados Unidos contra a Casa de Bragança e vice-versa.[8]

Entrementes, navios "corsários" americanos, usando a bandeira de
Artigas, devastavam navios mercantis portugueses no Prata e, assim, a atitude portuguesa teria sua explicação na retaliação e não na quebra de
neutralidade, por subserviência aos britânicos.

Apesar desses e de vários outros percalços,[9] Sumter permaneceu em
seu posto diplomático no Rio de 1810 a 1819 e só regressou à sua pátria

---

[6] As instruções trazidas por Sumter foram nesse sentido. Robert Smith a Thomas Sumter
Jr., 1° de agosto de 1809, Diplomatic Instructions, National Archives, doravante abrevia-
das: DINA.

[7] A soma de US$900,000 (novecentos mil dólares) é apontada como o valor das vendas
norte-americanas para o Brasil em 1809. Esse cálculo foi feito por Thimothy Pitthimem in
A Statistical View of the Commerce of the United States of America, Hartford, 1817, 132
cit. em Hill, L. – *Diplomatic Relations between the United States and Brazil*, Duk Univ.
Press, Durham, N. C., 1932, 5.

[8] O cônsul norte-americano em Fayal era John B. Dabney, cuja correspondência vem anexa
aos despachos que Sumter escreveu na ocasião dos incidentes ao Secretário de Estado americano. A filha de Dabney casou-se com José Maria de Avellar Brotero, em 1839, Diretor
da Faculdade de Direito de São Paulo, fato registrado por Kidder, Daniel Parish – *São
Paulo in 1839* ed. e notas J. M. Hasvey, Sociedade de Cultura Inglesa, São Paulo, 1969, 53.

[9] Mais pormenores sobre os incidentes com os navios norte-americanos em portos portugueses, durante a guerra de 1821, podem ser encontrados em Diplomatic Dispatches
National Archives, 1812-1815 na coleção denominada Dispatches from United States

em 1821. Mais ainda, apesar de ser o protagonista do famoso incidente das pistolas sacadas contra os batedores de D. Carlota Joaquina, Sumter não sofreu o revide que seria de esperar contra um herege republicano como ele, que ousara desafiar a orgulhosa Princesa.

Esse incidente era recente, quando o Brasil foi elevado à categoria de Reino Unido ao de Portugal e Algarves. Sumter não foi convidado a comparecer às festividades de comemoração do acontecimento. Obteve, porém, a oportunidade de ter uma entrevista particular com o Príncipe Regente em 29 de dezembro de 1815, inclusive bastante longa e cordial.

Vários assuntos foram discutidos, tendo o americano efusivamente congratulado o Príncipe pela "Independência" do Brasil. Até sobre o espinhoso assunto da obtenção de um tratado de comércio entre as duas nações sentiu-se animado a falar e, com alegria, registrou a resposta do Príncipe como tendo sido: "Estou sempre disposto a negociar."

Já no fim da entrevista foi que D. João o interpelou, dizendo que soubera que o americano havia tido um incidente com um membro da Família Real.

Sumter, no entanto, esclareceu que logo se apressou o Príncipe a indagar: "Os meus guardas jamais o incomodaram, não é mesmo?"

Ao revelar essa entrevista a James Monroe, o próprio Sumter não esconde o seu alívio diante da atitude do Príncipe Regente e inclusive o americano reconhece ter surpreendido aos demais membros do corpo diplomático do Rio.

Saber que D. João fora tão leniente com ele não deixa, porém, de anuir à óbvia explicação de que, no fundo, o Príncipe devera ter ficado satisfeito com o vexame de sua orgulhosa consorte, vezeira em conspirar contra o marido.

Em relação às possibilidades de um tratado de comércio, teve o cuidado de informar também ao seu Governo da advertência que já lhe dera Strangford, sobre a precariedade das promessas orais do Príncipe, segundo o Ministro inglês "difíceis de cobrar, ainda mesmo quando escritas".[10]

Não estava, portanto, o Governo americano sendo iludido com falsas esperanças dadas por diplomata inocente ou pouco habilidoso. Sumter era

---

Ministers to Brazil, 1809-1906, MS microfilmados pela Arquivo Nacional de Washington, série 52, daqui por diante abreviados DDNA. Alguns deles comentados em Hill, Lawrence F. *Diplomatic Relations between the United States and Brazil*, Duke Univ. Press, N. C. 1932, 15-19.

[10] Esse e mais outros detalhes da entrevista são descritos no despacho de Thomas Sumter a James Monroe, datado de 29 de dezembro de 1815.

pelo menos astucioso, perspicaz e bem informado e não apenas impetuoso, como poderia levar a crer o incidente pelo qual ficou mais famoso no Brasil. Como residia para os lados de Botafogo, seus encontros com a Princesa continuaram a ser constantes e embaraçosos, mas, tempos depois, o próprio Sumter relata com entusiasmo como a Senhora Sumter acabou por sentar-se à mesa de D. Carlota.

Não resta dúvida de que o tom dessa importante missiva de Sumter era demais entusiasmado e alvissareiro. Chegava ele a ver conotações de independência na elevação do Brasil à categoria de Reino Unido, quando a intenção da manobra fora exatamente oposta, bastando para provar isso pensar-se na situação política européia em 1815.

Mesmo contando com outros fatores locais, pelo menos naquele momento, a alegria do Ministro era tão grande quanto prematura, pois aquela circunstância, na realidade, se anteporia como embaraço ao anseio americano de limitação da influência européia na América.

Traria dificuldades, assim como os prejuízos sofridos pela frota mercante americana afastariam, temporariamente, o crescimento dessa concorrência no comércio marítimo. James Monroe, então Secretário de Estado, estava bem informado sobre as conotações européias da manobra. Assim foi que, ao responder à nota diplomática do Encarregado de Negócios Portugueses em Washington transmitindo a mesma notícia, Monroe fê-lo com polida frieza.[11]

No mesmo gênero desse primeiro choque entre a realidade brasileira e o desejo ardente de Sumter em dar ênfase a um americanismo que sonhava um dia ver triunfar no Brasil surgiram inúmeros equívocos, incidentes e até acidentes diplomáticos bastante sérios entre os dois países.

Semelhantes equívocos prosseguiram e as desconfianças também. Porém, a despeito das dificuldades, não faltaram sinais de aplauso e entusiasmo dos Estados Unidos, no Brasil, sinais esses que, examinados em conjunto, fazem das relações entre os dois países objeto da mais fecunda significação.

O conceito dos norte-americanos de que o regime monárquico no Brasil com a instalação da Corte portuguesa no Rio de Janeiro representava uma cabeça-de-ponte dos interesses europeus na América não foi, em realidade, fundamentalmente alterado pelo advento do Império brasileiro, pois o Governo de Washington não alimentava ilusões quanto à natureza

---

[11] James Monroe ao Encarregado de Negócios Rademaker, 5 de junho de 1816, Notes on Foreign Legations, II, NA.

e extensão dos compromissos europeus, herdados pelo Brasil a troco de sua Independência.[12]

A desconfiança do Governo de que os norte-americanos eram agentes do republicanismo e da revolução na América também vinha de longe. Afiliava-se, talvez, também, a conceitos coevos da literatura de ilustração francesa que mostravam os norte-americanos como a imagem perfeita do Governo feliz e liberal que escolhera a República como fórmula política, não faltando mesmo uma insistência muito grande no destino norte-americano de revolucionar e libertar todo o Novo Mundo.[13]

Apesar dessa divergência básica, haveria oportunidade para que vários pontos de interesses comuns entre os Estados Unidos e o Brasil colaborassem no sentido de aproximar as duas potências americanas, a despeito do republicanismo americano e do apego à Monarquia no Brasil.

A história das relações entre o Brasil e os Estados Unidos é iluminada sobremaneira não só pela análise desses pontos de interesses, como também de certas circunstâncias favoráveis a uma *tomada de posição* americana no Brasil, circunstâncias estas que se iam tornando autodemonstrativas e que eram imediatamente objeto de hábil e expedita "capitalização" por parte dos norte-americanos.

Paulatinamente essa tomada de posição, calcada no mecanismo acima descrito e diligentemente implementada sem esmorecimento, ia pagando seus dividendos. Não apenas se foi modificando aos poucos a imagem norte-americana em vários setores da política brasileira, como principalmente ela haveria de transformar-se em um ponto de referência de grande interesse na senda trabalhada pelo liberalismo no Brasil. Acima de tudo, os Estados Unidos constituíam um paradigma de inegável impacto no desejo de auto-afirmação política e sucesso material entre a geração da

---

[12] Condy Raguet, publicista, economista e futuro líder de movimentos trabalhistas, foi o Cônsul americano enviado para a Corte de D. Pedro, tendo chegado ao Rio dois dias depois da Independência. Era também um *agente executivo* acumulando este posto secreto com seu posto diplomático oficial. Pela função secreta recebia mais 4.000 dólares anuais, pagos com verba presidencial não controlada pelo Senado. Os zelos republicanos de Raguet eram mal disfarçados, pelos cuidados que demonstrava ao tentar, aqui, proteger cidadãos e direitos de navegação dos Estados Unidos. Isso o levou a sérios embaraços que seu temperamento violento transformou em um acidente grave.

[13] Mais detalhes sobre este assunto podem ser encontrados em Zavala (Silvio) – *América en el Espíritu Francês del Siglo XVIII* – El Colegio Nacional, México 1949 e Fay (Bernard) *L'esprit Revolutionaire en France et aux États-Unis à la fin du XVIIIième siècle*, Champion, Paris, 1925.

BRASIL-ESTADOS UNIDOS, 1831-1889 209

Independência, prosseguindo durante a Minoridade e o Segundo Império para chegar ao auge durante a República.

Implicações norte-americanas em revoluções brasileiras Em algumas revoluções brasileiras do passado, nas quais, na realidade, o conteúdo reformista suplantava o conteúdo revolucionário, nota-se uma dose bastante significativa de inspiração no modelo político norte-americano, quando não uma esperança de ajuda concreta dos Estados Unidos, alentada mais pelo que os Estados Unidos simbolizavam em matéria de liberalismo e progresso.

Para o republicanismo e contra as peias de centralização voltou-se a seriíssima Revolução pernambucana de 1817. Apesar de a administração de Monroe, pelo menos abertamente, na verdade, abster-se de tomar partido, vale a pena, no entanto, examinar mais detalhadamente o caso do Cônsul Ray.

Um alto funcionário do Departamento de Estado, Caesar Dodney (mais tarde agente especial e, por fim, Ministro americano na Confederação Argentina), manteve entrevista em 5 de junho em Filadélfia com Antônio Gonçalves da Cruz, o "Cabugá",[14] enviado dos revolucionários de 1817 para procurar auxílio e armas nos Estados Unidos, levando a promessa de um tratado comercial como chamariz, continuando a parlamentação iniciada por um inglês de nome Bowen, o primeiro a trazer a notícia da revolução pernambucana aos americanos.

Em seqüência óbvia da entrevista do Cabugá com Rodney, o mesmo Antônio Cruz, poucos dias depois, arranjava entrevista no Departamento de Estado, de onde Rodney era funcionário altamente graduado. Nessa entrevista fazia recomendações para ser nomeado Cônsul dos Estados Unidos em Pernambuco, Joseph Ray, sócio da firma Ray & Bryan de Baltimore, e seu representante no Recife.[15]

A aludida firma, por sua vez, acertou a viagem para Pernambuco, do navio mercante americano, o bom brigue *Sally Dana* de Filadélfia, cujo agente era José Bryan. Carregado de suprimentos para os revolucionários, desafortunadamente para Joseph Ray, o brigue só aportou no Recife

---

[14] Caesar Rodney a James Monroe, 6 de junho de 1817, Monroe Papers, XVI, cit. Hill, Lawrence – Diplomatic Relations... 24.

[15] Note-se que além do Consulado na Bahia, que foi o primeiro estabelecido no Brasil, e naturalmente o do Rio de Janeiro, que se lhe seguiu, os dois outros em ordem de nomeação, no ano de 1817, foram o de Pernambuco e São Pedro do Rio Grande do Sul, ambos no primeiro semestre daquele ano.

depois de a revolução ter sido sufocada. O capitão do navio em questão era Thomas Ray, conforme consta no contrato feito em 18 de março de 1817 em Baltimore, contratantes de um lado José Bryan e, do outro, Francisco de Paula Cavalcanti e Domingos José Martins.

Em 15 de novembro do mesmo ano, Joseph Ray enviou petição em português, reclamando das autoridades de Pernambuco que o aceitassem como cônsul, porquanto, já o havendo admitido anteriormente como tal, alegavam agora depender de aprovação real para reconhecê-lo formalmente como representante consular dos Estados Unidos. Ray afinal era suspeito de estar implicado na Revolução de 1817[16] e sua firma de agenciar navios de suprimento para os revolucionários. Safou-se da primeira acusação, e, em 1824, novamente seu nome foi apontado como implicado na revolução pernambucana que precedeu a da Confederação do Equador.[17]

Em 1825 foi banido do Brasil por decreto imperial e sua casa comercial confiscada pelas autoridades provinciais. É por demais conhecida a afirmação de Muniz Tavares de que a ilusão dos revolucionários, quanto ao apoio norte-americano, foi um dos fatores concorrentes para o fracasso da Revolução de 1817. Não foi também por acaso que entre os executados, depois de abafada a Confederação do Equador, estivessem estrangeiros menos afortunados do que o Cônsul Ray, banido do Brasil por decreto imperial. A ligação entre os dois movimentos, o de 1817 e o de 1824, deve ter parecido óbvia às autoridades imperiais. Elas também estavam convencidas da participação de norte-americanos na Revolução de 1824 devido aos relatos de Lorde Cochrane.[18]

A suspeita de que Ray estivesse envolvido na Revolução de 1817 e, mais ainda, a convicção de que estava implicado na de 1824 melindraram

---

[16] Descrição detalhada do que aconteceu a Ray encontra-se em despacho de Ethan A. Buren, Encarregado de Negócios Americanos, a Martin Van Buren, Secretário de Estado, despacho de 25 de novembro de 1830, DDNA. Inúmeros outros pormenores estão nas Correspondências Diplomáticas e Consular da mesma série no Arquivo Nacional de Washington.

[17] Detalhe do pedido de reparação financeira a Joseph Ray solicitando em correspondência de Wise a Ernesto Ferreira França, datada de 4 novembro de 1844, apenso ao despacho de Wise e Calhoun de 13 nov. 1844, DDNA.

[18] Lorde Cochrane descrevera a proclamação de um governo republicano em Pernambuco em fins de 1823 como um projeto baseado no modelo americano ao qual seriam confederadas outras províncias do Norte. Tal projeto foi encorajado, senão originado pelos norte-americanos residentes no Recife, diz Cochrane, e já vinha se desenvolvendo há seis meses quando o Império resolveu sufocá-lo. Thomas, Tenth Earl of Dundonald – *The Autobiography of a Seaman*, ed. Douglas, Twelfth Earl of Dundonald, Richard Bentley and Sons, London, 1890.

BRASIL-ESTADOS UNIDOS, 1831-1889

bastante as relações diplomáticas entre o Brasil e os Estados Unidos. A atitude de D. Pedro II, quanto a esse caso, foi coerente com a de seu pai, que mandara banir o Cônsul. Ainda próximo da abdicação, em 9 de março de 1831, informava E. A. Brown, Encarregado de Negócios Americanos no Brasil, ao Secretário M. Van Buren, que o caso Ray era delicadíssimo, pois o Imperador tinha visível má disposição em relação a ele. Nessa altura, Ray, de volta aos Estados Unidos, fazia pressão junto ao seu Governo, a fim de ser reinstalado em sua posição e pago pelos prejuízos de sua firma em Pernambuco.

Vários Secretários de Estado mandaram tocar o caso Joseph Ray para frente, apesar das ponderações de homens esclarecidos como William Hunter, Encarregado de Negócios Americanos no Brasil, nomeado Ministro Plenipotenciário em 1841, e um dos cinco membros componentes da Divisão de Negócios Diplomáticos criada pelo Departamento de Estado em 1836, para coordenar a ação dos vários diplomatas por áreas. A área de Hunter era a América do Sul.

Em 1836 Joseph Ray retornou ao Brasil, e, apesar de todas as dificuldades, seu *exequatur* para atuar como Cônsul em Pernambuco foi conseguido do Governo brasileiro, conforme comunicação de Hunter a John Forsyth de 3 de janeiro de 1837.

No despacho seguinte, datado de 17 de janeiro do mesmo ano, William Hunter analisa mais uma vez o caso Ray com objetividade. Escreve textualmente: "Tive muita sorte em conseguir amainar a situação e apressar o destino desse caso, pois era difícil."

É muito expressiva a argumentação de Hunter ao explicar: "Quando cheguei a esta legação, seu nome era aqui a miúde mencionado e Ray notoriamente conhecido como um diplomata americano que havia interferido na política interna do país, tornando-se passível de punição. Nos arquivos desta legação, encontrei o seu nome marcado como 'inauspicioso' e suas petições consideradas inaceitáveis por esse Governo, sendo, conseqüentemente, retiradas por Mr. Brown, meu predecessor imediato.

O meu amigo 'Sr. Lisboa' perturbou-se ao ver Ray comigo, chegando a dizer-me claramente que as exigências pecuniárias de Joseph Ray eram absurdas, tendo o ministro brasileiro, 'Mr. Pantoja', afirmado que Ray deveria dar-se muito por feliz ao ser readmitido em seu posto consular em Pernambuco."

Como bom funcionário, Hunter prossegue em seu despacho esclarecendo que, não obstante, levará adiante o pedido de reparação pecuniária de Ray, mas espera do Departamento de Estado que venha a compreender as dificuldades que esse pedido encerra, e, também, a relutância dele, Hunter, em advogá-lo com mais vigor até aquele momento. E esclarece: "'Mr. Montezuma' examinou todo o caso e recusou-se a aceitá-lo profissionalmente, cobrando honorários."[19]

O "amigo Sr. Lisboa", mencionado por Hunter, é Bento da Silva Lisboa, Barão do Cairu, que fez parte de mais de um gabinete durante a Minoridade e no Segundo Império, inclusive sendo Ministro dos Negócios Estrangeiros em 1832 até início de 1834 e novamente em 1846.

O "Sr. Montezuma" é Francisco Gé Açaiba de Montezuma, Visconde de Jequitinhonha, que o Ministro americano aponta como o advogado comumente consultado pelos americanos em casos de pedidos de reparações de navios, solicitados ao Governo do Império, e simpático aos Estados Unidos.

Em 1837, Montezuma foi Ministro da Justiça, em caráter interino, no Gabinete que esteve no poder de maio a setembro daquele ano.

"Mister Pantoja", por sua vez, era Gustavo Adolfo de Aguillar Pantoja, Ministro da Justiça por nomeação em 1836, interinamente ocupando também a pasta dos Negócios Estrangeiros até ser substituído nesta por Antônio Paulino Limpo de Abreu em fevereiro de 1837.

Joseph Ray radicou-se no Brasil e faleceu no Rio de Janeiro em 3 de maio de 1849, tendo sido enterrado no Cemitério da Gamboa.[20]

O incidente com Joseph Ray, tendo-se dado entre 1817 e 1824, e o processo a ele ligado, tendo-se arrastado durante tanto tempo, permitem uma certa testagem dos sentimentos e da posição do Governo imperial em relação aos Estados Unidos.

Em primeiro lugar, demonstrou que pelo menos nesse caso havia mesmo forte suspeita de implicação de Ray em revoluções brasileiras e uma opinião generalizada de que o mesmo desejava ajudar a instalação da República em nosso país.

Ainda assim, durante a Minoridade foi possível trazer o caso novamente à baila, e, não importando tanto através de que sutilezas, pelo menos o aspecto diplomático foi resolvido a contento para os americanos. Ray voltou para o seu posto em 1836. Nem era de estranhar que houvesse melhores augúrios para os cidadãos da República do Norte durante a

---

[19] Essas informações foram colhidas nos despachos de Hunter a Forsyth, de 3 e 17 de janeiro de 1837, DDNA.

[20] Os assentamentos dos falecimentos de protestantes anteriores a 1875 estão na "Christ's Church" também no Rio de Janeiro e lá estão as anotações referentes a Joseph Ray.

BRASIL-ESTADOS UNIDOS, 1831-1889

Regência, pois a própria passagem do Ato Adicional, em 1834, revela a existência de um novo esquema político no Brasil, com o qual os princípios republicanos norte-americanos já não conflitavam tão frontalmente, ou pelo menos era essa a opinião dos norte-americanos em 1834.

Tiveram, é bem verdade, suas dificuldades com certos Gabinetes da Minoridade, porém, de maneira geral, sentiram maiores afinidades com a cena política brasileira durante esse período, já pela simples razão de os brasileiros afinal haverem verdadeiramente chegado ao poder ou pelo menos porque estavam em evidência homens mais voltados para as realidades brasileiras, como era o caso de Paulino Limpo de Abreu, um dos primeiros presidentes provinciais, designado pelo Governo da Minoridade para a província de Minas.

O representante dos Estados Unidos em 1831 já começara por não comparecer a uma visita de apoio feita pelo corpo diplomático a D. Pedro e à Imperatriz, a bordo do *Warspite* na madrugada do dia 8 antes do embarque no *Volage*. Ethan A. Brown e o representante da Colômbia "Mr. Gomez" foram os únicos a faltar, conforme escreveu na mesma data.[21] Seus despachos seguintes também são de molde a demonstrar grande interesse americano pela ascensão de brasileiros ao poder, predizendo uma transformação na estrutura política do país.

Foi na alvorada dessa transformação mental, que estava, de fato influindo na estrutura do Governo brasileiro, que o Código Penal e Criminal do Brasil foi renovado em 1831, existindo provas concretas de que o Encarregado de Negócios Americanos, William Wrigth,[22] dera por empréstimo, cerca de 1 ano antes, a Miguel Calmon Du Pin e Almeida, Marquês de Abrantes, uma cópia francesa do Código de Edward Livingston, por solicitação do Marquês.

O Código de Edward Livingston, jurista da Louisiana, que também foi Secretário de Estado, foi traduzido, em 1825, para outras línguas e era, então, considerado internacionalmente um marco do progresso da ciência jurídica. Não admira que o marquês o solicitasse.

O Marquês de Abrantes era, aliás, profundamente respeitado pelos norte-americanos, não somente por sua cultura eclética como por argúcia e personalidade. Não abrigavam, porém, dúvidas da lealdade do Marquês

---

[21] Ethan A. Brown a Martin Van Buren, 7 de abril de 1831, DDNA.
[22] William Wrigth, Encarregado de Negócios americanos *ad interim* a Martin Van Buren, 12 de julho de 1830, DDNA.

à Monarquia e desconfiavam sobremaneira das suas inclinações européias em geral.

Note-se, porém, que o Marquês conhecia bem os vários aspectos da linha política e econômica dos Estados Unidos, e, como também sabia inglês, lia bastante nessa língua e naturalmente não estava exposto a certos equívocos que a falta de informação acarretou a outros políticos do Império. Semelhante à de Calmon era também a situação de Limpo de Abreu. Este, por sua vez, admirava mais concretamente o sistema político dos Estados Unidos.

O *Jornal do Commercio* n? 116, de 24 de maio de 1839, publicou um discurso de Paulino Limpo de Abreu, considerado tão importante pelo Encarregado de Negócios, William Hunter, que ele mandou traduzir para o inglês o original português, que anexou também ao despacho de 5 de junho do mesmo ano, para o seu Governo, com o comentário de que esse discurso constituía uma *réplica aos sentimentos de submissão à Europa e tendências antiamericanas da administração de 19 de setembro.*[23]

O discurso de Limpo de Abreu incluía propostas de modificações na conduta dos negócios exteriores do Brasil, particularmente nos casos de pedidos de reparação e demandas referentes a navios não condenados, casos estes que, segundo o orador, deveriam ser resolvidos com objetividade e apelo à razão e com a retidão de princípios sem apelo à tergiversação e à falta do cumprimento de obrigações internacionais. Finalmente, explicita: graças a um sistema político baseado em princípios desta natureza, desde o início de sua vida nacional, os Estados Unidos conhecem o progresso econômico e o respeito como nação.

Ele não era o único, pois havia outros brasileiros de destaque, influindo nos destinos do país, informados do exemplo norte-americano, e, quando não fosse por simpatia ou identificação com a nação do Norte, pelo menos sabiam do que se passava por lá.

Basta correr os olhos nos debates registrados nos *Anais* do Parlamento brasileiro para perceber-se que os homens que liam Dickens ou Tocqueville poderiam criticar os Estados Unidos, como aliás estes pensadores o fizeram, mas não poderiam ignorá-lo.

Quando se cuidou de federalismo, de republicanismo, de imigração e colonização, de reformas do meio circulante e de problemas comerciais no Brasil, o exemplo norte-americano, quando não as próprias sugestões

---

23 Hunter referia-se ao 1? Gabinete da Regência Araújo Lima, empossado em 19 de setembro de 1937. William Hunter a John Forsyth, 5 de junho de 1839, DDNA.

americanas, foi assunto trazido à baila, se não para imitação, pelo menos para efeito de comparação.

Acesso mais fácil à propriedade de terras e diversidade de ambientes geográficos eram traços comuns aos Estados Unidos e ao Brasil e traços também capazes de constituir importante ponto de contato para que as fórmulas políticas adotadas no país do Norte despertassem o interesse brasileiro.

Um dos pontos fundamentais da estrutura política norte-americana foi a preservação dos dois princípios – "direito dos Estados" e do "Executivo responsável" – que permaneceram na mesma, fornecendo-lhe, talvez por isso mesmo, a marca de sua inconfundível identidade.

Tais conceitos não estavam presos originalmente à filosofia política americana, porém testagem desses conceitos foi realizada a América, depois de muito debate e muita análise. Debates e análises públicas dos mesmos foram realizados no *The Federalist*, primeiro publicado em forma de artigos no *Daily Advertiser* de Nova York, tão logo o texto da Constituição norte-americana foi divulgado naquela cidade. Esses artigos foram reunidos em livro, sob o nome de *The Federalist*, que se tornou logo um *best-seller*. De longa data a edição francesa desta obra deveria ser conhecida no Brasil, quando uma tradução portuguesa apareceu no Rio de Janeiro em 1840 e esgotou-se rapidamente. Pelo menos é isso o que se deduz da explicação dada pelo *autor anônimo* que, na Imprensa Oficial de Minas, editou, em 1896, *O Federalista* em Ouro Preto.

A lembrança de publicar novamente a tradução dos escritos de Jay, Hamilton e Madison no Brasil viera a esse "tradutor anônimo", por saber ele que em 1840 os volumes se haviam esgotado brevemente, sendo raríssimos seus exemplares em 1896.[24]

Nesse trabalho de 1896, é reproduzido o prefácio do tradutor da primeira edição aos brasileiros, datado do Rio de Janeiro, 15 de dezembro de 1839.

Diz ele que "instâncias de pessoas respeitáveis e amigas de sua pátria" levavam-no à tarefa ingrata da tradução. Confessa-se, porém, convencido de que se os brasileiros "lerem com atenção este escrito" terão dado um grande passo para o caminho de sua felicidade, "atentas as circunstâncias em que o Império se acha"...

---

[24] HAMILTON, Madison e Jay – *O Federalista* – 3 vols. Imprensa Oficial do Estado de Minas, Ouro Preto, 1896, vol. 1.

Mais adiante, vem a sugestiva ponderação: "Se pela raridade de qualquer escrito pode medir-se o seu valor, poucos o terão tal como este. Todo mundo procura *O Federalista* sem o achar: cada exemplar da tradução francesa, não obstante ser cheia de defeitos e de lacunas, paga-se por cinqüenta mil réis e assim mesmo não aparece."

Não é preciso grande esforço para perceber-se que o autor dessa tradução desejava exatamente mostrar o "problema do momento aos brasileiros, à luz da profunda análise do assunto feita no *Federalista*". Esse problema era a ligação que vinha sendo feita entre o prolongamento da minoridade e o tema da "ineficiência dos Executivos irresponsáveis". Essas últimas são palavras textuais no despacho do Encarregado de Negócios Americanos no Brasil, William Hunter, ao escrever a John Forsyth, Secretário de Estado em 31 de julho de 1840.

Comentando o golpe da maioridade que qualifica de "revolução sem sangue", feita no Brasil, para colocar no trono um jovem de 15 anos, que seriam completados somente em 2 de dezembro, começa por ponderar ao seu superior não lhe restar senão "relatar os ruidosos e tumultuosos acontecimentos, que testemunhara até a proclamação da maioridade". Na realidade, o americano faz uma valiosa apreciação da Monarquia e sua significação para os brasileiros, em 1840. Os habitantes do Rio, comenta o Ministro, possuem um temperamento bonachão que vai bem com conceitos religiosos que ligam o "Trono ao Altar". Quanto às idéias da época, afirma serem as mesmas "fruto de opiniões arraigadas na mentalidade da grande massa do povo". "Mesmo os intelectuais", lamenta Hunter, "agora na realidade *abrandam* suas teorias republicanas, para se inclinarem à possibilidade do Governo representativo, porém monárquico."

> "Sem pejo de qualquer espécie, eles admitem a inviolabilidade da sagrada pessoa do monarca e discursam sobretudo a respeito da *ineficiência de executivos irresponsáveis.*"

> "Tais refrões, embora sejam talvez em essência refinadas *desculpas* para justificar o regime monárquico ao qual se apegam, vêm sendo insinuados na mentalidade brasileira por acontecimentos mundiais, tais como o estabelecimento de monarquias parlamentares na França e na Bélgica e a adoção, em Portugal e Espanha, de sistemas políticos cujas teorias se assemelham de muitas maneiras ao *cansado sistema da Inglaterra.* Além disso, 'eles vêem caprichos, extravagâncias e derramamento de sangue entre os seus vizinhos hispano-americanos e não ambicionam imitá-los, sobretudo por se considerarem muito mais civilizados que os espanhóis'."

BRASIL-ESTADOS UNIDOS, 1831-1889

Finalmente, o Ministro americano esclarece: "A despeito do quanto possamos lamentar ou condenar tais opiniões, erros ou ilusões, eles existem aqui."

Nada mais parece necessário acrescentar aos comentários de William Hunter, pois eles mostram os sentimentos de um diplomata equilibrado. Acrescente-se apenas, a título de esclarecimento, que nos comentários de William Hunter sobre o "Altar e o Trono" devem ter entrado em jogo razões culturais e religiosas ligadas ao fato de ele ser natural de Rhode Island, pioneira da separação Igreja-Estado na América.

Com exceção de casos de alguns cidadãos americanos e até diplomatas que se ingeriram, por conta própria, em revoluções republicanas no Brasil, a atitude oficial norte-americana, em relação ao Império brasileiro, foi, as mais das vezes, semelhante à de Hunter. Isso não significa colocar totalmente fora da cogitação a possibilidade da muito conhecida atitude de Governos não assumirem oficialmente qualquer responsabilidade por missões fracassadas.

Os "agentes secretos" Quem manuseia a documentação referente a Agentes Executivos ou Especiais, que o próprio Presidente dos Estados Unidos enviou muitas vezes a locais onde os americanos possuíam interesses políticos ou econômicos importantes, porém não possuíam representação diplomática ou condições de agir por meios oficiais, sabe perfeitamente que estes Agentes iam para suas missões disfarçados em homens de negócios e sob os mais variados rótulos com instruções bem claras: levar passaportes comuns, agir como cidadãos comuns, não revelar o objetivo de sua missão às autoridades constituídas, além de outros cuidados a serem tomados.

Joel Roberts Poinsett, Caesar Rodney, Theodorick Bland, John B. Prevost, Jeremy Robinson, o Coronel Joseph Deveraux, William G. D. Worthington, John M. Forbes e o Comodoro James Biddle foram alguns dos muitos "agentes secretos", Executivos ou Especiais atuando em várias partes da América do Sul, na Europa e até junto à "Porta", em favor de interesses norte-americanos em plena metade do século XIX.[25]

Do próprio Condy Raguet, sabe-se que em 1823 recebeu uma nomeação como "agente secreto", completamente separado de sua nomeação consular (1822). Raguet recebeu instruções de manter segredo diante das autoridades brasileiras dessa sua segunda nomeação. Em despacho de 25

---

[25] Mais detalhes em Wriston (Henry Merritt) – *Executive Agents in American Relations*, The John Hopkins University Press, Baltimore, Maryland e Oxford, 1929.

de outubro de 1825, enviado a Henry Clay, Raguet repete, mais uma vez, as palavras com que invariavelmente se referia ao Brasil – "footstep of the monarchy in America",[26] eterno pomo de discórdia entre o diplomata de Filadélfia e o Governo imperial.

Não se pode, porém, pensar que somente os americanos mantinham seus agentes ativos na América do Sul. Os ingleses também os possuíam, e, aliás, Daniel Defoe, o poeta, portanto o menos provável dos espiões, foi quem reestruturou o serviço secreto na Grã-Bretanha, ao tempo da Rainha Ana, um dos meios de livrar-se das aperturas financeiras que sempre teve.

Os ingleses, porém, gastavam menos com atividades secretas. Seus oficiais navais eram usados mais comumente do que os norte-americanos em missões dessa natureza. Outros países também mantiveram seus agentes a fazerem espionagem política, comercial, enfim: espionagem de toda natureza foi tão comum no século XIX como o é na atualidade. Indiscutível, porém, é o fato de os norte-americanos no Brasil, como em toda América do Sul, haverem usado mais estes informantes, sobretudo na primeira metade do século XIX, exatamente pela razão, aliás, óbvia, de não disporem então dos mesmos instrumentos de "persuasão" que a Grã-Bretanha e outras potências européias possuíam.

Quando a condição de compradores de produtos brasileiros, em particular do café, permitiram aos Estados Unidos barganhas mais vantajosas com o Império brasileiro, isso foi feito com argumentos poderosos, tais como o alto poder aquisitivo do mercado consumidor americano, em comparação com o europeu, e a balança comercial favorável ao Brasil, de onde os Estados Unidos importavam mais do que exportavam, naquela época. É necessário acentuar que o tratado de 1828, assinado, finalmente, graças à habilidade de William Tudor, o Encarregado de Negócios que substituiu o desastrado Raguet, era um tratado comercial bilateral, em condições comumente admitidas entre nações civilizadas.[27]

Quando esse tratado estava para expirar, já desde 1841, os norte-americanos se mostraram pouco vexados para obter um novo, não por falta de interesse da parte de Hunter e seu Governo, mas por perceberem que a assinatura de tratados de comércio com outras potências, depois de

---

[26] Condy Raguet a Henry Clay, 25 de outubro de 1825, DDNA.
[27] No despacho de William Tudor a Henry Clay, datado de 9 de setembro de 1828, e anexos são comentados o fim da Cisplatina e o fato do Marquês de Aracati (João Carlos Augusto de Oeynhausen), Ministro dos Negócios Estrangeiros, procurar William Tudor para assinar o Tratado de Comércio. Aracati sabia inglês e Tudor se entendia bem com ele.

BRASIL-ESTADOS UNIDOS, 1831-1889   219

1827, havia sido uma tentativa do Governo imperial brasileiro para contrabalançar o leonino tratado britânico.

Por isso mesmo os americanos se concentraram em criticar a celebração de tratados com países europeus, desde 1836, quando instruções foram mandadas de Washington[28]* para que Hunter procurasse esclarecer o Regente do Império, Padre Feijó, quanto ao perigo de assinar um tratado favorável a Portugal, pois se isso fosse concretizado os invólucros dos produtos comprados no Brasil seriam portugueses, porém as mercadorias, britânicas. Foi precisamente este o argumento dos que bombardearam, no Parlamento brasileiro, o proposto tratado português de 1836 que não foi ratificado.

Vários ângulos dessa posição americana, em face da renovação de tratados de comércio com outras nações por parte do Governo imperial, podem ser esclarecidos no despacho de 1º de agosto de 1845, quando, a propósito dos esforços britânicos, o Secretário James Buchanan instruiu George A. Proffit, no Rio de Janeiro, fazendo um retrospecto sobre todo o assunto.

Muito mais tarde, já na República, a situação seria bem diferente, pois, então, o Acordo Comercial assinado com os Estados Unidos, em 5 de fevereiro de 1891, foi um dos mais sérios problemas enfrentados por ser considerado altamente favorável para os norte-americanos.

As ligações das vantagens deste tratado, para os americanos, com as aperturas econômicas da segunda administração Cleveland, pioradas, mais ainda, com o pânico financeiro de 1893 nos Estados Unidos, transformaram a revolução brasileira de 1893 em objeto da maior preocupação política para o Governo de Washington, sendo que a imprensa americana pedia abertamente intervenção armada no Brasil.[29]

É fácil perceber-se grande diferença entre a atitude de até 1844 e a de 1893, mesmo que seja assinalada como importante certa apreensão dos norte-americanos diante da Tarifa Alves Branco, como índice de que

---

[28] John Forsyth a W. Hunter, 29 de novembro de 1836 e seguintes. Diplomatic Instructions, Série II, National Archives, Washington, daqui em diante abreviado Dipl. Inst. NA.

* Novas referências ao mesmo fato, William Hunter a Daniel Webster, 25 de maio de 1842, DDNA.

[29] Maiores detalhes sobre este assunto, que escapa ao objetivo deste capítulo e é aqui usado apenas como ponto de referência, encontram-se em Lefeber (Walter) – "United States Depression Diplomacy and The Brazilian Revolution", *Hispanic American Historical Review*, fev. 1960, nºs 1-107-108.

viriam a preocupá-los mais, nas relações com o Brasil, na segunda metade do século XIX, circunstâncias econômicas que já se anunciavam então.

O fator político, todavia, não cessou de presidir jamais as relações dos Estados Unidos com o Brasil-Império, como com o Brasil-República, variando apenas a dosagem de interesses econômicos a influenciar as decisões políticas.

Vendedores de farinha de trigo e apenas poucos produtos manufaturados seus, até a primeira metade do século, a situação modificou-se quando seu desenvolvimento industrial aperfeiçoou-se, a ponto de colocá-los na afortunada posição de maior consumidor do principal produto de exportação brasileira e, ao mesmo tempo, ofertante de produtos manufaturados e desenvolvimento técnico em nível competidor com os países europeus.

As nuances assumidas pela atitude norte-americana nessas relações foram ditadas principalmente pelo aproveitamento de circunstâncias favoráveis e brechas encontradas pelos Estados Unidos na verdadeira barreira de interesses europeus e essencialmente britânicos, em parte montada através da preservação do regime monárquico em nosso país.

Os britânicos dominavam o comércio, as finanças e através dessa proeminência influíam poderosamente nos destinos políticos do Brasil. Porém, a influência britânica foi decrescendo, paralelamente à afirmação da ascendência, de fato, de brasileiros ao mando e ao Governo do país.

Se em 1840 não escapava ao Ministro americano, Hunter, a realidade do apego dos brasileiros à forma monárquica ou ao "gasto regime inglês", da mesma forma não escapou à argúcia de Henry Wise, também Ministro em 1844, as oportunidades oferecidas ao seu país natal com a irritação brasileira contra a pressão britânica. Essa irritação era mais aguda quando exercida pelos ingleses para procrastinar, ainda que escamoteando, a questão da vigência do seu Tratado de Comércio, e não abrir mão dos pontos essenciais da Convenção anglo-portuguesa de 1817 para supressão do tráfico, cujas exigências o Império brasileiro teve de aceitar quando foi assinado o tratado de 1827. O Governo americano, através do Secretário de Estado John C. Calhoun, tratou de fazer pressão política contra os ingleses junto ao Governo imperial, alegando ser esse o único meio de preservar a escravidão tão necessária à economia brasileira quanto à americana.[30]

A posição dos EUA frente ao tráfico de escravos

Em 2 de março de 1807, era votada nos Estados Unidos uma lei federal tornando ilegal a importação de escravos. Em 1819 ela foi reforçada por

---

[30] J. C. Calhoun a Henry Wise, 20 de maio de 1844, Dipl. Inst. série IV, NA.

BRASIL-ESTADOS UNIDOS, 1831-1889

nova lei que estabelecia prêmios para informantes e, em 5 de maio de 1820, mais outra lei foi aprovada pelo Congresso fazendo da importação de escravos para os Estados Unidos um ato de pirataria sujeito à pena máxima. Em 1824, uma convenção sobre o tráfico foi assinada entre os Estados Unidos e a Grã-Bretanha, mas nela ficou assegurado o direito de os americanos julgarem os casos de seus nacionais nos tribunais americanos. A nova Convenção, feita em 1842, não modificou esta cláusula fundamental.

Todas essas medidas, que de fato revelam posição de definitivo repúdio das leis americanas ao tráfico de escravos para os Estados Unidos, no entanto não proibiam definitivamente o tráfico feito por americanos para outras regiões.

O tráfico para Cuba e Brasil passou a exercer atração natural sobre quem se engajara, como cidadãos americanos o fizeram, antes, em pirataria e corso, e também o tráfico em menor escala, tanto nas Antilhas como na América do Sul, ajudados já então pela velocidade e destreza de seus navios. Na década de 40 a participação americana no tráfico brasileiro tornou-se mais evidente.

Apaniguados pela bandeira norte-americana, navios equipados para o tráfico, na grande maioria dos casos construídos em estaleiros norte-americanos, passavam através de uma venda *bona-fide* para propriedade de negreiros brasileiros e portugueses, com conhecimento, se não participação, de cônsules americanos, os quais eram obrigados, por praxe, a visar a transação. Assim, acobertados por uma bandeira que possuía o privilégio de não conceder o direito de busca aos britânicos, os negreiros desafiavam as patrulhas engajadas na repressão ao tráfico, bem como seus tribunais e suas leis arrogantes.

A participação americana no tráfico brasileiro foi mais patente entre 1839 e 1849, e nos Governos Martin Van Bureu (1837-41), John Tyler (1841-45) e Zachary Taylor (1845-50), período, também, em que a construção dos *Clippers* estava no auge. Houve alguma ação desses Presidentes, com a finalidade de impedir a participação de cidadãos americanos no tráfico brasileiro, mas o Governo não tomou medidas enérgicas para implementá-la, não tendo, por isso, resultados práticos.

Ao contrário, a bandeira americana prestava-se à proteção dos negreiros contra a Lei Aberdeen que tanto os perturbava.

No despacho de 14 de agosto de 1844, Henry Wise[31] comenta a captura do brigue de guerra britânico feita ao brigue dos Estados Unidos

---

[31] Henry Wise ao Hon J. Calhoun, RJ, 14 de agosto de 1844, e 11 de outubro de 1844, DDNA. (grifo nosso)

Cyrus, de Nova Orleans, na costa da África. Explica no mesmo documento o Secretário de Estado americano: "Se eu bem entendo, a nossa posição é tal, que a bandeira norte-americana deva ser uma proteção positiva aos seus navios"... "isto quer dizer, se o navio pertence aos Estados Unidos e está sob esta bandeira, em qualquer circunstância, *mesmo quando haja escravos encontrados a bordo*, é um caso possível de pedido de reparação."

A propósito, Wise admite a possibilidade, "no caso de a Grã-Bretanha continuar a exercer arrogantemente o direito de busca, de o orgulho e vigilância norte-americanos em favor do livre comércio sem busca acarretarem o *risco dos mesmos acobertarem o tráfico*".[32] Note-se sua oposição aos *métodos*, se não aos objetivos britânicos.

Mais tarde, em despacho do mesmo ano, Wise descreve escabrosas peripécias ligadas ao mesmo problema. Chama de verdadeira inutilidade os "palácios flutuantes" com que os Estados Unidos concorriam para o policiamento das águas africanas (1839-1847), pois era sabido que o tráfico era exercido em embarcações pequenas, ágeis e nas reentrâncias protegidas e desembarcadouros de rios das costas africanas.

Acusa de *cínica e desonesta* a atitude dos oficiais britânicos engajados no policiamento dos mares contra o tráfico e do próprio Governo inglês. "Deixam passar as pequenas embarcações destinadas ao tráfico", diz ele, e quando estas regressam com sua carga infame caem-lhes em cima os ingleses, primeiro porque há um substancial prêmio em esterlinas do Governo para os navios e oficiais que apresarem negreiros, segundo, porque, muitas vezes, não liberam ou devolvem os escravos à África, porém transferem-nos para a colônia inglesa de Demerara, como trabalhadores cativos, por 10 anos, depois dobrados e redobrados. Outras vezes, reportam os negros como mortos, mudam-lhes os nomes ou as marcas e engajam-nos em "contratos" sucessivos de trabalho cativo..."[33]

A argumentação do virginiano Henry Wise é bem curiosa[34] e, a ser um depoimento baseado em informações verdadeiras, constitui uma des-

---

[32] Henry Wise ao Hon. J. Calhoun, RJ, 14 de agosto de 1844, 11 de outubro de 1844, DDNA. (grifo nosso)

[33] Despacho de Henry Wise a J. C. Calhoun, de 14 de dezembro de 1844 DDNA, onde aparece ainda relato de desembarque de navio sob as cores americanas, de 800 escravos desembarcados em "Cape Frio".

[34] Em 25 de outubro de 1844, H. Wise dirigiu ao Cônsul americano na Bahia, Alexander Tyler, um minucioso inquérito sobre o tráfico no Brasil, dizendo-lhe: "Please, describe how the slave trade is carryed on in the port of Bahia and others"... Descrições foram feitas com tantas minúcias que acabou ficando patente a participação de vários cônsules americanos no negócio do tráfico e de firmas dirigidas por alguns deles, tais como *James Birckhead and Co.*, *Maxwell and Wright* e *J. Gilmore* da Bahia, para a qual trabalhava o próprio Tyler!

BRASIL-ESTADOS UNIDOS, 1831-1889

concertante janela aberta para que se olhe o tráfico negreiro, pelo menos nesse período, no Brasil, mais ligado à posição americana em face das imposições britânicas.

É sabido que a repressão britânica ao tráfico exacerbava o ânimo de brasileiros de várias camadas sociais, irritando inclusive membros do Governo imperial. Alguns deles chegaram mesmo a sondar abertamente a posição dos Estados Unidos, em assuntos como a guerra contra Rosas, fiados talvez na oposição americana aos poderosos senhores dos mares e perseguidores da escravidão.

Em 11 de novembro de 1844, Wise manteve uma interessante conversa com "Mr. França" (Ernesto Ferreira França) sobre quem já escrevera com entusiasmo seu antecessor William Hunter, e, também, o próprio Wise, dizendo que conhecia e admirava os Estados Unidos, onde fora diplomata antes de ser Ministro do Império, na pasta dos Negócios Estrangeiros.[35]

Começando por ressaltar o interesse da entrevista, Wise informa a seu Governo que "Mr. França" lhe perguntou qual seria a atitude dos Estados Unidos no Brasil para proteger seus interesses e sua linha política, a fim de impedir a interferência européia em negócios do continente americano.[36]

Wise respondeu-lhe que embora não possuísse instruções específicas a esse respeito, poderia assegurar ao Ministro que, de maneira geral, os Estados Unidos estavam sempre prontos a proteger americanos contra europeus e que, para fazê-lo, a linha política de seu país era a de não participar de alianças rígidas, agindo independentemente de tratados, dívidas ou quaisquer liames que os obrigassem a imiscuir-se nos problemas alheios.

Fez questão de esclarecer, ainda, que no seu entender as nações americanas deveriam favorecer-se mutuamente através da ajuda do comércio firme, para isso encorajando o progresso *científico* e *literário* e as artes *mecânicas*, meios para assegurar e, até compelir, as nações à preservação da paz, no justo exercício de seus direitos internacionais.

Para tanto era preciso sobretudo encorajar o comércio, facilitar a imigração não indiscriminada, mas, com direito de expatriação, além de zelar

---

[35] Henry Wise a J. C. Calhoun, 11 de novembro de 1844. William Hunter a John Forsyth, 15 de maio de 1838. DDNA.
[36] Wise mais tarde mudou de opinião a respeito de E. F. França, fato aparente no despacho de 30 de junho de 1845 a James Buchanan, onde elogia Paulino, membro do Ministério recém-formado.

pela liberdade dos mares. Nas relações entre as nações deveria haver controle mútuo e não direito à beligerância.

Os países americanos, segundo o que disse Wise, deveriam, finalmente, melhorar a qualquer preço sua agricultura, como suas comunicações internas, e encorajar e promover sua própria indústria.

Os EUA e a questão do Rio da Prata Relata Wise que Ferreira França passou, em seguida, a discutir Rosas e sua guerra contra Montevidéu, tópico do momento. Perguntou-lhe o brasileiro se os Estados Unidos não estariam dispostos *à união de forças com o Brasil*, opondo força à força, para pôr um termo àquela guerra em lugar de permitir a interferência franco-britânica no Prata.

Na explicação ao seu Secretário de Estado, o Ministro americano esclareceu que Rosas estava convicto de que o Brasil queria Montevidéu, ao passo que a Inglaterra seria capaz de assegurar a independência daquela região. Não está claro no documento se este último assunto foi também ventilado com Ferreira França.

A dedução de Wise foi a de que "conseqüentemente os Estados Unidos são vistos como o país cuja mediação seria bem aceita pelas partes em conflito".

Refere-se, ainda, ao fato de achar que Rosas ouviria "com prazer" termos de paz, tratados pelos Estados Unidos. E finalmente sugere ao seu governo para mostrar serviço: "Mr. Brent está lá e poderia mediar ou, alternativamente, eu mesmo poderia fazê-lo."[37]

Mr. George Brent não estava em Buenos Aires como Cônsul por acaso, era confidente do Rosas, de tal forma a ele apegado, que o ditador *exigia* a presença de americano em todas as conversas com os ingleses e franceses. Ouseley, o agente britânico enviado ao Prata, tinha horror a Brent. Sabia perfeitamente que o americano encorajava Rosas a resistir à intervenção européia. Quanto a Wise, ver-se-á adiante como esta entrevista haveria de marcar o seu destino no Brasil.

---

37 Despacho de Wise a Calhoun, de 11 de novembro de 1844, já citado. Mais importante ainda é um documento anexo ao despacho de 31 de julho de 1845, não datado, não assinado e intitulado: "A bref resume for Mr. Wise". Dá conta de toda a correspondência entre Ouseley e Arana, o representante argentino, e confessa que Arana lhe mostrou esta correspondência, afirmando que seu país *não se desviará* da aliança americana. Vem junto com este documento um panfleto em inglês, denominado: "Rosas e seus caluniadores", dirigido a Lorde Aberdeen e assinado por *Alfred Mallalien*, impresso em Londres, 1845.

BRASIL-ESTADOS UNIDOS, 1831-1889

É interessante cotejar as sugestões do Ministro com a resposta da J. C. Calhoun a Mr. Wise. Vem com a data de 20 de janeiro de 1845[38] e textualmente diz que "como uma nova administração está prestes a vir, é conveniente postergar o envio de quaisquer instruções especiais no momento".

As mesmas razões para não dar "instruções quanto à questão Buenos-Aires–Montevidéu são válidas para o Secretário americano como "resposta à sujeição de Mr. França".[39]

Como se vê, J. C. Calhoun, hábil político da Carolina do Sul, teve uma boa saída, aliás, verdadeira, pois o Presidente Polk, do Tennessee, então já estava eleito e, de fato, tomou posse em 4 de março de 1845, quando Calhoun foi substituído, no cargo de Secretário de Estado, por James Buchanan, da Pensilvânia, futuro Presidente dos Estados Unidos em 1857.

A propósito da sugestão de Wise, vale a pena lembrar que esse virginiano, amigo pessoal de John Calhoun, era homem de grande prestígio, tendo sido responsável pela nomeação do próprio Calhoun. Henry Wise já havia sido nomeado pelo Congresso para o posto diplomático brasileiro, quando resolveu dizer ao influente Senador McDuffie, da Carolina do Sul, que o Presidente Tyler estava "interessadíssimo" em nomear Calhoun para Secretário de Estado, sendo conveniente que o Senador escrevesse a Calhoun instando-o para aceitar a aludida nomeação. Depois contou tudo ao Presidente e este, não querendo nem sequer desagradar McDuffie, acabou endossando a nomeação de Calhoun, embora nem mesmo estivesse cogitando de fazê-la. Wise pelo visto era influente nos Estados Unidos, como também extremamente ardiloso.[40]

Surpreende, portanto, saber que tendo começado auspiciosamente suas relações com o Governo imperial, no auge de reação antibritânica, terminasse por causar um incidente diplomático muito sério, que forçou sua retirada do Rio em 1847, a pedido do Governo brasileiro. Causada, na aparência, por uma série de incidentes de inobservância de protocolo em relação à Família Imperial, na realidade não pareciam aqueles incidentes sérios o bastante para justificar a intransigência do Governo, a fim de que Washington chamasse de volta o seu diplomata.

---

[38] J. C. Calhoun a Henry Wise, Diplom. Inst., série V, NA.
[39] *Ibidem.*
[40] Detalhes em Stuart, Graham – *The Department of State* (an history of its organization, procedure and Personnel), Macmillan, Nova York, 1949, 100.

O interesse bastante significativo, demonstrado pelo Ministro americano nos acontecimentos do Rio da Prata, como também a presença de James Buchanan no posto de Secretário de Estado entre 1845 e 1849 foram motivos de mudanças na conduta de Henry Wise, tanto em relação ao Rio da Prata, como na questão da participação de norte-americanos no tráfico brasileiro. Essa mudança talvez haja afetado mais profundamente a posição de Wise do que a inobservância do protocolo imperial.

De 1846 em diante, o Ministro tomou providências enérgicas contra americanos envolvidos no tráfico e atingiu brasileiros e portugueses ao fazê-lo.

Agentes e diplomatas americanos estavam, por outro lado, mais do que atentos aos acontecimentos do Prata desde 1818, mas da década de 20 em diante tornaram-se muito mais influentes do que em geral é admitido. Até no Paraguai eles conseguiram penetrar depois de 1840.

Em 11 de junho de 1845 o Secretário James Buchanan mandou ao Ministro americano cópia da nomeação de um Agente Especial mandado ao Paraguai, de nome Edward Hopkins.[41] Porém, desde 31 de março de 1841,[42] já Mr. N. Trist havia comunicado a Wise, em nome do Departamento de Estado, que Mr. Hopkins, Agente Secreto no Paraguai, precisava de dinheiro e o Ministro devia atendê-lo, abrindo-lhe crédito em Baring Brothers de Londres, de vez que o enviado do Presidente estava endividado, tendo até recorrido a um jesuíta no Paraguai para lhe adiantar dinheiro.

Em 4 de abril de 1846, o mesmo Mr. Trist escrevia de Washington, de novo como Secretário substituto, relatando ter Mr. Hopkins se excedido em sua missão, razão pela qual seria chamado de volta imediatamente. Há ainda no mesmo documento referência à delicadeza da "nossa posição" diante da intervenção armada no Prata.

Até então a política de Washington havia favorecidoa a idéia do ditador Carlos Lopez, que se arma para resistir a pressões de qualquer natureza. O sucessor do Cônsul Brent em Buenos Aires, Mr. Harris, estava então levando consigo instruções especiais explicativas das razões pelas quais os Estados Unidos estavam se retraindo do reconhecimento da independência do Paraguai. Wise é na mesma ocasião instruído para trocar informações com Harris e o Secretário de Estado em exercício destacava a importância dos acontecimentos no Paraguai e Argentina para os Estados Unidos.[43]

---

[41] James Buchanan a H. Wise, 11 de junho de 1845, Dipl. Inst. séries.
[42] N. Trist (acting secretary) a Henry Wise, 31 de março de 1841, Dipl. Inst., série II.
[43] N. Trist (acting secretary) a Henry Wise, 4 de abril de 1846. Dipl. Inst., série V.

BRASIL-ESTADOS UNIDOS, 1831-1889   227

Em 14 de maio de 1846 as Instruções de James Buchanan a Wise trazem comunicação da declaração de guerra ao México passada no Congresso com unanimidade sem precedentes. A mensagem, também anexada ao documento, expressava o desejo dos Estados Unidos para que a República estável se estabelecesse no México. Uma análise dos problemas do México encerra a mensagem com declaração do desejo americano de "paz verdadeira naquele país e de fato em todo o continente".[44]

A pacificação da Província de São Pedro do Rio Grande do Sul em 1845 e a dominação do mais importante foco de agitação republicana em nosso país, em face dos desejos expressos pelo Presidente Polk no começo de 1846 em relação ao republicanismo no continente, colocavam o Brasil e os Estados Unidos em campos totalmente opostos, mas não necessariamente em atrito.

Incidentes diplomáticos   Esse atrito foi, no entanto, detonado por um sentimento generalizado de triunfo da Monarquia brasileira sobre o regime republicano e alentado pela suposição de que os americanos eram agitadores republicanos. Essa atmosfera hostil deve ter contribuído também para tornar a posição de Henry Wise mais difícil no Brasil.

Os incidentes protocolares concorreram para inimizá-lo na Corte do Rio de Janeiro, inflamaram a opinião pública contra ele, a tal ponto de ele ser vítima de vexames pessoais e seu filho assaltado nas ruas do Rio. O estardalhaço feito pela imprensa brasileira contra a atitude de Wise tornou o caso crítico, principalmente quando o Ministro endossou a ação do comandante da esquadra americana nas costas brasileiras, Comodoro Lawrence Rousseau, que não saudou com salvas de canhão a data da comemoração do batizado da Princesa Isabel. Também quando exigiu urgentes providências, arrogantemente, contra a prisão intempestiva do Tenente Alonzo Davis, do navio americano *Saratoga*. Tais incidentes, no entanto, foram apenas o clímax de uma situação que já vinha azedando desde princípios de 1846.

Grande pressão foi exercida pelo Governo imperial para que nos Estados Unidos o Ministro brasileiro fizesse carga contra Henry Wise. Mas tanto o Secretário Buchanan como o Presidente decidiram prestigiar seu diplomata e, portanto, não ceder, chamando-o abruptamente de volta e em desgraça.

---

[44] Instruções de James Buchanan a Wise, 14 de maio de 1846. Dipl. Inst., série V, n. A.

Entrementes, a teimosia de Wise não tornava fácil a situação do seu Governo, de vez que a opinião pública brasileira vinha sendo insuflada contra ele por editoriais, como o de 28 de março de 1847, no *Jornal do Commercio*, onde foi incluída a tradução de um discurso do Ministro, em que este comparava o nascimento de uma criança americana a bordo da fragata *Columbia*, em águas brasileiras, ao da Princesa imperial, cujo batismo se festejava. O discurso fora destinado a uma audiência exclusivamente americana, mas publicado nos Estados Unidos no jornal *Sun*, de 27 de janeiro, foi muito expeditamente recebido e traduzido pelo *Jornal do Commercio* de 28 de março.[45]

Excesso de zelo democrático, falta de diplomacia, hostilidade, interferência, colisão com interesses brasileiros no Prata ou mesmo tudo isso em conjunto são fatos que importam menos do que o significado do incidente, em face do velho tema da oposição, suposta, ou verdadeira, do republicanismo democrático americano à Monarquia brasileira.

Isso, na verdade, continuava na raiz dos acontecimentos e os incidentes serviram-lhe apenas de pretexto. A imagem e a opinião que se fazia dos Estados Unidos no Brasil estavam indelevelmente ligadas a essa verdade.

O Governo brasileiro levou a capricho as queixas contra Wise e exigia uma desaprovação oficial da conduta daquele diplomata.

O Governo americano, como já se viu, não estava disposto a fazer tal coisa, mesmo porque, se assim agisse, encontraria oposição no Congresso e na opinião pública americana.

A administração Polk finalmente anuiu em engendrar um acerto, meio vago, sobre a conduta de funcionários do Governo, quando envolvidos em incidentes no exterior. Embora não estivesse desejoso de desprestigiar seu representante diplomático, o Governo americano conhecia o potencial do mercado brasileiro e não podia desprezar este aspecto do caso.

David Tod, do Ohio, aceitou, por essa época, o *encargo* de substituir a Wise e, assim, possibilitou uma saída para o impasse criado pelo próprio Wise. As instruções que traziam aconselhavam-no a não se envolver em atritos com as autoridades imperiais e a tudo fazer para abrandar a tensão diplomática entre os dois países.

Em 13 de junho de 1847 Buchanan enviou instruções a Wise para regressar aos Estados Unidos na fragata *Columbia*.

Quando um novo diplomata brasileiro, José Filipe Pereira Leal, foi enviado a Washington, levava o título de "Encarregado de Negócios" e não

---

[45] Hill, Lawrence – Diplomatic Relations... 100.

BRASIL-ESTADOS UNIDOS, 1831-1889   229

de Ministro. Suas instruções eram terminantes para dizer que, se Tod não tivesse instruções definitivas sobre os incidentes, não devia partir para o Brasil, pois o Governo imperial não aceitaria as credenciais do Ministro.[46] As dificuldades foram, porém, contornadas com a partida de Wise e a habilidade comprovada do Ministro David Tod, graças a quem pelo menos as arestas superficiais do caso foram aparadas. Em 31 de agosto de 1847 mandava comunicar ao Departamento que ele havia tido o prazer de dançar com a imperatriz em um baile da Corte. Dois anos depois as relações diplomáticas do Império com os Estados Unidos voltaram não apenas à normalidade, como também o Ministro conseguia uma convenção para resolver os pedidos de reparação de perdas de navios americanos.

Em 1849, com a inauguração do mandato presidencial de Zachary Taylar, o Brasil mandou para o posto, em Washington, Sérgio de Macedo, novamente na qualidade de *Ministro* e assim o Império reciprocava, finalmente, o fato de os Estados Unidos não haverem rebaixado aqui a posição de seu diplomata principal durante a crise Wise.

Sendo Ministro americano em 1852, Robert Shenck teve a oportunidade de presenciar a condenação, pela Justiça imperial, do Tenente Alonzo Davis a 3 anos de prisão e trabalhos forçados. No entanto, optou pela não apuração dos detalhes desse caso, mesmo porque o Tenente fora libertado "em desonra" pelas autoridades brasileiras pouco após o incidente e já estava a salvo nos Estados Unidos, há muitos anos.

Interesses norte-americanos da maior monta estavam já então, em jogo, nas relações comerciais do Brasil com os Estados Unidos.

Além disso, interesses americanos de grande importância, no Prata, justificavam o aceno da aliança e do apoio dos Estados Unidos, quer ao Paraguai, quer ao próprio Rosas, e, para tanto, era essencial não ter problemas com o Império brasileiro.

No livro que examina a missão de Honório Hermeto Carneiro Leão ao Rio da Prata,[47] seu autor afirma que no dia 4 de março de 1852 o navio americano *Manuelita Rosas* aportou em Montevidéu com a notícia da

---

[46] Nas instruções de Buchanan a David Tod datadas de 12 de junho de 1847, Dipl. Inst., série VI, há um resumo das exigências do Governo imperial. Nas de 25 de setembro e 22 de novembro há novos detalhes sobre a delicadeza do assunto e instruções para Tod não mencionar o nome *Wise* na Corte, além de cumprimento ao Secretário de Estado porque Tod conseguira parar as discriminações contra os baleeiros americanos operando em águas brasileiras.

[47] Soares de Sousa (José Antônio) – *Honório Hermeto no Rio do Prata (missão especial 1851-52)* – *Col. Brasiliana* 297, Cia. Ed. Nacional, São Paulo, 1959.

derrota do ditador argentino. Havia deixado Buenos Aires na véspera, "trazendo por único passageiro *Mr. Robert C. Shenck*, Ministro dos Estados Unidos no Rio de Janeiro, que *passava no Prata uns dias de licença*".

Ainda segundo o mesmo trabalho, a fuga de Rosas se deu no *Centaur*, navio inglês para o qual passaram o ditador e sua filha, ambos disfarçados, depois de terem estado a bordo do *Locust*, sua primeira guarida. O *Locust* também era navio inglês.

No *Prince,* navio inglês de carreira, Mr. Shenck embarcou de volta para o Rio de Janeiro, depois de assistir *sem querer à queda de Rosas.*[48]

O *Manuelita Rosas* indo em direção ao Cabo Horn recusou-se a levar Honório Hermeto de volta ao Brasil, possivelmente por estar apressado em levar despachos para o seu próprio Governo, noticiando a queda de Rosas.

O interesse americano pelas questões do Prata já demonstrado anteriormente e patente no documento de 1844 que já foi analisado justifica a suposição de que Mr. Shenck também não estivesse no Prata por acaso, apenas passando férias.

A queda de Rosas em 1852 influenciou sobremaneira a política americana no Prata, pois mudou a ênfase dos interesses americanos naquela área, e, por conseguinte, refletiu-se nas relações dos Estados Unidos com o Governo imperial.

Em 29 de abril de 1852, Daniel Webster instruía Robert C. Shenck para dirigir-se ao Prata "já que desde a queda de Rosas parece haver ocorrido às demais nações comerciais que vantagens podiam ser obtidas com a abertura do poderoso sistema fluvial do território da Confederação argentina". O assunto atraiu a atenção do Parlamento britânico e os norte-americanos desejavam agir em conjunto com as nações européias ou individualmente no sentido de convencer o General Urquiza a abrir esses rios à navegação e ao comércio internacional, evitando porém permitir *monopólios* ou vantagens excepcionais para qualquer nação. Seguem-se ponderações sobre Urquiza e sua possível reação contrária a que os três grandes rios da bacia platina fossem abertos a navios estrangeiros e muito menos que o Paraguai fosse atingido pela medida. Mais adiante Webster mostra claramente sua mudança de orientação. "É sabido que Rosas se opusera ao nosso reconhecimento da Independência do Paraguai e de fato não há sentido nessa independência se esse país não tiver livre acesso ao mar."[49]

---

[48] Soares de Sousa (J. A.) – Honório Hermeto... 106. Grifo nosso.
[49] Daniel Webster a Robert C. Shenck, 29 de abril de 1852, Instructions to Ministers, Diplomatic Inst., NA.

BRASIL-ESTADOS UNIDOS, 1831-1889

A livre navegação dos rios Paraná, Paraguai e Uruguai passou, portanto, a ser objeto do interesse mais imediato dos americanos, como aconteceu de 1849 em diante com o Amazonas;[50] os seus representantes diplomáticos no Rio e em Buenos Aires passam a agir, refletindo, nessa época, instruções definitivas do Governo para atingir o objetivo mais prático do que a sustentação do regime republicano no continente.

Os norte-americanos, que até então haviam, na realidade, prestigiado Rosas em sua resistência contra a intervenção européia, depois da queda do ditador passaram a tentar obter, no Prata como no Brasil, aqueles mesmos privilégios de caráter econômico, que tanto reprovavam nos europeus.

É que, por volta de 1850, a ideologia contida na teoria do "Destino Manifesto" e nos princípios de defesa do "sistema americano" começava a mostrar sinais de retrocesso, aparentes nos múltiplos projetos de expansão econômica pura e simples, apresentados com freqüência no Congresso na década de 50, nos Estados Unidos.

Dentro desse novo esquema, que então abrandava o antigo ponto principal da perturbação nas relações com o Império brasileiro, pelo menos temporariamente, o zelo republicano dos americanos era relegado a segundo plano.

Não é possível esquecer o fato de o ano de 1849 ser o mesmo da descoberta do ouro na Califórnia, fator de grande peso na atitude norte-americana, em relação ao novo sentido imprimido, então, à sua expansão, circunstância a que está ligada a negociação do tratado Clayton-Bulwer em 1850. Por esse tratado, os Estados Unidos e a Inglaterra propunham-se a cortar um canal na Nicarágua, o futuro Canal do Panamá.

Se bem que atacado e vilipendiado nos Estados Unidos, esse tratado consultava novos interesses que surgiam, indicava novos rumos políticos, que se descortinaram com a ênfase de um poderoso atrativo econômico na costa pacífica daquele país.

Os velozes *Clippers*, que atuavam no comércio de transporte dos Estados Unidos, passaram a ser empregados em transportar para a Califórnia milhares de cavadores de ouro e logo depois de sua bagagem apenas, pois o barco a vapor roubou aos *Clippers* parte desse serviço na corrida do ouro. Homens e ouro da Califórnia eram transportados em barco a vapor. Inflamou-se também na década de 50, com decisivo impacto, a querela da escravidão nos Estados Unidos.

---

[50] *As origens de uma controvérsia internacional.* Editora Saga, Rio de Janeiro, 1968.

Obviamente, todos esses acontecimentos teriam sua contrapartida no tipo de interesses americanos diligenciados no resto da América, o que, vale dizer, se refletiam nas relações com o Império brasileiro.

Antes do Governo de Lincoln, o problema da escravidão, bem como a alteração do balanço de poder econômico e político entre o Norte e o Sul já eram os problemas relevantes postos em questão. Suas dissidências irreversíveis levaram os Estados Unidos à Guerra de Secessão.

Logo no início da administração de Lincoln, o nova-iorquino William Seward foi nomeado Secretário de Estado e seu companheiro de lides políticas, o "General" James Watson Webb, foi designado para o posto de Ministro junto ao Império brasileiro.

O General Webb aceitou sua incumbência em começos de 1861 e chegou ao Rio em outubro daquele ano. Ainda em viagem para o Brasil, Webb fez sondagens junto ao representante diplomático do Governo inglês na esperança de assegurar o apoio daquele país para a causa dos unionistas. A oposição unionista ao instituto da escravidão no Sul seria argumento de Webb para atrair os britânicos.

No entanto, chegando ao Brasil, James Watson Webb logo de início achou motivos para supor que os ingleses, ao contrário do que esperava, ajudavam os sulistas. Também percebeu logo que qualquer referência à questão da escravidão era assunto delicado junto ao Governo imperial.[51]

O General era tão afoito quanto teimoso, mas era um homem de ampla visão. Logo depois de sua chegada, houve um incidente no Maranhão, causado pelo fornecimento de víveres ao "*Sumte*, um navio corsário de Jefferson Davis" naquela província brasileira.

Esse primeiro incidente provocou ativo trabalho de Webb, que escreveu a respeito memoriais enormes, cujo objetivo era, em última análise, aproveitá-los para praticamente negar o direito de neutralidade ao Brasil, argumentando que não podia reconhecer o estado de beligerância do Sul confederado.

Isso era, precisamente, o inverso de toda a argumentação e linha política americana, a mesma que no passado causou atritos no Brasil, durante revoluções e decretações de bloqueios.

A Guerra de Secessão e o Governo imperial   A Guerra de Secessão, além de influir comprovadamente no aumento de nossas exportações de algodão para os teares britânicos, teve aqui uma série enorme de outras repercussões, também raramente até hoje estudadas. Para citar apenas um

---

[51] Cf. despacho de 8 de novembro de 1861, J. Watson Webb a William Seward, DDNA.

BRASIL-ESTADOS UNIDOS, 1831-1889   233

exemplo, o navio *Alabama*, dos confederados, abasteceu-se em Fernando de Noronha e dali prosseguiu para as águas territoriais brasileiras capturando seis baleeiros norte-americanos que agiam nas águas do Atlântico Sul, fato que não se restringiu ao *Alabama*.

As águas brasileiras foram, também, teatro de operações da Guerra de Secessão americana, pois os ianques perseguiram navios sulistas até dentro dos nossos portos.

Webb descreve pormenores desses incidentes, em 1863, no despacho de 8 de julho[52] no qual faz claríssimo resumo da numerosa correspondência por ele trocada com o Governo imperial sobre o caso do *Alabama* que, aliás, não foi o único de tal gênero. Com referência aos navios *Flórida* e *Shenandoah*, também dos confederados, acusações semelhantes foram feitas pelo Ministro da União Americana no Brasil.

Outros aspectos sumamente interessantes e decorrentes do mesmo tipo de incidentes aparecem no despacho diplomático de Webb, datado de janeiro de 1863.[53] Webb menciona a Seward haver feito ver ao Marquês de Abrantes a gravidade do fato de que o Governo da União não possuía nas águas brasileiras "sequer um solitário navio de guerra".

A certa altura explica o Ministro americano ao seu Governo que, na véspera do Natal, estando em veraneio "nas montanhas", foi chamado às pressas ao Rio para tentar impedir a partida daquele porto de dois navios sulistas, "rebeldes de Richmond", sob as *cores britânicas*. Webb não conseguiu deter os navios, explicando que *uma compra fictícia* dos mesmos feita por comerciantes britânicos no Rio tolheu-o no seu intento.

Na realidade, os brasileiros eram hostis aos britânicos naquela data, devido ao incidente Christie. O Marquês de Abrantes ajudou Webb em mais de uma ocasião, procurando ampará-lo em reclamações justas. O Brasil não tinha, porém, maior interesse em tomar partido em uma guerra civil que não lhe dizia respeito.

No entanto, era verdade que poderosos interesses prendiam a Grã-Bretanha ao Sul confederado, e não é de admirar que saíssem de estaleiros britânicos navios destinados aos rebeldes sulistas, como foi o caso dos navios *Florida, Shenandoah* e *Alabama*, entregues por preposto em 1862 ao Governo de Jefferson Davis. Aí é possível que a argumentação de Webb encontrasse ressonância na irada atitude brasileira em relação aos britânicos.

---

[52] James Watson. Webb a W. Seward, Sec. de Estado, despacho de 8-7-1863, DDNA.
[53] *Idem*, despacho de 6 de janeiro de 1863.

Porém o Brasil foi também escolhido por muitos sulistas derrotados na Guerra de Secessão, que pretenderam instalar-se em nosso país, e o Governo imperial, interessadíssimo em promover a imigração, envidou esforços fora do comum para encorajar as companhias formadas para promovê-la. Promessas de permissão de autogoverno nas futuras colônias a serem formadas por sulistas no Brasil juntavam-se a facilidades oferecidas para rápida obtenção da nova cidadania, se o desejassem, como ainda à possibilidade de insenção perpétua do serviço militar para os novos imigrantes. Muitas dessas notícias foram publicadas pela imprensa da época[54] e sabe-se que houve grande entusiasmo pelo projeto nos Estados do Sul e, pelo visto, igual entusiasmo no Brasil.

Embora em número minguado, sulistas radicados no interior da província de São Paulo tiveram importância cuja avaliação demanda um estudo mais aprofundado, embora o assunto haja sido abordado por Frank P. Goldman em tese defendida na U. S. P. publicada nos *Anais* do Museu Paulista.

Mudanças na linha política norte-americana em relação ao Brasil, no entanto, já vinham sendo delineadas anteriormente. Com a aproximação do fim da guerra civil e a antevisão da vitória unionista contra o Sul confederado, essa mudança acentuou-se com nitidez. Ela mostrou reflexos no Brasil, onde houve retomada da ênfase política, novamente em destaque, nas relações e aspirações dos Estados Unidos em nosso país, mas esta política estaria, então, mais ligada a questões de caráter econômico do que acontecera no início das relações com o Segundo Império.

Já foram esclarecidas aqui as circunstâncias que haviam determinado, em 1852, uma primeira e clara mudança na maneira de pensar e agir dos norte-americanos, da qual decorreu favorecimento de interesses econômicos mais imediatos em toda política exterior do país em relação à América do Sul.

Esboçava-se então tal política em detrimento dos antigos sonhos de idealismo americano e republicano que, reforçado pelo seu proselitismo inato, levara-os a pretender dividir suas dádivas ideológicas com outros povos.

O interessantíssimo James Webb enfeixou, em suas atitudes, as duas tendências, tanto a anterior a 1852, como aquela que surgia com a antevisão da vitória ianque. E o fez numa fórmula elaboradíssima, cujo conteúdo era explicitado na argumentação de que, para acelerar o progresso do

---

[54] *The New York Herald*, 27 de janeiro de 1868.

americanismo, era preciso fazê-lo através do reforço de projetos lucrativos para ambas as partes. Seus resultados econômicos para o país do Norte seriam, ao mesmo tempo, capazes de redimir do atraso econômico e político os irmãos sul-americanos.

Dentro desse novo esquema foi que seu desejo de libertar os brasileiros da dependência da Grã-Bretanha se voltou para um projeto tão importante quanto característico dos novos rumos das relações dos Estados Unidos com o Brasil.

Percebendo a ligação clara entre o estabelecimento de uma linha inglesa de navegação a vapor, entre o Brasil e Londres, em 1850, e o reforço do comércio britânico em detrimento dos Estados Unidos, notou também que, por esse meio, preciosos dólares vinham sendo extraviados para Londres, de onde era distribuído o café brasileiro que os americanos consumiam em escala maior que os demais países.

Webb não teve dúvidas em se aproveitar das malquerenças dos brasileiros contra os ingleses e das relações estremecidas entre os dois países pela *Questão Christie* para preparar o caminho para a apresentação de um projeto de estabelecimento de uma linha direta de transporte a vapor, que também levaria correio grátis, entre Nova York e o Rio de Janeiro; passando pelas Antilhas no seu roteiro, estariam incluídos os portos do Pará, Pernambuco e Bahia.

O Governo imperial mostrou-se interessado. O projeto seria bem-sucedido também nos Estados Unidos não fosse pela nomeação de seu filho, Robert Webb, para concessionário dos benefícios da firma que exploraria esse empreendimento.

Lincoln irritou-se com esse nepotismo e recusou-se a apresentar a proposta ao Congresso, embora estivesse convencido do seu valor econômico.

No Brasil, toda a transação foi explorada, até na imprensa, e o projeto aqui também foi torpedeado.

Uma firma rival da de Webb recebeu finalmente a concessão para estabelecer a linha de navegação a vapor de Nova York ao Rio em 1865, depois de Appomattox, apesar das muitas e malsucedidas tramas de James Watson Webb, nos Estados Unidos como no Brasil, para salvar o seu quinhão no negócio.

O General deixou nosso país em 1869, e seu sucessor, o Ministro Henry Blow, percebeu desde o início que, embora existissem grandes pontos de interesses comuns entre os Estados Unidos e o Brasil, não era possível ignorar que as peripécias de Webb e principalmente todo o interesse americano no Prata – no mesmo Prata onde a Guerra do Paraguai seria o episódio mais dramático – funcionaram, na verdade, como uma fonte de desconfiança entre os dois países.

Certas atitudes intempestivas do General Webb não haviam sido de molde a amainar essas desconfianças. A diplomacia do Ministro Blow foi, sem dúvida, muito hábil e de grande valia para aparar arestas, sempre reaparecendo em cena, tão logo incidentes antigos eram contornados.

No entanto, interesse e simpatia pelos Estados Unidos continuamente eram manifestados no Brasil, em grau difícil de ser aquilatado, se os incidentes e as disputas de Ministros americanos com autoridades imperiais fossem o único padrão de medidas nas relações entre os dois países.

O sucesso, o progresso técnico e a pujança da nação americana, revelada especialmente durante o período conhecido como o da "Reconstrução" após a Guerra de Secessão, eram fatos que por si só refletiam aquela imagem favorável que diplomatas às vezes comprometiam, mas não destruíam. Nem mesmo o Imperador Pedro II resistiu à tentação de ver de perto a exposição desse progresso. Viajou para os Estados Unidos em visita à Exposição do Centenário em 1876, pagando o seu ingresso como outro visitante qualquer.

O Ministro Blow soube, com habilidade, perceber certa atmosfera favorável aos Estados Unidos no ambiente brasileiro que se desenvolvia, a despeito de discordâncias políticas que poderiam parecer a olhos desavisados constituir ainda barreiras intransponíveis para que se aproximassem os dois países.

Toda febre de modernização e progresso, que cresceu paulatinamente no Brasil e se avivou sobremaneira na segunda metade do século XIX, não teve, como esteio, o mesmo contingente de elites agrárias que sustentaram a Monarquia. Nessa ocasião as firmas americanas tiveram melhores oportunidades de fazer contato com o Governo imperial. Bright & Companhia recebeu concessão para estabelecer telégrafo submarino entre a Argentina, Rio e as cidades do Norte do Brasil. William Garrison & Companhia de Nova York, por sua vez, recebeu permissão de estabelecer uma linha de transporte a vapor e correios entre o Rio e Pará. A convenção de marcas registradas (Trade Marks) foi assinada entre os dois países em 1878.

O crescimento da companhia abolicionista e, finalmente, a própria Abolição acabariam, também, por desviar grande parte das elites brasileiras de sua posição de anterior apego à Monarquia e apatia, quando não oposição, a fórmulas políticas diferentes.

BRASIL-ESTADOS UNIDOS, 1831-1889

A proeminência militar que se debuxou com a vitória brasileira no Paraguai trazia ao cenário brasileiro elementos das castas urbanas, sedentos de participação no poder.

Vários foram os motivos brasileiros que colaboraram para o abrandamento das divergências, mesmo as políticas e diplomáticas, que haviam pontilhado as relações entre os dois países.

O Brasil aceitou, em 1881, participar da Primeira Conferência Pan-Americana a ser realizada em Washington, em 1889. Seus ilustres delegados lá estavam, quando receberam a notícia da proclamação da República.

No despacho de 19 de novembro de 1889, o Ministro Robert Adams Jr. comunicava ao Secretário James Blaine a queda da Monarquia no Brasil, anexando o telegrama de 17 do mesmo mês, que mandara dois dias depois da proclamação da República.

No relato da revolução, Adams faz apreciações retrospectivas, claramente indicadoras de que a proclamação da República no Brasil não havia sido surpresa para os americanos. Desde 1870 eles vinham acompanhando com grande interesse os progressos do republicanismo crescente entre nós.

O Ministro Adams, entusiasmado, expressava nesse despacho sua certeza de que o "regime republicano estava bem instalado no Brasil e que era desejável que o Governo dos Estados Unidos fosse o primeiro a reconhecê-lo,[55] como havia procedido antes, na Independência e com a Regência.

As instruções que Adams recebeu de Blaine foram as de que mantivesse relações diplomáticos com o Governo provisório, sem, no entanto, apressar promessas de reconhecimento formal do novo regime brasileiro.

No mês seguinte, já o próprio entusiasmo de Adams começava a arrefecer, conforme prova seu despacho de 17 de dezembro de 1889.[56] Classificava o novo Governo brasileiro de ditadura militar e temia que os decretos assinados em nome do Exército e da Marinha não consultassem, na realidade, a opinião popular. Assim, apesar da imitação da bandeira e da Constituição americana, que, de acordo com o Ministro, a nova República propunha fazer, e a despeito da adoção do regime republicano, um reconhecimento formal do novo regime brasileiro, não desejando vir a contribuir para a supressão da democracia do Novo Mundo – era uma

---

[55] Rober Adams Jr. a James C. Blaine, Rio de Janeiro, 19 de novembro de 1889, DDNA.
[56] Robert C. Adams a James Blaine, 17 de dezembro de 1889.

atitude que temia poder expor sua administração a ataques tanto da imprensa e do Congresso, como a críticas do povo americano.

Na realidade, no entanto, até a própria imprensa ficou dividida nesta questão. Alguns jornais americanos eram pelo imediato reconhecimento, outros pela procrastinação desse ato. Nenhum deles era contra o reconhecimento em si, era apenas a questão da melhor oportunidade para fazê-lo o objeto do debate.

No Congresso, a decisão da administração foi combatida e os próprios partidários da administração Harrison apenas apoiaram o Presidente para dar-lhe tempo de decidir mudança de atitude. A grande verdade é que, para a maioria dos americanos, ajudar a nova República brasileira a resistir a qualquer tentativa de restabelecimento da Monarquia e com ela da influência européia era mais importante do que escrúpulos exagerados quanto à forma inicial que o regime tomava no Brasil. Por esse motivo é que, em 29 de janeiro de 1890, os Estados Unidos reconheceram, finalmente, o novo regime brasileiro, sob o qual gozariam de prestígio e de vantagens econômicas anteriormente desfrutadas pelos britânicos.

CAPÍTULO IV

BRASIL-PORTUGAL, 1826/1889

A TARDIA, lenta e agitada história da instituição do liberalismo em Portugal (1820-1834) encontra-se indissoluvelmente ligada, direta ou indiretamente, a sucessos brasileiros que, antes de mais, importa rememorar.

A abertura dos portos brasileiros ao comércio internacional (1807 e 1810), se foi para a colônia em vias de emancipação o início da independência efetiva, originou em Portugal uma conjuntura de crise econômica (da qual foi elemento fundamental a queda das exportações), que viria a ser uma das condições decisivas da arrancada liberal (24 de agosto de 1820) promovida pela burguesia comercial da cidade do Porto, mas com o apoio das forças militares.

O desígnio primacial dos liberais portugueses de 1820 – o seu projeto, de raízes burguesas e de aspiração nacional – tendia, na verdade, a reconstituir o antigo estatuto econômico-administrativo luso-brasileiro, gravemente afetado pela deslocação da Corte portuguesa para o Rio de Janeiro. E daí que a história do malogro do liberalismo vintista (1820-1823) seja, afinal, o reverso da vitória do Brasil no caminho da Independência não só de fato, mas agora também de direito.

Tendo logrado chamar à Metrópole D. João VI (1821), falharam, no entanto, os intentos das Cortes Constituintes no sentido de afastar D. Pedro do torvelinho brasileiro e no de descentralizar a administração local para, como é óbvio, travar e impedir a articulação nacional da grande colônia sul-americana. Porém, ou inábil ou impotente, o liberalismo português, enredado em contradições insanáveis, mais não pôde fazer do que, afinal, apressar e consumar o *processus* da autonomia brasileira (setembro de 1822). Por isso, tendo fracassado na missão "nacional" que se havia imposto, o mesmo Exército e os mesmos generais, que a haviam "permitido", puseram termo, com facilidade, à primeira e fruste experiência liberal portuguesa (Vilafrancada, maio de 1823), abolindo a Constituição de 1822 e voltando ao regime absoluto na pessoa de D. João VI, a quem caberia resolver a questão brasileira, o que, parcialmente, ocorrerá com o reconhecimento da Independência da antiga colônia (29 de agosto de 1825).

Muito intencionalmente se escreveu, aí, "parcialmente", pois as esperanças portuguesas oficiais no restabelecimento de uma unidade funcional luso-brasileira, ainda que de tipo diferente do antigo, não tinham esmorecido de todo com o ato diplomático do reconhecimento oficial de Independência. Precisamente de 1825 data o *Parecer sobre um pacto federativo entre o Império do Brasil e o Reino de Portugal*, da autoria de Silveira Pinheiro Ferreira (1769-1846), Ministro de D. João VI, quer no Rio de Janeiro, quer, depois, em Lisboa. E como é possível compreender, a não ser em função de tal desígnio, o imbróglio da sucessão, ocasionado pela morte do soberano português (1826)?

Com efeito, D. João VI, ainda que em vão, tentara, pertinazmente, durante as negociações para o reconhecimento da Independência brasileira, que o Governo britânico aceitasse o princípio de que o "sobre todos amado e prezado filho, D. Pedro de Alcântara" seria "herdeiro e sucessor destes Reinos" e, pouco antes de falecer, havendo nomeado um conselho de regência, presidido pela Infanta D. Isabel Maria, atribuía-lhe a missão de assegurar a governação pública "enquanto o legítimo herdeiro e sucessor desta Coroa não der as suas providências a este respeito".

D. Pedro e D. Miguel Ora, quem era o "legítimo herdeiro e sucessor desta Coroa" [Portugal]? D. Pedro, filho primogênito, porém, soberano de potência estrangeira? D. Miguel, filho-segundo, que recolheria a herança na impossibilidade legal de o irmão ser investido no cargo?

A facilidade e a rapidez com que a Regência, não obstante o delicado problema jurídico da opção, determinou (10 dias após o falecimento de D. João VI) que as leis, cartas, patentes, sentenças, provisões etc. fossem passadas em nome de "Dom Pedro, por graça de Deus, rei de Portugal e dos Algarves", insinuam que ela procedeu, aí, de acordo com uma política estabelecida ainda em vida do soberano extinto, a qual tendia, como se viu já, à meta da reestruturação da unidade de Portugal e do Brasil sob uma mesma Coroa.

Que se tratava de política pouco realista demonstraram-no os sucessos ulteriores: por um lado, a irreversibilidade do fenômeno da independência brasileira, que compeliu D. Pedro à abdicação da Coroa portuguesa

BRASIL-PORTUGAL, 1826-1889

(2 de maio de 1826), e, por outro lado, a permanência, na antiga Metrópole, de tensões socioeconômicas e ideológicas que a primeira experiência liberal, dado o seu rápido malogro, antes exacerbara que resolvera, as quais propiciavam erupções de desespero e de violência.

De 20 de março a 12 de julho de 1826, Rei de Portugal (o ato de abdicação, assinado no Rio de Janeiro a 2 de maio, só foi publicado em Lisboa na data já referida), D. Pedro IV, no uso dos seus poderes soberanos, confirmou a regência instituída por D. João VI, outorgou, em 28 de abril, a *Carta Constitucional*, que teria sido redigida pelo Ministro brasileiro da Justiça, José Joaquim Carneiro de Campos, Marquês de Caravelas, de acordo com os princípios diretores da *Constituição do Império do Brasil* (1823) e, finalmente, abdicou *condicionalmente* (singular abdicação!) em sua filha D. Maria da Glória, a quem caberia congraçar não já os dois Estados, definitivamente separados, mas – suprema ilusão! – o liberalismo, como D. Pedro, à luz da experiência brasileira, o concebia, e o tradicional absolutismo português, encabeçado por D. Miguel, a quem se reservava o papel de marido da futura rainha constitucionalista...

Com efeito, a abdicação de D. Pedro da Coroa portuguesa dependia de *condições*: só seria efetiva após o país ter jurado a Carta, o que veio a ocorrer em 31 de julho desse ano, e depois também da realização do casamento projetado, quando D. Maria da Glória atingisse a maioridade. Entretanto, asseguraria a marcha da governação portuguesa a Infanta D. Isabel Maria que, naturalmente, não deixaria de ouvir os conselhos do Imperador. Ora, como se malogrou tal projeto de enlace e, simultaneamente, foi subindo a maré do absolutismo português, que rasgara, com desdém, as dádivas de D. Pedro, será caso de perguntar-se se, ao menos íntima e secretamente, o Imperador do Brasil não continuava a considerar-se rei de Portugal?

Coloquemos entre parênteses o melindroso problema jurídico e limitemo-nos tão-só a verificar que, ao menos como tutor de sua filha, coube ao Imperador brasileiro a responsabilidade de atos políticos de grande alcance português: após o malogro da tentativa de deslocar D. Miguel de Viena da Áustria para o Rio de Janeiro (princípios de 1827), a nomeação deste como "seu" lugar-tenente em Portugal (julho de 1827). Ora, a chegada a Lisboa de D. Miguel (fevereiro de 1828) precipitou, muito rapidamente, o curso dos acontecimentos que levaram à guerra civil (1832-34), na qual D. Pedro de Alcântara, já então ex-imperador brasileiro – vertiginosa carreira a sua! –, desempenharia papel de importância crucial.

No cadinho histórico em que se forjou a onda tradicionalista-miguelista, cujo símbolo mais adequado é o perfil da força a assinalar o ódio mortal à inovação, entraram, na verdade, muitos ingredientes, alguns dos quais não estão dilucidados ainda com a objetividade possível – o arcaísmo da estrutura econômica, uma sociedade que, globalmente considerada, apresentava ainda as características do "ancien régime", um povo inerme a braços com a miséria e a ignorância. Oliveira Martins, ao historiar o período, chama a atenção para os "comerciantes arruinados, a alfândega deserta, o tesouro vazio [que] enchiam de desespero os cérebros de onde a história de três séculos varrera a lucidez".[1] Ora, importa acentuar que tal situação provinha, diretamente, da perda quase total do mercado brasileiro, o que, para já, nos permite afirmar que o miguelismo pretendia fundamentar-se, além do mais, num protesto nacional-tradicionalista contra os erros dos "pedreiros livres" (certas situações exigem um bode expiatório) que, com a perda da colônia sul-americana, arrastavam a pátria à perdição...

Fim do liberalismo em Portugal   Em suma, a crise oriunda da Independência brasileira – a mais grave dos anteriores três séculos de história portuguesa – cindira, ideologicamente, o país e arrastara-o para a guerra civil. O Portugal liberal fora ou assassinado, ou posto a ferros, ou escorraçado para o estrangeiro, enquanto o Portugal antigo, nos estertores da longa agonia final, agarrava-se a pesadelos delirantes, entre os hosanas dos frades e os repiques dos sinos (1828-1832).

Entretanto, pelo Brasil, as coisas não corriam favoráveis ao temperamento e aos desígnios do Imperador; os ventos da Independência nacional, uma vez desencadeados, impeliam o próprio soberano, que se mostrava impotente para contê-los. O ato de abdicação do trono brasileiro (7 de abril de 1831) e o exílio de D. Pedro de Alcântara, aliados à conjuntura política européia, favorável (após 1830) ao liberalismo, virão acrescentar ao drama português uma personagem de primeiro plano.

Uma vez na Europa, ora em Londres, ora em Paris, auscultando os diferendos ideológicos dos emigrados portugueses, de hesitação em hesitação, resistindo cautelosamente ao que dele se esperava, D. Pedro de Alcântara deixará correr quase todo o ano de 1831, até que acaba por tomar a decisão de se empenhar, pessoalmente, na solução do pleito que divide a nação de seus maiores, como Regente em nome de sua filha. Tendo ajudado com o seu aval a obtenção dos meios financeiros necessá-

---

[1] *História de Portugal*, livro VII, cap. IV.

BRASIL-PORTUGAL, 1826-1889

rios à organização de uma esquadra, dirige-se nela aos Açores, onde chega a 22 de fevereiro de 1831, assumindo então a Regência (3 de março). Nomeia Ministério, do qual faz parte Mouzinho da Silveira, que logo principiará como Ministro da Fazenda e da Justiça a demolir, por meio de decretos, o Portugal velho e a erguer, numa febre demiúrgica, as novas estruturas econômica e social, de inspiração burguesa.

Depois, num crescendo, o ex-Imperador entrega-se à organização do exército que desembarcaria em Pampelido, cerca do Porto (8 de julho de 1832); entra sem resistência na "capital" do Norte do país; sofre, com valentia, o longo cerco das tropas miguelistas. Sucedem-se: o desembarque no Algarve, a queda de Lisboa e a vitória final sobre o exército de D. Miguel (maio de 1834). Antes de morrer (setembro desse ano), D. Pedro assistira ao funcionamento da Carta Constitucional e vira sua filha aclamada Rainha de Portugal. Vencera e, com a sua vitória pessoal, Portugal entrava, embora sangrando de muitas feridas antigas, na Época Contemporânea.

Pois bem, importa reter, neste ensejo, que o Brasil, como símbolo de um estado de coisas superado pelos eventos coevos, necessariamente estava bem presente nas cogitações e preocupações do Ministro de D. Pedro que, sob a proteção da autoridade ditatorial deste, instaurara no país a ordem do "laisser-faire, laissez-passer". Atendamos, pois, a alguns juízos de Mouzinho da Silveira, nos relatórios que precediam os seus decretos demolidores, redigidos na certeza, por um lado, de que o Brasil seguiria a sua rota própria, e, por outro, de que chegara, enfim, o momento de Portugal colonizar a própria Metrópole. Assim, chegou a asseverar, com algum exagero, explicável pelo entusiasmo que punha na efetivação das suas leis inovadoras: "Portugal tem mais do que o bastante para ser, sem o ouro do Brasil, o país mais rico da Europa",[2] pois a separação da antiga colônia constituía "um acontecimento ainda mais fértil em conseqüências do que foi a descoberta".[3] Por quê? Logo explica, com lucidez:

"Os portugueses se atormentam, se perseguem, e se matam uns aos outros, por não terem entendido que o Reino, tendo feito grandes conquistas, viveu por mais de três séculos do trabalho dos escravos, e que, perdidos os escravos, era preciso criar uma nova maneira de existência criando os valores pelo trabalho próprio." Em suma: "é sabido que

---

[2] Relatório do decreto de 17 de maio de 1832.
[3] Relatório do decreto de 30 de julho de 1832.

Portugal precisa realizar no trabalho os meios de vida que tinha nas Colônias."[4]

Consegui-lo-ia, porém? Esse fora, na verdade, o desígnio bem explícito do legislador Mouzinho da Silveira que, aliás, ainda antes do termo da guerra civil, se afastara, definitivamente, dos negócios públicos. É que Portugal ainda possuía colônias que, não obstante virtuais (então), não deixaram de constituir, logo (a partir de 1836), um forte pólo de atração no conjunto da vida nacional. Por outro lado, as peculiares realidades econômico-sociais do Brasil nascente e as de Portugal confluíam, apesar da ruptura da política de 1822-25, para dadas interconexões mais ou menos tradicionais que não deixaram de influenciar, reciprocamente, os dois países, a primeira das quais foi a permanência do tráfico negreiro de Angola para o Rio de Janeiro e outros portos brasileiros.

Com efeito, a cultura brasileira do café, em expansão no momento da Independência, continuou a exigir, ao longo de todo o segundo quartel do século XIX, o trabalho do negro, especialmente o angolano (por volta de 1840, entravam, anualmente, nos portos do Brasil cerca de 20.000 escravos[5]). Ora, se, a partir de 1836, o Governo português abole o tráfico escravagista nas colônias africanas, o que não significa, como é sabido que ele tenha terminado logo, pois, na verdade, persistirá ilegalmente, tal decisão prende-se aos propósitos de iniciar em Angola e Moçambique uma colonização efetiva, incompatível com a sangria demográfica verificada ali até então. Por isso, coincide com a proibição do comércio negreiro o início do lento desenvolvimento angolano, "com a exploração de novas fontes de riqueza e a conquista de uma real independência relativamente ao Brasil".[6]

Entretanto, o Brasil debatia-se entre a necessidade de desenvolver-se e o peso das estruturas arcaicas, de raízes coloniais, que assentavam no trabalho escravo. O longo drama brasileiro da extinção da escravatura (1850 – proibição da importação de negros; 1888 – abolição geral) viria a suscitar importantes consequências em Portugal, pelo incentivo à emigração que a procura americana de mão-de-obra significou.

Emigração portuguesa   Quando principiou, no século XIX, a emigração portuguesa para o Brasil, integrada no contexto histórico anteriormente esboçado?

---

[4] Relatório do decreto de 30 de julho de 1832.
[5] Rosendo Sampaio Garcia, artigo "Escravatura – Brasil". *In Dicionário de História de Portugal*, dirigido por Joel Serrão, tomo II, Lisboa, 1965.
[6] Jofre Amaral Nogueira, artigo "Escravatura – Angolana". *In Dicionário de História de Portugal*, dirigido por Joel Serrão, tomo II, Lisboa, 1965.

BRASIL-PORTUGAL, 1826-1889   245

De 1820 a 1836, não há indicação de qualquer emigração de Portugal para o Brasil. O primeiro indício, a esse respeito, data, muito significativamente (porquanto imediatamente posterior às primeiras restrições à exportação angolana de escravos) de 1837, 137 emigrantes.[7] Até meados do século deve ter-se mantido a corrente emigratória, embora em pequena escala, pois se não compreende que o número dos emigrantes tenha ascendido, abruptamente, a 8.329 indivíduos em 1853.[8]

Ora, a partir de então e até 1878, *só pelo porto do Rio de Janeiro,* teriam entrado 178.027 imigrantes portugueses, assim escalonados, anualmente:

1855	9.839	1867	4.822
1856	9.150	1868	4.425
1857	9.340	1869	6.347
1858	9.327	1870	6.110
1859	9.342	1871	8.124
1860	5.914	1872	12.918
1861	6.460	1873	9.907
1862	5.625	1874	10.200
1863	3.365	1875	11.914
1864	5.097	1876	8.210
1865	3.784	1877	7.775
1866	4.724	1878	5.299[9]

O movimento emigratório português para o Brasil tende a crescer, pois em 1888 – ano da extinção da escravatura, lembre-se – alcançou o quantitativo de 18.289.[10] Depois dessa data, nos limites do período que nos cumpre historiar, a corrente emigratória acentua-se, consoante a crescente procura brasileira de mão-de-obra e a oferta de excedentes de população portuguesa, a qual aumentara no decurso da segunda metade do século XIX, o que implica, de algum modo, a melhoria das condições

---

[7] Nuno Simões, *O Brasil e a Emigração Portuguesa,* Coimbra, 1934, p. 31.
[8] *Idem, idem.*
[9] Archivo Nacional, Rio de Janeiro, *Relatório da Inspectoria Geral das Terras e Colonização,* cód. 559. Julgamos inéditos estes números.
[10] Nuno Simões, *ob. cit.,* p. 31.

gerais de vida, mas não a ponto de esses excedentes encontrarem ocupação nacional satisfatória que lhes evitasse a expectativa da miséria. Alexandre Herculano, discutindo, com a seriedade e a finura tão suas características, o problema das causas da emigração portuguesa para o Brasil, apontou a que se lhe afigurava, e era, fundamental: "a insuficiência dos salários entre nós."[11] Ora, essa "insuficiência dos salários" em Portugal, a testemunhar o predomínio das atividades primárias (agricultura) a lenta evolução das secundárias (indústria), é o pano de fundo do longo drama da emigração. Drama esse que, com propriedade, pode ser adjetivado de *nacional*, pois que afetou, direta ou indiretamente, todos os setores da vida portuguesa – e bem pode ser considerado como a expressão mais adequada das contradições da sociedade que o permitia e alimentava. Com efeito, "a emigração portuguesa", ensina Oliveira Martins, "é o barômetro da vida nacional, marcando nas suas oscilações a pressão do bem-estar metropolitano".[12]

Ao abandonar o terrunho, o campônio português, em geral analfabeto, na incerta esperança da aventura brasileira, ignorava as condições deploráveis em que, na maior parte dos casos, iria trabalhar e morrer, ocupando, se não de direito, pelo menos de fato, o lugar do escravo, deixado vago ou em vias disso. Daí que as implicações do fenômeno emigratório português para o Brasil tenham de ser observadas no contexto das relações entre os dois países, ou seja, em função de um condicionalismo geral que, historicamente, o tornou *necessário*. Necessidade brasileira – insista-se – de mão-de-obra barata, conquanto pouco qualificada, pois que outra não aceitaria as terríveis condições oferecidas ao imigrante europeu[13]; complexa necessidade portuguesa que, aos olhos perscrutadores de um Herculano, se traduzia neste *paradoxo* com seu quê de enigmático: "a nossa melhor colônia é o Brasil, depois que deixou de ser colônia

---

[11] *Opúsculos*, tomo IV, "A emigração".

[12] *Fomento Rural e Emigração*, p. 207.

[13] "Comiam, dormiam e trabalhavam como os escravos, quer dizer, tinham a sua tamina (ração) de carne-seca, feijão e farinha, que eram obrigados a cozinhar para comer na hora do almoço e do jantar (uma hora para cada refeição).

Senzalas eram as habitações, que constavam de um pequeno quarto, não soalhado, com porta e janela, tendo por cama uma esteira, e por mobília uma pedra para se sentarem.

Trabalhavam a par dos escravos, comandados pelo feitor também escravo e armado do competente relho (vergalho de castigo), trabalho que principiava ao romper de alva e terminava às nove horas da noite, apenas com interrupção das refeições. De dia cavavam na terra, de noite lançavam ou tiravam tijolos do forno".
Primeiro Inquérito Parlamentar à Emigração Portuguesa, p. 113.

nossa".[14] Paradoxo esse, para o qual Oliveira Martins, contemporâneo do fenômeno da expansão africano-portuguesa, não deixou de chamar a atenção, com pertinácia e força de argumentos – "O Brasil é melhor colônia para nós do que a África; porém a melhor de todas as nossas colônias seria o próprio reino".[15] E por que assim era?

Dado que Portugal não podia, então, absorver os seus excedentes demográficos; dada a falta de recursos econômicos para promover, a um ritmo novo, a colonização africana para onde, em vão, alguns setores procuravam orientar o grosso da corrente emigratória, via-se o país compelido a aceitar o "mau negócio" (porém, o melhor que as circunstâncias lho permitiam), da venda e exportação de trabalho sem o qual só muito rotineiramente se alterariam as suas estruturas econômicas e social.

Com efeito, Herculano calculara (1872), em cerca de 3.000 contos anuais, os ingressos monetários em Portugal oriundos da emigração brasileira,[16] e em 1891, no tempo de Oliveira Martins, o valor de tais ingressos ascendia a mais de 12.000 contos anuais.[17] Aí reside, precisamente, um dos fatores principais para a caracterização da conjuntura emigratória luso-brasileira.

Ora, os efeitos na vida portuguesa desses milhares de contos, lançados regularmente na circulação fiduciária, foram sumariados assim por Oliveira Martins, que, além de historiador, foi testemunha presencial do fato:

"... Portugal apresenta ainda um aspecto complexo, que provém da importação dos lucros da emigração do Brasil: forma diversa de explorar um país estranho e de se conservar no regime das nações coloniais, apesar de ter perdido essa região para o domínio político. (...) E quem olhar para a história contemporânea de Portugal reconhecerá que ao aumento de ingresso de capitais do Brasil corresponde o desenvolvimento dos bancos, a anarquização legislativa da economia social portuguesa, e, como resultado desta nova feição econômica, o fato de que a importação de capitais do Brasil não se limita já às sobras que trazem consigo os repatriados,

---

[14] *Ob. cit.* V. também de Oliveira Martins, *O Brasil e as Colónias Portuguesas* (1880).

[15] *O Brasil e as Colónias Portuguesas.*

[16] José Honório Rodrigues, *Brasil e África: outro horizonte*, Rio de Janeiro, 1961, afirma que "por volta de 1865 as remessas para Portugal se elevaram a mais de 10.000 contos de réis anuais".

[17] Posteriormente, continuará a aumentar. Emídio da Silva, *Emigração Portuguesa* (1917), p. XI.

chegando ao ponto de trazer para empregar em Portugal os capitais de portugueses ou brasileiros residentes na América: fato incontestável, desde que vemos sociedades com a sua sede no Brasil, ou tendo lá uma parte considerável das suas ações emitidas."[18]

Não só por esse afluxo de divisas que, de alguma forma, ajudavam a compensar o déficit da balança comercial portuguesa, se entrevêem as repercussões econômicas do fenômeno emigratório. Os "brasileiros" de torna-viagem, além de constituírem um estrato característico da sociedade portuguesa oitocentista, contribuíram para a alteração da própria paisagem de certas regiões: "por toda a faixa litoral", ensina Orlando Ribeiro, "do Minho ao Mondego, se podem ver, no aspecto das casas e das povoações, os vestígios dessa fonte de riqueza ["brasileiros"] alheia a tais regiões".[19] Aliás, já o *Inquérito Parlamentar sobre a Emigração Portuguesa* (1873) reconhecera esse fato, proclamando-se aí: "Se lançamos a vista sobre as cidades, vilas e aldeias, ali encontramos palácios suntuosos, casas elegantes, casais cômodos, tudo edificado com o dinheiro que os emigrados de ontem trouxeram da emigração."

O retorno dos "brasileiros", ou seja, de uma percentagem indeterminável, mas decerto pequena, de emigrantes enriquecidos, pois aqueles que regressavam pobres não pertenciam a esse grupo social, repercutiu-se também na distribuição da propriedade: "Pode afoitamente afirmar-se que", escreve Bento Carqueja, "se em 1877 estavam inscritos na matriz predial 955.251 prédios urbanos e 5.562.455 prédios rústicos e se em 1910 (...) aparecem descritos 1.365.483 prédios urbanos e 11.193.299 rústicos, grande parte desse considerável aumento deriva da ação benéfica do *brasileiro*, mais do que da revisão das matrizes."[20]

Ao nível ainda das implicações de natureza econômica importa referir que, no período considerado, as exportações e importações para e do Brasil foram de grande alcance na balança comercial portuguesa, como se pode comprovar pelos valores referentes aos períodos de 1851-55 e de 1868-72:

---

[18] *A Circulação Fiduciária* (1878).
[19] *Portugal. In Geografia de España y Portugal*, Barcelona, 1955.
[20] *O Povo Português*, Porto, 1916.

PRANCHA 1 – Plantação de café. Desenho de Steinmann. *Souvenirs du Rio de Janeiro*. (Biblioteca do Instituto de Estudos Brasileiros da Universidade de São Paulo.)

PRANCHA 2 – Praça no Rio de Janeiro. Aquarela de Josef Selleny, pintada durante a viagem da fragata austríaca "Novara", 1857/59, ao redor do mundo. (Museu Histórico do Exército, Viena.)

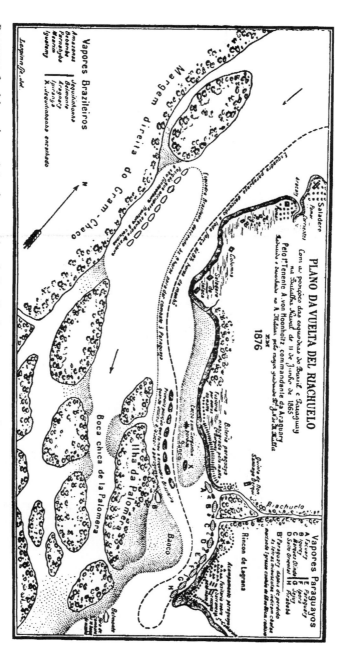

PRANCHA 3 – Mapa das posições das esquadras do Brasil e do Paraguai na Batalha do Riachuelo, desenhado pelo Primeiro-Tenente A. von Hoonholtz.

PRANCHA 4 – Luís Alves de Lima, Duque de Caxias. Tela de Joaquim Rocha Fragoso, existente no Museu Imperial de Petrópolis. (*Anuário do Museu Imperial*, vol. XV, 1954.)

PRANCHA 5 — "Afinal... deu a mão à palmatória." Caricatura de R. Bordalo Pinheiro em *O Mosquito* (18-9-1875), referente à chamada "Questão Religiosa". (Herman Lima, *História da Caricatura no Brasil*; vol. 1º, Livraria José Olympio Editora, 1963.)

PRANCHA 6 – "O último telegrama recebido de Roma ou a vingança de Frei Vital." Caricatura de A. Agostini na *Revista Illustrada* (21-6-1876), referente à "Questão Religiosa". (Herman Lima, *História da Caricatura no Brasil*, vol. 1°, Livraria José Olympio Editora, 1963.)

PRANCHA 7 – Escola Militar. Desenho de P. Godofredo Bertichen. *Brasil pitoresco e monumental*. (Biblioteca do Instituto de Estudos Brasileiros da Universidade de São Paulo.)

PRANCHA 8 – Quinta imperial. Litografia de Adolphe D'Hastrel, segundo croquis de M. Secretan. *Souvenirs du Rio de Janeiro*. (Biblioteca do Instituto de Estudos Brasileiros da Universidade de São Paulo.)

BRASIL-PORTUGAL, 1826-1889 249

Exportação (valor em contos)	1851	1855	1868	1872
	1.689	2.963	2.905	3.524
Importação (valor em contos)	1.841	1.689	2.903	3.002[21]

Importa acentuar, igualmente, que no período de 1851-55 o Brasil ocupa o segundo lugar no valor global das exportações e importações portuguesas, e no de 1868-72 mantém a mesma posição na exportação e passa a ocupar o terceiro lugar na importação, em benefício da França. Claro que a primazia cabe, nos dois períodos, e tanto na exportação como na importação, à Grã-Bretanha e suas possessões.

Poderá avaliar-se outrossim o peso comercial do Brasil na economia portuguesa, mediante a comparação dos valores anteriormente mencionados com os da balança comercial luso-africana:

Exportação (valor em contos)	1851	1855	1868	1872
	192	295	435	600
Importação (valor em contos)	144	313	742	723[22]

Ante o que aí fica tão-só aflorado, não será de reconhecer que os juízos de Herculano e de Oliveira Martins, já citados, eram objetivos, radicando-se no conhecimento aprofundado das realidades portuguesas?

Influência cultural portuguesa após a independência

Ora, importa prestar atenção, no conjunto desse comércio luso-brasileiro, dominado no que toca às exportações portuguesas pelos vinhos e o azeite, àquilo que as estatísticas designam por "papel e aplicações". Pretendemos, desse modo, transitar para o importantíssimo campo das relações cultu-

---

21 Quadro estabelecido com dados fornecidos por: Charles Vogel, *Le Portugal et ses Colonies*, Paris, 1860 – período do 1851-55; Gerardo Pery, *Geografia e Estatística Geral de Portugal e Colónias*, 1875, p. 186 – período de 1868-1872.
22 Mesmas fontes.

HISTÓRIA GERAL DA CIVILIZAÇÃO BRASILEIRA

rais luso-brasileiras, embora, neste ensejo, só nos seja possível esboçar, muito frustemente, um quadro muito geral. Pelo condicionalismo estudado, pelas recíprocas implicações de toda a sorte que se entrevêem na história luso-brasileira, dir-se-ia que, por um lado, o Brasil, só no decurso do último quartel do século, principiou, de fato, a percorrer os caminhos que o levarão à plena autonomia cultural, e, por outro, Portugal manteve, especialmente pela pujança da sua literatura oitocentista, caldeada nas esperanças e nos desencantos da experiência liberal, uma presença incontestável na outra banda do Atlântico, tornada próxima pela língua comum.

Com a autoridade que, justamente, se lhe reconhece, Antônio Candido em *Formação da Literatura Brasileira* afirma que "caso à parte é o da literatura-mãe, a que a nossa está ligada na maioria dos momentos estudados aqui [obra referida], e cujo conhecimento é pressuposto em qualquer estudo como este".[23] Assim parece, na verdade.

Encaradas, nessas perspectivas, e do lado "materno" as relações culturais luso-brasileiras, bem se pode afirmar que os escritores portugueses mais significativos o foram, quase simultaneamente, quer no país de origem, quer na antiga colônia sul-americana. Dois exemplos, que a seguir apresentaremos, fundamentam a asserção, ambos colhidos no domínio da poesia.

Em 1838, A. Herculano publicava o seu livro de poesias *Harpa do Crente*, acerca do qual confidencia, mais tarde: "Eu tirei 1.500 exemplares da *Harpa do Crente*, e a custo sobejaram 300 para o Brasil".[24]

Em 1892, Guerra Junqueiro publica *Os Simples*, e logo nesse ano (e até fevereiro de 1893) se vendem no Brasil 2.000 exemplares da obra, 38 dos quais na Bahia, a preços que oscilaram entre 1.500 e 3.000 réis.[25]

Tal realidade, que aflora, significativamente, nos exemplos apontados, poderia ser confirmada ainda pelos cálculos de A. Herculano acerca do projeto de uma revista cultural – e lembre-se de que ele possuía a experiência que lhe advinha da administração de *O Panorama*, a mais importante revista cultural do seu tempo: "Este jornal [projetado] teria, pelo menos, 600 assinantes no Reino; venderia avulso 200 exemplares e podia contar com extrair no Brasil 400."[26] Quer dizer: em meados do século, o Brasil consumia, virtual ou efetivamente, cerca de um terço das publicações culturais portuguesas.

---

[23] *Ob. cit.*, 2º volume, 2ª edição, p. 392.
[24] *Cartas*, vol. II, p. 111.
[25] Documento encontrado por nós no Gabinete Português de Leitura, Rio de Janeiro, armário 6º, pasta Q.
[26] *Ob. cit., ibidem.*

BRASIL-PORTUGAL, 1826-1889   251

E não se lamentavam, em 1881, os proprietários das tipografias do Porto de que "são raras as edições de tiragem superior a 1.000 exemplares, porque as contrafacções de qualquer livro mais bem aceito fecham o mercado brasileiro".[27]

A essa co-participação brasileira na expansão do livro português somava-se a regular colaboração dos escritores lusitanos em jornais do Rio de Janeiro, donde lhe advinham proventos substanciais, incompatíveis com os recursos dos jornais pátrios, como se poderá comprovar pelo estudo biográfico de Eça de Queiroz, Oliveira Martins e outros.

Ainda nesse campo, será necessário lembrar que a Universidade de Coimbra continuou a ser a *alma mater* de escolares brasileiros, especialmente os descendentes diretos de portugueses (como o poeta Gonçalves Dias), disputando, aliás com dificuldades crescentes, a atração que outros centros universitários europeus, como Paris, exerciam sobre a elite intelectual e social do Brasil oitocentista?

Ora, por volta de cerca de 1880, ocorre, no domínio das relações culturais, agora centradas no âmbito do diálogo autônomo entre dois grandes escritores – um português e outro brasileiro –, um fato da maior relevância que importa estudar. Trata-se da crítica de Machado de Assis ao romance de Eça de Queiroz, O *Primo Basílio* (1878).

Publicada essa crítica, sob o pseudônimo de "Eleazar" em O *Cruzeiro* (abril de 1878), dela tomou conhecimento Eça em junho desse ano, suscitando-lhe logo uma carta ao futuro autor das *Memórias Póstumas de Brás Cubas* (1881).

Pois bem: nessa recensão crítica, Machado de Assis não só punha em causa o naturalismo literário, mas também analisava com extrema finura o romance do escritor lusitano, negando realidade psicológica à personagem central (Luísa), à qual chamava "títere", e concluindo que os fundamentos críticos do livro estavam errados, pois a moral dele se reduziria a essa verificação bem estranha: "A boa escolha dos fâmulos é condição de paz no adultério."[28]

---

[27] *Inquérito Industrial de 1881*, 2ª parte, p. 266.
[28] Ver a este respeito João Gaspar Simões, *Eça de Queiroz – O Homem e o Artista*. Lisboa, 1945, livro V, cap. VI; *Literatura, Literatura, Literatura...* Lisboa, 1964; "Eça de Queiroz e Machado de Assis". Ver também A. Machado da Rosa, *Eça, Discípulo de Machado?*, Lisboa, 1964.

"Tão fundo calou em Eça de Queiroz", explica João Gaspar Simões, "esta crítica pertinente que depois de 1878, data da publicação de *O Primo Basílio*, decorrem quase 10 anos até à publicação de um novo romance."[29]

Pois não será este episódio, que se diria acidental, bem significativo do que estava para acontecer no mundo cultural da língua portuguesa – o acesso do Brasil, pela mão dum escritor de gênio, à via da mais completa autonomia mental e cultural? Por isso mesmo, Eça de Queiroz foi, porventura, o último escritor português capaz de mobilizar, com profundidade e permanência, a atenção brasileira, situação que se mantém hoje, volvidos mais de 80 anos, e com exceção apenas do fenômeno atual da irradiação da poesia hermética de Fernando Pessoa, que, muito mais que portuguesa, é poesia de um poeta universal, acidentalmente, nascido em Lisboa (1882).

Com efeito, o Brasil não só se autonomiza definitivamente, mas também, impulsionado pelo seu devir de povo jovem, situado nos meridianos norte-americanos, tende a antecipar-se à velha mãe-pátria: em 1889, proclama a República, pondo termo à dinastia de Bragança, de algum modo, último vínculo político luso-brasileiro. E enquanto no longínquo Brasil a República é a chegada à maioridade, o republicanismo português que, em 1891, no rescaldo da desigual competição luso-britânica pela posse de regiões africanas, debalde procurará derrubar as instituições monárquicas (o que viria a ocorrer, 19 anos depois, em 1910), o republicanismo lusitano, aventávamos, encarado em perspectiva histórica, assume, ao peso de arraigados condicionalismos, a missão de edificar "novos Brasis", em Angola e Moçambique.

---

[29] *Literatura, Literatura, Literatura...*, p. 85.

CAPÍTULO V

BRASIL-ALEMANHA

BEM DIFERENTE se apresenta o panorama das relações do Brasil com a Alemanha, quando comparado às relações com outras grandes potências européias, tais como a França e a Inglaterra. Nota-se, de início, corresponderem os primeiros tempos do Segundo Reinado, em certa medida, a uma redução na intensidade das relações com a Alemanha. Isto se pode verificar já pelo menor número de expedições científicas e, mesmo, pela menor importância das que ocorreram, diante do que acontecera no Primeiro Reinado ou do que sucederá na fase final do Governo de D. Pedro II (cf. vol. 5, pp. 498-499). A própria imigração alemã passa por uma fase difícil, assinalada especialmente pelo regulamento von der Heydt de 1859, proibindo o aliciamento de colonos para o Brasil (cf. vol. 5, pp. 271-272) e que apenas foi revogado em 1896. Do ponto de vista político, por outro lado, eram as condições da Alemanha, voltada para os problemas oriundos da delicada tarefa de unificação nacional, que afastavam o país do jogo mundial das grandes potências, no qual o papel preponderante cabia aos britânicos. Culturalmente falando, inclinava-se o Brasil, cada vez mais, para a França, sendo mínima no país – se exceturamos os descendentes de alemães – até mesmo a penetração da língua alemã. Aplicação de capitais germânicos, praticamente, não houve, pois a não desprezível contribuição alemã para o desenvolvimento brasileiro partia dos colonos, conforme nos diz Oberacker: "Os empreendimentos industriais dos imigrantes cresciam em harmonia e nas proporções das necessidades nacionais; hauriam o capital exigido pelo crescimento das empresas na própria economia nacional, em paulatina expansão. Ao contrário de outros estabelecimentos estrangeiros de tipo puramente capitalista, não expunham o país, assim, a uma dependência financeira e serviam, segundo sua própria natureza, exclusivamente aos interesses nacionais, e nunca a propósitos capitalista-financeiros de caráter internacional (*Der deutsche Beitrag zum Aufbau der brasilianischen Nation*, p. 269)." Em vista disso, tal contribuição não se enquadra num capítulo de relações com a Alemanha, tendo sido tratada na parte concernente à colonização (cf.vol. 5, pp. 260-289).

Relevante parece-nos ser apenas o aspecto comercial. O Brasil, de fato, mostrava-se disposto a ampliar seu intercâmbio comercial, para escapar – dentro das possibilidades – à preponderância britânica; a Alemanha, de seu lado, após 1870, empenhava-se na concorrência comercial com a Inglaterra. Não deveria o Brasil, assim, deixar de ser um dos cenários em que se desenrolaria o conflito econômico das grandes potências.

A missão do Visconde de Abrantes   Talvez a mais importante iniciativa do Governo imperial, no tocante às relações comerciais com a Alemanha, tenha sido a missão especial confiada a Miguel Calmon, Visconde de Abrantes, enviado à Europa com o objetivo, entre outros, de "tratar com a Associação das Alfândegas alemãs", conforme se lê nas Instruções de 23 de agosto de 1844. A intenção do Governo imperial consistia em "promover o consumo de nossos gêneros, aliviando-os, por meio de transações diplomáticas, dos pesados direitos e alcavalas" a que os sujeitavam na Europa; outra não era a opinião pessoal do Visconde, ao assim expressar-se: "Quanto a mim, o Governo imperial, nas circunstancias actuaes do Paiz, não tem nem deve ter em vista outro fim, que não seja promover o consumo dos nossos productos nos mercados da Europa, alliviando a sua importação quando carregada de fortes direitos, ou facilitando-a quando embaraçada por quaesquer outros motivos. É o que tem feito, e não cessa de fazer, sem todavia achar-se em estado de tanto apuro com o nosso, a União Americana do norte á respeito de sua producção; e é o que nos cumpre fazer, envidando para isso todos os nossos esforços, mormente na presente conjunctura (*A Missão especial do Visconde de Abrantes*, I, pp. 101-102)."

Não parece ter sido iniciada sob bons auspícios a missão do Visconde: partindo para Berlim sem instruções, "abandonado aos meus próprios e acanhados recursos" (*A Missão...*, I, p. 323), não dispondo de informações e esclarecimentos exigidos pelo caso (*A Missão...*, I, pp. 71, 224), alinhava ainda, em seu desfavor, a oposição das outras potências, como se vê: "Por outro lado a diplomacia Ingleza, Hollandeza e Franceza, prevalescendo-se, como me consta, (...) tem tractado sem disfarce (...) de fazer aqui as mais desfavoraveis insinuações sobre o estado de perturbação de nosso Paiz, exiguidade do mercado que podemos offerecer á indus-

BRASIL-ALEMANHA   255

tria allemã, inferior qualidade dos nossos productos etc., no intuito de
embaraçarem, ou mesmo fazerem malograr qualquer negociação vantajosa entre o Brasil e a Allemanha.

Nem era de esperar menos da Inglaterra, cujo interêsse se oppõe à que
o Zollverein promova e extenda suas relações commerciais álem do
Atlantico; da Hollanda, que tem o maior empenho em conservar todo o
mercado da Allemanha para o café e assucar de suas possessões, mormente de Java; e da França, que nunca deseja que os outros alcancem o que
ella não póde obter (*A Missão...*, p. 70; cf. pp. 205, 254)."

Até outubro de 1846 permaneceu na Europa o Visconde de Abrantes.
Sua missão malogrou, não se firmando qualquer tratado com o
Zollverein. Mas da leitura da documentação, publicada em 1853 (*A
Missão Especial do Visconde de Abrantes*, Rio de Janeiro, Emp. Typ.
Dous de Dezembro de P. Brito, Impressor da Casa Imperial, 2 tomos),
depreendem-se vários aspectos interessantes para caracterizar a posição
do Brasil frente à Alemanha de então. De parte dos alemães, a crer-se na
correspondência do Visconde, haveria, por vezes, mais curiosidade do que
propriamente interesse, em relação ao Brasil (*A Missão...*, I, pp. 77-78),
apresentando-se a atmosfera berlinense bem pouco simpática ao brasileiro; este lá pretendia permanecer o menor tempo possível (p. 77), não
encontrando sequer "vestígios da Legação que em outro tempo fora estabelecida em Berlim (I, p. 217)".

Obstáculos ponderáveis, tanto de ordem política como econômica,
levantavam-se diante da Missão Abrantes, encarregada de negociar com
um Zollverein em que grandes eram as desconfianças dos pequenos
Estados frente à Prússia e tendo a vencer a concorrência dos países cujas
colônias ofereciam ao mercado germânico produtos idênticos aos brasileiros. Com freqüência, assim, encontramos significativas referências a
embaraços determinados por manobras de espanhóis e holandeses, especialmente, uma vez que "Havana e Java são, de certo, as mais poderosas
rivais do Brasil nos mercados da Europa (I, p. 80)". Era manifesta, além
disso, a inferioridade dos produtos brasileiros, diante dos de outras procedências (I, pp. 102, 244-245). Essas circunstâncias contribuíam de muito
para que os germânicos não se mostrassem liberais em suas propostas,
insistindo sempre, ao contrário, nas vantagens que pretendiam obter relativamente ao consumo de seus próprios produtos no Brasil. Não deixavam, também, de manifestar impaciência com a lentidão das negociações,
segundo se infere da nota do Barão de Buelow ao Visconde, em 17 de

abril de 1845: "Já lá vão dous mezes, Snr. Visconde, depois que temos o prazer de ver-nos aqui, sem que nos tenhaes feito aberturas mais precisas sobre o objecto de vossa missão especial e extraordinaria (*A Missão...*, I, p. 82)." O que sucedia, porém, era que o infortunado Visconde continuava esperando pelas informações do Governo brasileiro, sem as quais não poderia fazer "aberturas mais especiais"... (p. 84; cf. pp. 224, 233, 237, 263, 281). Isto, é verdade, a despeito de estar convencido da existência de condições propícias à conclusão do tratado de comércio, como se vê: "Está hoje bem demonstrado que, tractados de commercio, verdadeiramente taes, são possiveis sómente entre nações que tenham: 1.º productos differentes, cuja troca se promova sem offensa da propria industria e cultura; e 2° tarifas de direitos elevados, cuja diminuição reciproca offereça vantagem aos consumidores sem perda dos productores domesticos; ora, felismente o Brasil e o Zollverein acham-se em ambos os casos, ou estão predispostos para a negociação (*A Missão...* I, p. 103)."

Preparou-se a minuta do tratado, com redução de 25% nas tarifas para os produtos brasileiros e alemães importados pelas partes contratantes, liberdade recíproca de navegação e outras vantagens para ambos os lados, a vigorar pelo prazo de 6 anos. Mas a sorte não favorecia o Visconde. A substituição do Barão de Buelow pelo Barão de Canitz no Ministério dos Negócios Estrangeiros da Prússia, em fins de 1845, parece ter tornado ainda mais problemático o êxito da missão, dadas as pretensões excessivas do novo Ministro, conforme se lê em ofício de 14 de novembro de 1845. Chegava-se a duvidar, até, dos verdadeiros objetivos do Visconde, "pois em verdade, parecendo a todos impossível que eu viesse em missão especial sem instruções, ou que estas não me tenham sido remetidas no longo espaço de quasi um anno, este Gabinete não deixará de considerar-me, como já me considera a imprensa allemã e franceza, mero instrumento d'uma politica que mais tinha em vista os negocios do Rio da Prata, do que um Tratado de Commercio. Tenho ouvido que pessoas da administração prussiana estão já persuadidas disso: e talvez essa persuasão tenha inspirado a redacção da nota inclusa de Mr. de Canitz, cujo fim principal parece ter sido antes chamar-me a uma discussão para seu desengano, do que propor-me bases serias para uma negociação (I, p. 224)".

Efetivamente, a nota do Barão de Canitz confirmava o pessimismo anunciado, aludindo, inclusive, a que "o Governo do Brasil augmentou recentemente a sua tarifa com grande prejuizo dos productos dos Estados do Zollverein, sendo avaliados por tão alto preço, que a sua importação

BRASIL-ALEMANHA

torna-se quase impossível (*A Missão...*, I, p. 226)".[1] Os produtores alemães, aliás, queixavam-se dos direitos exigidos pelo Brasil para a importação de suas mercadorias, pois eram nitidamente prejudicados em favor da Grã-Bretanha e, mesmo, da França (cf. *A Missão...*, I, pp. 232 e ss.) e tudo isto não contribuía para facilitar a conclusão de tratado nas bases propostas pelo Visconde.[2] O Governo imperial, por sua vez, mediante parecer da Sala das Seções do Conselho de Estado, datado de 12 de setembro de 1845, discordava dos principais termos da minuta do Visconde. Diante de mais essa frente de problemas que se lhe abria, convencia-se ele da inutilidade de seus esforços, buscando para tanto razões mais profundas do que as circunstâncias de momento, afirmando reconhecer "a tremenda responsabilidade que pésa hoje sobre aquelles, que entre nós tem de aconselhar, ou instruir, ou dirigir, ou ratificar a negociação de um Tratado de commercio. Victimas por 18 annos de convenções, onde mais dominou a conveniencia moral de ligar o novo Imperio ás outras Potencias do Mundo, do que o interesse material do paiz, estamos hoje como o cativo de mouros, ha pouco resgatado, que treme e se arrepella ao tinir dos ferros. Não me maravilha pois que se tenha formado no Imperio uma opinião adversa a tratados: é uma reacção tão natural como qualquer outra. Nem tão pouco censuro a timidez e precaução com que tractamos agora de encetar novas negociações, e o desejo que temos de tirar nossa desforra (*A Missão...*, I, p. 258)".

Em 6 de junho de 1846 era dada como oficialmente encerrada a Missão do Visconde em Berlim, permanecendo ele na Alemanha apenas ainda o tempo necessário para formalizar o malogro de suas negociações. Automaticamente, anularam-se também as perspectivas de conclusão de um tratado com o Hanôver, cabeça do Steuerverein, pois deveria assinar-se um acordo semelhante ao que se firmasse com o Zollverein (*A Missão...*, II, pp. 33-45).

---

[1] Essa alegação é contestada pelo Visconde, como se vê: "É inegável que o Brasil ha pouco tempo, e pela vez primeira organisou uma tarifa para suas Alfandegas, em substituição a alguns artigos dos Tratados de 1810, e 1828 entre Portugal, e depois entre o Brasil, e a Grã-Bretanha, artigos que rigorosamente fallando constituiam a antiga tarifa, visto que em virtude delles, e de uma Lei posterior provocada por elles, cobrava-se uniformemente 15 por % de direitos sobre todas as mercadorias, fossem estas ordinarias e de consumo necessario, ou fossem superfinas e de mero luxo. Entretanto estou persuadido de que não poder-se-ha provar, que a tarifa actual do Brasil tenha augmentado os direitos a ponto de tornar impossiveis ali as importações da Alemanha (*A Missão...*, I, p. 296.)."

[2] Veja-se a elucidativa passagem acerca das informações de que dispunha o Visconde, a pp. 233-234 de *A Missão...*, I.

HISTÓRIA GERAL DA CIVILIZAÇÃO BRASILEIRA

Hamburgo e sua Importância para o Brasil

Como já foi visto em capítulo concernente ao reconhecimento da Independência (cf. vol. 3, p. 424-427), relevante era o interesse das cidades hanseáticas no comércio com a América Latina em geral, com o Brasil, no nosso caso. Daí a missão do Dr. Carl Sieveking, do Senador Gildemeister, de Bremen, e de Adolph Schramm, a que então nos referimos.[3]

Hamburgo, especialmente, voltava-se para as plagas brasileiras, e mesmo antes da assinatura do tratado em que se reconhecia a Independência do Império já se calculava irem para aquele porto mais ou menos dois terços da produção brasileira de açúcar. Após 1827 as transações intensificaram-se, apresentando-se os alemães, inclusive, com ao menos uma clara vantagem sobre os comerciantes britânicos, detentores de incontestável preponderância no mercado brasileiro. Tratava-se do seguinte, conforme nos diz P. E. Schramm em seu *Deutschland und Uebersee* (pp. 68 e ss.): os ingleses queriam vender seus produtos manufaturados, mas podiam buscar os produtos coloniais onde quisessem; vendiam ao Brasil, em vista disso, mais do que compravam. Os alemães, ao contrário, interessavam-se preliminarmente pela aquisição de café, açúcar e o mais que o Brasil pudesse oferecer; em troca disso, punham à disposição produtos industriais, mas pagavam o restante em dinheiro, resultando daí deixarem no país mais dinheiro do que dele recebiam. Graças a isso, já em 1822, estava a Câmara do Comércio de Hamburgo em condições de acentuar a significação de sua cidade para as exportações brasileiras.

Os britânicos ressentiam-se da concorrência alemã, objeto de discussões no Parlamento desde o início da década de 1840 e tendendo sempre a aumentar, daí por diante. Os germânicos, de seu lado, abrangendo-se nessa esfera de interesses também o Império austro-húngaro, formulavam planos acerca do intercâmbio com o Brasil; Friedrich List chegou, mesmo, a sonhar com a possibilidade de tornar-se o Brasil mais importante para a Alemanha do que as Índias Orientais para a Grã-Bretanha,[4] isto justamente quando o Príncipe Adalberto da Prússia visitava nosso país e o Zollverein inclinava-se às negociações que levaram à Europa o Visconde

---

[3] Em 1963-64 foi publicado o excelente trabalho de P. E. Schramm, *Neun Generationen, Dreihundert Jahre deutscher Kulturgeschichte im Licht einer Hamburger Buergerfamilie (1648-1948),* Vandenhoeck & Ruprecht, Goettingen, 2 vols., 495 e 653 pp. No vol. I, pp. 436-452, encontra-se o relato da missão hanseática ao Brasil em 1827.

[4] Possivelmente estivessem tais cogitações na raiz de planos expansionistas imputados pela propaganda aliada à Alemanha durante a guerra de 1914, Cf., p. ex., Émile R. Wagner, *L'Allemagne et l'Amérique Latine,* Paris, Alcan, 1918, 322 pp.

de Abrantes. Este último, na sua correspondência, embora nunca esqueça os portos do Báltico, menciona repetidas vezes Hamburgo como o grande entreposto de mercadorias brasileiras na Europa Central, importância essa que tendia a aumentar em virtude do malogro das negociações com o Zollverein. Não foi por mera coincidência, assim, que logo depois, em 1849, se organizou em Hamburgo o *Colonisationsverein* e que Ernst Merck acalentou o plano de uma linha regular de navegação para o Brasil (Schramm, *Hamburg, Deutschland und die Welt*, pp. 117, 256). Tal linha, contudo, somente foi instalada em 1853, por Robert Miles Sloman (cf. B. Studt e H. Olsen, *Hamburg – Die Geschichte einer Stadt*, p. 208; Schramm *Hamburg...* p. 258), sob a designação de *Hamburg-Brasilianische Paketschiffahrt-Gesellschaft*. Note-se, de passagem, que os hamburgueses não raro trabalhavam com créditos e navios britânicos, e que os ingleses, além disso, anteciparam-se por três anos no lançamento da linha regular de navegação para o Brasil (cf. Schramm, *Hamburg...*, p. 166).

Com os progressos no sentido da unificação política teuta, apesar da constante oposição britânica, coincidiu o inaudito desenvolvimento da marinha mercante alemã, cabendo a Hamburgo, mais uma vez, o papel decisivo nos contatos com o Brasil: "Em 1867, fundou-se a *Brasilianische Dampfschiffahrts-Gesellschaft*, predecessora da *Hamburg-Suedamerikanische Dampfschiffahrts-Gesellschaft* (mais conhecida como *Hamburg-Sued*), cujos altaneiros vapores, a partir de 1871, representavam, em primeiro lugar, o nome de Hamburgo no Atlântico Sul." Fundaram-na onze firmas, dentre as quais se destacavam J. Schuback & Soehne e a família Amsinck (cf. Studt e Olsen, *op. cit.*, pp. 208 e 217). A crermos no testemunho de O. Canstatt, as viagens por estes barcos, na década de 1870, estariam longe de enquadrar-se entre as experiências agradáveis. É verdade que o autor nos informa através do relato de "uma senhora que se deixou persuadir a escolher um dos vapores hamburgueses para a travessia", mas o depoimento apresentado é tão decisivamente desanimador, que somos levados a acreditar, ao menos, nas suas linhas gerais (O. Canstatt, *Brasil, a terra e a gente*, pp. 148-154).[5]

Em 1876, estendeu suas linhas ao Brasil o *Norddeutscher Lloyd*, que fora fundado em Bremen, pelo Cônsul H. H. Meyer, em 1857. Por essa época já se pode dizer integrar-se a navegação para o Brasil no amplo episódio da concorrência teuto-britânica, a culminar na guerra de 1914.

---

[5] Segundo Canstatt, os barcos ingleses não eram superiores aos alemães, ao menos no serviço regular para o Brasil. Os melhores navios seriam os franceses.

Comerciantes alemães no Brasil   O estabelecimento de comerciantes alemães no Brasil não era novidade, remontando, quando mais não fosse, ao tempo dos holandeses. Com a vinda de D. João o panorama tornara-se propício à vinda de novos elementos, melhorando ainda com o reinado de D. Pedro I. Assim sendo, quase sem qualquer dúvida, podemos afirmar que a maior parte das 98 firmas alemãs radicadas na América do Sul, relacionadas no *Weserzeitung* de 10 de fevereiro de 1846, localizava-se em território brasileiro (cf. Schramm, *Hamburg...*, p. 83; *Deutschland und Uebersee*, p. 55).

Lembremos, todavia, não se limitarem à América os interesses de Hamburgo e de outras cidades alemãs. Diziam respeito, também, à África, a ponto de podermos considerar aquele porto como uma das bases para o início da penetração teuta no continente africano, em 1832. Nada mais natural, então, do que procurarem os alemães entrosar seus interesses no Brasil com os da costa africana. Assim é que, no caso das firmas comerciais, chegamos a perceber, por vezes, uma oscilação entre os dois lados do Atlântico Sul, como se vê no caso de Friedrich Christian Bahre (1785-1848) – interessado na África, mas cujo filho se voltou para o Brasil – da firma Santos & Monteiro, de Altona – mantendo relações concomitantemente com as duas costas[6] – de Cesar Hartung – transferindo-se de Serra Leoa para o sul do Brasil – e outros.

Um dos mais interessantes exemplos de firma alemã fixada no Brasil proporciona-nos o caso de Adolph Schramm (antepassado do importante historiador contemporâneo Percy Ernst Schramm), desde 1831 estabelecido em Pernambuco (cf. Schram, *Deutschland...*, p. 71. Idem, *Neun Generationen*, I, pp. 452-465). A firma Adolph Schramm & Co. voltava-se precipuamente para o comércio do açúcar, mas logo passou a interessar-se pela produção do mesmo. Daí a aquisição de extensa propriedade em Maroim, Província de Sergipe, às margens do Rio Cotinguiba. "Aqui nesta Província abandonada – escreve Adolph Schramm em 1846 ao síndico Sieveking, em Hamburgo – represento o progresso e, como chefe da única casa estrangeira e maior fortuna local, gozo de não insignificante influência." Uma máquina a vapor, inclusive,

---

6 "Os hanseatas combinavam as viagens de ida e volta com todas as outras viagens possíveis – de Zanzibar para Guiné, da Guiné para o Brasil, do Brasil para a Guiné, da Guiné para a França, Inglaterra e Estados Unidos – conseguindo, com isto, um equilíbrio entre a exportação e importação. Transformaram-se, assim, nos intermediários, não só entre a Alemanha e a África, os restantes países cultos e a América, bem como entre os diversos espaços econômicos africanos (Schramm, *Deutschland...*, p. 221)."

dava testemunho da verdade dessas palavras. Não se negligenciava, por outro lado, a importação de produtos centro-europeus, tais como linho de Bielefeld, artigos de algodão de Augsburgo, musselina, rendas e roupas femininas de St. Gall. Tudo isto, naturalmente, estava em conexão com a crescente industrialização da Alemanha e sua necessidade de intercâmbio (Schramm, *Neun Generationen*, I, pp. 459-460).

Vicissitudes, tais como a concorrência do açúcar de beterraba nos mercados europeus e a queda de valor do mil-réis, foram superadas com relativa facilidade. Adolph, que regressara à Europa em 1841, voltou ao Brasil, onde permaneceu de 1844 a 1848. Dividia sua vida entre Maroim e o Rio de Janeiro, onde cerca de uma dúzia de firmas alemãs desempenhavam um papel modesto, quando comparado com as firmas britânicas, norte-americanas e mesmo francesas. Na capital do Império, contava entre seus amigos o Presidente do Conselho de Ministros, Holanda Cavalcanti de Albuquerque, circunstância que lhe foi de valia quando passou a interessar-se pela imigração alemã (Schramm, *Neun...*, I, pp. 461-464; pp. 131 e ss.). Em Maroim morava o irmão de Adolph, Ernst, chefe da firma no Brasil quando do regresso de Adolph à Alemanha, no fim da década de 40, e para lá levou ele sua consorte, ao casar-se, em 1858, com Adolphine Jencquel. Esta, contando 32 anos e pertencente a tradicional família hamburguesa, fez sua viagem de núpcias pela Europa, especialmente Paris e Londres, antes de dirigir-se para sua definitiva residência, em Maroim, Sergipe...

A correspondência de Adolphine[7] com seus parentes de Hamburgo constitui-se em valioso documento para avaliar-se da vida dos alemães então aqui estabelecidas.[8] Desde as primeiras (apenas as primeiras) favo-

---

[7] Correspondência reproduzida in Schramm, *Neun...*, II, pp. 205-225.

[8] Não apenas para o Brasil, mas para inúmeros locais do que podemos talvez designar – do ponto de vista econômico – como o mundo colonial de então, dirigiam-se os alemães, sempre conscientes das dificuldades a serem enfrentadas, como se vê pelas palavras do hamburguês Senador Geffcken, em 1853: "Quantos hanseatas já não foram vítimas da febre em Veracruz, Havana, Nova Orleans, Bahia, Rio, Batávia, isto sem falarmos dos perigos representados pela viagem marítima!" (Schramm, *Deutschland...*, p. 285). Uma das mais interessantes cartas de Adolphine, por sua vez, dá uma idéia de como o clima agia sobre os teutos: "Certamente não me reconhecerias, se me encontrasses sem saber que eu havia retornado, tão gorda e amarela como um marmelo tornei-me eu. É horrível! Há pouco tempo foi até cômico, quando Ernst mostrou meu retrato a um italiano, Senhor Agrenta, e este, num momento impensado, não sopitou a franqueza e disse: "Mas nunca se diria que Dona Adolfina foi tão bonita! Com certeza este retrato foi tirado há muito tempo?" – Quatro anos, foi a resposta, e seu espanto não teve limites!" (Carta de 25 de julho de 1862.)

ráveis impressões da Bahia e do espanto diante da natureza tropical, até o completo desencanto e a morte em meio à epidemia de cólera, em abril de 1863, acompanhamos os problemas e as modestas alegrias de Adolphine, suas observações acerca dos escravos, sua vida cotidiana e os acontecimentos extraordinários, interrompendo a rotina.[9] Entre estes, aliás, incluiu-se uma visita do Imperador a Maroim, cabendo a Ernst Schramm, pouco tempo depois, ser agraciado com a Ordem da Rosa. A carta de 30 de setembro de 1862, finalmente, denuncia um estado de espírito a cujo respeito dispensam-se comentários; ei-la: "Certamente será brilhante o futuro das Índias Orientais, se em poucos anos já dá frutos a plantação de algodão que lá vocês possuem, isto justamente quando as colheitas do sul dos Estados-Unidos destruíram-se por muitos anos. Se Ernst fosse uns quinze anos mais moço, eu o convenceria a mandar o açúcar às urtigas e a fundar uma grande casa nas Índias Orientais. Gostaria muito de conhecê-las e sempre penso que Ernst, Max e eu ainda iremos lá, partindo da Europa. A viagem é tão variada e por si mesma já leva a tantos pontos interessantes, que pode ser tida como um divertimento, ao passo que uma viagem para o Brasil nada tem a oferecer."

A morte de Adolphine teria feito com que Ernst decidisse voltar para a Europa. Só o fez, porém, em 1866, quando transferiu seu capital para a Alemanha. Levava consigo, então, seu filho Max (1861-1928), nascido no Brasil e que chegaria a ser burgomestre da cidade de Hamburgo.

Digna de nota, entre outras, foi a firma Theodor Wille, também originária de Hamburgo, estabelecida em Santos já em 1844, com ramos em São Paulo e no Rio de Janeiro. Conforme nos diz Oberacker (*Der deutsche Beitrag...*, p. 276), foi ela responsável pela introdução no país de uma série de máquinas então desconhecidas no mercado nacional, conquistando para os produtos brasileiros, por outro lado, o campo mundial.

Não apenas firmas procedentes da Alemanha, mas também firmas

---

[9] Bem poucos acontecimentos, aliás. Cf. carta de 26 de março de 1860: "Uma vez que aqui acontece tão pouca coisa digna de nota e vemos sempre as mesmas pessoas, muitas vezes há falta de assunto, e freqüentemente falta também a elasticidade. As asperezas recíprocas amenizam-se menos, em virtude de tão pouco contato com o mundo exterior, a tolerância reduz-se; pois sabemos que os outros têm que nos agüentar. Em suas 4 paredes, cada um é como se fosse um pequeno deus; mas reúnam-se estes deuses, e nem sempre haverá alegrias olímpicas, mas por vezes um tanto de aborrecimento.

Fizemos vir vários livros interessantes; e agora são eles lidos por todos os membros de nossa pequena colônia alemã. Muitas vezes isto me dá idéia de uma biblioteca de aluguel em miniatura, pois sou muito rigorosa, no que concerne à ordem: deve sempre ser restituí-do o livro emprestado, antes que eu entregue um novo."

BRASIL-ALEMANHA   263

fundadas por alemães radicados no Brasil, voltavam-se normalmente para o intercâmbio com a Europa Central, incluindo-se aí o Império austro-húngaro; esta atividade criou ainda novo alento, uma vez completada a unificação alemã em 1871. Além de Theodor Wille, nomes como Hermann Stoltz, Bromberg, Karl Hoepcke e outros merecem especial consideração. Sua atividade expandiu-se de tal forma que – mesmo se levando em conta o papel secundário ocupado pelo Brasil nos interesses comerciais alemães, quando comparado à África, por exemplo – acabou por desempenhar um certo papel na concorrência anglo-alemã, enquadrada, é verdade, no panorama global da luta pelos mercados. É o que surge de maneira suficientemente clara nos papéis consulares britânicos na década de 1880. Em 1886, assim, tratando da indústria açucareira estabelecida pelos britânicos em Pernambuco, chama-se a atenção para a preferência dada ao maquinismo de origem francesa ou alemã.[10] No mesmo ano, o relatório referente à cidade de Santos fala da "completa transferência da importação de louças e vidros de fontes inglesas para alemãs" e de idêntica ameaça sobre artigos de cutelaria e aço. Nota-se que "a opinião pública está agora perfeitamente consciente da questão da competição estrangeira", devendo os britânicos, "por todos os meios legítimos, firmar e manter sua posição em face de perigosos rivais."[11] A mesma tecla é batida em documentos semelhantes, tratem eles de São Paulo ou da Bahia, por exemplo.[12] Merece destaque o relatório do Cônsul-Geral inglês em Hamburgo em 1888: "Em todas as direções do globo, a Alemanha expande com insistência permanente e frutuosa sua atividade comercial... e se eles (os comerciantes britânicos) permitirem aos seus competidores superá-los nos pequenos mercados, os resultados totais podem revelar-se mais desastrosos do que jamais possam ter pensado ser possível (Schramm, *Deutschland...*, p. 104; cf. *Hamburg...*, p. 170 e ss.). Mesmo antes disso, em 1871, referindo-se às vítimas dos tormentos impostos pela alfândega brasileira aos importadores, assim se expressava Canstatt: "Muitas vezes... ouve-se o praguejar em todas as línguas contra o sistema aduaneiro brasileiro que zomba de todo o bom senso. Enérgicas pragas

---

[10] "Report on the trade and commerce of Pernambuco for the year –886", in *British Documents, Accounts & Papers, commercial reports*, London, 1887, v. LXXXIII.
[11] "Report on the trade and commerce of Santos, in the Province of São Paulo, for the year 1886", in *Brit Docs., Accounts & Papers, commercial reports*, London, 1887, v. LXXXIII.
[12] Cf. "Report by consul Steven on the trade and Commerce of the Province of Bahia for the years 1881, 1882 and 1883, with general remarks and observations", in *Brit. Docs.. Acc. & Pap., Comm. Reports*, London, 1884, v. LXXXI.

HISTÓRIA GERAL DA CIVILIZAÇÃO BRASILEIRA

alemãs não são das mais raras, porquanto o grosso do comércio nos portos mais importantes acha-se nas mãos de alemães (*op. cit.*, p. 164)."

O intercâmbio comercial   O volume do intercâmbio comercial Brasil-Alemanha não é fácil de estabelecer-se com exatidão, ou mesmo aproximadamente, pois a carência de dados no setor parece ser um fato.

A correspondência do Visconde de Abrantes, deixando sempre bem claras a insuficiência e as reservas com que devem ser consideradas as informações então conseguidas,[13] ajuda-nos a ter uma idéia do intercâmbio em meados do século, como se vê: "O Barão de Reden, na sua acreditada obra *Estatística Commercial* publicada em 1844, avalia a exportação do Zollverein, pelos portos hanseáticos, e do Baltico, só para o Rio de Janeiro, em 1.700.000 thalers,[14] e para o Brasil em geral em 2.550.000, iguaes a 3.672 contos; mas deixa de calcular a exportação verificada pelos portos da Hollanda, Belgica, e França, omissão tanto mais notavel, quanto é constante que, sobretudo nos mezes do gêlo ou quando está fechado o porto de Hamburgo, muitas mercadorias do Zollverein são expedidas por Antuerpia e mesmo pelo Havre. É pois manifesto que este orçamento do Sr. de Reden está muito áquem da exactidão."

"Segundo a Revista Commercial, feita no Rio por Mr. Levy, cujo trabalho infatigavel não deixa de inspirar confiança, entre o numero de volumes que em 1844 ali importámos, aparecem 31.279 de Inglaterra, e 5.374 da Allemanha vindo por tanto a ser a importação Alleman 1/6 da Ingleza. Ora, o valor exportado da Inglaterra para o Brasil, no dito anno, conforme as listas publicadas pelo *Board of Trade,* andou por 2.413.000 libras sterlinas, avaliação official ou por quasi 3.000.000, avaliação real; podendo-se estimar que perto de metade desta somma fôra importada no Rio, e o mais nas Províncias. E como seja certo que o valor das mercadorias Allemans não dista muito do das Inglezas, temos que se pode orçar em 250.000 L. a importação do Zollverein no Rio; e ajuntando-se, como importado em todas as outras Provincias do Imperio mais de metade

---

13 Cf. *A Missão...,* I, pp. 112-113: "Não temo que quando os calculos precedentes hajam de falhar, a mim se me impute falta de diligência ou de zelo. Declaro que trabalhei quanto pude, e com a melhor vontade de acertar e bem servir ao meu Paiz; mas que não me foi dado, nem creio que a ninguem seria, chegar á uma demonstração exacta. Em exames desta ordem, os governos contentam-se, para a resolução dos negocios, com os dados que podem ser colhidos, e deixam á experiencia futura a correcção dos enganos que possam ter havido."

14 1 Thaler ao câmbio de Londres de 25 ds. por 1$000 – 1$440 (Cf. *A Missão....* I, p. 194).

BRASIL-ALEMANHA

desse valor, não será fora de razão estimar em L. 600.000 a importação total do Zollverein: somma que equivale a perto de 6 mil contos (*A Missão...*, I, pp. 110-111)."

Quanto à exportação, informa-nos o Visconde, partindo da observação total da importação alemã de produtos coloniais, entre os quais se incluíam os brasileiros: "O documento nº 18, organisado sobre os mappas officiaes do Zollverein, mostra qual tem sido nelle o progresso da importação dos generos coloniaes desde 1836 até 1844 (...) Este progresso, até aqui não interrompido, deve continuar necessariamente, e sem duvida em maior escala á proporção que a riqueza industrial do Zollverein se for desenvolvendo. Ao nosso café, por exemplo, offerece este Paiz o vasto campo de consumo (...) O nosso assucar, logo que favorecido seja, ou deixe de pagar um imposto desigual, ha de ser largamente consumido, visto que o de beterraba não é rival poderoso, nem será sustentado na Allemanha com a pertinacia com que o tem sido na França. O tabaco, apezar de ser um producto domestico, e cultivado com abundancia, será sempre importado, e achará prompta sahida mórmente em certas Provincias. E não se tenha por somenos este ramo de nossa producção; que pelas ultimas informações que recebi de Hamburgo (...), será facil reconhecer que a cultura e o commercio do tabaco, ainda ha pouco decahidos ou quase extinctos na Bahia, se tem reanimado de tal sorte, que de Março á Abril deste anno, entraram naquele porto vindo directamente deste 2788 fardos de tabaco em folha, e 2572 rolos ou mangotes (*A Missão...*, I, pp. 111-112)."

Recorrendo ao documento nº 18, verificamos serem os seguintes, por ordem decrescente, os produtos coloniais importados pelo Zollverein no ano de 1844: açúcar, café, madeiras de tinturaria, tabaco em rolo, couros e crina, arroz, lã de carneiro, sebo e graxa, madeiras de marcenaria, aguardente, pimenta, tabaco preparado e cigarros, anil, melaço, pele, cacau, gengibre, doces, chá e sola.

De maneira geral, o Visconde não se revela abertamente otimista quanto à possibilidade de aumento das exportações brasileiras para o Zollverein, tanto pela inferior qualidade dos produtos nacionais, como também pela própria atitude do Governo imperial.[15] Tudo isso, porém,

---

[15] Veja-se, por exemplo, a seguinte passagem: "Apezar das minhas repetidas explicações, a demora na remessa das instrucções que solicitei em Maio (sobre um negocio que devia achar-se d'ante mão preparado, como o dá a entender a Missão especial que me trouxe a

não o impede de ver na Alemanha um campo de amplas possibilidades para o Brasil, manifestando-se expressamente a respeito: "Quanto mais estudo e observo, tanto mais convencido vou ficando de que nenhum Paiz Europeo offerece um mercado tão vasto e seguro para os productos do Brasil, como a Allemanha (*A Missão...*, I, p. 269)."

Dentre os artigos exportados, alguns dão fácil margem a umas tantas considerações. O tabaco, por exemplo, cuja industrialização, iniciada na Bahia pelo austríaco Schnorrbusch, dera origem a firmas famosas, tais como *Dannemann, fundada em São Félix*, 1873, logo seguida por Suerdick, Stender e Pook (cf. Oberacker, *op. cit.*, p. 272). O tabaco bem como a aguardente eram utilizados pelos alemães também para seu comércio com os negros da costa ocidental africana, ao menos até meados da década de 1850, quando os produtos brasileiros passaram a ser substituídos, para tal fim, pelo tabaco do Kentucky e pelas bebidas alcoólicas alemãs (Schramm, *Deutschland...*, pp. 225, 278).

Ao café, naturalmente, destinava-se um papel preponderante, a despeito do pessimismo do Conselho de Estado Imperial, para o qual "excluindo a Inglaterra de seu mercado nosso café e assucar, e admittindo os d'outros paizes que são de superior qualidade, natural era que os generos do Brasil fossem substituir o vasio que nos diversos mercados deixavam os que fossem consumidos na Inglaterra. O progresso da sociedade de Temperança, mormente na Allemanha, onde muitas são protegidas pelo governo, devia de promover o consumo dos nossos mencionados generos, por isso que esperavam todos que ás bebidas espirituosas substituisse o café. Estas duas occurrencias eram no conceito de muitos apropriadas para augmentar a demanda destes generos, mas tanto assim não succedeo, que estão depreciados como dito fica."

"D'aqui resultou a crença que as classes abastadas não tem gosto pelo seu consumo, e que os pobres recorreram a equivalentes, como na Allemanha á chicorea."

Pouco adiante, relatando as negociações relativas à possibilidade de uma baixa de direitos sobre produtos brasileiros por parte do Zollverein, assim se manifesta o mesmo parecer: "Cabe notar que talvez nesta reduc-

---

Berlim), é aqui atribuida por uns à mudança de opinião do Govêrno Imperial, e por outros á falta de confiança no Plenipotenciario. O desembaraço com que a Diplomacia Ingleza alardêa que nenhum Tractado se fará em prejuizo da influencia Britannica no Brasil, serve á primeira hypothese; e o facto de ser V. Ex. meu adversario politico, facto conhecido aqui talvez por informação do Agente Prussiano, ou da Legação Ingleza em Berlim, serve de abono á segunda hypothese." (Carta a A. P. Limpo d'Abreo, in *A Missão...*, I, p. 255.)

ção não seja beneficiado tanto o nosso café e tabaco, porque sua inferioridade é de natureza tal, que a quantidade não compensa a qualidade; por exemplo: uma arroba de assucar bom vem a ter o mesmo valor que uma arroba de assucar inferior com algumas libras mais de maneira que refinado iguale ao superior; mas uma arroba de bom café não poderá jamais ser igualada em valor á uma arroba de inferior ainda com muitas libras de mais. Assim que só beneficiará ao nosso café a medida proposta se não houver no Zollverein gosto já formado para o superior, como acontece na Russia, onde não se consome uma só libra de café Brasileiro (Parecer de 12 de setembro de 1845, in *A Missão...*, I, pp. 241 e 245)."[16]

Apesar de não se haver notado diferença sensível na qualidade do café nacional (cf. A. de E. Taunay, *História do café no Brasil*, vol. VI, p. 16), a exportação para o porto de Hamburgo tendia a aumentar, a julgar-se pelos dados referentes a 1871 e 1872, quando foram desembarcadas naquele porto, respectivamente, 56.900 e 81.133 sacas. Hamburgo passara, então, do sétimo para o terceiro lugar entre os portos de destino do café, vindo após os Estados Unidos e os portos do Canal (cf. Taunay, *op. cit.*, VII, p. 7).

À firma Theodor Wille coube iniciar o embarque de café no porto de Santos, evitando-se assim que o produto paulista fosse levado primeiramente para o Rio de Janeiro. Isso beneficiou enormemente a vida econômica paulista, fazendo com que, na década de 1880, já 16 firmas alemãs exportassem mais de metade do café brasileiro pelo porto de Santos (cf. Oberacker, *op. cit.*, p. 276).

Em 1871, temos o testemunho de Constatt, revelando as dificuldades alemãs no intercâmbio com o Brasil, dada a concorrência de outros países, especialmente a Inglaterra, como se vê: "Embora a Alemanha possa fornecer muitos dos artigos importados pelo Brasil, tão bons, ou talvez melhores e mais baratos do que os da Grã-Bretanha, França e demais Estados, criou-se desde há muito no país uma antiga preferência por produtos ingleses e franceses, que mesmo grandes casas alemãs levam sempre em conta (*op. cit.*, p. 145)." Sempre segundo Constatt, a Alemanha se encontrava em sexto lugar no volume de transações comerciais (após Inglaterra, França, Estados Unidos, Argentina e Portugal), mas com a ressalva de que lhe caberia talvez uma posição mais saliente na lista, se a

---

[16] Quanto às razões da inferioridade do café brasileiro, cf. Taunay, *op. cit.*, v. pp. 93 e ss. Observe-se que um filho de alemães, W. B. Weinschenck, foi o inventor de um engenho horizontal despolpador de café (*idem*, p. 104).

maior parte de seus artigos, em vez de saírem pelas cidades hanseáticas, não saíssem pela França, Bélgica e Inglaterra. Dentre os artigos alemães importados pelo Brasil, salientavam-se as malhas e "comestíveis mais finos", sendo "importante, também, a exportação pelas cidades hanseáticas de tabaco e charutos para o Brasil, o que não recomenda muito o produto nativo" (p. 146). O mesmo autor não é detalhado em dados referentes à exportação nacional de café, sequer mencionando a Alemanha como país comprador. Os teutos são referidos apenas no tocante aos couros, tabaco e – como os menores consumidores europeus – ao açúcar.

Vinte e cinco anos mais tarde, na relação estabelecida por M. Lamberg, a Alemanha merece destaque na maioria dos itens de importação brasileira; cabe-lhe o primeiro lugar, então, no concernente a roupas brancas feitas, máquinas para a agricultura, indústria e usos caseiros, drogas, tapetes, objetos de porcelana e vidro, papel e cartonagens, brinquedos, armas e aparelhos bélicos e instrumentos musicais. Acrescentem-se, ainda, os artigos importados da Áustria, que tinha a primazia nos móveis curvados e quinquilharia (M. Lamberg, *O Brazil*, pp. 140-143).

Lembremos, finalmente, um aspecto sombrio nas relações do Brasil com Hamburgo: as suspeitas levantadas pelo Governo britânico, segundo as quais barcos hamburgueses, no começo da década de 1840, estariam participando do tráfico negreiro. De acordo com todas as informações, todavia, tratar-se-ia de pretexto usado pelos ingleses para dificultar a penetração comercial teuta na costa ocidental da África (Schramm, *Deutschland...*, pp. 186-199).

Um incidente teuto-brasileiro em 1871   A imigração alemã, realizando-se em condições precárias, facilmente daria margem a incidentes teuto-brasileiros. Na Alemanha, aliás, eram comuns as queixas dos jornais contra as "opressões e injustiças" que recairiam sobre os imigrantes, levando a uma verdadeira difamação do Brasil (cf. Lamberg, *op. cit.*, pp. 111 e ss.). Um dos resultados desta campanha foi justamente o referido decreto do Ministério von der Heydt, paralisando a vinda de alemães, e contra cujos efeitos os brasileiros procuraram reagir, nos últimos tempos do Governo imperial.

Nada de admirar, assim, que um incidente de natureza policial, em que se envolveram alemães e brasileiros, repercutisse no campo da política imigratória. O próprio então Ministro do Exterior, Manuel Francisco Correia, é quem nos relata o episódio, chamando a atenção, preliminarmente, para os boatos de fins de 1871, segundo os quais os alemães estariam preparando uma esquadra, em Kiel e Wihelshaven, para demonstrações de

BRASIL-ALEMANHA

hostilidade ao Brasil (cf. *Revista do Instituto Histórico e Geográfico Brasileiro*, tomo LXIV, parte II, 1901, pp. 5-86). Os rumores chegariam a tal ponto, que o Ministro decidiu ter uma conferência com o Encarregado de Negócios da Alemanha no Rio de Janeiro, ponderando-lhe os perigos a que se exporia uma numerosa tripulação teuta na cidade, dada a constante incidência de febre amarela na região. Herman Haupt,[17] respondendo interinamente pela Legação de seu país, em nota enviada ao Governo imperial, afirmou nada saber a respeito, deixando de compreender, porém, "por que causaria inquietação ver navios da marinha de guerra alemã nos portos onde sua bandeira mercante é das mais freqüentes". Apesar disso, insistiu Manuel Francisco Correia, lembrando serem tão afirmativas e repetidas as notícias de jornais europeus acerca de um próximo conflito entre Alemanha e Brasil, que não era de estranhar a intranqüilidade das esferas oficiais brasileiras.

Houvera, na verdade, um incidente que estaria no ponto de partida de tais rumores. Os fatos foram os seguintes: em outubro de 1871, a corveta alemã *Nymphe*, em caminho para a China, fez escala no Rio de Janeiro. Seis de seus oficiais, à paisana, convidados por um alemão estabelecido na cidade, Sr. Palm, na noite de 18-9, dirigiram-se ao *Hotel Central*, sito no Largo de S. Francisco de Paula, "para tomar refrescos", segundo a nota da Missão alemã de 20 de outubro, mas também "em companhia de mulheres de má vida", conforme notaram as autoridades policiais. Foram aí provocados por um brasileiro, funcionário da própria Secretaria de Negócios Estrangeiros, que se encontrava em avançado estado etílico, originando-se um conflito que degenerou em ampla desordem, com a conseqüente intervenção da polícia e prisão de quatro oficiais, além do Sr. Palm. Segundo a Legação alemã, os oficiais foram ainda submetidos a maus-tratos, acrescidos do desaparecimento de dinheiro e de uma charuteira. Seguiu-se troca de notas entre o Governo brasileiro e a Legação alemã, insistindo esta na necessidade de urgente devolução dos oficiais ao seu barco, que não mais podia demorar-se em sua missão, e replicando

---

[17] H. Haupt inclui-se na relação do Visconde de Taunay, sob o título *Estrangeiros ilustres e prestimosos que concorreram com todo esforço e dedicação para o engrandecimento intelectual, artístico, moral, militar, literário, econômico, industrial, comercial e material do Brasil, desde os princípios deste século até 1892.* Lê-se o seguinte: "Não deve ser esquecido Hermann Haupt, consul da Alemanha muitos anos, apesar de tantas pendencias desagradaveis que teve com o governo brasileiro, pela má direção impressa ao conseguimento e à colocação dos imigrantes." (*Revista do Instituto Histórico e Geográfico Brasileiro*, LVIII, parte II, 1895, pp. 225-248.)

aquele estarem os culpados sujeitos à lei brasileira como desordeiros, devendo ser processados, portanto. O processo foi rápido, os presos foram soltos mediante fiança, seguindo viagem com sua corveta.

Algumas notas foram ainda trocadas e o episódio estaria, talvez, completamente esquecido não fossem os boatos acima referidos e seu reflexo no incidente de 1872, a propósito da vinda de alemães para o Brasil. Tendo o Presidente da Província de S. Pedro do Rio Grande do Sul contratado com a firma Caetano Pinto & Irmãos e Holzweissig & Co. a vinda de 40.000 alemães, e reduzido este número, em seguida, a 20.000, o novo chefe da Legação alemã no Brasil, Conde Solms, comunicou o fato ao seu Governo, em ofício que foi publicado no *Norddeutsche Allgemeine Zeitung* em 4 de agosto de 1872. Faziam-se, aí, referências à presumida má vontade dos brasileiros para com os alemães, acusando-se também o Cônsul teuto Ter Bruegen de pender mais para os interesses brasileiros do que para os de seus compatriotas. O resultado disso foi obstar-se a projetada vinda dos emigrantes, além de nova onda de desconfiança perante as condições oferecidas à colonização européia no Brasil. Em Luebeck, aliás, Avé Lallemant abalançou-se a publicar um folheto em defesa dos brasileiros.

Ora, a questão da *Nymphe*, segundo Solms, teria tido grande papel na decisão de reduzir-se à metade o número de imigrantes, o que era desmentido pelo Ministro M. F. Correia, em 11 de dezembro de 1872, como se vê: "A questão da *Nymphe*, convém dizê-lo, não deixou no ânimo do Governo Imperial a menor idéia de ressentimento ou hostilidade para com o da Alemanha, e a melhor prova disto é que, longe de opor embaraços à emigração desta para o Império, a autoriza e promove (...). Concluindo, o Governo imperial, sem entrar aqui a apreciação da conveniência de celebrar uma convenção consular com o Império da Alemanha, está convencido de que a garantia dos direitos e propriedades dos colonos alemães no Brasil não depende absolutamente deste ajuste internacional (M. F. Correia, *in Revista do Instituto Histórico e Geográfico Brasileiro*, tomo LVI, parte II, 1893, pp. 125-136)."

O Conde Solms, então de licença, não voltou ao seu posto no Brasil. Manuel Francisco Correia, por sua vez, deixou o Ministério em janeiro de 1873. E, que se saiba, não houve seqüelas do incidente.

Outras relações   Quanto a outros setores das relações Brasil-Alemanha, quer-nos parecer tratar-se, mais, de atividades de alemães no Brasil, tal o caso dos técnicos que, trazidos pelo Barão de Capanema – de nome Wilhelm Schuech – vieram instalar o telégrafo. Além disso, há o caso, não tanto de relações, mas de reflexos da Alemanha no campo cultural, especialmente. Escapam, portanto, ao âmbito de nosso capítulo.

BIBLIOGRAFIA UTILIZADA

A MISSÃO ESPECIAL DO VISCONDE DE ABRANTES. Rio de Janeiro, Emp. Typ. Dous de Dezembro de P. Brito, 1853, 2 volumes.

CANSTATT, O. *Brasil, a terra e a gente.* Trad. Eduardo de Lima Castro, Rio de Janeiro, Pongetti, 1954, 414 p.

LAMBERG, M. *O Brazil,* vertido do alemão por Luiz de Castro, Rio de Janeiro, Lombaerts, p.

OBERACKER Jr., K. H. *Der deutsche Beitrag zum Aufbau der brasilianischen Nation.* São Paulo, Herder Editora Livraria Ltda., 1955, 448 p.

REVISTA DO INSTITUTO HISTÓRICO E GEOGRÁFICO BRASILEIRO: Tomo LVI, parte II, 1893, pp. 125-136.

Tomo LVIII, parte II, 1895, pp. 225-248.

Tomo LXIV, parte II, 1901, pp. 5-86.

SCHRAMM, P. E. *Hamburg, Deutschland und die Welt.* Hamburg, Hoffmann und Campe Verlag, 1952, 516 p.

_____. *Deutschland und Uebersee.* Braunschweig, Georg Westermann Verlag, 1950. 639 p. e 4 cartas em anexo.

_____. *Neun Generationen. Dreihundert Jahre deutscher Kulturgeschichte im Licht einer Hamburger Buergerfamilie (1648-1948),* Vandenhoeck & Ruprecht, Goettingen, 1963-1964, 2 vols., 495 e 653 p.

STUDT, B. e OLSEN, H. *Hamburg, die Geschichte einer Stadt,* Hamburg, Hans Koehler Verlag, 1951, 308 – 22 p.

TAUNAY, A. de E. *História do Café no Brasil,* Rio de Janeiro, Edição do Departamento Nacional do Café, 1939, 15 vols.

FORÇAS ARMADAS

LIVRO TERCEIRO

CAPÍTULO I

O EXÉRCITO E O IMPÉRIO

Estrutura social EXÉRCITOS são o produto das sociedades por eles servidas. Enquanto o Brasil transformava-se de sonolenta colônia, em 1822, em uma sociedade em vias de modernização e urbanização com a queda do Império, também o Exército passava de uma organização aristocrática, não educada e não profissionalizada, a uma força educada e dotada de vigoroso sentido de solidariedade institucional.

No Exército de D. João VI havia dois tipos de oficiais: os altos aristocratas e os fidalgos. Membros da aristocracia ingressavam no Exército como oficiais ou como cadetes com *honra de oficial* e avançavam rapidamente na carreira, chegando com freqüência ao posto de Capitão aos 20 anos de idade, Coronel aos 30 e General pouco depois dos 40. Um caso extremo foi o do futuro Duque de Saldanha (João Carlos de Saldanha de Oliveira e Daun, 1790-1876), que foi Capitão aos 16 anos e General aos 28. À semelhança de muitos de seus pares, este oficial da Corte regressou com D. João VI a Portugal, onde, não surpreendentemente, a fortuna continuou a sorrir-lhe.[1] Casos como o de Saldanha são comuns na Europa dos começos do século XIX. Mesmo um elemento nascido na Colônia poderia chegar ao generalato ainda jovem, se fosse suficientemente bem relacionado. Nascido em ilustre família de Minas Gerais, o futuro Marquês de Barbacena (Felisberto Caldeira Brant Pontes, 1772-1842) entrou no colégio dos nobres em Lisboa aos 16 anos de idade. Pouco depois, transferiu-se para a Academia Naval, onde, segundo tudo indica,

---

[1] Lago, Laurênio, *Brigadeiros e Generais de D. João VI e D. Pedro I no Brasil* (Rio de Janeiro, Biblioteca do Exército, 1941), pp. 56-58. Este volume contém sinopses das folhas de serviço (fés de ofício) destes generais.

estudou tão brilhantemente que mereceu o posto de Capitão-de-Mar-e-Guerra aos 21 anos.[2] Considerado demasiado jovem para esta posição, passou para o Exército na qualidade de Major. Este nobre mineiro atingiu o posto de General aos 39 anos de idade. Nesta época aristocrática, um homem de alta família podia facilmente transferir-se, como fez Barbacena, do Exército para a Marinha ou para o corpo diplomático. Posição em serviços governamentais era mais uma função de classe social do que de treino profissional, e isso continuou assim em certas partes da Europa até o fim do século XIX.

O corpo de oficiais Enquanto este sistema social aristocrático devia ter sido muito agradável a um Saldanha ou a um Barbacena, o mesmo não sucedia em relação à massa do corpo de oficiais. Durante os reinados de D. João VI e de Pedro I, o oficial médio, tanto no Exército português como nos outros exércitos europeus, não tinha oportunidade de avançar muito além do posto de Capitão, a não ser em situações de guerra. Muitos deixavam o serviço militar no posto de Tenente.[3] Antes da Independência, a maioria dos oficiais estacionados no Brasil parece ter sido constituída de portugueses. Apesar de ainda ninguém haver estudado as origens sociais dos oficiais de D. João VI, tudo indica terem sido eles filhos de funcionários civis ou militares e de pequenos proprietários de terras. Muitos membros desse grupo consideravam-se fidalgos ou de baixa nobreza, mesmo não possuindo a riqueza que normalmente devia corresponder àquela dignidade. Desde os fins da Idade Média, a terra de Portugal revelou-se inadequada para sustentar os numerosos fidalgos que, quase não tendo alternativa, acorriam para o serviço real. Na verdade, alguns dos fidalgos eram tão pobres e destituídos de influência, que começavam sua vida militar como soldados rasos. Felizmente, a barreira entre oficiais e soldados não era da mesma rigidez que na maioria dos exércitos europeus, cabendo a estes homens, ao menos, a decente oportunidade de terminar a vida como oficiais subalternos. Apesar de receberem os aristocratas, de modo geral, uma educação completa, acontecia serem os oficiais fidalgos, via de regra, simplesmente alfabetizados. Apenas a pesquisa poderá demonstrar se este último grupo chegava a ter consciência da iniqüidade da estrutura militar de então.

---

[2] Silva, Alfredo P. M. da e Lago, Laurênio – *Os Generais do Exército Brasileiro de 1822 a 1889* (Rio de Janeiro, Biblioteca do Exército, 1940-42, 3 vols.), vol. I, pp. 58-69. Tais volumes também contêm sinopses de folhas de serviço.
[3] Cf., por exemplo, *Almanaque Militar* de 1857.

O EXÉRCITO E O IMPÉRIO

Durante o século XIX, os dois tipos de carreira fundiram-se num só, na medida em que os aristocratas, com suas rápidas promoções, desapareceram do corpo de oficiais. As vantagens educacionais gozadas pelos membros das famílias poderosas diluíam-se, pois um número sempre crescente de oficiais dispunha da oportunidade de estudar em nível universitário. Exigências de idade também contribuíram para diminuir as vantagens aristocráticas. Isto é, na segunda metade do século XIX, tornou-se quase impossível chegar a oficial superior antes de 35 anos, e bem poucos atingiam o generalato antes dos 50. Boas relações continuaram a ser de grande importância para as promoções, mas mesmo as mais elevadas dentre elas nada podiam fazer em favor de um oficial que não houvesse atingido uma certa idade mínima. Uma estatística demonstra como mesmo os mais bem-sucedidos oficiais estavam sujeitos às leis da idade. A média de idade para chegar ao posto superior mais baixo, o de Major, para os homens que eram Generais em 1855, era de 27 anos. Haviam eles ingressado no Exército aproximadamente na fase de 1800-1830. Para os que foram Oficiais-Generais em 1895, a idade média para promoção a Major era de 39 anos, ou seja, uma diferença de 12 anos em relação a 1855.[4] Seu ingresso no Exército dera-se no período 1840-70. Mesmo com as rápidas promoções da Guerra do Paraguai, esses oficiais tiveram de esperar muito mais tempo em cada posto do que sucedera a seus pais. A lentidão das promoções gerava descontentamento, especialmente entre jovens e competentes oficiais que precisavam esperar em posições inferiores, enquanto elementos mais velhos, embora de menor qualificação profissional, ocupavam as superiores. Os mais longos atrasos em promoção ocorriam geralmente entre Capitão e Major. Foi o que levou um oficial, certa vez, a queixar-se de que o posto de Capitão era, no Exército, o equivalente ao Senado, pois era quase um posto vitalício.[5] Silva Telles, Comandante provisório da brigada que derrubou o Império, chegou a Capitão com 25 anos, em virtude de sua bravura durante a Guerra do Paraguai, mas precisou esperar mais 15 anos para passar a Major. Benjamin Constant foi promovido relativamente depressa a Major – nove anos de interstício –, mas esperou outros 13 pelo posto de Tenente-Coronel.[6] Talvez como resultado das exigências

---

[4] Os cálculos baseiam-se em informações de Silva e Lago e nas Fés de Ofício que se encontram no Arquivo Militar do Ministério da Guerra, Rio de Janeiro, e que foram gentilmente postas à disposição do autor.

[5] *O Militar*, 15 de abril de 1855.

[6] Cf. *Almanaque Militar* de 1891.

278   HISTÓRIA GERAL DA CIVILIZAÇÃO BRASILEIRA

de idade, poucos membros das grandes famílias rurais do Brasil escolheram a carreira militar, após 1850.

A transformação social do Exército durante o Império pode ser dividida em dois períodos, pelos anos ao redor de 1850. As principais novidades antes dessa data foram a eliminação dos elementos portugueses do Exército e a expansão de um sistema de educação militar para os oficiais de Engenharia, Estado-Maior e Artilharia. Durante a segunda fase, maiores possibilidades de educação estenderam-se aos oficiais das armas combatentes, ao mesmo tempo que a carreira militar profissionalizava-se e adquiria padrões definidos, isto é, até a década de 1850, as promoções para os poucos privilegiados podiam ser rápidas, porque a massa dos oficiais permanecia estacionária nos postos subalternos. Para usarmos uma frase batida, cada um sabia seu lugar. Mas, por volta de 1880, todos os oficiais gozavam da oportunidade de competir pelas promoções, resultando daí uma tal lentidão do progresso na carreira, que muitos deles se sentiram frustrados e revoltados. Examinemos com maiores detalhes esse processo.

Muitos dos oficiais aristocratas do Exército de D. João VI regressaram com ele para Portugal. Não menos de 23 Generais nascidos em Portugal escolheram seguir o rei, enquanto que apenas 11 aceitaram seu filho e a Independência do Brasil.[7] Todos os 21 Generais nascidos no Brasil permaneceram no novo Império. Em todas as Províncias, o reinado do primeiro Imperador foi testemunha de uma luta entre portugueses e brasileiros. Na economia (temporariamente) estagnada dessa década, o elemento nascido na América esforçava-se por conseguir tantas posições quanto possível nas hierarquias civil e militar, pois faltavam outros meios de ganhos à vida. O comércio permanecia em mãos de estrangeiros; açúcar, algodão, bem como o tabaco, sofreram graves crises; e não existia indústria. Dom Pedro simpatizava com os lusitanos, indicando muitos deles para elevadas funções políticas e militares. Mas, em 1830, o Imperador achou-se obrigado a afastar do Exército todos os estrangeiros. Sua abdicação, no ano seguinte, seguida de sua morte, em 1834, enfraqueceu consideravelmente a facção portuguesa, embora tudo indique terem os portugueses apresentado maior poder de permanência do que geralmente se acredita. A despeito do êxodo de 1821, 26 dos 44 homens que serviram como Generais no período 1830-31 foram portugueses natos. Por volta de 1833, 11 destes tinham sido afastados e um fora assassinado, permanecendo ainda 14, em serviço ativo. Segundo parece, somente os *peninsulares* irrevogavelmente comprometidos com Dom Pedro foram

---

[7] Lago, *Brigadeiros e Generais*.

O EXÉRCITO E O IMPÉRIO

expurgados; os outros continuaram até sucumbir à idade. Podemos admitir ter sido a permanência dos lusitanos no corpo de oficiais, como um todo, aproximadamente na mesma proporção que no conjunto de Generais. Assim sendo, provavelmente o Exército brasileiro conteve muito portugueses até a década de 1840. Não obstante, poucos novos portugueses ingressaram no Exército ou na burocracia após 1830, pois encontravam oportunidades mais lucrativas no comércio; e continuou ainda por anos a hostilidade para com os *pés-de-chumbo* dedicados a este último ramo de atividades.

Academia Militar.
Caxias

Antes de 1810, o Brasil não dispunha de uma academia militar operando continuamente, apesar de terem existido algumas instituições temporárias deste tipo.[8] As dimensões originais da Real Academia Militar eram bem modestas, conquanto, por volta de 1840, lá estivessem matriculados 220 estudantes.[9] Mantendo um alto padrão de qualidade, a Academia Militar foi a única Escola de Engenharia do Brasil até 1874. Antes de 1832, porém, ela não se aparelhou para formar oficiais de Infantaria e Cavalaria, cuja instrução permaneceu tristemente negligenciada até depois da Guerra do Paraguai. Segundo o *Almanaque militar* de 1857, todos os oficiais de Engenharia, Estado-Maior e Artilharia passaram por um curso de nível universitário, o que acontecera apenas a 31 dentre os 354 de Infantaria e a 20 dos 119 de Cavalaria (Segundos-Tenentes foram excluídos desses dados, pois muitos deles ainda estavam estudando). Por volta de 1891, os números eram 172 num total de 390 e 87 em 192, correspondendo a um impressionante aumento. Educação significa consciência política. Ora, em meados do século, oficiais dos ramos técnicos parecem ter estado sós nas suas denúncias do sistema social.[10] Mas, a 15 de novembro de 1889, tais oficiais foram acompanhados por seus camaradas das armas combatentes.

A aristocracia brasileira de cultivadores (se é que podemos usar esta expressão) nunca desenvolveu tradições militares dignas de nota, ao contrário de suas equivalentes européias. Limitados em seu acesso ao Exército regular durante boa parte do período colonial, os cultivadores preferiram, depois da Independência, as funções mais lucrativas de caráter político e judicial aos postos de oficiais militares. A expansão das escolas de

---

[8] Para uma exposição da educação militar no Brasil colonial, cf. Piraçununga Adailton, *O Ensino militar no Brasil Colônia* (Rio de Janeiro, Biblioteca do Exército, 1958).
[9] Relatório de Guerra de 1841, Apêndice.
[10] Os mais loquazes oficiais parecem ter pertencido a esses ramos.

Direito, na década de 1850, absorveu muitos dos filhos da elite que sabiam inexistirem leis exigindo limites de idade para a promoção de advogados. Parentes próximos dos políticos mais importantes não raro tornaram-se Governadores ainda na sua terceira década de existência, e isto até o final do Império. Apesar de existirem algumas exceções, como os Lima e Silva e os Mena Barreto, geralmente a baixa remuneração, as pobres condições de vida e a lentidão das promoções tendiam a desencorajar os filhos das grandes famílias a dedicar-se à carreira militar. O Duque de Caxias (1803-1880), o notável guerreiro do Império, serve como epítome do tipo aristocrático de General que gradualmente desapareceu após a Guerra do Paraguai. Major nos seus 20 anos e General nos seus 30, Caxias participou ativamente da política servindo como Presidente do Conselho. Em seu comportamento político, Caxias funcionava mais como chefe do Partido Conservador do que como representante dos interesses militares, apesar de, naturalmente, ser também um advogado desses últimos. Caxias prestou sua lealdade tanto ao seu Imperador e à sua classe social como ao Exército.

Nos anos finais do Império, o Duque e todos os seus companheiros haviam perecido ou então se diluíra o contato com seus subordinados. O grupo dos homens que substituíram esses aristocratas pode ser exemplificado por Floriano Peixoto (1837-95), segundo Presidente da República. Floriano foi criado por seu tio, um bastante influente senhor de engenho de Alagoas. Completando sua educação primária em Maceió, aos 16 anos de idade, passou em seguida 2 anos numa escola secundária no Rio e entrou na Academia Militar. Dispondo de poucas conexões por nascimento, o futuro Marechal de Ferro criou as suas próprias com uma série de Generais liberais, incluindo-se aí o Conde d'Eu, Osório e Pelotas.

Essas amizades, combinadas com brilhante folha de serviços na Guerra do Paraguai, asseguraram a Floriano o generalato ainda na sua década dos 40 anos, um grande êxito em seu tempo. Abolicionista e propugnador da modernização, a lealdade predominante em Floriano era para com a classe militar e não para com o Partido Liberal, a despeito de ter devido a este muitas altas posições. Tanto Caxias como Floriano avançaram graças às suas conexões, mas enquanto que as relações do Duque eram muitas vezes as de nascimento e com políticos estranhos ao Exército, já as de Floriano foram adquiridas durante a carreira, restringindo-se, geralmente, à área militar.

Composição social dos oficiais Um exame das maneiras de ingresso de oficiais no Exército revela que, enquanto no período anterior a

O EXÉRCITO E O IMPÉRIO

1850, quase todos os Generais se originaram da elite, já em 1895 apenas metade dos Generais em serviço pode ser assim classificada.[11] Não menos de 56% dos que chegaram ao generalato entre 1831 e 1864 eram filhos de generais ou de oficiais superiores, ao passo que somente 28% dos que foram promovidos a tal posto nos primeiros cinco anos da República pertenciam a essa categoria.[12] Duzentos exemplos tomados ao acaso de cadetes dos 40 últimos anos do Império indicam que, em sua maioria, os pais de cadetes eram oficiais de linha ou da Guarda Nacional (aproximadamente na mesma proporção). Dos 135 de cujos pais conhecemos a profissão, 121 eram filhos de oficiais do Exército ou da guarda, 13 eram filhos de advogados ou grandes cultivadores, e um era filho de padre.[13] Geograficamente falando, a tendência, durante a metade do século XIX, foi para aumentar o número de nordestinos e gaúchos, tanto no quadro de Generais como no conjunto do corpo de oficiais.

Nascimento	Generais 1855	Generais 1895	Cadetes, exemplos de 1850-90
Portugal	12	–	–
Nordeste	4	9	85
Corte	7	5	5
Centro	2	5	10
Sul	4	11	24
Centro-Oeste	–	–	16
Norte	–	–	6
Total	29	30	146

Durante os anos finais da Monarquia, a maioria dos que ingressavam no corpo de oficiais e que não eram filhos de oficiais ou burocratas (os quais, somados, compreendiam cerca de metade do oficialato), provinham de Municípios do interior do Nordeste e do Rio Grande do Sul. Tipicamente, os do Nordeste eram originários de grandes famílias de senhores de engenho e lavradores atravessando um período difícil. Se o

---

[11] Cálculos baseados em Silva e Lago e nas Fés de Ofício do Arquivo Militar. A esse respeito, o leitor pode achar interessante o exame de Cunha, Rui Vieira da, *Estudo da Nobreza Brasileira – Cadetes* (Rio de Janeiro, Arquivo Nacional, 1966), pp. 15, 24 e 84.
[12] Trinta e um dentre 55 Generais no primeiro período e 11 dentre 40 no último.
[13] Informação obtida *in Reconhecimentos de Cadete*, no Arquivo Militar.

pai ou um padrinho não pudessem encontrar os meios de pagar o curso de um filho no Liceu provincial, abria-se a esse, então, a perspectiva de prestar exame de ingresso à Academia Militar. Tendo êxito, as preocupações financeiras do pai estavam superadas, pois o Governo proporcionava moradia, alimentação, educação e um modesto dinheiro de bolso. Os que dispunham de fundos suficientes para enviar um filho à escola de Direito ou Medicina normalmente escolhiam este caminho, mas, para aqueles que lutavam com dificuldades financeiras, as academias militares muitas vezes apresentavam a única alternativa a uma vida de misérias. O corpo de oficiais que derrubou Pedro II, conforme parece, constituía-se de elementos dos setores médios. Em vista do elevado número de oficiais provenientes do interior, essa afirmativa requer uma explicação. Os camaradas de Deodoro podem ser considerados membros da classe média, não por nascimento, mas por educação e fontes de renda. Os militares que recebiam uma educação de escola superior viviam nas capitais provinciais ou no Rio desde os começos de sua segunda década de existência, enquanto que mesmo o número em declínio dos oficiais relativamente não educados vivia em áreas urbanas na maior parte da carreira. Ao tempo da proclamação da República, virtualmente todos os oficiais (inclusive os Generais) tinham como principal fonte de renda os salários e não a terra. Conseqüentemente, os interesses dos militares diferiam dos cultivadores ou comerciantes e coincidiam com os dos burocratas e dos que estavam na órbita do Governo Central. Dadas essas circunstâncias, não parece ilegítimo considerar-se a classe militar como um componente dos setores médios da população.

A queda do número das altas funções políticas exercidas por oficiais militares refletia a profissionalização dos militares e a divisão entre eles e a elite política. Assim como os padres, oficiais participaram ativamente da política durante os primeiros 30 anos de Independência, em virtude da carência de civis laicos educados. Mas, com o desenvolvimento das escolas de Direito, membros da profissão das leis ganharam o controle de virtualmente todos os mais importantes postos legislativos e administrativos. A influência militar diminuiu gradualmente, chegando a um nadir na década anterior à proclamação da República.[14] Em 9 anos, Pedro I designou não menos do que 12 militares para o Senado e cinco (de um total de 14) para o seu Conselho de Estado.

---

[14] *Organizações e Programas Ministeriais* (Arquivo Nacional, 1962) contém os nomes e (usualmente) as ocupações de todos os Senadores, Deputados, Governadores, Ministros e Conselheiros de Estado que serviram durante o Império.

O EXÉRCITO E O IMPÉRIO

A Regência, que não tinha Conselho de Estado, indicou somente dois militares Senadores. Pedro II propôs quatro militares Senadores na década de 1840, dois na de 1850 e apenas três no restante de seu reinado. Nas décadas de 1840 e 1850, Dom Pedro indicou sete membros para seu Conselho de Estado, da classe militar, mas escolheu somente três outros militares em todo o restante de seu longo reinado. Em 15 de novembro de 1889 não havia membros militares no Conselho Ordinário de Estado, e um velho inválido – Beaurepaire-Rohan – representava as Forças Armadas como Conselheiro Extraordinário (isto é, de categoria inferior). As estatísticas referentes à Câmara dos Deputados nas décadas de 1830 e 1840 não podem ser determinadas com facilidade, apesar de parecer que cerca de oito dos cento e poucos Deputados em cada uma das primeiras legislaturas eram militares.[15]

1853-56	6 deputados militares	1872-75	5
1857-60	8 e 6 alternados	1878	2
1861-64	7	1878-81	3
1864-66	7	1881-84	1
1867-68	6	1885	0
1869-72	4	1886-89	2

O *status* social dos homens alistados não variou muito durante o Império; permaneceu uniformemente mau. Ex-escravos serviam nas fileiras e as turmas de recrutamento eram tão temidas pela população como o próprio demônio. Eis o comentário de dois observadores britânicos: "Muitos jovens em boas condições, que imaginam qual seria sua sorte se comprassem a liberdade, preferem permanecer escravos a serem condenados às fileiras e à labuta militar.[16]" Os oficiais faziam um liberal uso do chicote e, pela República adentro, os alistados eram tratados como animais.

Política, educação e idéias　　Na primeira parte deste capítulo, tentamos dar uma idéia das transformações graduais e imperceptíveis, efetuadas na composição social do corpo de oficiais. Voltemos nossa atenção, agora, para os acontecimentos particulares que assinalaram a história do Exército Brasileiro durante o Império. Como histórias operacionais

---

[15] Meus agradecimentos ao Professor Américo Lacombe, por esclarecer alguns dos dados concernentes a deputados militares.

[16] Candler e Burgess, *Travels* (London, 1852), p. 38.

das grandes campanhas já foram escritas por pessoas mais qualificadas do que nós a este respeito, não pretendemos tratar aqui deste aspecto.[17]

A retirada das tropas portuguesas deixou Dom Pedro sem exército; problemas econômicos e as imediatas dificuldades da guerra tornavam difícil a criação de forças armadas. A depressão do algodão, do açúcar e do fumo diminuía a renda potencial do Governo Central, enquanto o tratado inglês de 1827 restringia a política fiscal do Imperador, uma vez que ele não podia elevar as tarifas, sua principal fonte de renda, acima de 15%. Forçado a ir de um expediente a outro, Dom Pedro iniciou seu Reinado contratando estrangeiros, comandados pelo Almirante Cochrane, para expulsar os lusitanos de seus portos do Norte. No ano seguinte à retirada portuguesa no Norte do Brasil, o Imperador precisou financiar uma custosa expedição para reprimir um levante em Pernambuco (1824). Mal se haviam dissipado os fumos no Norte, quando a Província Cisplatina revoltou-se, arrastando o Império a uma guerra de 3 anos, não só contra o Uruguai, mas também contra a Argentina. Mesmo sem esse último conflito, Pedro I ter-se-ia visto em dificuldades para manter seu país em ordem. Mais uma vez enfrentando a falta de tropas, Pedro I contratou inúmeros mercenários irlandeses e alemães. Enquanto que, durante a guerra de Independência, o atraso de pagamentos levara o Almirante Cochrane a tomar decisões por conta própria e a financiar sua esquadra mediante o confisco da propriedade portuguesa em São Luís, os irlandeses e alemães não estavam em condições de proceder de maneira semelhante. Reduzidos, segundo parece, quase a morrer de fome, amotinaram-se por quatro dias, em janeiro de 1828, até serem submetidos por escravos armados, e com muitas perdas de vida. O Governo apressadamente repatriou os sobreviventes e nunca mais considerou a possibilidade de empregar formações mercenárias. A guerra platina apenas determinou derrotas e impopularidade para Pedro I e resultou na independência do Uruguai. Segundo Armitage,[18] o Congresso responsabilizou Dom Pedro pelos reveses militares e pelas despesas da guerra, ao passo que os militares responsabilizavam-no pela falta de apoio parlamentar. Ao

---

[17] Para uma curta história militar, cf. Barroso, Gustavo, *História Militar do Brasil* (São Paulo, 1935). Acerca da rebelião no Rio Grande do Sul, cf. *A Epopéia Farroupilha* (Rio de Janeiro, Biblioteca do Exército, 1963). O melhor estudo sobre a Guerra do Paraguai é o de Fragoso, Augusto Tasso, *História da Guerra entre a Tríplice Aliança e o Paraguai* (5 vols., Rio de Janeiro, 1956-60).

[18] Armitage, John, *História do Brasil* (Rio de Janeiro Edições de Ouro, 1965), pp. 179-234 e 306-316. A primeira edição deste livro foi publicada em Londres, 1836.

O EXÉRCITO E O IMPÉRIO

término da luta o Imperador achou-se em posição bastante insegura e solapou-a ainda mais ao insistir em sua política lusitana. A partir de 1830, foram freqüentes suas alusões à abdicação. Armitage nota encontrarem-se os oficiais de Artilharia entre os que eram mais hostis ao monarca,[19] o que parece razoável, pois tratava-se da única parte educada do corpo de oficiais naquele tempo. Este mesmo autor descreve os acontecimentos de sete de abril como uma sedição militar.[20] Mesmo tendo um general, Francisco de Lima, participando da regência de três membros constituída após a abdicação, o Exército obteve bem poucas recompensas pelos seus esforços.

Oposição dos liberais ao Exército   Os liberais que chegaram ao poder opunham-se ao Exército por motivos tanto de ordem ideológica como econômica. Temendo que o Exército pudesse ser utilizado pelo Governo Central para suprimir as liberdades provinciais, a regência quase imediatamente criou uma Guarda Nacional, sob a chefia do Ministro da Justiça, para substituir as Milícias e Ordenanças (forças de reserva que haviam estado sob a jurisdição do Ministro da Guerra). Moldada segundo a instituição francesa do mesmo nome, a guarda deveria ser uma organização da classe média destinada a manter a ordem. Na realidade, adaptando-se às condições predominantes na sociedade brasileira, passou a ser usada pelos políticos locais como um meio de perseguição dos inimigos. Frente a frente com uma insurreição séria, como a do Rio Grande do Sul, as unidades da guarda usualmente demonstravam incompetência e, ocasionalmente, chegavam à deslealdade. Tanto por motivos ideológicos como práticos, as dimensões do Exército foram grandemente diminuídas. Enquanto que, durante a guerra platina, o Império mantivera 8.000 homens apenas no Uruguai, segundo um historiador militar,[21] os regentes liberais (1831-37) reduziram o poderio constante de folha do Exército a 6.000 homens.[22] O poderio real deve ter sido ainda inferior e, quanto ao pagamento, o menos que podemos afirmar concerne à sua irregularidade. Uma lei, segundo parece fielmente observada, proibia a promoção de quem quer que fosse acima de Segundo-Tenente, enquanto outros atos ofereciam imediata "aposentadoria" com meio pagamento a todos os oficiais que assim o

---

[19] *Ibid.*, p. 301.
[20] *Ibid.*, p. 313.
[21] Magalhães, João. *A Evolução Militar do Brasil* (Rio de Janeiro, Biblioteca do Exército, 1958), pp. 267-280.
[22] Cf. Lei da Fixação das Forças, in *Leis e Decretos do Brasil*.

desejassem, e compulsoriamente reformavam oficiais para os quais não pudesse ser encontrado um lugar.[23] Na economia da década de 1830, tendente à estagnação, os oficiais reformados devem ter encontrado pouco o que fazer, além de morrer de fome e esperar que o Governo lhes enviasse seu meio pagamento. Em 1831, organizou-se um batalhão composto inteiramente de oficiais. Por medida de economia, o Governo combinou as academias militar e naval no ano seguinte, mas tornou a separá-las pouco tempo depois. A lei juntando as duas academias foi a primeira a proporcionar instrução especial para os oficiais de Infantaria e Cavalaria, bem como a primeira a estipular um curso de estudos para o recém-formado corpo de Estado-Maior.

A rebelião Farroupilha, iniciada em 1835, desacreditou o Governo liberal e a Guarda Nacional. Dois anos mais tarde, o regente liberal, Feijó, foi substituído pelo conservador Pedro de Araújo Lima, que encetou imediatamente a reorganização das Forças Armadas. Obteve do Parlamento uma lei aumentando o efetivo do Exército para 15.000 homens em tempo de paz e 18.000 em guerra, cifras que foram mais ou menos mantidas até a Guerra do Paraguai. A primeira vitória do Exército revitalizado veio em 1840, quando, chefiado por Luís Alves de Lima, futuro Duque de Caxias, coube-lhe dominar a Revolta Balaiada, no Maranhão. Caxias, em seguida, conduziu o Exército e contingentes leais da Guarda Nacional a uma série de triunfos em São Paulo e Minas (1842), para, finalmente, liquidar a Farroupilha, em 1845. A derrota da Praieira, em Pernambuco (1848-49), estabeleceu uma paz interna que durou até a queda do Império.

Reformas na área militar — O *boom* do café, a expiração do acordo tarifário com a Inglaterra (1844) e, mais tarde, o término do tráfico de escravos (1850) contribuíram para o financiamento das vitórias domésticas e estrangeiras de Caxias, e essas, por sua vez, ajudaram a iniciar-se um período de expansão econômica no Brasil, que se estendeu até o final do Império (continuando, de fato, ainda hoje). A prosperidade brasileira e a estabilidade do período 1845-64 tornaram possível para o Governo devotar suas atenções a reformas militares, especialmente na área da instrução. Uma lei de setembro de 1850 revolucionou a estrutura do corpo de oficiais, atribuindo a indivíduos portadores de diplomas da Academia Militar privilégios em relação aos que não os possuíssem, especialmente nos ramos técnicos; virtualmente, nenhum não

---

[23] Cf. Leis de 24 de novembro 1830, 30 de agosto de 1831, 25 de agosto de 1832 e 1 de dezembro de 1841, *in Leis e Decretos do Brasil.*

O EXÉRCITO E O IMPÉRIO

graduado permaneceu nessas armas após a promulgação desta lei.[24] Como havia um número insuficiente de oficiais instruídos para a Cavalaria e Infantaria, era ainda possível progredir-se nessas armas sem um diploma, apesar de que, entre homens de outra forma igualmente qualificados, deveriam ser preferidos os mais instruídos. Para conseguir uma patente, a pessoa devia ser maior de 18 anos, alfabetizada, e soldado por 2 anos. O tempo passado como praça na Academia Militar era contado para este último requisito. Os que não houvessem estudado na academia, fossem eles cadetes ou sargentos que tivessem progredido nas fileiras, precisavam ter servido como oficiais não patenteados por 6 meses, no mínimo, ao passo que estudantes podiam ser promovidos sem serviço nas fileiras. Serviço alistado nas armas combatentes, especialmente em tempo de guerra, era bastante comum, mesmo entre homens com antecedentes sociais relativamente bons. Promoção a Primeiro-Tenente e a Capitão fazia-se por critério de idade após 2 anos em cada posto. Metade das promoções aos postos superiores efetuava-se por antiguidade e metade por merecimento, após 3 anos de serviço em cada grau. Todos os Oficiais-Generais eram tidos como selecionados pelo critério de merecimento. Nas zonas de combate, os intervalos de tempo entre as promoções podiam reduzir-se à metade no âmbito dos ramos técnicos, e logo foram tomadas providências relativamente às promoções mediante estudos ao posto de Major. Apesar de permanecer ainda oportunidade para favoritismo no ato de 1850, bem como para a política e a corrupção, ao menos estabeleceu ela requisitos de idade e de instrução para o progresso na carreira e, em geral, as comissões de promoção criadas por esta lei tendiam a ser mais corretas e menos políticas do que haviam sido os Presidentes provinciais.

Em 1853, o Governo abriu uma Academia Militar para oficiais de Infantaria e Cavalaria, no Rio Grande do Sul. Este instituto funcionou, com interrupções, até 1911. Em 1858, o Ministro da Guerra separou o Curso de Engenharia Civil da parte estritamente militar do programa; o Curso de Engenharia permaneceu no centro do Rio, cabendo ao Curso Militar mudar-se para a Praia Vermelha (onde esteve até 1904). Oficiais das armas combatentes deviam freqüentar cada um destes institutos durante um ano, devendo os oficiais de Artilharia e de Estado-Maior ficar 3 anos na Escola Central e, em seguida, 2 na Praia Vermelha; Engenheiros do Exército cursavam 4 e 2 anos, respectivamente. Nenhum estudante

---

[24] *Almanaque Militar* de 1857.

militar freqüentou a Escola Central durante a Guerra do Paraguai, sendo ela transformada na Escola Politécnica estritamente civil em 1874.

Antes de 1858, candidatos ao ingresso na Academia Militar preparavam-se nas escolas secundárias civis ou com professores particulares. Até 1845, tal preocupação parece não ter sido muito severa, pois as únicas exigências – além da idade mínima de 15 anos – eram a alfabetização e as quatro operações aritméticas. As reformas daquela data introduziram gramática portuguesa, francês, geografia e, para os que pretendiam tornar-se engenheiros, gramática latina. Segundo parece, essas novas exigências dificultaram o ingresso à academia para as pessoas mais pobres, que não estavam em condições de estudar em escolas preparatórias particulares. Em 1858, entretanto, o Governo fundou escolas preparatórias gratuitas no Rio de Janeiro e em Porto Alegre. No último ano de sua existência, o Império criou o Colégio Militar, dotado de um enriquecido programa secundário de oito anos.

Nível de Instrução
na Academia Militar
Via de regra, o nível de instrução na Academia Militar destacava-se favoravelmente, quando comparado com o das faculdades civis. De fato, os líderes militares chegaram a temer que suas academias acabassem produzindo mais eruditos do que soldados. Veja-se, a tal respeito, a maneira de pensar do Ministro da Guerra, Manuel Felizardo de Sousa e Melo, em 1851: "O jovem cadete, entrando de 15 anos e passando sete na mais ampla independência e liberdade, não reconhecendo outra superioridade, que a do saber escolástico, habitua-se a ter em pouco as múltiplas e minuciosas práticas do serviço militar e sem as quais não é possível haver tropa regular. Cingindo a banda em conseqüência de sua aplicação aos estudos, e voltando ao Corpo, envergonha-se de perguntar o que sabem inferiores e oficiais rotineiros, tem a estes em menos conta; e posto que seus superiores nenhum respeito e consideração lhe merecem...

Nenhuma Academia Militar conheço à semelhança da nossa: ... A nossa Escola tem todos os elementos para fazer sábios; poucos, porém, para formar oficiais."[25] Significativamente, Sousa e Melo não põe em dúvida a excelente qualidade acadêmica dos estudantes militares.

Uma publicação:
O Militar
Em 1854, um deputado propôs uma lei proibindo os oficiais em início de carreira de contratar casamento sem consentimento do Ministro da Guerra. Os oficiais jovens e os estudantes

---

[25] Relatório do Ministério da Guerra de 1851, p. 9.

O EXÉRCITO E O IMPÉRIO

militares protestaram fazendo retinir seus sabres nos vestíbulos do Congresso e publicando, por um ano (julho de 1854 – julho de 1855), um jornal radicalmente antigovernamental: *O Militar*. Durante os debates relativos a essa medida na Câmara dos Deputados, o Ministro da Guerra, Pedro de Alcântara Belegarde, afirmou que militares casados e viúvas constituíam-se em fonte de grande despesa para o Estado, e que o Governo devia ter um controle quanto aos tipos de pessoa com quem se casassem oficiais. De modo bastante franco, o Governo não estava disposto a pagar meio-soldo às viúvas e esperava desencorajar os oficiais de contrair matrimônio, independentemente do resultado que tal circunstância pudesse ter sobre a moralidade. O Ministro notava que, nos tempos correntes, um terço da oficialidade era casada e lembrava haver em todos os outros países leis restringindo o casamento, exceto a Inglaterra, onde os oficiais eram rico.[26] Diversos Deputados, julgando ser a Inglaterra a nação-modelo, discordaram de Belegarde.

Os editores de *O Militar* não se opunham ao Governo apenas na questão do casamento; eles reprovavam a totalidade da estrutura da política brasileira e propunham muitas reformas que teriam contribuído para desenvolver o país, no caso de terem sido executadas. Suas denúncias dos legistas, ou elite dos advogados, virtualmente ocupando todas as principais posições políticas, falam eloqüentemente por si mesmas, como se vê:

Srs. Legistas; o período de vossa usurpação está acabado...

Deixastes chegar a agricultura até as bordas da sepultura, não lhe proporcionando os braços de que necessita, retirando depois os poucos de que ela dispunha sem substituí-los por outros, não promovendo por meio algum a introdução dos melhoramentos nos processos agrícolas imperfeitos de que ela usa, não tratando enfim, desprezando totalmente, negando-lhe mesmo as vias de comunicação, elemento indispensável para a sua prosperidade.

Tendes desprezado e mesmo estorvado, com essa teia inextricável de leis e regulamentos... todo e qualquer desenvolvimento industrial.

Tendes comprimido a expansão espontânea do comércio... não lhe fornecendo essas vias por onde sua vida se comunica.

Tendes lançado sobre a Classe Militar um manto espesso de ignomínia, de compressão e de miséria.

---

[26] Discurso na Câmara dos Deputados em 26 de agosto de 1854.

Tendes feito chegar o clero do Brasil ao último grau de descrédito e de depravação...

Com vossas tramas e violências eleitorais, com vossa corrupção, desmoralizando o povo tendes rebaixado e adulterado a representação nacional...

Suspendestes, sim, esse infernal tráfico, mas por que meio fostes a isso levados? Nem ousamos relatá-lo, repugna a um coração brasileiro a recordação de semelhantes acontecimentos. (O Brasil fora forçado a abolir o tráfico escravo pela esquadra britânica.)

De *O Militar*, 25 de abril de 1855

O Militar era favorável à abolição, aos subsídios para a imigração, às tarifas protecionistas, aos subsídios para a indústria, às leis corporativas liberais, à construção de estradas de ferro, à reforma eleitoral e ao bom preparo militar. A falta de espaço impede-nos de discutir essas questões com maiores detalhes, mas não nos podemos furtar a reproduzir uma curta passagem ilustrando a maneira como os graduados e os estudantes da Academia Militar encaravam-se a si próprios, em relação à elite de advogados do Império. Ei-la: "Quem se quiser dar ao trabalho de examinar as filiações dos moços que freqüentam a Escola Militar, verá que, salvo uma ou outra exceção, eles são todos de família pouco abastada e sem influência para criar-lhes uma posição de onde possam ser úteis a si e a seus camaradas; e quando encontrar algum nome desses que possuem o mágico condão de criar políticos abalizados, estadistas profundos, diplomatas felizes e administradores fecundos, pode de antemão afirmar que é um bastardo, sobrinho pobre, ou parente muito afastado: os filhos, os parentes e pupilos ricos são destinados para os cursos jurídicos..."[27] Apesar do exagero contido nesta afirmativa, há nela muito de verdade. Por volta de 1854, muitos dos jovens oficiais já estavam amargurados contra a elite imperial. Pouco haveria de acontecer em suas carreiras e que pudesse levá-los a uma reconciliação com os políticos; ao contrário, a conduta dos civis durante a Guerra do Paraguai (1864-70) e o período pós-guerra confirmaram os oficiais em sua posição de hostilidade. Mas na década de 1850, com os oficiais superiores, todos eles lembrando vivamente e temendo profundamente o caos das duas décadas anteriores, firmemente ligados à ordem social e política, os estudantes militares não se constituíram numa ameaça ao Governo. A designação do altamente res-

---

[27] *O Militar*, 5 de abril de 1855.

O EXÉRCITO E O IMPÉRIO

peitado Marquês de Caxias em junho de 1855 e a derrota da lei do casamento acalmaram as coisas, e O *Militar*, em julho, encerrou sua publicação, apesar de reaparecer brevemente em 1860-1861.[28]

Enquanto os rios, mais do que as estradas de ferro, dotaram o Brasil de seu principal meio de transporte, era natural que o país procurasse obter o controle de pelo menos uma margem do Prata. A vitoriosa intervenção na Argentina em 1852 restabeleceu o Império como uma força naquele rio, do qual fora expulso durante o Reinado de Pedro I. O Brasil exerceu uma poderosa influência sobre o Uruguai, no período entre Monte Caseros e a Guerra do Paraguai, fase em que o Visconde de Mauá procurava transformar a antiga Província Cisplatina em um satélite econômico. Muitos brasileiros encaravam o Paraguai como a principal ameaça no Prata, e já em 1855 O *Militar*, denunciando a falta de preparo do Brasil, perguntava se a Guarda Nacional e os índios eram capazes de defender-se "contra uma nação de 250.000 habitantes, onde cada homem é um soldado"[29]. A despeito de ter sido a década posterior à queda de Rosas proveitosa para a instrução militar, pequenos foram os esforços do Governo no sentido de preparar seu Exército para uma guerra de envergadura.

Em 1864, uma força brasileira invadiu o Uruguai, com a finalidade de expulsar de sua posição o partido *Blanco*, hostil ao Brasil. Desesperados, os *Blancos,* em retirada, apelaram ao ditador paraguaio, Francisco Solano Lopez, e este prontamente lhes concedeu assistência. Lopez esperava derrotar os brasileiros antes que estes pudessem mobilizar todos os seus recursos, calculando que uma vitória no Uruguai conduziria tanto os uruguaios, como o norte da Argentina, à esfera de influência paraguaia. Embora possuindo Lopez, de fato, um exército maior e mais bem treinado do que Dom Pedro II, os recursos do Império eram enormemente superiores aos do Paraguai, chegando a dar à agressão um aspecto de suicídio. Na verdade, Lopez parece não ter sido muito normal. Para atingir o Uruguai, o ditador cruzou território da Argentina, fazendo com que esta se unisse ao Brasil e ao Uruguai numa tríplice aliança. O Exército paraguaio invasor avançou temerariamente até Uruguaiana, no Rio Grande do Sul, onde foi cercado e aprisionado em meados de 1865. Talvez fosse este

---

[28] Em conexão com o período de seu reaparecimento, cf. Instituto Historico e Geographico Brasileiro, lata 419, documento 9, no qual se encontra uma carta do estudante militar Solon Ribeiro ao seu pai.

[29] O *Militar*, 28 de fevereiro de 1855.

o momento lógico para terminar a guerra, mas a maioria dos políticos, inclusive o usualmente pacífico Dom Pedro, quiseram levar o conflito ao território do próprio Paraguai. Oficialmente o Brasil lutava para libertar suas terras (o que aconteceu imediatamente após a capitulação de Uruguaiana), bem como para garantir os direitos de navegação no Rio Paraguai, mas seus estadistas – secretamente – podem ter pensado em anexar o Uruguai, o Paraguai, ou ambos. É também verdade que não se pode afirmar se Lopez teria concordado com a paz naquela oportunidade. No início do ano seguinte, os Exércitos aliados, compostos principalmente de brasileiros, já estavam em solo paraguaio. Durante 2 anos de agonia os paraguaios contiveram os amplamente superiores exércitos aliados em frente a Humaitá. Mas quando este bastião caiu, finalmente, em julho de 1868, a nata do Exército de Lopez fora destruída e os aliados não tiveram dificuldades em marchar para Assunção. O Marquês de Caxias, então, considerando a guerra vencida, deixou o posto de supremo Comandante aliado, sendo substituído pelo Conde d'Eu, marido da herdeira presuntiva. Assumindo o comando em fevereiro de 1869, o Príncipe conduziu a campanha da Cordilheira, no Paraguai central, e que chegou a seu término com a morte de Lopez, em 1º de março de 1870.

Sob diversos pontos de vista, a Guerra do Paraguai assemelhara-se à Guerra da Criméia. A princípio, contendas entre os aliados prejudicaram severamente as operações, embora tal problema pareça ter sido em grande parte superado com o afastamento do Presidente argentino Mitre, durante o cerco de Humaitá. Da mesma forma que Sebastopol, Humaitá era uma poderosa fortaleza atacada por exércitos operando a longa distância de suas bases. Em ambas as guerras a principal dificuldade dos aliados residia na questão do abastecimento, e as mais pesadas perdas foram determinadas por doenças, maus hospitais e corrupção. A burocracia brasileira revelou-se incapaz de organizar e manter o abastecimento de tão grande Exército, pois este chegou a atingir 70.000 homens, levando o Governo a contratar o serviço de firmas particulares para chegar ao seu objetivo. Em muitos casos, o Ministro da Guerra delegava a responsabilidade de contratar aos comandantes divisionários. A Guerra da Criméia e a guerra civil americana deram margem, em larga escala, à obtenção de proveitos pessoais, de tal modo a ser irrazoável esperar-se algo diferente numa guerra na América Latina do século XIX. Enquanto políticos, e mesmo alguns oficiais, enriqueciam, e enquanto os cultivadores do Norte vendiam seus escravos acima do preço do mercado como carne-para-canhão, os soldados profissionais e os voluntários (geralmente sob coação) combatiam e morriam. Acreditando ardentemente na justiça de seu Imperador e na barbaridade do ditador paraguaio, oficiais brasileiros, individualmente, praticaram muitos atos de bravura dignos de qualquer guerra. Avaí e Tuiuti, à semelhança das mais bem conhecidas batalhas de Balaclava e Gettysburg, demonstraram a dificuldade em considerar-se o heroísmo um monopólio das nações industrializadas. Os oficiais contrastavam seus sacrifícios e os de seus homens com a corrupção dos políticos e tiravam daí as amargas conclusões que deveriam guiá-los em suas atividades políticas no pós-guerra.

Militância política dos militares Durante o conflito houve um incidente que parecia assinalar uma brusca mudança no panorama das relações entre civis e militares: a demissão de um Gabinete, por não gozar da confiança do General-Comandante. Mas, se examinarmos a situação em seus detalhes, acharemos essa demissão completamente normal e nada surpreendente. Como notamos na parte consagrada à estrutura social, militares haviam participado da política desde o início do Império. Assim como os padres ou os burocratas, os oficiais geralmente se consideravam não só representantes do corpo de oficiais, mas também homens de partido. Diga-se de passagem, aliás: na Grã-Bretanha e nos Estados Unidos daquele tempo os oficiais, especialmente Comandantes, tinham que agir no plano político. (Em 1847, durante o conflito com o México, o Presidente dos Estados Unidos, Polk, tomou o comando do vitorioso General Taylor por temê-lo como um rival político.) No Brasil, oficiais, e até soldados, precisavam envolver-se em política para avançar na carreira. Após a reforma efetuada por Caxias em 1857, oficiais podiam virtualmente dobrar o salário se recebessem um bom posto ("se ficarem empregados").[30] Políticos freqüentemente determinavam quem devia receber uma boa posição e quem devia ser preterido. Um oficial liberal podia verificar que, com a ascensão dos conservadores, ele seria transferido do Rio para Mato Grosso. Quando se tornou Ministro da Guerra, em 1878, o General Osório recebeu uma carta de um tenente liberal estacionado naquela remota província, pedindo a transferência de volta ao Rio, para ver sua família, da qual estivera separado por 6 anos.[31] Após sua ruptura com Silveira Martins em 1879, Osório deslocou as posições tão violentamente, que chegou a transferir Segundos-Tenentes de um lugar para outro em virtude de suas filiações políticas.[32]

---

[30] Assim sendo, um coronel comandando um regimento ganha 220 mil-réis por mês, enquanto que um coronel "desempregado" recebia apenas 120.

[31] Instituto Historico e Geographico Brasileiro, lata 245, documento 10.515.

[32] IHGB, lata 224, documento 6760.

Caxias, além de ser o mais bem-sucedido dos generais brasileiros, foi também o mais político. Desde 1845 tinha ele seu lugar no Senado, e então já servira como Ministro da Guerra e Presidente do Conselho. Ao começar a guerra, em 1864, os oponentes de Caxias estavam no poder e não queriam dar o comando a um conservador. Mas em 1866, com o Exército estacado diante de Humaitá, os liberais (ou progressistas) viram-se compelidos a pedir ao General que assumisse o comando. Ele aceitou, mas logo começou a queixar-se de que o Ministério liberal não lhe concedia os meios necessários para passar à ofensiva. O Governo, de seu lado, acusava Caxias de não dar ao curso da guerra uma energia suficiente. O Comandante-Chefe, de fato, enfrentava um tremendo problema logístico e merecia um grande crédito pela maneira como organizara e alimentava seu Exército, de proporções consideráveis. Provavelmente não poderia ter-se movimentado mais rapidamente do que o fazia, e o Governo, por sua vez, tinha toda a liberdade, enquanto isto, de escolher outro General, se assim entendesse. Finalmente, em 1868, Caxias forçou a questão ao apresentar sua resignação. O Imperador e seu Conselho de Estado precisaram decidir se permitiam a Caxias deixar o Exército ou se demitiam o Gabinete. Pedro II favoreceu os conservadores durante todo seu Reinado e sentia simpatias especialmente reduzidas pelo Presidente do Conselho, Zacarias de Góis e Vasconcelos. Uma pesada barragem de críticas da imprensa conservadora e a lentidão da guerra prepararam a opinião da elite para uma mudança de Governo. Sentindo serem os conservadores mais qualificados para a condução da guerra, Dom Pedro lançou mão do Poder Moderador e convocou o Visconde de Itaboraí. Caxias, então, rapidamente terminou o quase completo cerco de Humaitá, tomou Assunção e regressou para o Brasil. Uma vez que o partido no poder jamais perdia uma eleição, antes ou depois de 1868, o Imperador era forçado a lançar mão de suas prerrogativas sempre que desejava uma mudança de partido. O partido derrubado sempre se queixava, apesar de que o novo Governo invariavelmente achasse a conduta do Imperador inteiramente aceitável. Dez anos mais tarde, quando Dom Pedro substituiu o Ministério Caxias pelos liberais, o próprio Duque sentiu-se ofendido pelo que ele então considerou uma ação arbitrária do Imperador.

Se a queda de Zacarias não estabeleceu um precedente nas relações civis-militares, gerou ela, por outro lado, uma boa dose de oposição ao Poder Moderador. Uma generalizada desilusão com a guerra combinada com este choque político contribuiu para dar origem ao Clube da Reforma, de 1869, e ao Manifesto Republicano, no ano seguinte. Diversos

O EXÉRCITO E O IMPÉRIO

poderosos grupos que emergiram por volta de 1870 tornavam-se cada vez mais insatisfeitos com a elite política imperial: os plantadores de café de São Paulo, os industriais e os militares. Em escalas diferentes, todos estes três grupos contribuíram para a agitação que levou à abolição da escravatura, seguida por uma decorrência de pensamento chamada a Proclamação da República.

O corpo de oficiais emergia da Guerra do Paraguai com um sentimento de unidade corporativa, um novo sentido de sua importância, uma amargura para com os civis e, talvez, com uma visão do mundo mais ampla. Já em 1871, o Tenente-Coronel Floriano Peixoto organizava o Instituto Militar, para os interesses de sua classe.[33] Conquanto esta associação se revelasse efêmera, deveria ter servido como uma advertência à elite de que nem tudo ia bem com o Exército. Mas, excetuando-se o Conde d'Eu, o Ministro Junqueira e uns poucos outros, a elite parece não se haver preocupado com os perigos de um descontentamento militar. O marido de Isabel gozava de um certo grau de popularidade no Exército, em virtude de sua ação durante a Guerra do Paraguai (inclusive a abolição da escravatura naquele país), de sua participação no trabalho de comissões técnicas, de patrocinar exercícios militares e de seus esforços para modernizar a organização e os armamentos.[34] Mas as constantes viagens do Príncipe à Europa e sua atitude neutra quando da crise da questão militar (1887) custaram-lhe a boa vontade dos militares. A despeito de sua condição de civil, o Ministro da Guerra, Junqueira (1871-75 e 1885-86), era altamente aclamado por causa de suas reformas na educação e no recrutamento. Em 1874, reestruturou ele a educação militar, reduzindo os cursos de estudo a 2 anos para oficiais combatentes e a 5 anos para engenheiros, ao mesmo tempo que convertia a velha Escola Central num instituto politécnico civil. Ainda em 1874, Junqueira obteve aprovação parlamentar para uma lei instituindo a conscrição por sorteio. Os militares receberam muito favoravelmente essa medida e lutaram por sua rígida aplicação, mas, a despeito disso, ela tornou-se letra morta e a conscrição forçada continuou. Ao mesmo tempo em que passava sem maiores transtornos a década de 1871-1880 também morriam os velhos Generais, como Caxias, Osório e Porto Alegre, deixando em seu lugar homens mais jovens e menos leais à Monarquia.

---

[33] Museu Imperial, Petrópolis, documento 160-7.440.
[34] Museu Imperial, documentos 166-7.661, 7.673 e 181-8.237.

Em 1881, o Senador Saraiva promulgou a desde muito esperada reforma eleitoral do Império, passando, então, a testá-la. Sentindo a necessidade de ter um representante no Congresso, os militares, naquele ano, apresentaram dois candidatos no Rio. Mesmo com a derrota desses homens, a campanha revelou a profundidade da hostilidade militar à elite imperial. Muitas das queixas dos soldados, como declaravam seus órgãos, *O Soldado* e *Tribuna Militar*, diziam respeito a assuntos estritamente militares. Conforme atestam pilhas de petições no Arquivo Nacional,[35] muitas viúvas e órfãos não recebiam pensão. Para os oficiais vivos, isto significava que, se algo lhes sucedesse, suas famílias morreriam de fome. Os jornais militares advogavam o estabelecimento de montepios,[36] para proteger parcialmente suas famílias, ao mesmo tempo em que, naturalmente, insistiam com o Governo para que honrasse suas obrigações em relação aos mortos e inválidos. Não raro até mesmo os vivos ficavam sem pagamento.[37] E, quando eram pagos, tanto os oficiais como os homens alistados recebiam bem pouco. Durante o século XIX, os salários precisamente acertaram o passo com a inflação e, segundo admitia um deputado, o que um subalterno ganhava era mais ou menos suficiente para pagar o aluguel. Lembremos, incidentalmente, que um dos primeiros atos do Governo de Deodoro elevou os salários em 50%.[38] Faziam-se também contínuos e justificados protestos contra as lentas promoções e em favor de uma lei de aposentadoria compulsória, destinada a eliminar os oficiais demasiado idosos (também promulgada pelo Governo Provisório da República). Muitos veteranos da guerra não encontravam emprego, apesar das promessas do Governo imperial de dar-lhes preferência nas competições pelos cargos do serviço civil.[39] Não era muito melhor a sorte dos que ficavam no Exército, pois freqüentemente nem sequer dispunham de uma mesa para comer ou de uma barraca onde pudessem dormir.[40] Baixo salário, promoções atrasadas, falta de segurança e pobres condições de vida, tudo isto combinava para predispor o Exército à ação política.

Os militares e a Abolição

O corpo de oficiais não concordava com a elite a respeito da política socioeconômica a ser seguida. A partir da

---

[35] Arquivo Nacional, caixas 821-824.
[36] *O Soldado*, 1 de abril de 1881.
[37] *O Soldado*, 18 de março de 1881.
[38] *Leis e Decretos do Brasil*, 31 de dezembro de 1889.
[39] Pela lei de 7 de janeiro de 1865; cf. *O Soldado*, 25 de março de 1881.
[40] *O Soldado*, 10 de maio de 1881.

O EXÉRCITO E O IMPÉRIO

década de 1850, os oficiais favoreceram a abolição, a imigração, proteção para as indústrias, estradas de ferro, construção de portos e estradas, e o fim do *filhotismo*. A Abolição, que parece ter sido a mais importante dessas questões, proporcionava um forte impulso ideológico para a participação militar na política. Uma segunda força ideológica – a regeneração moral (isto é, o fim do nepotismo) – era menos concreta do que a Abolição, apesar de que, após a politização dos militares por esta última, o tema da regeneração houvesse adquirido extrema importância. A Abolição, idéia vigorosa mesmo antes da Guerra do Paraguai, tornou-se claramente mais forte durante o conflito, na medida em que os oficiais entravam em repetidos contatos com ex-escravos. Dado que a maioria dos homens alistados nas fileiras compunha-se de antigos cativos ou de homens livres de cor, a sociedade brasileira tendia a considerar os oficiais como pouco mais do que feitores. Talvez a sensação de que o baixo *status* de seus soldados diminuía sua própria posição social contribuísse para o abolicionismo dos oficiais, mas indubitavelmente eram eles inspirados, também, por simpatias humanas em relação a seus soldados e pelo desejo de ver o Brasil livre. Já em 1881, Generais do Império escravista compareciam a reuniões abolicionistas,[41] e muitos oficiais participaram ativamente da agitação que culminou na emancipação. Imigração e conscrição estavam estritamente associadas à Abolição, pois os militares aspiravam a um exército de conscritos livres e instruídos, em lugar de escravos coagidos e analfabetos. Os líderes mais esclarecidos, freqüentemente treinados como Engenheiros, sentiam que o Brasil necessitava de estradas de ferro, portos e vias de comunicação em geral, bem como de uma campanha contra as moléstias tropicais, para poder progredir. Incluídos neste grupo afeito à modernização estavam o Conde d'Eu, Osório, Pelotas, Maracaju, Rebouças, Ewbank da Câmara, Sena Madureira, Cunha Matos, Tibúrcio e diversos outros menos conhecidos Engenheiros do Exército; geralmente, não tinham êxito. Um dos projetos mais acalentados pelos adeptos da modernização era a construção de uma estrada de ferro ligando o Rio ao Rio Grande do Sul, sem a qual achavam eles que as Províncias sulinas seriam indefensáveis.[42] Via de regra, as constantes advertências do corpo de oficiais, relativamente à falta de preparo do Exército, não encontravam repercussão, mesmo quando houve ameaça de guerra com a Argentina, em 1875 e 1884.

---

[41] *Tribuna Militar*, 28 de julho de 1881.
[42] Cf., por exemplo, o diário de André Rebouças.

Nos seus primeiros números, *O Soldado* elucidou Dom Pedro acerca de todos os paralelos entre a sua posição e a de seu pai, insistindo com ele para ter cuidado, do contrário poderia também ser forçado a abdicar.[43] Os jornais repetidamente afirmavam ser indiferente para os oficiais se o Brasil fosse uma monarquia ou uma república. A contenda do corpo de oficiais era com a elite imperial; e a continuação dos Braganças, para a maioria dos oficiais, tornara-se uma questão secundária. O Positivismo, que adquiriu importância na década de 1880, contribuiu para a republicanização dos oficiais jovens; durante os últimos 5 anos do Império, aproximadamente sete dos 38 professores da Academia Militar foram positivistas. Mas, no fim de contas, as melhores fontes secundárias[44] indicam que o Positivismo, como uma força, tem sido superestimado, pois teve relativamente pouca influência prática sobre as atividades militares nas décadas de 1880 e 1890.

A despeito da prosperidade do Brasil, baseada no café, os vários Governos tinham severas dificuldades em equilibrar o orçamento na década de 1880, sendo forçados a recorrer a pesados empréstimos no exterior. Apesar de muitos fundos se tornarem disponíveis para obras públicas, as despesas tradicionais, como as que eram exigidas pelos setores armados, declinavam continuamente. Durante o ano fiscal de 1873-74, 27% do orçamento foram para o Exército e a Marinha. Por volta de 1888, essa percentagem caíra a 19%.[45] Os anos seguintes a 1880 foram uma década em que os pensionistas do Governo sofreram pesadamente, e em que as promoções se fizeram com especial lentidão. E de 1881 a 1889, os Governos indicaram somente civis para o Ministério da Guerra, o que ainda mais irritou os militares. Esses anos testemunharam também o ponto máximo da agitação política em favor da Abolição. Assim sendo, uma conjunção de injustiças a curto prazo, inépcia governamental e transformações a longo prazo, já discutidas na primeira seção deste capítulo, fez com que os militares entrassem na política como uma classe relativamente unificada.

Em 1883, um grupo de oficiais assassinou um jornalista, Apulcro de Castro. Temendo o poder do Exército, o Governo não tomou qualquer

---

[43] *O Soldado*, 25 de março de 1881.
[44] Cf. Nachman, Robert, dissertação em curso *Positivism in Brazil*, University of California (Los Angeles, California, EUA) relativamente a uma discussão geral da atividade política dos Positivistas. Cf., também, Roure, Agenor, *A Constituinte Republicana* (dois vols., Rio de Janeiro, 1920).
[45] Cf. os orçamentos anuais in *Leis e Decretos do Brasil*.

O EXÉRCITO E O IMPÉRIO

iniciativa séria para punir os culpados. No ano seguinte, o Ceará libertou seus escravos, e Antônio de Sena Madureira, Comandante da Escola de Tiro, convidou um dos jangadeiros que haviam chefiado a luta pela emancipação a visitar sua escola. Sena passara diversos anos na Europa, estudando os exércitos, e era amigo pessoal do Imperador e de seu genro. Era, também, um dos mais respeitados oficiais do Exército. Quando o General-Ajudante, o octogenário Visconde da Gávea, repreendeu-o por sua ação, Sena replicou dizendo considerar-se responsável somente perante o Conde d'Eu, como Comandante-Geral da Artilharia. O incidente amargou consideravelmente os ânimos: um Senador acusou o Visconde da Gávea de permitir aos seus Ajudantes-de-Campo terem o controle de seu departamento, enquanto que os escravocratas insultavam Sena. O Ministro da Guerra, Franco de Sá, apoiou Gávea e transferiu o desassombrado Tenente-Coronel para o Rio Grande do Sul, onde, através dos bons ofícios do Príncipe e de outros amigos, coube-lhe obter outro importante posto. Após um ano de relativa calma, os políticos provocaram outro incidente com um oficial bastante popular. O Coronel Cunha Matos fora encarregado de várias importantes missões técnicas, inclusive a de instalar o telégrafo no Rio Grande do Sul. Em 1886, foi ele enviado como inspetor ao Piauí, onde denunciou um Capitão conservador como incompetente. Estando os conservadores no poder e sendo Cunha Matos um liberal, um deputado amigo do Capitão procurou defendê-lo na medida em que atacava Cunha Matos. O Coronel e o Deputado trocaram diversas ásperas cartas. No meio-tempo, Sena e Franco de Sá continuavam em sua linguagem abusiva e o Ministro da Guerra, Alfredo Chaves, assinou uma ordem (*aviso*), proibindo militares de discutir, pela imprensa, questões políticas ou militares. O corpo de oficiais do Rio Grande do Sul reagiu violentamente a essa ordem, convocando uma reunião-monstro em Porto Alegre, no mês de setembro. Ordenado a punir os participantes, o Presidente provincial em exercício, General Deodoro da Fonseca, elogiou-os em vez disso. Conservador que era, Deodoro teve o apoio do liberal General Visconde de Pelotas, Senador pela província sulina. Repentinamente, os políticos imperiais viram-se afrontados por um movimento hostil dentro do Exército e chefiado por dois preeminentes generais.

O Governo chamou Deodoro e Sena à capital, onde ambos receberam uma triunfal ovação dos estudantes militares e da guarnição, em janeiro de 1887. No mês seguinte, os oficiais fizeram uma petição em favor do cancelamento dos avisos. O Ministro Chaves sugeriu o fechamento da Escola Militar e a prisão de Deodoro, mas Cotegipe, então Presidente do

Conselho, achou melhor demitir Chaves. Em momento bem impróprio, Dom Pedro ficou doente, perdendo o Governo, assim, o seu apoio ativo. Em maio, Deodoro e Pelotas tornaram a pedir o cancelamento dos avisos. Dessa vez, diversos políticos civis abertamente incitaram os militares a intervir. Entre os mais veementes, estava nada menos do que o futuro líder da Campanha Civilista, Rui Barbosa. O encorajamento civil à participação militar na política, especialmente no período 1887-89, contribuiu em larga escala para o golpe de 1889, sendo mesmo lícito afirmar-se que, sem a cooperação civil, não poderiam ter havido golpe e governo militares. Por mais de um mês, a questão militar dominou a política, havendo a impressão de que o Governo cairia. Pelotas, no Senado, ameaçava pôr os soldados nas ruas imediatamente, e um considerado historiador[46] declara que, realmente, o Exército esteve a um passo da intervenção. Dois poderosos Senadores liberais antimilitaristas, Silveira Martins e Afonso Celso (mais tarde Visconde de Ouro Preto), propuseram uma fórmula de compromisso, revogando os avisos e censurando o Governo, mas deixando-o no poder; esta medida passou rapidamente (em junho). Os liberais não queriam assumir o poder nessas circunstâncias comprometedoras. O corpo de oficiais considerava o resultado uma grande vitória; haviam enfrentado o Governo e ganho a partida mais facilmente do que esperavam. Escrevendo, logo após este incidente, Floriano Peixoto demonstrava a mudança que se verificara dentro do corpo de oficiais, como se vê: "Vi a solução da questão da classe; excedeu, sem dúvida, a expectativa de todos. Fato único, que prova exuberantemente a podridão que vai por este pobre país e que muito necessita da ditadura militar para expurgá-la. Como liberal, que sou, não posso querer para o meu país o governo da espada; mas, não há quem desconheça, e aí estão os exemplos, que é ele o que sabe purificar o sangue do corpo social, que, como o nosso, está corrompido.[47] Floriano fora um liberal; agora ele era pela "purificação".

Fundação do Clube Militar Em junho, os oficiais organizaram o Clube Militar, uma associação permanente para defender os interesses de sua classe. Deodoro foi eleito Presidente. Também, naquele mês, o Imperador viajou para a Europa, com vistas à recuperação de sua saúde. Logo depois Cotegipe resignou, mas o Conde d'Eu e Dona Isabel decidiram deixá-lo

---

[46] Monteiro, Tobias *Pesquisas e Depoimentos para a História* (Rio de Janeiro, 1913), p. 145.

[47] Carta de 10 de julho de 1887, *in* Peixoto, Artur Vieira, *Flo·iano*, vol. 1 (Rio de Janeiro, Ministério da Educação, 1939), p. 126.

O EXÉRCITO E O IMPÉRIO
301

um pouco mais no poder. Em outubro, Deodoro respeitosamente solicitou de Gávea que o Exército não mais fosse obrigado a caçar escravos fugidos. Mesmo com a recusa oficial de Gávea, o Exército decidiu não mais capturar os fugitivos, selando, assim, o destino da instituição. De fato, os oficiais ajudaram a encorajar os escravos a abandonar as plantações, enquanto, seguindo a liderança de Antônio Prado, grandes fazendeiros, principalmente em São Paulo, convenciam-se do acerto da emancipação. Por volta de março do ano seguinte, o Príncipe e a Princesa sentiram-se em condições de convocar um Ministério abolicionista. Muito apropriadamente, alguns policiais surraram um oficial de Marinha. Quando os representantes da classe militar pediram a punição dos culpados, e o chefe de Polícia do Rio replicou pela negativa, Dona Isabel dirigiu-se a Cotegipe para que esse funcionário fosse substituído. Não querendo demitir seu chefe de Polícia, Cotegipe resignou, e Isabel indicou João Alfredo. Dois meses mais tarde, a Princesa obteve o título de Redentora, o que – provavelmente – lhe custou o de Imperatriz.

A proclamação   O Imperador regressou em agosto, mas em estado de
da República   semi-invalidez. Em dezembro, utilizando o pretexto de que o Brasil necessitaria de um exército de observação, no caso de guerra entre Paraguai e Bolívia, João Alfredo mandou Deodoro a Mato Grosso e as coisas acalmaram-se um pouco. O Ministério voltou suas atenções para reformas, especialmente da legislação bancária e creditícia, mas, segundo parece, não procedeu de forma bastante rápida para satisfazer os fazendeiros paulistas, os novos industriais e os antigos proprietários de escravos, os quais, conduzidos por Cotegipe, lutavam por uma indenização. Pouco mais de um ano após a Abolição, João Alfredo resignou, para ser sucedido por um liberal, o Visconde de Ouro Preto. Desta vez, a opinião da elite parece ter sido contra a Monarquia.[48] Ouro Preto, um homem determinado, esperava poder salvar o Império mediante uma nova extensão de crédito e outras reformas. Tentou conciliar os militares, indicando um General relativamente popular para o Ministério da Guerra – o Visconde de Maracaju – e chamando Deodoro de Mato Grosso. Por outro lado, o Presidente do Conselho procurou revigorar a Guarda Nacional, à qual esperava recorrer na defesa do Império contra um possível golpe militar. A eleição conduzida por Ouro Preto em 31 de agosto revelou-a como oposto ao federalismo e decidido a continuar com o emprego do

---

[48] Sente-se uma mudança na opinião da elite com a leitura de diversos jornais, principalmente *A Gazeta de Notícias*, desde o início de maio até meados de junho de 1889.

velho e corrupto processo eleitoral. Por volta de outubro, muitos milita-res, liderados por Deodoro e Benjamin Constant, sentiam os tempos maduros para a purificação do corpo político. No começo de novembro, decidiram derrubar o Império antes do dia 20, quando o Parlamento devia inaugurar sua sessão. Um boato de que fora ordenada a prisão de Deodoro apressou o golpe, que ocorreu no dia 15 de novembro.

Tentamos, neste capítulo, descrever a evolução do Exército durante o Império e dar as razões de sua intervenção. A transformação secular na estrutura social do corpo de oficiais resultou na dissolução dos laços tra-dicionais entre a elite e a liderança do Exército. Permanentes injustiças, tais como o baixo salário, as promoções lentas, más condições materiais e a falta de segurança, bem como questões ideológicas, tal fossem o aboli-cionismo e o antinepotismo, separaram ainda mais o corpo de oficiais da elite imperial. A indecisão do Governo de Cotegipe, também, e a oportu-nidade da ação de elementos da oposição, como Rui Barbosa, contribuí-ram ainda para a questão militar e o subseqüente golpe. Mas muitas das raízes que levaram à proclamação de Deodoro podem encontrar-se fora do campo militar e da política, isto é, na própria sociedade brasileira.

CAPÍTULO II

A MARINHA

INTRODUÇÃO

A Marinha na época colonial

NO PERÍODO colonial o Brasil recebia continuamente de Portugal a visita de frotas e de navios esparsos, não só para a defesa do seu litoral, como também para aguada, antes de tomarem as naves o rumo das Índias. Posteriormente, com a produção em grande escala do açúcar e depois com a descoberta de minas de ouro e de diamantes, foi necessária a organização de um sistema seguro de transporte e proteção dessas riquezas para a Metrópole.

Mas toda essa organização tinha por base Portugal. As frotas e navios partiam daí com produtos manufaturados, importados na sua grande maioria do estrangeiro, e retornavam com as riquezas da Colônia.

Como os barcos eram de madeira, algumas naus e navios menores puderam ser construídos no Brasil, mas foram artilhados e equipados com peças e materiais provenientes da Europa.

*

* *

A transmigração da Família Real portuguesa para o Brasil

Em 1807, devido à invasão de Portugal pelas tropas napoleônicas sob o comando do Marechal Junot à Casa Real portuguesa, com a rainha D. Maria I, a Louca, o Príncipe Regente D. João, Duque de Algarves, e grande parte da Corte, tiveram de deixar o solo português, com um séquito de cerca de 15.000 pessoas embarcadas às pressas, em barcos mercantes, com uma escolta de navios de guerra ingleses e portugueses. Ora, uma das naus, a *Conde Dom Henrique*, transportava a Academia Real dos Guardas-Marinhas que, sem dúvida, foi o núcleo primitivo da nossa Academia Naval (Escola Naval). Essa força naval portuguesa permaneceu no Brasil e teve papel destacado no desembarque e ocupação da Guiana Francesa.

1º PERÍODO (1822-1848): NAVIOS À VELA[1]

O início da Marinha   A Marinha Brasileira nasceu com a Independência. Os seus primeiros elementos foram aqueles trazidos por ocasião da transmigração da Família Real, inclusive navios e pessoal que aderiu em grande parte ao novo Estado que então surgia.

Para conseguir a completa emancipação do Brasil, o Governo imperial compreendeu imediatamente que isso dependeria da conquista do poder marítimo e da tomada das bases portuguesas espalhadas ao longo do litoral brasileiro: Belém, São Luís, Recife, Bahia e Montevidéu. Para isso providenciou com a possível urgência a formação de uma modesta esquadra de alto-mar com as unidades que pôde conseguir. Mas o problema mais grave encontrado foi o da oficialidade, que teve de ser recrutada em grande parte no estrangeiro, principalmente na Inglaterra e na França.[2] Para chefiar elementos tão heterogêneos era necessário um chefe bastante enérgico e experimentado. Esse chefe foi Lorde Thomas Alexander Cochrane, que se distinguira como Comandante-em-Chefe da esquadra chilena na Guerra de Libertação do Chile e do Peru (1817-1822) e que vivia retirado numa propriedade que possuía nos arredores de Valparaíso.[3]

---

[1] Este período vai da criação da Marinha Nacional até 1848, quando foi adquirido o primeiro navio a vapor, a fragata de rodas *D. Afonso*, embora já existissem as barcas a vapor *Correio Imperial, Correio Brasileiro, Liberal* e *Águia*, que, entretanto, não eram navios de guerra. *Apud* César da Fonseca, *A Evolução da Marinha Brasileira. Sinopse. 1822-1958.* Rio de Janeiro, 1961, p. 20.

[2] Foram contratados 19 oficiais da marinha inglesa, inclusive Lorde Cochrane: John Taylor, Thomas Sackville Crosbie, John Pascoe Grenfell, James Sheperd, Steve Charles Cleuley, James Norton, Samuel Gillet, George Clarence, John Rogers Glidon, Charles Watson, William James Inglis, Duncan Macright, Ambrose Challes, George Cowan, Ralf Wright, Charles Moszehu, Joseph Histcostam e Charles Jell. Foram contratados três oficiais franceses: Reol Mongenat, Junius Villeneuve e Jean Baptiste Bailly. *Apud* César da Fonseca, *op. cit.*, pp. 7 e 9-10.

[3] Aldo M. Azevedo, "Lord Cockrane, Primeiro Almirante Brasileiro", *in Revista de História*, São Paulo, 1954, nº 19, pp. 101-130.

A MARINHA

Além dos oficiais contratados no estrangeiro, foram aproveitados diversos órgãos criados por D. João VI: Secretaria da Marinha, Quartel-General, Intendência e Contadoria, Arsenal, Academia dos Guardas-Marinhas, Hospital, Auditoria, Conselho Supremo Militar, Fábrica de Pólvora, Cortes de Madeira etc.[4]

Foi nomeado como o nosso primeiro Ministro da Marinha, por decreto de 28 de outubro de 1822, o Capitão-de-Mar-e-Guerra Luís da Cunha Moreira, em substituição do Almirante Manuel Antônio Farinha, que exercera esse cargo antes da Independência.

O Ministro da Fazenda, Martim Francisco Ribeiro de Andrada, teve a idéia de uma subscrição nacional para se conseguir a aquisição de uma frota de guerra,[5] mediante a tomada de ações no valor de 800 réis cada uma. Todas as cidades e vilas foram convidadas, por 3 anos, a colaborar na coleta e enviar ao Tesouro o montante apurado.

Por decreto de 21 de março de 1823 foi Lorde Cochrane nomeado Almirante da Armada Brasileira, o primeiro que tivemos. Içou ele o seu pavilhão de Comandante-em-Chefe na nau[6] *Pedro I*, de 74 bocas de fogo e que estava sob o comando de Crosbie. A Esquadra sob as suas ordens

---

[4] César da Fonseca, *op. cit.*, p. 5.

[5] O teor do decreto é o seguinte:

"Havendo tomado em séria consideração o Plano, que baixa junto com este, de uma módica subscrição mensal para a compra gradual de novas embarcações de guerra, ou reparos e consertos das antigas, o que ele foi oferecido por homens de zelo, sinceros e ardentes, amigos da causa do Brasil, e Minha, e considerando além disto a extensa Costa, e contínuos Portos deste rico, ameno e fértil Império, que a Providência talhava para os mais altos destinos de glória e de prosperidade, só podem ser bem definidos por uma Marinha respeitável e que para obter esta deve com preferência escolher e abraçar aqueles meios que mais cedo conduzirem a tão úteis fins, sem contudo gravarem ou empobrecerem o povo."

"Hei por bem aprovar o referido Plano, nomeando desde já para Fiscal da Comissão Luís da Cunha Moreira, de Meu Conselho de Estado, Ministro e Secretário de Estado dos Negócios da Marinha."

"E outrossim, recomendar mui positivamente aos Governos e Câmaras das diferentes Províncias deste Império o exato e pontual desempenho das obrigações que pelo mencionado Plano ficam a seu cargo."

"Com a Rubrica de Sua Majestade Imperial – Martim Francisco Ribeiro de Andrada." *Apud*, César da Fonseca, *op. cit.*, pp. 6-7.

[6] *Nau.* Nome genérico que servia para designar até o século XVI os navios de grande porte, com acastelamentos à proa e à popa, de pano redondo e que, na sua maioria, arvoravam só um mastro. Posteriormente, o seu tamanho aumentou. O número de cobertas era variável, mas, em geral, três ou quatro. Consoante o número destas, varia o de peças de artilharia nelas montadas. *Apud* Comtes. Humberto Leitão e J. Vicente Lopes *Dicionário da Linguagem de Marinha antiga e atual*. Lisboa, 1963. Centro de Estudos Ultramarinos, p. 284.

constava dos seguintes navios, entre outros: fragatas[7] *Piranga* e *Niterói*, brigues[8] *Real Pedro* e *Guarani*, corvetas[9] *Maria da Glória* e *Liberal*.

A libertação da Bahia   A primeira missão recebida por Lorde Cochrane foi a de apoiar o Exército do General Labatut na sua luta contra os portugueses na Bahia.

Em abril de 1823 a esquadra brasileira zarpava, e 20 dias depois chegava à Bahia para apoiar o bloqueio feito aos portugueses. Inesperadamente, a 4 de maio a frota lusitana, sob o comando do Almirante José Félix de Campos, forte de 12 navios, com 399 canhões e 4.150 homens entre tripulação e embarcadiços, saiu do porto em formação de batalha.

Cochrane, com a força de que dispunha, não estava em condições de enfrentar um inimigo tão superior em meios; por isso resolveu hostilizar a frota inimiga sem engajar-se a fundo. Atacou com a *Pedro I*, mas as outras unidades sob seu comando desobedeceram suas ordens, em virtude de grande parte da tripulação ser composta ainda de portugueses, além de não estarem os marujos adestrados. Cochrane desembarcou as suas tripulações no morro São Paulo e embarcou os melhores elementos na nau *Pedro I* e na corveta *Maria da Glória* (sob o comando do francês Beaurepaire) para continuar o patrulhamento em alto-mar.

Em 22 de maio deu-se o combate de Olaria, em que as canhoneiras[10] *25 de Junho*, *D. Januária* e *Vila de São Francisco*, comandadas pelo Primeiro-Tenente João das Botas, sustentaram combate contra sete navios portugueses, aprisionando um deles.

A 1º de julho de 1823 a esquadra portuguesa saiu do porto novamente, talvez rumo ao Maranhão, comboiando cerca de 60 navios mercantes, por julgar o comando lusitano que a Bahia não oferecia condições mínimas de segurança, em virtude da oposição dos patriotas baianos. A esquadra brasileira pôs-se em perseguição ao comboio. Cochrane, com a corveta

---

[7] *Fragata*. No tempo dos navios à vela era um vaso menor que a nau, mais ligeiro que ela, sem acastelamentos, armado em galera e com duas cobertas onde montavam entre 30 a 60 peças. *Apud* Leitão e Lopes, *op. cit.*, p. 213.

[8] *Brigue*. Navio à vela de pano redondo, com dois mastros, cada um dos quais com dois mastaréus e armando papafigos, gáveas, joanetes, sobres e, ainda, um latino quadrangular no mastro de ré. Tinha gurupês e o correspondente velame. *Apud* Leitão e Lopes, *op. cit.*, p. 86.

[9] *Corveta*. Navio de guerra de dois mastros, cujo aparelho pouco diferia do brigue. No mastro grande, que ficava para a ré do meio do navio envergava a mezena. Era um navio de uma só bateria e menor que a fragata. *Apud* Leitão e Lopes, *op. cit.*, p. 144.

[10] *Canhoneira*. Navio de guerra de pequeno deslocamento e destinado especialmente a serviços de polícia na costa e rios. *Apud* Leitão e Lopes, *op. cit.*, p. 103.

A MARINHA

Princesa Real e a nau *Pedro I*, hostilizava os navios de guerra e os transportes de tropas; o restante da frota brasileira atacou os navios mercantes para impedir o envio de reforços aos portugueses ao Maranhão. Cochrane atacava e fugia, pois não podia engajar-se a fundo com os poucos elementos que possuía, mas, mesmo assim, evitou o desembarque no Maranhão e conseguiu aprisionar a fragata *Grão-Pará* com um regimento português a bordo, além de mais quatro outros navios. Com o auxílio do brigue *Bahia* levou a sua presa para o Recife. A esquadra portuguesa só conseguiu chegar a Lisboa com 13 dos 70 navios que formavam o comboio que saiu da Bahia.

Na perseguição ao comboio lusitano distinguiu-se sobremaneira o Capitão-de-Fragata John Taylor, comandante da *Niterói*, que chegou até as costas de Portugal, tendo feito diversas presas.

A libertação de Montevidéu Ao mesmo tempo em que ocorriam esses acontecimentos na Bahia, D. Pedro I ordenou ao Almirante Carlos Frederico Lecor, 1º Barão de Laguna, que forçasse as tropas portuguesas, que ocupavam Montevidéu, a embarcarem para a Europa, o que foi feito com transportes enviados do Rio de Janeiro. Houve encontros bélicos entre uma esquadrilha portuguesa sob o comando de D. Álvaro de Macedo e uma divisão brasileira que procurou e conseguiu abordar vários navios lusitanos, continuando a perseguição até o litoral de Portugal.

A libertação de São Luís e de Belém A Província do Maranhão foi libertada por um estratagema e com muita astúcia, sem um único tiro, conseguindo Cochrane enviar para Portugal a guarnição lusitana, mas aprisionando o brigue *Dom Miguel* e oito canhoneiras.

Logo após Grenfell, comandando o *Dom Miguel*, conseguiu a rendição de Belém e a sua adesão à causa da Independência.

Cochrane, após libertar quase um terço do atual território brasileiro, foi recebido pessoalmente pelo Imperador Pedro I quando chegou ao Rio de Janeiro. Em 23 de novembro de 1823 foi nomeado Marquês do Maranhão e recebeu a Ordem do Cruzeiro do Sul. Dois anos depois Portugal reconhecia a Independência do Brasil.

A Guerra da Cisplatina (1825-1828) Em abril de 1825 surgiu um movimento revolucionário na Província Cisplatina, sem dúvida insuflado e estipendiado pela Argentina – então Províncias Unidas do Rio da Prata – que pretendia incorporar o Uruguai ao seu território.

O Brasil dispunha no momento de 96 vasos de guerra, dos mais variados tipos, com cerca de 690 canhões. Iniciadas as hostilidades, a esquadra brasileira estacionada em Montevidéu, sob o comando do Almirante Rodrigo Lobo, logo procurou bloquear Buenos Aires e os outros portos argentinos.

O Governo das Províncias Unidas do Rio da Prata conseguiu obter a cooperação do muito capaz Almirante Brown, veterano da Guerra da Independência e vencedor dos espanhóis em Montevidéu.

Brown conseguiu armar uma frota de 19 navios composta de corvetas, goletas,[11] brigues, canhoneiras, tripulados na sua maioria por marujos estrangeiros e tendo por base Los Pozos, perto de Buenos Aires, porto de difícil acesso aos navios brasileiros, de muito maior calado, que não podiam manobrar facilmente nos canais e bancos de areia do estuário do Rio da Prata.

A situação estratégica não era favorável ao Brasil, que, além de ter suas melhores bases longe do teatro de operações, tinha por missão bloquear um grande número de portos inimigos e destruir sua força naval, ao passo que os argentinos podiam escolher a ocasião e o local de ataque, já que estavam na ofensiva.

Os primeiros encontros foram em fevereiro de 1826 e tiveram um resultado incerto. Em abril, Brown tentou abordar à noite e de surpresa a fragata brasileira *Imperatriz*, surta em frente a Montevidéu, mas foi repelido com grandes perdas. Alguns dias depois a esquadra argentina apossou-se da ilha de Martín García, chave do estuário do Rio da Prata. Por esse motivo Rodrigo Lôbo respondeu Conselho de Guerra e foi substituído pelo Almirante Rodrigo Pinto, que dividiu a esquadra em três divisões com a missão de, respectivamente, bloquear o estuário do Rio da Prata, bloquear as costas uruguaias e bloquear Buenos Aires. Em terra, os acontecimentos não foram de todo favoráveis ao Brasil, como o prova a indecisa e discutida batalha de Ituzaingó.[12]

Em 6 de abril de 1827 Brown furou o bloqueio brasileiro e conseguiu fazer-se ao largo com 3 brigues e 1 goleta. Avistado pelo Capitão-de-Mar-e-Guerra Norton, que comandava uma esquadrilha de 2 corvetas, 5 brigues e 1 goleta, foi obrigado a lutar e foi vencido em frente à ilha de Santiago. Os brasileiros se apossaram do brigue *República* e incendiaram o *Independência*. Brown transferiu-se para a goleta *Sarandi*, mas, tendo

---

11 *Goleta*. Denominação do espanhol *goleta* e do francês *goélette*. Pequena embarcação de dois mastros, com gávea à proa.
12 Cf. Amilcar Salgado dos Santos, *A batalha de Ituzaingó*. Rio de Janeiro, 1921.

A MARINHA

sido ferido, bateu em retirada. Esse foi o último combate entre as duas esquadras. Um ano depois terminou a guerra e, pelo Tratado do Rio de Janeiro, o Brasil e a Argentina reconheciam a independência da Província Cisplatina, que recebeu o nome de República Oriental do Uruguai.

*

* *

A Marinha durante o período da Regência (1831-1840) Com a abdicação de Pedro I não cessaram as lutas armadas que tomaram então, nitidamente, o caráter de uma verdadeira guerra civil: A Marinha teve que intervir na Rebelião dos Cabanos (1835-1837) no Pará, na Guerra dos Farrapos (1835-1845) no Rio Grande do Sul, na qual Garibaldi tomou parte lutando contra o Império.

Como as comunicações terrestres eram precárias, para não dizer inexistentes, coube à Marinha fazer o grosso do transporte de tropas, mantê-las municiadas, abastecidas e apetrechadas, além de exercer um bloqueio no litoral das províncias rebeladas.

Nesse período foram reorganizados o Ministério da Marinha e o Arsenal, além da Academia Naval. Também nessa época foram criadas as tripulações (voluntários) do Corpo dos Imperiais Marinheiros.[13]

Foi nessa época que a navegação a vapor tomou impulso e o Brasil apressou-se a modernizar a sua Esquadra, adquirindo no estrangeiro alguns navios, substituindo os canhões de alma lisa por outros de alma raiada, de muitíssimo maior alcance. Também os arsenais e bases navais foram mais bem aparelhados com novas oficinas.

2º PERÍODO (1848-1870): NAVIOS A VAPOR

A guerra contra Oribe e Rosas (1851-1852) A criação do Estado uruguaio não acalmou as ambições argentinas de anexação desse território às suas províncias. Rosas, o ditador argentino, fez invadir o Uruguai pelo seu lugar-tenente Oribe. O Brasil, não podendo permanecer de braços cruzados em virtude do Tratado do Rio de Janeiro, aliou-se ao

---

[13] Giuliano Giacopini, *História da Marinha Brasileira*. Tradução do italiano por Pedro de Miranda, in *Revista Marítima Brasileira*, Ano LXXXIII, janeiro-março de 1963, n.os 1, 2 e 3, p. 88.

Uruguai e ao Governador rebelado da província argentina de Entre-Rios, o General Urquiza.

O Brasil concentrou no Rio da Prata uma frota de 17 navios sob o comando do veterano Grenfell, composta da fragata *Constituição*, 10 corvetas e brigues e 6 navios a vapor. Nessa esquadra foi transportada uma divisão do Exército brasileiro como força de desembarque.

A incessante atividade da nossa Marinha influiu bastante na queda de Oribe, pois a 15 de dezembro uma divisão naval brasileira, sob o comando de Grenfell e composta de 4 fragatas a vapor, 2 corvetes à vela, 1 brigue e alguns transportes remontou o Rio Paraná com 4.000 soldados do Exército a bordo. Foi nessa ocasião que Grenfell forçou a passagem de Toneleros, fortemente artilhada com baterias de canhões dispostas ao longo desse curso d'água. A esquadra fez uma excelente guarda de flanco à divisão brasileira do Exército e após a batalha de Monte Caseros veio lançar ferros diante de Buenos Aires.

A guerra contra o Uruguai (1865) — A guerra civil, latente no Uruguai, explodiu em 1865. *Blancos* e *colorados* não se entendiam e se vieram às mãos, o que forçou o Governo imperial a intervir devido às implicações do conflito com o Rio Grande do Sul e o interesse da nossa política, que consistia sempre em manter aberta a ligação fluvial com o Mato Grosso.

Com o apoio da esquadra, sob o comando de Tamandaré,[14] o General uruguaio Flores (*colorado*) pôde tomar Salto e investir sobre Paiçandu, na margem do Rio Uruguai, que foi tomada com o auxílio da artilharia naval, pelo Exército brasileiro auxiliado por companhias de marinheiros desembarcados.

Tomada a cidade de Paiçandu, Tamandaré desceu o Rio Uruguai e veio bloquear Montevidéu ainda em poder de Aguirre (*blanco*). Em 20 de fevereiro capitulava Montevidéu, e Flores subia ao poder. Com isso, a Marinha contribuiu para desarticular a última tentativa, com o auxílio argentino, de restaurar o antigo Vice-Reinado do Rio da Prata.

O início da Guerra do Paraguai (1865-1870)[15] — Uma das conseqüências da guerra contra o Uruguai foi a intromissão do ditador paraguaio, Francisco Solano Lopez, na questão do Rio da Prata. O

---

[14] Cf. Gustavo Barroso, *Tamandaré, o Nélson brasileiro*, Editora Guanabara, Rio de Janeiro.

[15] Apesar de velho, é ainda bem interessante a leitura do Visconde de Ouro Preto. *A Marinha d'Outrora (Subsídios para a História)*. Rio de Janeiro. Domingos de Magalhães Editor. 1894, xii + 467 pp.

Território do Paraguai, estando compreendido entre o Brasil e a Argentina, temia ele que o Governo imperial acabasse novamente se apossando do Uruguai. Ambicionando uma saída direta para o Oceano Atlântico, lançou-se a uma política de intimidação para alcançar os seus fins, procurando colocar-se como mediador no conflito entre *blancos* e *colorados*. Ora, o Brasil não podia aceitar em absoluto essa pretensão de Lopez, pois se ele dominasse o estuário do Rio da Prata poderia estrangular completamente as comunicações entre Mato Grosso e os portos brasileiros do Atlântico.

Não obtendo sucesso com sua intimidação, Solano Lopez passou à agressão pura e simplesmente, aprisionando, sem aviso prévio, próximo de Assunção, o vapor brasileiro *Marquês de Olinda,* que levava a seu bordo o novo Presidente do Mato Grosso, Carneiro Leão, além de numerosos outros passageiros. Capturou também a canhoneira fluvial *Anhambaí*, estacionada em território brasileiro. Não satisfeito com esses atos de agressão, em abril de 1865 invadiu a Província de Mato Grosso, penetrou em território argentino, ocupando a cidade de Corrientes. Logo a seguir invadiu também a Província do Rio Grande do Sul.

A 1? de maio, Argentina, Brasil e o Uruguai firmaram um pacto de auxílio mútuo, que se chamou Tríplice Aliança, e passaram a contra-ofensiva. Era a guerra.

As forças navais   A esquadra brasileira podia contar nessa época com
dos contendores   cerca de 40 navios a vapor – mas de madeira – com perto de 250 canhões. Durante as hostilidades ela foi acrescida com cerca de uma vintena de unidades encouraçadas, construídas expressamente para a navegação fluvial. Desses barcos, uma dezena deslocava 800 a 1.700 toneladas e possuía uma cinta couraçada de 60 a 100mm ao longo de toda a linha de flutuação. Dispunham também de 6 ou 8 canhões num reduto central couraçado, ou 2 ou 4 peças de 152mm em torres giratórias. Essa esquadrilha era completada por 6 pequenos monitores fluviais construídos no Rio de Janeiro e armados com um canhão de 178mm instalado numa torre central fixa.

A Argentina e o Uruguai praticamente não possuíam marinha de guerra.

O Paraguai há muito tempo vinha organizando uma pequena, mas possante frota de guerra fluvial, adquirindo algumas corvetas e armando numerosos paquetes de rodas ou movidos a hélice. Inventaram, ou puseram em uso, um novo tipo de embarcação: a "chata", uma espécie de bateria flutuante com um canhão de 68 a 80 libras e rebocada pelas unidades maiores.

Início das operações navais por parte do Brasil — Inicialmente a frota brasileira, estacionada no Rio da Prata, compunha-se dos seguintes navios de madeira – vapores de roda: *Amazonas, Taquari, Recife, Paraense*; navios de hélice: *Niterói, Paraíba, Jequitinhonha, Belmonte, Mearim, Maracanã, Itajaí, Araguari, Ivaí, Iguatemi, Ipiranga*; navios à vela: a corveta Baiana e os transportes *Iguaçu* e *Peperiguaçu*. A *Niterói* e a *Baiana*, devido ao seu grande calado, não podiam ir além da ilha Martín García.

O Brasil, devido à sua situação política e estratégica, só podia contar, inicialmente, com a sua Marinha, pois o Exército precisava de tempo para ser mobilizado e além disso devia ser transportado para o teatro de operações em navios, o que só poderia ser feito com o domínio do estuário do Rio da Prata.

O Almirante Tamandaré inicia as hostilidades com um bloqueio do estuário do Rio da Prata, aliás cumprindo determinações do Governo imperial, que ordenara essa medida em 10 de abril de 1865. Ordens foram dadas à Divisão Naval sob o comando de Segundino Gomensoro, composta do *Jequitinhonha* (capitânia), *Ipiranga, Beberibe, Iguatemi, Itajaí, Belmonte, Araguari, Mearim* e o transporte *Peperiguaçu*, de remontar o rio.

Tendo havido necessidade de reforçar as forças navais sob as ordens de Gomensoro, assim como as tropas de Exército, partem de Buenos Aires – sob o comando do Chefe de Divisão Francisco Manuel Barroso, investido na chefia das forças navais brasileiras no teatro de operações –, rio acima, a fragata *Amazonas* (capitânia), a corveta *Paraíba*, a canhoneira *Ivaí* e vários transportes conduzindo uma brigada de Infantaria brasileira.

A 17 de maio de 1865, não podendo a fragata *Amazonas* navegar em águas pouco profundas, Barroso passa seu comando para um barco menor, chegando a Bela Vista em 20 de maio, onde assumiu o comando da 2ª e 3ª divisões da esquadra.

No dia 24 de maio a esquadra levantou ferros, fundeando sucessivamente em Rincón de Soto e Corrientes, que foi retomada aos paraguaios depois de um vivo combate em que tomaram parte saliente as forças navais brasileiras e tropas terrestres do Brasil e da Argentina.

Essa ação dos aliados levou Solano Lopez a ordenar ao General Robles, que já tinha avançado até Bela Vista e Goya, que retornasse rumo ao Norte, o que forçou o abandono novamente da cidade de Corrientes pelos aliados, devido à pressão dos 20.000 soldados paraguaios.

A MARINHA   313

Visando cortar a retirada da frota brasileira, fundeada a montante do rio, Robles acampou em Riachuelo, tendo fortificado as barrancas do rio com 22 canhões de 68 a 32 libras e de 2 baterias de foguetes a Congrève.[16]

Enquanto as forças terrestres paraguaias se movimentavam para se apoderarem de Entre Rios e Corrientes e talvez do Uruguai – tendo fracassado na tomada do Rio Grande do Sul –, a esquadra brasileira reativou o bloqueio na altura de Corrientes, impedindo a retomada da ofensiva paraguaia rumo a Buenos Aires e ao Rio Grande do Sul, de tal maneira que Lopez se viu forçado a tomar uma iniciativa que libertasse o Paraguai do estreito bloqueio em que se encontrava e cujos efeitos já se faziam sentir de maneira desastrosa.

Durante essas operações Barroso aproveitara o tempo para adestrar os Comandantes de navios, mais afeitos às lides marítimas do que às fainas fluviais. As tripulações foram bastante treinadas, principalmente os artilheiros.

Para romper o bloqueio, a esquadra paraguaia, sob o comando do bravo e competente Comodoro Pedro Meza, desceu o Rio Paraguai com numerosa tropa de abordagem e veio ancorar nas proximidades de Riachuelo, numa pequena curva, tendo recebido ordens para que descesse o rio na calada da noite, mantendo uma velocidade que permitisse chegar às 2 horas da madrugada em frente de Corrientes e prosseguir a toda força pelo canal de Leste, às escuras, a fim de passar despercebida à esquadra brasileira. Na curva do Riachuelo deveriam ficar as chatas alinhadas, e, em seguida, os navios paraguaios deviam, a todo vapor, emparelhar-se com os vasos brasileiros que se achavam fundeados a cinco milhas SW de Corrientes e outras tantas milhas a NE de Riachuelo. Deveriam desfechar violento fogo e em seguida abordar as naves brasileiras. O plano era magnífico, mas houve avarias num dos navios, o que ocasionou sensível atraso no que fora programado, pois foi somente às 9 horas da manhã, com um dia claro e um tempo muito bom, que as duas esquadras se defrontaram.

---

[16] *Foguete a Congrève.* Petrecho inventado pelo artilheiro inglês William Congrève (1772-1828). Consistia num engenho de guerra de corpo cilíndrico, de folha de ferro, onde se colocava o misto para a projeção; na parte anterior do corpo ou cabeça havia uma granada de composição incendiária. Este foguete lançava-se colocando as respectivas varas ou caudas em calhas dispostas sobre cavaletes e dando-lhes a inclinação e direção convenientes. Podiam ser lançados também de bordo dos navios. *Apud Grande Enciclopédia Portuguesa e Brasileira.* Editorial Enciclopédia Limitada. Lisboa. Rio de Janeiro, vol. VII, p. 436.

| | 314 | HISTÓRIA GERAL DA CIVILIZAÇÃO BRASILEIRA |

A batalha de Riachuelo[17] Descendo o rio a todo vapor e aproveitando a força da corrente, apenas um quarto de hora após se avistarem iniciou-se o combate com os primeiros disparos de artilharia.

As esquadras evoluíram, descendo a paraguaia até se colocar sob a proteção das baterias camufladas nas barrancas do rio e sob o comando de Bruguez.

Forças navais em luta[18]			
Brasileiros	Armamento, calibre em libras	Paraguaios	Armamento, calibre em libras
2ª Divisão Almirante Barroso,		Corveta *Taquari* (CF. Meza)	II-68; VI-32
Fragata *Amazonas*	I-70, I-68; IV-32	Corveta *Paraguari*	II-68; VI-32
Corveta *Paraíba*	I-70; II-68; IV-32	Corveta *Igurei* Paquete *Iporá*	III-68; VI-32 IV-18
Canhoneira *Araguari*	II-68; II-32	Paquete *Marquês de Olinda*	Ex-brasileiro IV-18
Canhoneira *Mearim*	II-68; IV-32	Paquete *Salto Oriental*	IV-18
Canhoneira *Iguatemi*	II-68; IV-32		
3ª Divisão (CMG) Segundino Gomensoro		Paquete *Jejuí* Paquete *Pirabebê*	II-18 IV-18
Corveta *Jequitinhonha*	II-68; IV-32		
Corveta *Belmonte*	I-70; II-68; IV-32	7 chatas a reboque	
Corveta *Beberibe*	I-68; VI-32		
Canhoneira *Ipiranga*	VII-30		

---

[17] Vide a magnífica obra de um dos artífices da vitória brasileira, *Memórias do Almirante Barão de Teffé, A Batalha Naval do Riachuelo contada à família em carta íntima poucos dias depois d'esse feito pelo Primeiro-Tenente Antonio Luiz von Hoonholtz (mais tarde Barão de Teffé)*. Livraria Garnier Irmãos. Rio de Janeiro. 156 pp.

[18] Giacopini, *op. cit.*, p. 91.

A MARINHA

As unidades brasileiras, refeitas da surpresa, suspenderam ferros e desceram o rio, aproximando-se da foz do Riachuelo com a *Belmonte* na testa. A batalha tornou-se violentíssima, apresentando inicialmente grande vantagem para os paraguaios, pois a *Jequitinhonha* encalhou, enquanto a *Paraíba* foi abordada por três vasos inimigos. Porém, logo após, a disciplina e o treinamento dos brasileiros passaram a levar a melhor e Barroso, tomando a barlavento, com a *Amazonas* partiu em socorro da *Paraíba*, com o auxílio da *Belmonte* e da *Beberibe*; usando a proa do seu navio como aríete, afundou o paquete *Jejuí*, imobilizado por avaria nas máquinas e fez em seguida o mesmo com os assaltantes da *Paraíba* e obrigou o *Salto Oriental* e o *Marquês de Olinda* a encalharem, enquanto a *Paraguari* empreendia a fuga. Porém, Barroso com a *Amazonas* foi no seu encalço e a afundou com seu aríete. A batalha, em seguida, degenerou num duelo de navio contra navio, levando vantagem os vasos brasileiros, apesar das baterias das barrancas do rio e das chatas, mas a *Belmonte* foi atingida na linha de flutuação pelas baterias das barrancas do rio e teve que encalhar para não ir ao fundo.

Pela volta das 4 horas da tarde estava destruído o *Salto Oriental*, depois de longo duelo com a *Paraíba*, e todas as chatas foram sendo afundadas uma após outra, acontecendo o mesmo com as baterias de Bruguez, que foram silenciadas.

As 4 unidades paraguaias que ainda flutuavam (*Taquari, Iporá, Igurei* e *Pirabebê*) fugiram perseguidas pela *Beberibe* e a *Araguari*.

O Comodoro Pedro Meza, ferido de morte por um balázio de fuzil, morria dois dias depois em Humaitá.

A batalha do Riachuelo praticamente acabou com a Marinha paraguaia, mas não deu o domínio absoluto do rio ao Brasil, pois a nossa esquadra teve muito ainda de lutar, para manter o rio aberto à navegação, como também teve de forçar muitas fortificações e baterias postadas nas barrancas.

Essa batalha decidiu os destinos da guerra, pois possibilitou reforço às tropas do Exército e, o que é mais interessante, permitiu aos aliados retomarem a ofensiva. Os paraguaios perderam a iniciativa das operações e foram obrigados a desistir de vez da pretensão de se apoderarem das províncias argentinas, do Uruguai e do Rio Grande do Sul. O grande sonho de Lopez de refazer o Vice-Reinado do Rio da Prata se esboroara. Tanto isso é verdade que logo a seguir teremos a invasão do território guarani pelos aliados, através do Passo da Pátria.

As operações navais de 1866 a 1867   Começa após a batalha de Riachuelo a 2ª fase da Guerra do Paraguai, com a incorporação à esquadra de vários encouraçados e monitores próprios para a navegação fluvial, que tinham sido encomendados logo após se verificar a necessidade de forçar a abertura da navegação ao longo dos rios. Assim, foram adquiridos os encouraçados *Brasil, Tamandaré* (lançado ao mar em 1865 no Arsenal do Rio de Janeiro, sendo o primeiro navio encouraçado construído na América do Sul), *Barroso, Silvado, Lima Barros, Cabral, Colombo, Herval* e o *Rio de Janeiro.* Foram adquiridos também os monitores *Pará, Piauí, Ceará, Alagoas, Rio Grande, Santa Catarina.* Essa frota de monitores foi reforçada mais tarde com o *Grenfell, Henrique Dias, Chuí, Parnaíba, Beberibe, Ipiranga, Itajaí, Forte de Coimbra, Pedro Afonso, Magé, Princesa* e alguns transportes.[19]

A 21 de fevereiro de 1866 o Almirante Tamandaré assumiu o comando da esquadra no porto de Corrientes, deslocando-se em março para Três Bocas, onde fundeou na confluência do Paraná com o Paraguai.

A primeira ação bélica sob o comando direto de Tamandaré no Rio Paraguai foi o bombardeio e a passagem do forte de Itapiru. Nessa ocasião várias chatas foram afundadas, mas os encouraçados também receberam avarias.

Em maio de 1866 (batalha de Tuiuti) o exército de Lopez foi novamente derrotado, mas conseguiu retirar-se e recolher-se aos redutos de Curuzu, Curupaiti e Humaitá. Alguns meses depois caiu Curuzu, devido aos bombardeios da esquadra e ao desembarque de um contingente de Infantaria, mas esse feito nos custou a perda do encouraçado *Rio de Janeiro,* que bateu numa mina e afundou.

O Almirante Tamandaré foi substituído em dezembro de 1866 pelo Almirante Joaquim Inácio, que somente em agosto de 1867 forçou a passagem de Curupaiti com uma flotilha de 10 unidades e, em seguida, se apresentou frente a Humaitá, defendida por cerca de uma centena de bocas de fogo, várias correntes e inúmeros torpedos e minas.

A passagem de Humaitá   Em fevereiro de 1868, após o recebimento de um reforço de 3 monitores, aproveitando a cheia do rio para passar por cima das correntes de ferro submersas, o Almirante Joaquim Inácio ordenou à 3ª Divisão de Encouraçados (*Baía, Tamandaré* e *Barroso*) reforçada por 3 monitores (*Rio Grande, Alagoas* e *Pará*), sob o comando do Capitão-de-Mar-e-Guerra Delfim Carlos de Carvalho, que forçasse a

---

[19] César da Fonseca, *op. cit.*, p. 31.

passagem de Humaitá. A ação da esquadra foi acompanhada por um ataque terrestre que obteve também pleno êxito.

Os 3 encouraçados, ligados a BB com um monitor, atravessaram o passo debaixo de uma verdadeira tempestade de fogo. Distinguiu-se na travessia o monitor *Alagoas* que, com a amarra que o prendia ao *Baía*, cortada por um projétil inimigo, retomou corajosamente seu lugar na formação naval, apesar do intenso fogo e da tentativa de abordagem por parte de numerosas canoas armadas paraguaias.

A passagem de Humaitá teve grande importância no desfecho da guerra, pois completou o desmantelamento das fortificações paraguaias, todas apoiadas no rio. Infelizmente a ação terrestre não foi completa, pois o apesar do sucesso brasileiro, Lopez conseguiu retirar o grosso dos seus canhões e levá-los para o Chaco. Esses canhões, posteriormente, nos dariam muito trabalho.

A 1º de outubro parte da esquadra forçou o Passo de Angostura, movimento que foi completado a 5, 9 e 10 do mesmo mês pelo restante das forças navais. O sucesso foi tal, que permitiu à esquadra transportar 19.000 homens do Exército de Caxias, desembarcados no porto de Santo Antônio, duas léguas acima de Villeta. A conseqüência desse movimento foram as vitórias de Itororó, Avaí, Villeta, Lomas Valentinas e a entrada triunfal em Assunção a 1º de janeiro de 1869.

A esquadra brasileira continuou a sua missão dando caça a algumas embarcações paraguaias no Rio Manduvirá, terminando aí propriamente a sua missão ofensiva, pois a guerra continuou nas cordilheiras até a morte de Lopez.

3º PERÍODO (1870-1910)

A esquadra, do fim da Guerra do Paraguai até a proclamação da República

Com o fim da Guerra do Paraguai (1870) inicia-se o 3º período da evolução da esquadra, que se prolonga até 1910, quando o Brasil adquiriu uma frota de alto-mar.

Durante esse período a esquadra compunha-se principalmente de navios que vinham da Guerra do Paraguai, os quais se eram muito bons para a navegação fluvial não se adaptavam bem às lides marítimas.

A situação melhorou com a aquisição dos primeiros encouraçados de alto-mar: o *Riachuelo* e o *Aquidaban* (de 6.000 e 5.000 toneladas de deslocamento, respectivamente), reforçados pelos monitores de alto-mar

Javaí e *Solimões* (ambos de 3.700 toneladas de deslocamento). Esses navios foram adquiridos nos anos de 1874 e 1875 e tomaram parte saliente nas lutas civis que ensangüentaram os primórdios da República: a Revolta da Esquadra em 1891 e a Revolta da Armada em 1893-1894.

Durante o período que precedeu a proclamação da República, a Marinha Imperial pouca atuação teve na chamada Questão Militar e isso se explica principalmente pela sua própria organização: arsenais, navios, comandos relativamente concentrados em determinados lugares; portanto, muito menos sujeitos às influências que levaram o Exército a tomar parte ativa na política nacional. E o que afirmamos bem pode ser comprovado pelo último baile que a Monarquia ofereceu aos oficiais chilenos na Ilha Fiscal.

Conclusões
A Marinha teve um grande papel na nossa História, como procuramos demonstrar ao longo deste trabalho.

Durante o período colonial foi ela que manteve as Capitanias e o Governo-Geral ligados à Metrópole.

Com a Independência, a Marinha tornou-se ainda mais importante, pois, apesar de termos tido a sorte de possuir um Pedro I como Monarca, o Brasil se teria esfacelado numa série de repúblicas – como aconteceu na América Espanhola – se não fosse a sua ação integradora. É certo que existem outros fatores, mas foi ela que bloqueou, venceu e perseguiu a esquadra portuguesa, possibilitando a união com o Rio de Janeiro.

Durante a Regência e o Segundo Reinado, aconteceu a mesma coisa: a Marinha transportou e manteve muitas das forças imperiais que acabaram por destruir os focos de rebeldia que novamente ameaçaram a unidade nacional.

A luta no Rio da Prata – velha herança portuguesa – só foi possível com uma Marinha que se impôs e sustentou forças terrestres nos combates contra Rosas, Oribe e principalmente contra Solano Lopez. Sem a nossa esquadra, o Paraguai não só se teria apoderado do Sul de Mato Grosso, como talvez conquistasse as províncias argentinas de Corrientes e Entre-Rios, além do Uruguai e quiçá parte do Rio Grande do Sul, chegando assim ao ambicionado litoral atlântico. Foi a Marinha que transportou o Corpo Expedicionário Brasileiro e o manteve apetrechado, municiado e abastecido. Se não fosse ela, com grande dificuldade poderíamos ter expulsado o invasor do nosso solo, mas não conseguiríamos, talvez, a difícil e custosa vitória nas Cordilheiras, que culminou com a morte de Lopez.

Teríamos provavelmente perdido o Sul do Mato Grosso, como já dissemos, por não podermos sustentar aí um grande exército capaz de enfrentar as aguerridas hostes guaranis, pois não existia nessa época a Estrada de Ferro Noroeste do Brasil. A célebre Retirada de Laguna foi uma trágica amostra do que teria sido uma campanha exclusivamente terrestre, tal a distância que essa nossa fronteira estava dos centros mais populosos do país.

Assim, a Marinha foi o elo que manteve o Brasil unido, foi ela a sua armadura defensiva e a plataforma de onde o Império pôde desferir seus ataques de represália.

CAPÍTULO III

A GUARDA NACIONAL

A GUARDA NACIONAL – contribuição do pensamento liberal –, adotada por várias nações em diversas épocas, permaneceu presente e atuante na vida brasileira desde a Menoridade até a República. A falta de um conhecimento aprofundado da nossa milícia cívica acarretou a generalização das características que assumiu nos fins do Segundo Reinado. Todavia, a instituição não se apresentou sempre igual, sendo possível reconhecer diferentes etapas no seu processo de transformação.

Podemos distinguir três fases diferenciadas na vida da Guarda Nacional brasileira. A primeira fase, grosso modo, a da Menoridade, vai de 1831 até a reforma da Lei em 1850, quando a corporação, como força de grande contingente popular, atuou de forma direta e intensa na campanha da pacificação nacional. A segunda fase, que abrangeu o Segundo Reinado, de 1850 a 1889, caracterizou-se pelo início da aristocratização dos seus quadros dirigentes, transformando-se depois em milícia eleiçoeira – força de oficiais sem soldados. Finalmente, na terceira fase, a republicana, irá verificar-se a absorção da milícia cidadã pelo Exército, como força de segunda linha, assim conservando-se até o seu total desaparecimento em 1922.

Origem alienígena da corporação No seu processo de nascimento como Nação, adotou o Brasil uma estrutura institucional alienígena. A organização administrativa portuguesa e a organização político-jurídica euro-americana formaram o marco inicial das futuras instituições nacionais. A influência e a penetração de certos valores da cultura européia, na sociedade brasileira do século XIX, processaram-se num campo bastante amplo. Foi em meio a esse processo de adoção de formas alienígenas institucionais que surgiu a Guarda Nacional. A lei francesa que lhe serviu de base foi quase integralmente tomada pelos legisladores nacionais. Normal

A GUARDA NACIONAL

foi também o processo de transformação e adaptação de uma instituição, originariamente estrangeira, aos novos padrões de uma cultura nascente, no fenômeno do abrasileiramento da corporação.

Como resultado da adoção de uma instituição estrangeira, criada para uma sociedade mais complexa e diferenciada como a francesa, onde o cidadão soldado era o burguês, o proprietário – com a taxativa oposição ao operário –, tomou no Brasil a Guarda Nacional uma conotação diversa, por se tratar de país escravocrata, à procura de novos padrões culturais e símbolos nacionais válidos. O nome da corporação simbolizava as novas forças que então sensibilizaram a Nação. Para Justiniano José da Rocha foram os "ciúmes nacionais" que dirigiram a Abdicação e a política da Menoridade. O ressentimento coletivo manifestou-se na forma nativista, levada ao extremo da violência em algumas regiões. Os cidadãos-soldados, nos primeiros anos, alistados na classe livre, trabalhadora, "colorida" e também reivindicadora, desejosos de situar-se naquele universo individualista e supostamente igualitário, onde predominavam as relações pessoais e familiares, a barreira do preconceito, a desvalorização das formas mais simples de trabalho, lançaram mão de novos recursos. Passou a ser a defesa do regime monárquico que haviam ajudado a instaurar, valorizada pela prestação de serviços cívicos e patrióticos, a razão de ser a nova corporação veículo de afirmação daquela classe livre e trabalhadora.

A "nação em armas"   Filha dos ideais revolucionários franceses, a Guarda Nacional, criada pelos liberais, tornou realidade o lema: "Nação em armas". Solução de um momento de crise, encarnava o princípio democrático de que a defesa da Nação é da responsabilidade de todos os cidadãos. As barreiras mentais entre a sociedade militar e o país, no período nativista regencial, mantiveram a situação de desfavor e desprestígio que acompanhavam o soldado de 1ª linha, condicionando a valorização do cidadão soldado que então surgia. Coroando ideologicamente aquele sentimento antiportuguês, estavam as idéias revolucionárias francesas e americanas. Isso explica, na nossa primeira Constituição, a absorção do poder militar pelo poder civil, e o aparecimento de uma milícia cidadã como força de maior confiança para a solução das crises internas. A Guarda Nacional, como corporação paramilitar, atuou como reforço do poder civil, tornando-se o sustentáculo do Governo instaurado com o 7 de Abril.

São Paulo e a criação   Apesar da idéia da criação da milícia cívica remon-
da Guarda Nacional   tar ao Primeiro Reinado, a crise desencadeada pela Abdicação tornou urgente a sua concretização. A primeira indicação sur-

gida para a formação de uma Guarda Nacional no Brasil partiu da Câmara Municipal de São Paulo, em outubro de 1830. Usando de uma atribuição facultada pela lei de 1º de outubro de 1828, que lhe servia de Regimento, enviaram os vereadores paulistas a sugestão à Assembléia, por intermédio de seus representantes na Corte. Propunham os edis da Província de São Paulo organizarem-se, no Brasil, Guardas Nacionais ou Cívicas, como recurso mais apropriado para manter-se a Constituição contra os perigos de um golpe da "facção liberticida". Aos perigos da restauração oporia o Governo uma Guarda Nacional formada de elementos nacionais que deteriam as agitações lusas e a insubordinação da tropa. No documento enviado pela edilidade paulista à Corte estão esboçadas as idéias principais da futura Guarda Nacional. Baseando-se no artigo 145 da Constituição de 1824, que determinava como dever de todos os cidadãos pegar em armas na defesa do regime, argumentavam que o que faltava era apenas uma lei para regulamentar tal força. A Guarda Nacional seria esta força. Apresentavam como modelo a Guarda Nacional francesa, sugestão adotada posteriormente, na íntegra, pela lei de 18 de agosto de 1831. Sob a forma de Informação foi a proposta enviada em março de 1831 ao Exmo. Sr. Bispo Capelão-Mor do Rio de Janeiro, Senador do Império por São Paulo, D. José Caetano da Silva Coutinho, e também ao Deputado paulista Pe. Diogo Antônio Feijó.

Feijó e a Guarda Nacional   Tem sido atribuída a Feijó a paternidade da criação da Guarda Nacional no Brasil, provavelmente pelo fato de ter sido ele Ministro da Justiça em 1831, assim como por ter ficado a instituição sujeita ao Ministério da Justiça e também por ter ele dado todo o seu apoio à milícia cívica. Da mesma forma, muitas críticas à corporação visavam ao Ministro, ligando mais estreitamente ao seu nome a instituição. Todavia, nem os contemporâneos, como Pereira da Silva, nem os jornais da época, lhe atribuíram a paternidade da força cidadã, que, de resto, o próprio Feijó, nas suas alusões à corporação, jamais reivindicou.

O projeto de criação   Somente em princípios de maio de 1831 foram debatidas pela primeira vez na Assembléia Geral Legislativa, a idéia da formação de uma Guarda Nacional e a necessidade de formar-se uma comissão que apresentasse, no prazo mínimo de 4 dias, um plano-base. Foi José Bento Leite Ferreira de Mello que o apresentou, solicitando regime de urgência, em vista da situação de intranqüilidade geral. Foi nomeada uma comissão *ad hoc* da qual também participaram Rai-

A GUARDA NACIONAL

mundo José da Cunha Mattos e Evaristo Ferreira da Veiga, que iniciaram imediatamente a redação do projeto. Cinco dias mais tarde, na sessão de 9 de maio de 1831, foi apresentado o projeto de lei de criação da Guarda Nacional, semelhante nas principais linhas àquele que será aprovado e publicado em agosto do mesmo ano.

De maio a agosto, discutiu-se o projeto para a sua apresentação à Assembléia e redação final. A 1? de junho, a "Sociedade Defensora da Liberdade e Independência", no Rio de Janeiro, oficiou à Câmara, pedindo a criação das Guardas Nacionais. A 9 de junho de 1831, foi encaminhado o projeto, com o título de "Regulamento das Guardas Nacionais do Império do Brasil apresentado à Câmara dos Ilustres e Digníssimos Senhores Deputados", por Honório Hermeto Carneiro de Leão, Manuel Odorico Mendes e Cândido Baptista d'Oliveira.

Com a criação da Guarda Nacional, foram extintos os antigos corpos auxiliares das Milícias e Ordenanças e das Guardas Municipais, passando ela a efetuar, em seu lugar, o serviço da manutenção da ordem interna. Tornou-se a principal força auxiliar durante a Menoridade e inícios do Segundo Reinado, e o elemento básico na manutenção da integridade nacional. A sua utilidade, naquele período de transição, onde os ideais revolucionários do "nacional e patriótico" tomavam uma dimensão especial, levava a uma justificação da Independência. Não era a Guarda Nacional apenas uma milícia a mais e, sim, o símbolo da nova Nação.

A milícia cidadã e o jovem Imperador   A Guarda Nacional dos primeiros tempos, formada pelo grupo livre mais numeroso da população, identificou-se imediatamente com o jovem e futuro soberano. A imagem romântica dos pobres órfãos imperiais, guardados pela Nação, deve ter condicionado positivamente a lealdade da patriótica milícia que, não chegando a constituir-se em uma nova Guarda de Honra, agiu, todavia, no sentido de se tornar a defensora do trono brasileiro, contra os "recolonizadores" naquele clima de exacerbado nativismo como o da Menoridade. A exemplificação desse estado de espírito é patente em certos episódios. O primeiro desfile da Guarda Nacional da Corte ocorreu no dia 2 de dezembro de 1832, aniversário de D. Pedro II. Nela, o jovem Imperador a cavalo, e com a farda da milícia, desfilou acompanhado de alguns membros da Regência, numa demonstração de sua confiança e do prestígio que aquela possuía.

A lei de 18 de agosto de 1831   A lei de criação da Guarda Nacional brasileira é uma cópia quase fiel da lei francesa de 22 de março de 1831 que reorganizou a Guarda Nacional da França. Lá, os legisladores agiram em função da desconfiança em relação aos homens que permitiram o triunfo de Carlos X. Movimentação análoga inspirou, aqui, os nossos legisladores. Promulgada na França, em fins de março, em maio do mesmo ano já servia de modelo à redação da lei que criaria a Guarda Nacional brasileira. As críticas a essa quase total semelhança com a lei francesa parecem nunca ter ultrapassado o recinto da Câmara.

Todo o programa de ação da Guarda Nacional está concentrado no seu artigo 1º, quando determina: "Defender a Constituição, a Liberdade, a Independência, e a Integridade do Império; para manter a obediência às leis, conservar ou restabelecer a ordem e a tranqüilidade públicas, e auxiliar o Exército de Linha na defesa das fronteiras e costas; toda a deliberação tomada pelas Guardas Nacionais acerca dos negócios públicos é um atentado contra a Liberdade e um delito contra a Constituição."

Nacional na amplitude de seu campo de atividade, a sua atuação vai concentrar-se no Município, nas paróquias e curatos e, excepcionalmente, fora da Província, em corpos destacados para serviço de guerra, pelo Governo, durante as rebeliões da Menoridade e, em menor escala, até a Guerra do Paraguai. Embora fosse uma instituição permanente, podia o Governo suspender ou dissolver a corporação por um ano, prazo prorrogável por força de lei, se necessário. Da mesma forma podiam os Presidentes de Província suspendê-las por um ano, caso fossem tomadas pela Guarda Nacional deliberações nos negócios públicos e houvesse resistência de sua parte às requisições legais das autoridades. Estavam subordinados os guardas nacionais, sucessivamente, aos Juízes de Paz, Criminais, aos Presidentes de Províncias e ao Ministro da Justiça, que, como autoridades civis, podiam requisitar os seus serviços.

O serviço na "força cidadoa" era em princípio obrigatório e pessoal e válido pelo prazo de 4 anos. Todos os brasileiros, de idade variável entre 21 e 60 anos e cidadãos filhos-família dispondo de rendas para serem eleitores eram qualificados guardas nacionais. Os Juízes de Paz, organizando o Conselho de Qualificação, faziam anualmente o alistamento dos cidadãos para a milícia que era imediatamente anotado no Livro de Matrícula, após o que os alistados eram qualificados para o serviço ativo e reserva, podendo escolher livremente a arma na qual deveriam servir. A formação dos corpos da Guarda Nacional abrangia as três armas, embora a organização das armas da Artilharia e Cavalaria estivesse sujeita ao arbítrio do Governo nacional e provincial. A questão da disciplina sujeitava-se a minuciosas determinações, pouco rigorosas, o que não era de estranhar, por tratar-se

A GUARDA NACIONAL

de cidadãos que prestavam os seus serviços à Nação gratuitamente. As despesas com a corporação por parte do Governo eram mínimas, reduzindo-se à distribuição do armamento, bandeiras, tambores, cornetas e trombetas, material de escritório e soldo apenas para os instrutores.

O decreto de 25 de outubro de 1832   Embora encarada de modo positivo pela opinião pública, recebeu a milícia, quase de imediato, críticas dos jornais oposicionistas. Defendeu-a invariavelmente Evaristo Ferreira da Veiga, nas páginas da *Aurora Fluminense*, pois, embora reconhecendo as falhas da lei, tais críticas o atingiam duplamente, como Deputado da situação e como um dos autores do projeto da lei de 1831. Compreensível foi a promulgação no ano seguinte do decreto de 25 de outubro de 1832, que, em seus 26 artigos completou, com algumas alterações, a lei anterior.

Assim, por exemplo, o limite de idade foi alterado para mais de 18 e menos de 50 anos, perdurando essa alteração até a segunda reforma da lei, em 1873. Por outro lado, especificou-se o montante exato da renda líquida anual para o votante ou eleitor, a qual diferia conforme a importância dos Municípios. Igualmente, alterou-se o prazo de duração do serviço, passando a qualificação a ter validade permanente. Aumentaram-se pormenorizadamente as isenções para o serviço ativo, esclareceram-se as questões referentes a trocas de serviço, as dispensas temporárias, a organização dos corpos e determinou-se também a extinção do Corpo de Honra.

A Guarda Nacional como força conservadora   Criada como instrumento das classes conservadoras, encarregava-se a milícia de manter ou restabelecer a ordem e a tranqüilidade públicas do Império. Inicialmente preservaria a Nação dos perigos do republicanismo, que certamente traria consigo a quebra das estruturas oligárquicas e coloniais e acarretaria a "subversão e a anarquia", segundo as palavras de Diogo Antônio Feijó, em julho de 1831.

A adaptação de uma instituição originariamente estrangeira às condições ainda coloniais do Brasil independente eivou-se de falhas diversas, que não se podem considerar específicas da Guarda Nacional, mas antes de nossas condições socioeconômicas e de uma mentalidade político-administrativa ainda presa à tradição colonial e mal disposta a prestar serviços públicos a um Estado, ainda assimilado à idéia de Metrópole. Foi um aprendizado lento a prestação de serviços à coletividade, e sua aceitação pela opinião pública sempre contou com restrições e nem sempre foi recebida com boa vontade.

O princípio da qualificação dos guardas nacionais, baseado na sua condição de cidadãos brasileiros e dentro do critério censitário do eleitorado, pretendeu o engajamento da classe livre, trabalhadora, para a defesa da ordem e da propriedade, conforme declarou Evaristo Ferreira da Veiga no *Aurora Fluminense*. A participação dessa parte da população parecia, naquele momento, garantia suficiente de ação anti-revolucionária. Entre os parlamentares da Menoridade era convicção quase geral que o alistamento e a qualificação de cidadãos soldados entre os que possuíssem condições econômicas estáveis constituíam fator de equilíbrio social e político.

Sendo de início, como foi dito, instituição conservadora e instrumento da manutenção da ordem estabelecida, a Guarda Nacional foi, simultaneamente, inovadora, quando, pela adoção do sistema eletivo para o oficialato, tentou um igualitarismo racial e social numa quebra do *status quo*. A formação dos seus quadros com elementos das classes populares, a eleição de indivíduos socialmente desprestigiados pela cor ou por suas atividades econômicas para os cargos de liderança, durante a Menoridade, provocou desconfiança nos que pensavam contar com uma força fiel à manutenção das velhas estruturas.

O entrosamento do serviço da Guarda Nacional na vida municipal criou estreitos liames com a população, favorecendo a sua futura utilização pelos poderes políticos provinciais. As modificações decorrentes do Ato Adicional afetaram-na profundamente, de forma a anular o princípio democrático de sua organização e fortalecendo-a como instrumento das hostes conservadoras. Essas transformações realizadas no âmbito municipal e provincial permitiram às forças políticas a utilização da milícia cívica como agente de politização partidária. Na segunda metade do reinado de D. Pedro II, a Guarda Nacional firmara como força conservadora, de dominação dos grupos municipais e assim permaneceu até a sua total extinção, já no período republicano.

A composição popular de seus quadros Os alistamentos para a qualificação na Guarda Nacional pretendiam ser o mais amplo possível e agrupavam os componentes por ordem de idade, renda e nacionalidade, incluindo os portugueses adotivos. A formação dos quadros apoiava-se num critério econômico, na base de 100$000 rs. anuais, que, todavia, não era demasiado restritivo, pois o comum das rendas desse tempo oscilava dentro dessa média, inclusive as de parte das classes menos favorecidas. De resto, a inflação, durante a Regência, reduzira o valor da moeda. Assim, eram qualificados guardas nacionais dentro da classe livre, não necessariamente branca, constituída de pequenos proprietários, comerciantes, trabalhadores nem sempre assalariados e, na sua maioria, de posses modestas. Tal verificação foi feita nas listas de qualificação, em que foi pequeno o número encontrado de indivíduos com rendas superiores a 500$000 anuais. Essa classe livre, ativa e produtiva foi a que arcou, até a Guerra do Paraguai, com a responsabilidade do trabalho na Guarda Nacional, fato reconhecido pelas autoridades do tempo. Entretanto, justamente o esforço árduo, anônimo e eficiente dos primeiros anos da vida da corporação é que é totalmente posto de lado ou esquecido quando se fala na Guarda Nacional.

A maior originalidade da legislação de 1831 estava no sistema eletivo para os postos de oficiais, através de escrutínio individual e secreto, com maioria absoluta de votos para os postos mais elevados. As eleições processavam-se em cada paróquia e curato, com os guardas nacionais desarmados e sob a presidência do Juiz de Paz. A indicação para os postos mais elevados era feita pelo Governo ou pelo Presidente da Província. A eleição era válida por 4 anos, podendo haver reeleição. Contudo, para os postos de nomeação, eles serviriam enquanto aprouvesse ao Governo. Com o decreto de 1832 foi alterado o prazo de duração do serviço, passando o alistamento a ter validade permanente. O reconhecimento da eleição fazia-se diante dos batalhões reunidos, quando cada oficial, ao ser reconhecido, prestava juramento de fidelidade ao Imperador e de obediência à Constituição e às Leis do Império.

A divisão em serviço ativo e reserva, que as leis de 1831 e 1850 estabeleciam, apoiava-se numa discriminação de classe. O "emprego" na Guarda Nacional era incompatível com as funções administrativas e judiciárias, que, por sua posição, tinham poder de requisitar força pública. Logo, altas autoridades eram excluídas, como também aqueles que ocupavam cargos de importância na vida pública nacional, isto é, Senadores, Deputados, membros dos conselhos gerais e Presidentes e Conselheiros de Estado, além de Magistrados, que eram dispensados mesmo depois de alistados, se o requeressem. Pelo decreto de 1832, as autoridades acima discriminadas e mais Ministros de Estado, Vereadores, chefes de repartição, passaram a formar as listas de reserva. Quanto a estudantes, professores e profissionais liberais, eclesiásticos, oficiais militares, que formavam a classe socialmente favorecida, eram também incluídos na reserva. Além desses, os empregados de categoria média ou inferior, mas ocupantes de cargos de relevância, tais como empregados públicos, de hospitais, e casas de caridade, de arsenais e oficinas nacionais, dos correios, ficavam também excluídos do serviço ativo. Eram incluídos na reserva administradores de fábricas e fazendas rurais, com mais de 50 escravos e que substituíam os proprietários, assim como feitores e vaqueiros de fazendas de gado com mais de 50 crias anuais, enfim, todos aqueles que se achassem ligados a estabelecimentos de importância econômica apreciável. É de fácil averiguação que, assim sendo, o serviço ativo recaía sobre a classe mais humilde, pois elementos da reserva só prestavam serviços em circunstâncias extraordinárias. Da longa lista de isenções para o serviço ativo verificam-se apenas duas isenções para as atividades rurais, num total de vinte e uma atividades diversas.

Foi pela divisão entre serviço ordinário e reserva que a instituição, originariamente democrática, foi viciada por aquela sociedade de classes, de sorte que a reserva passa a ser um meio de fuga ao recrutamento para a 1ª Linha e até para o serviço ativo na própria Guarda Nacional. O decreto de 1832 veio aumentar o número de isenções do serviço ativo e o costume terminou por fazer com que o peso e a "honra de servir a Nação" recaíssem quase só sobre os desfavorecidos. A rigidez do serviço ativo podia ser quebrada através de dispensas temporárias, concedidas pelo Conselho de qualificação, por motivos de serviço público ou particular. Da mesma forma podiam ser os guardas nacionais substituídos por parentes próximos, oficiais do mesmo grau e independente da companhia ou batalhão a que pertenciam, conforme o regulamentado pelo decreto de 1832.

A predominância de indivíduos das classes mais modestas no alistamento e qualificação de guardas nacionais, não só como soldados, mas como oficiais, inclusive superiores, foi fato comum a várias regiões do Brasil até o Segundo Reinado, segundo o testemunho dos contemporâneos dos jornais da época, sobretudo humorísticos, e de documentos oficiais como os *Anais da Assembléia Geral Legislativa*.

A reforma de 19 de setembro de 1850   A lei de 18 de agosto de 1831, com seus minuciosos 143 artigos e mais parágrafos, complementada pelo decreto de 25 de outubro de 1832, que modificou vários artigos, nunca chegou a ser integralmente posta em prática em todo o território nacional. A interferência da legislação provincial, possível pela promulgação do Ato Adicional de 1834, modificou substancialmente a lei de 1831. A falta de adequação entre a lei – homogênea, completa – e uma realidade social variável determinou o aparecimento de um imenso número de avisos, portarias, decretos, decisões, esclarecendo, corrigindo e resolvendo dúvidas, certamente ampliadas por soluções e interpretações locais. Uma reforma impunha-se, já que as adulterações e arbitrariedades cometidas haviam

A GUARDA NACIONAL

desfigurado a lei. Por volta de 1850, a paz voltara às Províncias do Império e tivera início o fortalecimento das tropas de 1ª linha, o que significava dispensa do auxílio da Guarda Nacional como agente principal na pacificação interna.

Assim, em 1850, foi finalmente promulgada a primeira reforma da Guarda Nacional pela Lei nº 602, de 19 de setembro do mesmo ano, modificando substancialmente o espírito e a letra da legislação anterior. Têm início o processo de afirmação do caráter aristocrático de seus quadros dirigentes e a sua transformação gradativa em milícia eleiçoeira, aspecto pelo qual até hoje é associada. Distanciando-se do povo, foi cada vez mais objeto de críticas, inclusive do próprio Imperador, certamente esquecido do papel saliente que representara na sustentação do trono nos tempestuosos tempos da Menoridade.

A centralização geral da política imperial refletiu-se igualmente na milícia cidadã, que perdeu o seu caráter municipal, subordinando-se inteiramente às autoridades central e provinciais, do Ministro da Justiça e dos Presidentes de Província, sempre nomeando pessoas de confiança do Governo. Mas, de maior importância foram as modificações das regras de acesso aos postos de liderança, já definitivamente afastado o sistema eletivo e substituído por nomeações feitas pelas autoridades, seja de forma indireta quando oficiais inferiores e subalternos eram nomeados pelos Comandantes, seja diretamente, pelos Presidentes de Província mediante proposta dos chefes dos corpos, ou pelo Governo quando nomeava os oficiais mais graduados. As indicações influenciadas pela cor política do guarda nacional candidato tornaram-se regra nas qualificações para oficiais.

Tendo conservado a permanência do alistamento, foi necessário regularizar a baixa em serviço, bastante utilizada, como meio de coação política, contra o cidadão soldado. Daí, por um novo e minucioso artigo, nº 66, a baixa em serviço deveria decorrer de: crimes contra a Independência, Integridade e Dignidade da Nação, contra a Constituição do Império e forma de seu Governo, contra o Chefe do mesmo Governo e contra o livre exercício dos Poderes Políticos; por conspiração, rebelião, sedição, insurreição, homicídio, falsidade, moeda falsa, resistência, tirada de presos do poder da Justiça, arrombamento de cadeias, peita, suborno, ou por algum outro delito que o sujeitasse à pena de galés por qualquer tempo, ou de prisão por 2 ou mais anos.

A questão da vitaliciedade dos postos de oficiais, determinada pelo decreto de 1832, foi, inúmeras vezes, e devido a injunções políticas, alterada pela legislação provincial. Com a reforma de 1850, a vitaliciedade se restabelece de forma absoluta, não só como medida de segurança contra os desmandos dos adversários políticos, mas, também, como medida de caráter econômico, pelo lucro que o pagamento de impostos para a obtenção das patentes acarretava.

A integração racial na Guarda Nacional Agrupou a milícia cidadã em suas fileiras todos os brasileiros sem distinção de raça. Raimundo José da Cunha Mattos é quem declara: "Pela lei de criação da Guarda Nacional confundiram-se as cores e não há Corpos Distintos de Brancos, Pardos e Pretos; os direitos são iguais." Foi a Guarda Nacional a primeira corporação oficial que fez cessar expressamente a distinção racial, o que a tornou essencialmente nova e revolucionária, por enfrentar o problema das relações de raças, num regime que reconhecia a escravidão como legítima. É claro que, num país como o Brasil, de grande proporção de indivíduos não brancos, uma corporação como a força cidadã, que congregava os cidadãos para "defender a Constituição, a Liberdade, a Independência e a Integridade do Império", não poderia discriminar racialmente, se quisesse unir todos os brasileiros. O 7 de Abril nacionalizara a Independência e, como racionalização dessa situação, existiam os princípios liberais da igualdade, a nacionalização dos corpos de defesa, o nativismo exacerbado e a democratização do critério de cidadania. Essa realidade levava à necessidade urgente de apelar para a participação do grupo não branco e sobretudo à de sua aceitação.

A inclusão de indivíduos de cor numa corporação socialmente considerada constituía um passo bastante largo para a integração dos pretos e pardos. Nélson Werneck Sodré afirma que, com a Guerra do Paraguai e a ascensão ao oficialato das classes mais desfavorecidas, rompe-se a linha da cor, e o rótulo da pele deixa de constituir um impedimento à ascensão na hierarquia militar. Ora, tal integração já se verificara anteriormente com a Guarda Nacional, que, não separando os corpos por sua cor e admitindo libertos e ingênuos na sua condição de cidadãos brasileiros, além de permitir a sua eleição para os postos de oficial, segundo a lei de 18 de agosto de 1831, realizou pela primeira vez, oficialmente, a quebra da linha da cor.

A milícia como corporação cívica e paramilitar permitiu – pelo princípio eletivo do oficialato – uma quebra ousada e revolucionária dos postos de liderança. Pretos e mulatos no seu esforço de integração, numa sociedade que juridicamente se fundamentava na igualdade, paradoxalmente aplicada em um país escravocrata, tentaram situar-se e adaptar-se à nova nação, que haviam ajudado a erguer. A adesão da população mestiça ao movimento nativista na luta contra o luso expressava também um descontentamento ocasionado pela competição econômica de trabalhadores estrangeiros, mais bem qualificados e de prestígio assegurado por sua condição de europeus. Jornais da Guarda Nacional e da "imprensa mulata" lutaram juntos na defesa de interesses comuns: o do guarda nacional, trabalhador brasileiro, branco, preto ou mestiço. A qualificação para a Guarda Nacional e o sistema eletivo para os postos de oficiais desencadearam a batalha da integração por parte de gente que vivia e sentia o problema. Assim, nos primeiros tempos da Menoridade, pretos e ingênuos puderam chegar a oficiais da Guarda Nacional, chefiando inclusive antigos senhores. A novidade de tais fatos tornou-se tema de crítica de um jornal do Rio de Janeiro, *A Nova Caramuruada*, quando declarava que na milícia cívica qualquer um podia ficar "sujeito às ordens do oficial, que em algum tempo foi seu cativo ou de seus progenitores".

A instituição proporcionou a fermentação de um igualitarismo racial e social. A reação do grupo branco, minoritário, teve de aguardar, para impor-se de forma legal e sob o disfarce de pretextos completamente diversos. O medo de uma ruptura daquela estrutura social de classes orientou a reação, traduzida em reformas da lei de 1831, efetuadas pelas legislaturas provinciais e sem que o problema fosse abordado abertamente.

A unanimidade das críticas ao sistema eletivo da Guarda Nacional e a aceitação das reformas provinciais que o substituíram pela nomeação governamental, regulamentada oficialmente pela reforma de 1850, neutralizaram a luta reivindicatória. Mas, o sucesso de tais reformas pode também ser atribuído a uma mudança do modo de luta do grupo não branco, traduzido por uma atitude de acomodação na aceitação do ideal de "branqueamento".

Essa primeira fase da existência da Guarda Nacional mostra aspectos do problema da população de cor, ainda pouco conhecido embora rico de sugestões. Qualificando e alistando sem distinção indivíduos de raças diferentes, realizou ela algo de novo e democrático nas relações inter-raciais no Brasil. O fato da aceitação do liberto e ingênuo em suas fileiras como oficial é uma prova contrária à idéia generalizada e sem fundamento de que a Guarda Nacional sempre foi uma tropa de elite.

A Guarda Nacional como força econômica — Tendo em vista a situação nacional logo após o 7 de Abril, a criação de uma força cívica que não acarretasse ônus financeiro para o Governo surgia como solução ideal para o problema da segurança interna. Os serviços gratuitos prestados à Nação pelos cidadãos soldados contrabalançavam as pesadas despesas da

332   HISTÓRIA GERAL DA CIVILIZAÇÃO BRASILEIRA

manutenção da pequena tropa de 1ª linha. A Guarda Nacional, como força paramilitar – gratuita –, justificava-se no contexto geral.

A economia que realizou o Governo, pelo emprego sistemático da instituição, deve ter sido considerável e muito apreciada, dada a crônica falta de numerário dos primeiros anos. Quanto às províncias, com a reforma de 3 de dezembro de 1841, passaram os corpos de polícia a ser mantidos pelos Governos locais que, geralmente contando com pequenas verbas, só podiam sustentar efetivo policial reduzido, passando o policiamento, a princípio, a ser completado pela Guarda Nacional e, mais tarde, a ser realizado quase exclusivamente por ela, situação essa que perdurou até a segunda reforma de 1873.

Apesar dos serviços na corporação serem prestados gratuitamente, havia dois casos de exceção previstos nas leis de 1831 e 1850: o serviço de destacamento por tempo superior a três dias e o serviço de corpos destacados. Depois de verificada a impossibilidade da gratuidade de tais encargos, recebiam os guardas nacionais soldos e etapas. Da mesma forma, a Nação fornecia fardamento, armamento e equipamento àqueles que o não podiam fazer por conta própria.

Mas a parcimônia do Governo Central para com a Guarda Nacional estendeu-se inclusive quanto a dotação de verbas e com isso afetou a própria estrutura da corporação que, com insuficiente treinamento e quase sem armamentos, perdeu aos poucos a sua potência, ocasionando desinteresse pelo serviço. O mais grave foi o dispêndio de energias do cidadão soldado, obrigado a um pesado tributo pessoal de seu tempo, de seu trabalho, de seu dinheiro e até de seu sangue. A economia da Nação nos primeiros anos de vida independente, às custas da Guarda Nacional, transcendia aspecto puramente financeiro.

A Guarda Nacional como   Se o dispêndio financeiro governamental com a
fonte de renda   milícia cidadã foi mínimo, com verbas sempre aquém das necessidades, a partir de certo momento a Guarda Nacional passou a significar uma fonte de renda para o Governo provincial através do pagamento do imposto do selo e emolumentos das patentes de oficiais guardas nacionais, sem o qual não poderiam entrar em exercício. Quando, por interferência das Assembléias provinciais, o sistema eletivo foi paulatinamente suprimido e substituído pelo sistema de nomeação provincial, iniciou-se, também, a prática de fornecerem-se as patentes de oficiais da Guarda Nacional mediante o pagamento de selos à Secretaria, com direitos que variavam segundo a região. Em 1839, legislou-se na Província de São Paulo no sentido de determinar a forma de arrecadação do

A GUARDA NACIONAL

imposto do selo a que estavam sujeitas as patentes de oficiais da Guarda Nacional. A significação dessas alterações, modificadoras do caráter democrático da força cidadã, vai manifestar-se especialmente após a reforma de 1850. Assim, pela Lei nº 602, de 19 de setembro de 1850, a matéria foi regulamentada, ficando estabelecido que todos os oficiais da Guarda Nacional tivessem patente e por ela pagassem, além do selo, a quantia equivalente a um mês de soldo, igual à dos oficiais de 1ª linha, de igual posto. A título de emolumentos, só eram cobrados, na Secretaria de Estado e nas das Presidências, a quinta parte da importância do novo direito, emolumentos esses aumentados em 1859. Da mesma forma, os oficiais guardas nacionais promovidos de posto deveriam pagar de novo a quantia equivalente à diferença do soldo. Todavia, a importância recebida pelas patentes ficava pertencendo à Receita Geral do Estado, mas deveria ser aplicada nas despesas com a milícia. Se a princípio, nas apostilas lançadas nas patentes de oficiais, não eram creditados emolumentos e selos, mais tarde essa isenção atingiu apenas os oficiais da Guarda Nacional que passavam da ativa para a reserva.

Nos exercícios de 1866-1867 e de 1868-1869, a renda dos direitos das patentes dos oficiais da Guarda Nacional, arrecadada nas Províncias do Império, foi de 114:000$000.

Competia às Tesourarias provinciais a arrecadação e escrituração dos pagamentos dos impostos do selo e emolumentos e inclusive a cobrança executiva quando não tivessem sido arrecadados amigavelmente. Havia casos em que o selo era pago em dobro, como quando as patentes dos oficiais guardas nacionais eram conferidas pelas Presidências das Províncias, uma vez que esses títulos estavam também sujeitos a emolumentos provinciais. Em fins do Segundo Reinado, o selo era considerado imposto geral e sua arrecadação não podia ficar a cargo das coletorias provinciais, como inicialmente. Não só pagavam os oficiais superiores como igualmente os oficiais subalternos, quando tais patentes tivessem sido expedidas pelas Secretarias das Presidências das Províncias. Quando tais oficiais galgavam postos mais elevados, não era levado em conta o que havia sido pago anteriormente, indeferindo o Governo as reclamações e aumentando dessa forma a sua receita. Assim, passava a existir um acordo tácito entre esses oficiais nomeados e a política provincial, acarretando uma série de compromissos mútuos. A taxação de impostos nos diplomas de oficiais da Guarda Nacional, além de transformar-se em regular fonte de renda governamental, do Segundo Reinado à República, acarretou profundas repercussões paralelas no campo político social.

A ação policial da Guarda Nacional

Nascida num período de comoção interna, como garantia do Governo contra a "ação dos extremados", passou a Guarda Nacional com o decorrer do tempo e da situação nacional a desempenhar uma função marcadamente policial. O mesmo já haviam feito anteriormente as forças que a antecederam: as Milícias, as Ordenanças, as Guardas Municipais e a própria tropa de 1ª. linha. A ação policial da milícia cidadã aumentou cada vez mais e teve o beneplácito do próprio Ministério da Justiça, como se pode observar nos sucessivos relatórios, especialmente na segunda metade do século XIX. Além do mais, concentrava esse Ministério toda a administração policial do país e seu titular era a mais alta autoridade a que a "força cidadã" se sujeitava.

Verifica-se uma falta de precisão de funções e de delimitação no campo de ação policial e militar da Guarda Nacional, mas isso é um reflexo do tempo. Se a Constituição de 1824 estabeleceu a separação dos poderes, em certos setores – como no administrativo, judiciário e policial – perdurou, durante anos, certa confusão de atribuições, sentida sobretudo nas instituições militares, paramilitares e policiais.

Contou o Governo nos primeiros tempos da Menoridade, para o policiamento e segurança interna, com corporações eminentemente policiais: a Guarda Policial, a Guarda dos Policiais Permanentes Pedestres e mesmo os Urbanos. Ajudavam nessa função, ainda, a tropa de 1ª. linha, mas acabou por recair quase exclusivamente sobre a Guarda Nacional todo o peso do policiamento, o que de certa forma pode ser explicado, por ter sido ela a única corporação cujos serviços não eram remunerados.

Quando da época da Guerra dos Farrapos, o sistema de segurança da capital do Império recaiu quase exclusivamente sobre a Guarda Nacional. Em pleno Segundo Reinado requisitar a milícia cidadã para o serviço de policiamento era fato quase normal. Com a reforma de 1850, ela continuou a realizar o policiamento ordinário, mas sem vencimentos e a ser destacada para fora do Município quando houvesse necessidade. Se até a pacificação do Império eram freqüentes as ordens de destacamento para o policiamento das capitais de província, a partir de 1854 tornam-se comuns os Avisos suspendendo essa prática. Mas a mudança de orientação quanto à utilidade da Guarda Nacional como força pública de segurança interna vai mudar somente por ocasião da reforma de 1873, e a dificuldade maior estava em cuidar da sua substituição como força de policiamento das povoações do interior. Embora por determinação do Ato Adicional devessem as Assembléias provinciais legislar sobre a polícia, os recursos pecuniários locais não eram suficientes para atender e aumentar a força policial. Por esse motivo, a lei de 1873 destinou a arrecadação do imposto do selo e emolumentos das patentes da Guarda Nacional como auxílio para a formação e despesa da força policial. Dessa forma, poderia a Guarda Nacional escapar à especulação dos interesses partidários que a sujeitavam a tais ônus, sendo convocada apenas em casos de comoção externa.

Muito se tem falado da ineficiência da Guarda Nacional, transformada em milícia eleiçoeira. Uma das várias razões de tal mudança pode ser atribuída ao fato de o Governo não lhe haver dado condições materiais que lhe permitissem manter-se como tropa auxiliar eficiente. Outra razão foi o abuso que se fez de seus serviços para o policiamento. A crônica falta de equipamento poderia ter transformado a corporação numa força inútil, se não fosse a contribuição pessoal dos guardas nacionais, seu valor e poder de adaptação.

Uma milícia eleiçoeira Houve uma certa coerência entre o golpe de 7 de Abril e o controle político dos liberais até o Segundo Reinado. O liberalismo estava associado ao nacionalismo, ao entusiasmo pelos valores constitucionais, assim como por uma aversão ao absolutismo representado no Brasil por D. Pedro I e, de modo geral, pelo movimento restaurador.

A abdicação poderia ter marcado uma opção em favor da tendência mais radical dessa corrente, a republicana. Mas a Regência representou um meio-termo entre a fidelidade dinástica e essas formas extremadas, definindo-se pelo Ato Adicional, ao estabelecer um regente único, eleito através de escrutínio secreto, com mandato de quatro anos e, sobretudo, ao dar ao pleito um sentido nacional. Dessa forma, democrática e eletiva era a representação do corpo legislativo, do Judiciário e até mesmo do Executivo. Todavia, acabou por predominar a fidelidade ao jovem Imperador, significando, de certa forma, uma livre escolha do povo, como garantia de paz nacional. A presença viva do Governante satisfazia aos moldes paternalistas daquela sociedade, numa solução mais especificamente brasileira do que genericamente americana. A Guarda Nacional, congregando todos os cidadãos, deu os alicerces básicos dessa permanência dinástica.

O que fizeram os liberais de 1831 na luta pela federalização constituía um reconhecimento da realidade ainda colonial da época, do localismo e da falta de unidade entre as várias regiões brasileiras. E a Guarda Nacional, organizada dentro desse espírito de realidade, foi distribuída por Municípios. Todavia, foi o próprio espírito de descentralização federativa que trouxe a sua desorganização e a quebra de sua estrutura democrática. A alteração definitiva, por força de lei, foi realizada mediante a inspiração e ação dos conservadores, com a reforma de 1850, sem resistência efetiva da parte dos liberais da Assembléia, que de certa forma a haviam instigado.

As contradições entre liberais e conservadores repercutiram na Guarda Nacional, orientando as modificações efetuadas na sua legislação. Organizada inicialmente segundo os princípios liberais, eletivo e municipalista, dificilmente poderia transformar-se em instrumento de opressão das classes governantes. A reforma de 1850, de inspiração conservadora, marcou o começo de sua atividade como corporação governamental, opressora e eleitoralmente útil. Em 1855, Nabuco de Araújo, em carta a Paes Baretto, fala da necessidade de organizar a Guarda Nacional de modo que agisse como uma força pública e não como um partido. Porém a sua sugestão é dividir a oficialidade entre os partidos, equilibrando as influências políticas no seio da tropa e não excluí-la.[1] Por volta de 1860 são freqüentes as queixas ao Governo provincial de São Paulo sobre desmandos eleitorais praticados por guardas nacionais contra seus pares, geralmente sob a ameaça de uma sobrecarga de serviço ativo. Acusações dessa natureza vão aumentando com o decorrer dos anos. Ora reclamam os cidadãos soldados da qualificação para o serviço ativo, ora reclamam do recrutamento realizado quase sempre nas hostes da oposição, até que a concessão de patente da Guarda Nacional passou a representar remuneração de serviços políticos. A milícia cidadã vai perdendo aos poucos o apoio da opinião pública, e os liberais em seu programa de reformas, em 1868, irão combatê-la, e mesmo D. Pedro II se mostrará favorável a sua extinção.

A descentralização decorrente do Ato Adicional ocasionou a submissão da Guarda Nacional aos Governos regionais, ligando-os intimamente aos interesses da política local. As deficiências do complexo eleitoral do Império à República estão associadas à Guarda Nacional, como instrumento de pressão governamental nos pleitos provinciais. Essa situação, embora verdadeira, chegou a identificar de tal modo a corporação cidadã ao processo eleitoral que apenas esse aspecto é assinalado com certo exagero até hoje.

A alteração fundamental do sistema eletivo de 1831 para a composição do quadro do oficialato da Guarda Nacional possibilitou a transformação da milícia cidadã em elemento ativo de ação da política provincial.

---

[1] *Museu Imperial*, Petrópolis, M. 123, doc. 6.119.

A GUARDA NACIONAL

Assim, desde o momento em que a paz interna se foi restabelecendo, os Presidentes de Província passaram a ampliar o âmbito de ação da Guarda Nacional, transformando os mantenedores da integridade nacional em mantenedores da política oficial. Com as reformas provinciais, inicialmente, e depois, mantida a alteração pela reforma de 1850, o acesso aos postos de oficiais passa a ser resultado da nomeação provincial. O sistema estabeleceu-se firmemente por ajustar-se ao contexto social e político da época. Assim, a articulação das forças governamentais da Província, dirigida pelos seus Presidentes, passou a contar com a colaboração cada vez maior da Guarda Nacional.

Por outro lado, as propostas para oficiais da Guarda Nacional passam a representar para o Governo indícios partidários suficientemente elucidativos. Poderíamos classificar de amostragem da opinião política do eleitorado essas propostas enviadas aos Presidentes de Província a partir da década anterior à reforma de 1850. A aceitação dessas propostas, enviadas pelas autoridades do Interior, obedecia perfeitamente a um critério de prestígio. O sistema democrático eletivo da lei de 1831, violentando aquela sociedade de classes, fora anulado pelas modificações legislativas provinciais, de acordo com a mentalidade aristocrática do tempo. Isso explica o sucesso e a longa duração do sistema, sobretudo no Segundo Reinado.

Até que ponto e a partir de que momento começou realmente uma efetiva interferência provincial, através da Guarda Nacional, no processo eleitoral é o que não podemos estabelecer com rigor. Embora gerais, as modificações introduzidas por volta de 1836 foram encabeçadas pelas Províncias de São Paulo, Rio de Janeiro, Pernambuco e Ceará, seguidas posteriormente por quase todas as outras. Tomando São Paulo como exemplo, verificamos que, embora as primeiras alterações da legislação datem de 1836, indícios de uma sujeição político-partidária à situação só vão aparecer na documentação oficial a partir de 1842, quando marcam também a primeira modificação do sistema eleitoral.

No âmbito nacional – talvez refletindo uma realidade já existente – as medidas emanadas do Ministério da Justiça traduziam uma preocupação em evitar a transformação da Guarda Nacional numa força de coação sobre o eleitorado. Da mesma forma, nas discussões parlamentares as referências ao problema político-eleitoral ligado à Guarda Nacional começam a surgir a partir de 1843, quando do aparecimento do primeiro projeto de reforma da lei de 1831.

Não havia muito sentido numa Guarda Nacional eleiçoeira, quando a fraude e a violência, nas eleições, eram a regra e quando o Governo dispunha como instrumento legal de coação – para o bom funcionamento da máquina eleitoral – dos delegados e subdelegados de polícia. Houve certa relação entre as reformas provinciais na lei de 1831, no que respeita à duração do tempo de serviço dos oficiais da milícia cidadã, colocando, aos poucos, a corporação sob a dependência maior dos Presidentes de Província. Assim, a reforma eleitoral de 1846, procurando diminuir a nefasta influência policial nos pleitos eleitorais, e a apresentação do segundo projeto de reforma da lei de 1831 são da mesma data. Um dos argumentos usados em favor da proposta de reforma foi acabar com a interferência provincial na Guarda Nacional introduzida pelos Governos provinciais na legislação de 1831 e 1832, com evidentes objetivos políticos.

Uma característica marcante da documentação oficial paulista, após o movimento liberal, em especial nos anos de 1843-1844, foi a inclusão de uma informação de cunho político nas propostas para oficial da Guarda Nacional. Assim, "he amigo da Ordem e da Monarchia Constitucional" tornou-se uma fórmula quase obrigatória nessas propostas. Tratava-se, em suma, de conseqüências naturais de um movimento armado, num período em que o *status* do cidadão era determinado pelos contatos diretos e pessoais com as autoridades. Aos desafetos e da oposição, colocados à mercê das prepotências policiais, poucas oportunidades se ofereciam de estabilidade profissional e econômica.

Outra modificação importante introduzida pela legislação provincial referia-se à duração nos postos e à sua vitaliciedade. A perda da vitaliciedade dos postos criava uma grande inquietação na classe, pois podia acontecer que, antes de receber a patente, um oficial poderia perdê-la. Poucos anos antes da reforma de 1850 apenas oficiais muito dedicados ao seu partido aceitavam postos na Guarda Nacional. Tanto assim que, pela Lei nº 602, de 19 de setembro de 1850, art. 71, as disposições quanto à vitaliciedade dos postos seriam aplicáveis somente aos oficiais da Guarda Nacional que tivessem sido nomeados em execução e na conformidade da mesma lei. Quanto aos oficiais já existentes, o Governo teria a liberdade de confirmá-los nos postos, despachá-los para outros, demiti-los ou reformá-los, de acordo com as conveniências do Governo ou dos Presidentes de Província.

Uma vez que a Guarda Nacional se formava de cidadãos eleitores, era natural que fosse ela envolvida no processo eleitoral, ora coletivamente, como força de manutenção da ordem pública, ora individualmente. Podia-se impedir o comparecimento do guarda nacional às urnas mediante uma ordem de destacamento. Mas tal medida era de pouca significação, pois atingia um reduzido número de cidadãos eleitores da Guarda Nacional, acrescido do fato de que se permitiam votos por procuração. A defeituosa organização eleitoral do Império gerava desmandos e violências e a Guarda Nacional constituía parte dessa engrenagem e não o instrumento preponderante e único de coação eleitoral.

A nobreza nacional   O Império do Brasil, na sua fase nacional independente, tendeu a estimular e prestigiar a formação de uma elite ligada ao trono e ao Imperador, instituindo a sua nobreza. Para substituir uma aristocracia de linhagem, criou-se outra, baseada em um prestígio social. Da mesma forma, na concessão de títulos, aos novos titulares do Império, os Bragança deram preferência àqueles menos importantes de barão ou visconde, nem sempre acompanhado de grandeza, talvez no sentido de diferenciar a nobreza nacional da européia.

Uma das mais antigas formas de enobrecimento provinha das forças militares regulares. Desde a Colônia, os oficiais de 1ª linha eram enobrecidos, uma vez que as suas patentes tivessem sido assinadas pelo Monarca. Dessa maneira, os descendentes das segunda e terceira gerações tinham direito de acesso ao posto de cadetes.

Se o oficial da Guarda Nacional era equiparado ao oficial de linha em importância, justo seria que pudesse gozar também de certas vantagens. Mas se tais pretensões de nobreza não encontraram clima favorável no contexto democrático e quase republicano da primeira fase da Menoridade, vão mudar quase completamente no Segundo Reinado. Se, ainda em 1843, se recusavam os parlamentares a equiparar os altos oficiais da Guarda Nacional aos oficiais do Exército do mesmo posto, impedindo com isso o recebimento por eles de Ordens Militares, como, por exemplo, a de Cristo, 5 anos depois começou o Imperador a distinguir com o título de barão altos oficiais da Guarda Nacional.

O reconhecimento de condições de nobreza entre a oficialidade da Guarda Nacional se foi reafirmando a partir de 1848, na medida em que a milícia se foi aristocratizando, como corporação das classes mais abastadas, sobretudo nos fins do Império. Mas é somente de 1853 a primeira solicitação de oficiais guardas nacionais às autoridades em favor de seus filhos, para que aos mesmos fosse permitida a admissão como cadetes, quando sentassem praça no Exército. Tal pretensão foi deferida favoravelmente pelo Governo no ano seguinte.

Observando a relação dos titulares da Menoridade e começo do Segundo Reinado, num total de 114, verificamos que apenas dois eram oficiais da Guarda Nacional. Mas no período de 1848 a 1870 cerca de 19 oficiais da Guarda Nacional foram agraciados com o título de barão e, desses, apenas três com o acréscimo de grandeza. Mas foi somente em 1871 que apareceu o primeiro visconde com grandeza. Todavia, foi entre os anos de 1888 e 1889 que o Imperador se tornou mais generoso na distribuição de títulos nobiliárquicos dentro da Guarda Nacional. Assim, em 1888 foram agraciados 15 oficiais da Guarda Nacional com a seguinte distribuição: 9 barões, 1 marquês, 4 viscondes e 1 visconde com grandeza. No último ano do Império, a generosidade imperial se fez sentir de modo ainda mais evidente com a concessão de 29 títulos nobiliárquicos a elementos da Guarda Nacional, num total de 28 barões e 1 visconde, os últimos nobres oficiais guardas nacionais do Império.

A Guarda Nacional Sem alicerces num passado guerreiro, com o qual a *e o Exército* população se houvesse identificado, o Império encaminhou-se num sentido civilista e apoiou-se na valorização das qualidades civis em detrimento das qualidades militares. A milícia militar ou a tropa de 1ª linha e a milícia cidadã ou a Guarda Nacional eram duas milícias a se defrontarem.

A Independência brasileira foi liderada por civis contra tropas profissionais. Logo, nada mais natural que o poder e o prestígio permanecessem na área civil. As forças milicianas pareciam aos novos países do nosso hemisfério – sem problemas internacionais de defesa e expansão – como a corporação mais adaptada à estrutura americana.

Pode-se afirmar que o surgimento da Guarda Nacional na Menoridade agiu como elemento de oposição à estrutura militar preexistente – portuguesa e colonial. A milícia cidadã apareceu como a força nacional e a mais importante corporação paramilitar do Brasil independente. O Exército achava-se ligado à lembrança de D. Pedro I e ao absolutismo; a Guarda Nacional estava ligada ao Imperador criança e às idéias novas. O Exército era o passado, e a Guarda Nacional, o presente e o futuro.

A Constituição de 1824, de tendência antimilitarista, determinou o fortalecimento do poder civil contra os perigos do militarismo, seja adiando a reorganização das Forças Armadas, seja submetendo-a ao poder civil. Um dos seus artigos de lei – o artigo 145 – tornou-se a base da criação da futura Guarda Nacional, quando estabeleceu a "Nação em Armas", isto é, que a defesa da Nação era da responsabilidade de todos os cidadãos. Por outro lado, a Guarda Nacional formada de cidadãos eleitores participava da vida política nacional, ao contrário dos soldados de 1ª linha, excluídos dessa participação. Se, individualmente, militares altamente graduados tomaram parte nas lides políticas, as tentativas que fize-

A GUARDA NACIONAL

ram no sentido de agir como classe fracassaram. Assim foi no caso da Sociedade Militar, em 1832, desfeita por ordem das autoridades como uma ameaça de insubordinação e indisciplina. A atuação maior dos militares na política nacional estabeleceu-se a partir da Guerra do Paraguai, quando a Nação sentiu necessidade de uma organização eficiente e compatível com a importância do Império.

A tradição brasileira do século XIX baseava-se na idéia de que as milícias eram a melhor corporação de defesa interna e o Exército era o mais adequado ao ataque e à defesa externa. Era generalizada a convicção de que o fortalecimento das tropas regulares representava um perigo para as liberdades civis, ao contrário da Guarda Nacional, formada de cidadãos soldados armados para a preservação da liberdade. A má vontade geral dos parlamentares brasileiros da Regência para com as forças regulares, quando da discussão e votação do orçamento para a defesa militar, era geral. Assim, com um Exército de reduzido efetivo, num clima de insubordinação quase geral, aparecia a Guarda Nacional como tropa econômica e eficiente para agir nessa emergência. A valiosa participação da Guarda Nacional, sobretudo dos anos de 1831 a 1865, teve profunda influência em nossa organização militar, pois contribuiu para que fosse efetuada tardiamente a reforma da estrutura militar brasileira, devido em grande parte à falsa impressão de força que deixara. Como a corporação mais numerosa e gratuita do país, deu ao Governo uma falsa idéia da suficiência de suas forças defensivas e ofensivas, sedimentadas pela ausência de um perigo externo – como algo de muito remoto – fosse da própria América ou fosse da Europa.

Num período de inflação e de finanças deficitárias, como foram os primeiros anos do Império, a formação de um grande Exército bem equipado seria altamente dispendiosa e dependeria de uma organização industrial, capaz de fazer frente aos aperfeiçoamentos técnicos dos armamentos que o Brasil não possuía. Completava o quadro a falta de um planejamento geral de reestruturação militar, fundamentado em reais condições brasileiras. A Guarda Nacional atuou dentro dessa engrenagem desfavorável a uma verdadeira força militar e dela não se esperava senão sacrifícios, poder de improvisação e acomodação a uma técnica igual à das forças populares provinciais, contra as quais lutou durante a Menoridade. Daí a utilização intensiva da Guarda Nacional, compensando o déficit da tropa de 1ª linha, com apreciável economia dos cofres públicos, situação essa que perdurou até 1870.

Concorreu a Guarda Nacional para conservar o desinteresse governamental em solucionar o problema da tropa de 1ª linha, dando uma falsa ilusão de força. Mas, os contínuos apelos à Guarda Nacional nos momentos de maior crise – inclusive de crise externa, como as lutas no Prata e do Paraguai – foram decisivos para a conservação da unidade do Império.

A Guarda Nacional – instituição civil organizada militarmente –, criada como força antiexército, tornou-se, com o tempo e por suas próprias limitações, um veículo de reabilitação das forças regulares. Foi a solução transitória entre o Exército de linha e a "Nação em Armas". Na milícia civil agiu como força local incumbida da manutenção da tranqüilidade pública, mas, como força destacada em serviço de guerra, fundia-se ao Exército, militarizando-se. Não só no Brasil, como na França e Estados Unidos, a Guarda Nacional, nascida como elemento de oposição às tropas de linha, passou, com o decorrer do tempo, a complementar as tropas regulares. A partir dos conflitos do Prata, mas, sobretudo depois da Guerra do Paraguai, à medida que as tropas de 1ª linha se foram fortalecendo e mudava a política governamental em relação a elas, a Guarda Nacional se foi tornando desnecessária como força paramilitar. A sua transformação em milícia eleiçoeira nos últimos tempos do Império auxiliou essa mudança. Por ocasião da proclamação da República, a necessidade de uma nova reforma da Guarda Nacional é invocada, mas a classe militar que fizera a República acabara por liquidar a corporação, em 1922.

Ação militar da Guarda Nacional A continuada atuação militar da Guarda Nacional na forma de corpos destacados perdurou até a Guerra do Paraguai, fator de relevância, mas freqüentemente esquecido. Criada como milícia civil, estava prevista nas leis de 1831 e 1850 a ação como força militarizada, quando em formação de corpos destacados para serviço de guerra. O objetivo era a defesa das praças, costas e fronteiras, como força auxiliar do Exército, passando então a depender do Ministério da Guerra e ficando sujeita ao regulamento militar. A convocação de corpos destacados só poderia ser realizada em decorrência de lei, decreto ou ordem especial, quando então seriam fixados o número de homens e a duração do serviço.

QUADRO I
BRASIL – IMPÉRIO
DISTRIBUIÇÃO DAS FORÇAS ARMADAS
1839-1870

Anos	Força 1ª Linha		Forças Auxiliares		Guarda Nacional Destacada		Total
		%		%		%	
1839	10.670	67,36	747	4,72	4.422	27,92	15.839
1840	12.202	71,26	675	3,94	4.247	24,80	17.124
1841	13.429	61,12	1.046	4,76	7.499	34,12	21.974
1842	16.737	71,35	1.769	7,54	4.954	21,11	23.457
1843	15.865	67,84	1.987	0,49	5.536	23,67	23.388
1844	17.709	77,55	428	1,87	4.702	20,58	22.839
1845	18.018	78,85	440	1,92	4.396	19,23	22.854
1846	17.085	86,46	441	2,23	2.235	11,31	19.761
1847	16.028	86,49	483	2,60	2.022	10,91	18.533
1848	15.528	91,78	–	–	1.392	8,22	16.920
1849	16.915	85,78	–	–	2.805	14,22	19.720
1850	15.244	75,42	2.148	10,62	2.823	13,96	20.215
1851	18.263	81,85	587	2,63	3.465	15,52	22.315
1852	18.957	66,83	1.091	3,84	8.323	29,33	28.371
1853	16.926	84,26	1.560	7,76	1.604	7,98	20.090
1854	16.833	91,41	912	4,95	671	3,64	18.416
1855	17.107	84,18	1.173	5,77	2.044	10,05	20.324
1856	16.670	84,49	996	5,04	2.065	10,47	19.731
1857	15.347	91,52	912	5,43	512	3,05	16.771
1858	14.048	79,95	2.560	14,56	965	5,49	17.573
1859	15.686	89,85	931	5,33	843	4,82	17.460
1860	16.410	93,36	–	–	1.166	6,63	17.576
1861	16.666	96,12	–	–	674	3,88	17 340
1862	17.577	97,71	–	–	413	2,29	17.990
1863	15.778	97,41	–	–	420	2,59	16.198
1864	17.292	94,45	–	–	1.016	5,55	18.308
1865	10 988	50,26	–	–	10.878	49,74	21.866
1866	5.499	26,06	–	–	15.602	73,94	21.101
1867	4.823	24,17	–	–	15.129	75,83	19.952
1868	4. 875	42,21	–	–	6.672	55,79	11.547
1869	8.015	55,65	–	–	6.388	44,35	14.403
1870	6.473	50,08	–	–	6.453	49,92	12.926

FONTE: *Relatórios do Ministério da Guerra... 1839-1870.*

O alistamento de guardas nacionais para a formação de corpos destacados abrangia os jovens de 18 a 21 anos que, voluntariamente, se apresentassem e fossem considerados aptos ao serviço ativo, embora isso não
os eximisse do recrutamento para a 1ª linha. Quando o voluntariado não
chegava a formar o contingente exigido por lei, o que comumente acontecia, então o Conselho de Qualificação podia completá-lo com os cidadãos alistados para o serviço ativo e reserva, principiando pelos que não
eram arrimo de família e pelos mais moços. A princípio, a oficialidade
podia ser tirada da Guarda Nacional, mas, com o início da organização
dos primeiros corpos destacados, passaram a ser preferidos, como oficiais, os da 1ª linha.

Os guardas nacionais, em serviço de corpos destacados, eram remunerados e seus vencimentos equivaliam aos soldos e etapas do Exército de
linha e, quando reformados em serviço, acumulavam pensões e soldos
como praças. O atrativo de tal remuneração era anulado pelo atraso no
pagamento dos soldos às vezes por anos seguidos, acrescido do fato de
serem esses muito baixos, levando a falta de pagamentos a freqüentes
deserções.

Aos guardas nacionais destacados fornecia o Governo armamento e
equipamento militar, desde que não tivessem eles meios de o fazer à própria custa.

Como no Exército, os guardas nacionais em serviço de corpos destacados podiam ter substitutos, desde que fossem estes cidadãos de 18 a 40
anos de idade e tivessem sido aprovados por um Conselho de Saúde.
Vigorava uma obrigação de responsabilidade do guarda nacional em relação ao seu substituto, em caso de deserção, durante o prazo de 1 ano e a
obrigatoriedade de sua parte de desempenhar serviço ativo na sua unidade, por espaço de tempo igual àquele em que servia o substituto no destacamento, ao contrário do que se dava no Exército, que não exigia nada.

A Guarda Nacional só deveria ser utilizada por ocasião de agitações
nas Províncias, depois que os Corpos de Municipais Permanentes e os de
1ª linha tivessem sido destacados, isto é, em último recurso. Tal foi o procedimento seguido pelo Governo, mas só antes de 1836, quando da Rebelião dos Farrapos, que, por sua longa duração e intensidade de resistência,
ocasionou não só numerosos recrutamentos extraordinários para a 1ª
linha, como a convocação dos primeiros corpos destacados da Guarda
Nacional.

A ação militar da Guarda Nacional, durante as rebeliões da Menoridade, não tem sido relembrada, apesar de ter arcado a corporação com

A GUARDA NACIONAL

quase todo o esforço da pacificação. Enfrentou revoltas sangrentas em pontos diversos do território nacional e os anos de 1838, 1842, 1844 e 1848 foram os mais críticos para a milícia cívica. Observando as sucessivas ordens de destacamentos para a Guarda Nacional em todo o país e comparando o número de guardas nacionais dastacados com o número de soldados de 1ª linha, podemos avaliar o valor decisivo de sua contribuição.

Mas foi durante a campanha do Paraguai que a Guarda Nacional, pela primeira vez, atravessou as fronteiras e lutou no exterior. Em janeiro de 1865 mandou o Governo destacar 14.796 guardas nacionais para o serviço de guerra e determinou igualmente na mesma data a convocação de 6.000 guardas nacionais da Província de Minas Gerais e 3.000 da Província de São Paulo, a fim de marcharem para a região atacada: Mato Grosso. Em outubro do ano seguinte foram destacados mais 10.000 homens para o serviço de guerra, incorporando-os às forças regulares. Em 1867 foram ainda chamados para o serviço de guerra 8.000 praças da Guarda Nacional do Município Neutro, das capitais de diversas Províncias e seus Municípios, num reforço de ação de guerra. Independentemente da convocação em grande escala da Guarda Nacional, foi criado pelo Decreto nº 3.371, de 7 de janeiro de 1865, um corpo especial para o serviço de guerra: Voluntários da Pátria. Foi equiparado aos mesmos, na mesma data, o Corpo de Voluntários da Guarda Nacional. Mas, no Império, foi essa a última vez em que foram baixadas instruções urgentes para a sua utilização numa emergência e na defesa da segurança nacional.

A fuga ao recrutamento A qualificação para a Guarda Nacional tem sido apontada freqüentemente como um óbice ao recrutamento da 1ª linha, o que é simplificar demasiado a questão. A resistência e a fuga ao serviço na 1ª linha tiveram causas numerosas e complexas, entre as quais a qualificação para a milícia cívica não poder ser tachada de preponderante. Deixando de lado o espírito que criou o recrutamento para a 1ª linha, as condições em que se realizou e tantos outros fatores negativos ao serviço militar, existiram também outras corporações que, igualmente, desviavam recrutas, como o Corpo de Municipais Permanentes e a Guarda Policial. A circunstância de estar um cidadão qualificado como guarda nacional não o impedia de ser recrutado para a 1ª linha, apesar de não ser isto coisa comum. A própria legislação não era clara e precisa sobre o assunto. De certa forma, até 1865, os guardas nacionais prestaram o serviço militar, quando em corpos destacados, apenas em período mais curto. Mas o mais importante era o desejo geral de se envidarem todos os esforços para fugir ao recrutamento militar, e a

Guarda Nacional oferecia essa possibilidade. Avisos freqüentes do Ministério da Justiça, e mesmo da Guerra, reafirmaram o direito de recrutar na Guarda Nacional, mas raramente surtiam efeito. A prestação do serviço militar, recaindo sempre nas classes mais desfavorecidas social e racialmente, justifica a fuga e explica a benevolência com os desertores e os sucessivos decretos de perdão. A solução do problema só veio com a conscrição obrigatória, mas, já então, estávamos na República.

A defesa das fronteiras   Se o agravamento de nossas relações com as Repúblicas platinas principia por volta de 1843, foi somente entre os anos de 1848 e 1850 que passaram a ocupar o primeiro plano nas preocupações da política externa brasileira. Missões diplomáticas e auxílios financeiros foram utilizados por parte do Brasil, procurando resolver antigas pendências. Novamente a zona de tensão era o Prata e, aos poucos, se foi tornando cada vez mais difícil impedir a guerra, tendo participado a Guarda Nacional do esforço feito no sentido de impossibilitar a reorganização do antigo Vice-Reinado do Prata. No mais agudo da crise, entre os anos de 1851 e 1870 organizaram-se as Guardas Nacionais limítrofes com os Estados vizinhos.

Determinou o Governo, em 1850, a regulamentação especial para a qualificação, organização e serviço da Guarda Nacional nas Províncias limítrofes, de acordo com o Decreto n? 520, de 14 de fevereiro de 1850. Mas foi somente 7 anos depois, pelo Decreto n? 2.029, de 18 de novembro de 1857, que se determinou a sua aplicação a todas as Províncias de fronteira, a algumas delas, ou à parte do território a que o Governo houvesse por bem deliberar. Mas no próprio decreto só há referência à Província de São Pedro do Rio Grande do Sul, e pelos Relatórios do Ministério da Guerra, até mais ou menos 1870, na estimativa das tropas regulares e da Guarda Nacional destacadas naquela província, verifica-se que lá se encontrava o contingente militar mais numeroso do país. Aliás, a sua posição de zona de fronteira e as lutas do Prata justificavam plenamente essa concentração de tropas.

Ficou igualmente deliberado que, por decisão do Governo geral ou provincial, seria chamada a Guarda Nacional, a serviço de corpos destacados e empregada na defesa das fronteiras, ou quando surgisse perigo de ameaça, ou invasão, e "sempre que o exigir a segurança do Estado", segundo os termos do decreto. O que é novo é justamente a permissão da passagem de corpos destacados além das fronteiras nacionais, numa ação de guerra que até àquele momento pertencera às tropas regulares. Por outro lado, principia a militarização da milícia, pela ocupação por oficiais

A GUARDA NACIONAL

do Exército, não só de postos de importância, como presidente ou membro dos Conselhos de Qualificação, mas também de importância menor como os de Major e ajudantes. Passava o Governo a nomear por tempo determinado um Oficial-General ou superior para inspecionar a Guarda Nacional, regendo-se pela legislação militar. A militarização da milícia impunha-se pelas circunstâncias de servir como tropa de fronteira.

Um ano depois da criação de uma Guarda Nacional nos territórios limítrofes foram elas organizadas nas províncias do Amazonas e Mato Grosso. No ano da ofensiva paraguaia determinou-se a aplicação do decreto nos municípios fronteiriços de Mato Grosso.

De um modo geral, as diretrizes da política diplomática brasileira na América repercutiram novamente na Guarda Nacional. Pelo novo Decreto n? 5.542, de 2 de fevereiro de 1874, foram demarcados os distritos de fronteiras nos quais a Guarda Nacional teria organização especial. Quanto à Província de São Pedro do Rio Grande do Sul, não houve alteração nas suas circunscrições. Porém, a abertura do Amazonas à navegação internacional vai determinar a inclusão de uma Guarda Nacional limítrofe, na Província do Pará, conservando-se as Províncias do Amazonas e Mato Grosso como regiões estratégicas. Da mesma forma a Guerra do Paraguai determinou a inclusão da Província do Paraná entre aquelas onde teria a Guarda Nacional organização de exceção.

A reforma de 1873 Em fins do Império, a Guarda Nacional desvirtuada e politizada levou os representantes da Assembléia à alternativa de reformá-la ou extingui-la. Mas a lembrança da sua intensa atuação por todo o longo período desde a Menoridade ao Segundo Reinado, com especial atuação durante a Guerra do Paraguai, levou ao abandono da segunda alternativa. A certeza de poder contar com uma numerosa e pronta força paramilitar em qualquer emergência interna e externa era o melhor argumento. Restava apenas equacionar a Guarda Nacional em termos da realidade nacional, e decidiu-se pela reforma.

A Lei n? 2.395, de 10 de setembro de 1873, reorganizou a milícia cívica para agir apenas em caso de comoção nacional resultante de guerra externa, rebelião, sedição ou insurreição. A sua estruturação seguiria os moldes da lei de 19 de setembro de 1850 quanto à formação dos corpos destacados para serviço de guerra. Ficaria então a sua mobilização sob a responsabilidade do Governo central, provincial e, excepcionalmente, da autoridade policial do termo ou distrito onde se verificasse a comoção.

Em período de paz, a Guarda Nacional praticamente desaparecia, pois os guardas nacionais eram convocados apenas uma vez ao ano para revista e exercícios de instrução. Na prática, esse treinamento anual anulava-a como força não só ofensiva, mas também defensiva. A qualificação passou a ser feita de 2 em 2 anos, entre indivíduos de idade máxima de 40 anos para o serviço ativo e os restantes para a reserva.

Por essa reforma extingue-se o serviço de policiamento realizado pela Guarda Nacional até aquela data. Mas a despesa com a força policial das Províncias passa a ser financiada pelo produto do imposto pessoal e do selo e emolumentos das patentes da Guarda Nacional, arrecadado nas Províncias. Embora pela reforma de 1873 tivesse o Governo reduzido o quadro de oficiais, a arrecadação era suficiente para financiar a força policial provincial.

A reforma de 1873 marca o começo do fim da corporação e dos cidadãos soldados. Isentando a Guarda Nacional de qualquer serviço, exceto em caso de perigo externo, e reduzindo a sua atividade a uma reunião anual para revista e exercícios de instrução, o Governo, na prática, anulou-a. A sua militarização em circunstâncias extraordinárias terá início e será completada pela República, marcando com isso o seu total desaparecimento. Dela nos ficou a imagem de uma força de oficiais sem soldados, de chefes políticos aparatosamente fardados, a que seus últimos representantes vivos acabaram por impor.

CAPÍTULO IV

GUERRA DO PARAGUAI

Antecedentes EM VERDADE, o processo político e militar que redundará na Guerra da Tríplice Aliança contra o Paraguai (1864-1870) começou com o aparecimento e estruturação das nações ibero-americanas, que emergiram dos movimentos de emancipação em luta contra as Metrópoles ibéricas. O intento de domínio sobre o Rio da Prata e o empenho da recomposição do antigo Vice-Reinado de Buenos Aires foram os primeiros motivos de desentendimento entre os Estados que se constituíram na extensa área pertencente à Bacia Platina. Para agravar ainda mais o processo, sucede que não fora sempre fraterno e nem mesmo compreensivo, por força de suas origens históricas e de seus regimes políticos, o convívio entre o Império do Brasil e os Governos republicanos instalados em Buenos Aires, Montevidéu e Assunção. Ademais, as campanhas militares de 1827 e 1851 contra a Argentina, no todo ou em parte, e as de 1821 e 1864 na Banda Oriental e os constantes enredos entretecidos nos bastidores da diplomacia, haviam deixado ali compactas correntes políticas e populares hostis à Monarquia brasileira. Enquanto isso, o Paraguai, desde 1811 confinado em suas fronteiras, ainda indecisas e contestadas, estagnara-se. Durante meio século, sob os Governos de clã, despóticos, de José Gaspar de Francia e de Carlos Antonio López, habituara-se o povo guarani à férrea disciplina imposta pelos seus Governantes e embebera-se na crença de que todas as dificuldades nacionais deviam ser atribuídas aos países vizinhos mais fortes, que lhe barravam o acesso ao mar e lhe estorvavam o comércio internacional.

Essa presunção traçou inelutavelmente o destino do Paraguai. A partir de 1862, o novo Presidente, Marechal Francisco Solano López, herdeiro presuntivo do pai, Carlos López, cuidou sobretudo de organizar poderoso instrumento de força que lhe permitisse não só influir na política de equilíbrio das nações da Bacia Platina, mas também reivindicar pretensos direitos de sua pátria sobre territórios em litígio com a Argentina e o Brasil. Em fins de 1864, o Paraguai era um dos menores e menos prósperos países da comunidade do Prata, porém nela se projetava como o de maior poderio militar. Na porção continental, pois, em que os povos, minados assim por incansáveis divergências e prevenções, se encontravam psicologicamente preparados para o confronto e a luta, não foi difícil surgir o pretexto que deflagrará a grande guerra sul-americana.

Estado de guerra.   A intervenção político-militar do Governo imperial na
Os beligerantes   Banda Oriental do Uruguai (agosto-outubro de 1864), a fim de proteger a vida e os interesses dos súditos brasileiros ali residentes, perseguidos pelo Governo "blanco" de Atanásio Cruz Aguirre, transformou-se no argumento de que se serviu Solano López para desencadear contra o Império as forças que pacientemente acumulara com amplos objetivos. Ante a recusa de seu oferecimento de mediação e, depois, do ultimato para que o Brasil se abstivesse de qualquer ingerência nas questões internas daquela República, não titubeou o Presidente do Paraguai em pôr em execução seu ambicioso plano de hegemonia continental. Aos 11 de novembro de 1864, mandou capturar, nas proximidades de Assunção, o navio *Marquês de Olinda*, que levava a bordo o novo Presidente da Província de Mato Grosso, Coronel Frederico Carneiro de Campos. Fê-lo prisioneiro e, no dia seguinte, declarou cortadas as relações entre o Paraguai e o Brasil. Um mês depois, determinou a invasão de Mato Grosso e, em março de 1865, impeliu suas forças sobre a Província argentina de Corrientes, com o propósito de atravessá-la, para atingir objetivos mais longínquos. A reação a essa dupla agressão concretizou-se rapidamente no Tratado da Tríplice Aliança, firmado no dia 1º de maio de 1865 pelas nações ameaçadas: Argentina, Brasil e Uruguai. Apesar do imenso poderio que representava a coalizão, tanto pelo potencial humano, quanto pelos recursos militares, econômicos e financeiras ao seu alcance, acreditava o Presidente do Paraguai que lhe fosse possível sobrepujá-la, principalmente porque confiava na adesão e ajuda de fortes contingentes armados e de influentes grupos políticos daqueles países. A surpresa estratégica e a superioridade numérica inicial pareciam-lhe bastantes para conduzir até à vitória uma guerra de movimento e de decisão rápida.

Flagrantemente contraditória era, no entanto, a disparidade de forças e de meios entre os partidos beligerantes, ao iniciar-se a conflagração. Posto que os países membros da Tríplice Aliança pudessem mobilizar recursos superiores, a longo prazo, o Paraguai desfrutava de situação vantajosa no começo das hostilidades, em virtude da preparação intensiva que fizera, visando a uma guerra de curta duração. No tocante à população e aos bens materiais de cada grupo, a aliança somava cerca de 12 milhões de habitantes e os países membros apresentavam superioridade apreciável de recursos econômicos, enquanto a nação guarani abarcava menos talvez de um milhão de almas, não dispunha de indústrias importantes e praticamente desconhecia o comércio exterior. Com a guerra em seu território e o insulamento conseqüente, exauriu-se, a pouco e pouco, a débil economia do Paraguai, ao passo que, entre os Estados oponentes, as atividades econômicas, em muitos casos, receberam reais estímulos e benefícios, durante os cinco anos de guerra. Em relação aos recursos bélicos, ainda foi sobremodo desfavorável ao país mediterrâneo a evolução dos acontecimentos. A superioridade numérica com que contou o Marechal Solano López desgastou-se nas primeiras operações e desapareceu prematuramente, em razão dos erros e imprudências que cometeu e da falta de tino estratégico que evidenciou na qualidade de Comandante-Chefe.

O simples registro numérico dos efetivos militares em ação, nos diferentes períodos das operações, deixa aquilatar o esforço humano despendido pelos beligerantes e permite verificar o declínio gradual do poder ofensivo de um deles, por falta de bases econômicas essenciais à sustentação de um prolongado conflito armado. Ao deflagrar a guerra, em novembro de 1864, os efetivos dos Exércitos variavam de 8 mil homens, na Argentina, para 18 mil no Brasil e mil na Banda Oriental; no Paraguai, alcançavam 64 mil, afora uma reserva de veteranos, avaliada em 28 mil.*
Na época, somente possuíam esquadras de valor operacional o Brasil, com o total de 42 unidades, e o Paraguai, com 14 navios apropriados à navegação fluvial. Em abril de 1866, ao ter início a invasão do território paraguaio, os Exércitos da Tríplice Aliança engajados na operação atingiam 66 mil homens, dos quais 38 mil brasileiros, 25 mil argentinos e 3 mil uruguaios; contrapunham-se aos invasores 45 mil paraguaios, entrincheirados no Passo da Pátria e aos meandros do sistema fortificado de Humaitá. Mais tarde, para execução da marcha de flanco (julho de 1867), os aliados moveram 64 mil homens (57 mil brasileiros e 7 mil platinos), na tentativa de cerco nos 30 mil combatentes guaranis, que se achavam

---

* Em face da natureza da presente obra e da controvérsia que sempre suscita o assunto, esclarecemos que os números referentes aos efetivos militares aqui consignados são aproximados e servem apenas para estabelecer uma ordem de grandeza que permita a comparação e o confronto.

entre as complexas fortificações do chamado Quadrilátero. Quando se desencadeou a série de batalhas conhecida como "dezembrada" (dezembro de 1868), a coligação ainda movimentou 31 mil homens (25 mil brasileiros, 5 mil argentinos e mil orientais), mas o inimigo já não pôde reunir mais do que 18 mil. Nos estertores da guerra, durante a Campanha das Cordilheiras (ano de 1869), os brasileiros somavam 26 mil, os argentinos 4 mil e os orientais 600, enquanto os efetivos paraguaios baixavam para 13 mil e 8 mil, sucessivamente. Por fim, não excedia de 3 mil homens o destacamento brasileiro que, nos primeiros meses de 1870, se lançou em perseguição ao exército inimigo, já então simbolizado nos últimos 300 combatentes envolvidos na ação culminante de Cerro-Corá, no dia 1º de março. A guerra chegava assim ao termo, com a extinção dos meios de defesa e dos contingentes humanos de um dos beligerantes.

Planos de guerra. Procurando aproveitar-se das vantagens que, mo-
Primeiras operações mentaneamente, lhe concediam a surpresa estratégica, a superioridade numérica e o melhor adestramento de suas tropas, planejou o Marechal Solano López o desencadeamento contínuo de três grandes ofensivas. A primeira, contra a Província de Mato Grosso, "para reconquistar territórios clandestinamente usurpados pelo Brasil", consoante o argumento justificativo da invasão. A segunda, contra a Província argentina de Corrientes, a fim de forçar a adesão dos partidários do General Justo José de Urquiza e, posteriormente, revigorar, no tempo e no espaço, os impulsos da terceira ofensiva. Esta, por último, contra a Província do Rio Grande do Sul, com propósitos sobremaneira ambiciosos: libertar os escravos, transpor a fronteira uruguaia, para receber o apoio dos "blancos" de Aguirre e alcançar um porto no Atlântico, visando a remotas negociações.

Em contraposição, ao Império do Brasil e à República Argentina, nações surpreendidas pela agressão, não se ofereciam alternativas operacionais. O que se lhes impunha, de imediato, era conter ou quebrar o ímpeto ofensivo do inimigo. Mais tarde, no entanto, conforme o Plano de Operações consertado em função do Tratado de 1º de maio de 1865, os aliados elegiam Humaitá como o principal objetivo da campanha e propunham-se: 1) a derrubar o Governo de Solano López, sem fazerem a guerra ao povo guarani; 2) a acertar definitivamente as questões fronteiriças com o país litigante; 3) a assegurar a livre navegação dos rios Paraná e Paraguai.

Em fins de 1864, passou o Marechal Solano López dos planos à ação. Como prova de que bem se preparara para a eventualidade, enviou logo,

GUERRA DO PARAGUAI

contra a Província de Mato Grosso, forte expedição, que rumou para seus objetivos no dia seguinte ao da declaração do estado de guerra com o Brasil (13 de dezembro). Era constituída de um destacamento fluvial, de 5 mil homens, ao mando do Coronel Vicente Barrios, e de outro, terrestre, de 4 mil homens, comandado pelo Coronel Isidoro Resquin. O primeiro deixou Assunção aos 14 de dezembro e subiu o Rio Paraguai, assenhoreando-se sucessivamente do Forte de Coimbra, após assédio de duas jornadas, e da Vila de Corumbá, ambos fracamente guarnecidos por tropas imperiais. O segundo destacamento partiu de Concepción no dia 26; depois de vencer a resistência heróica de Antônio João, na Colônia de Dourados (29 de dezembro), ocupou a Colônia de Miranda, Nioaque e alcançou a região de Coxim, durante o mês de janeiro de 1865. E esses pontos somente foram abandonados à aproximação da Coluna Expedicionária organizada em São Paulo, Minas Gerais e Goiás, para expulsar os invasores do sul de Mato Grosso, coluna que adquiriu notoriedade e grandeza históricas nessa guerra com o poder descritivo de seu memorialista, o Tenente da Comissão de Engenheiros, Alfredo d'Escragnolle Taunay, que fixou suas provações e heroísmos no livro *A Retirada da Laguna* (janeiro a junho de 1867).

Enquanto parte de seu Exército operava na Província de Mato Grosso, o Presidente do Paraguai solicitava ao Governo da Argentina consentimento para que tropas guaranis, em missão de guerra, atravessassem a Província de Corrientes (março de 1865). Denegada a pretensão, determinou que o Exército Expedicionário do Sul, de 25 mil homens, às ordens do General Vicente Robles, invadisse e ocupasse aquela Província. No dia 13 de abril, "um golpe de mão", precursor da operação, tornou inermes os navios argentinos em serviço na região. Depois, invasores e correntinos envolveram-se, durante 2 meses, na faixa marginal do Rio Paraná, numa luta flutuante, indecisa e confusa, que somente se definiu quando a esquadra brasileira, habilmente manobrada pelo Almirante Francisco Manuel Barroso da Silva, conseguiu derrotar a paraguaia, comandada pelo Capitão-de-Fragata Pedro Inacio Meza, na decisiva batalha do Riachuelo (11 de junho). Esse triunfo reduziu consideravelmente o poder naval de Solano López e cortou-lhe a veleidade de qualquer incursão da esquadra ao Rio da Prata, com o intuito de ameaçar Buenos Aires e Montevidéu. Por semelhante razão, impediu que os forças de Robles, pressionadas pelos argentinos do General Venceslau Paunero, marchassem para leste, ao encontro e em reforço da terceira Expedição, já em operações ao longo do Rio Uruguai.

Quase simultaneamente, num movimento ofensivo paralelo, a Expedição do Coronel Antonio da Cruz Estigarribia, de 10 mil homens, deixou Itapua, no dia 5 de maio, rumo à Província do Rio Grande do Sul. Morosamente, alcançou São Tomé, aí transpôs o Rio Uruguai (10 de junho) e ocupou São Borja (dia 12), então abandonada. A 19, prosseguiu para Itaqui e lançou forte flanco-guarda que, às ordens do Major Pedro Duarte, perlongou a margem direita do rio, com a missão de cobertura do grosso e de eventual ligação com as forças do General Robles, na mesopotâmia argentina. Após dois meses de marcha penosa, causada sobretudo pelo transbordamento dos arroios e afluentes do Rio Uruguai, já que se mostrara apenas fragmentária e desorganizada a resistência oferecida pelos contingentes brasileiros comandados pelos Generais João Frederico Caldwell e David Canabarro, o Coronel Estigarribia entrou em Uruguaiana no dia 5 de agosto. Procurou ligar-se com o Exército expedicionário do Sul, porém a isso foi obstado pelas tropas da aliança, que já dominavam a mesopotâmia, e pela completa derrota que sofreu a flanco-guarda do Major Duarte, na chácara El Umbucito, em Passo de los Libres (17 de agosto). Inteiramente sitiado pelos Exércitos da Tríplice Aliança e sem esperança de qualquer socorro, rendeu-se Estigarribia, com 5.500 expedicionários, na tarde de 18 de setembro, perante o Imperador do Brasil, D. Pedro II, e os chefes de Governo das Repúblicas platinas, o General Bartolomeu Mitre, da Argentina, e o General Venancio Flores do Uruguai, os quais haviam ali concentrado, para o assalto à vila, 17.400 brasileiros, 3.800 argentinos e 1.200 orientais.

Liberto o território brasileiro, as forças aliadas, já sob as ordens do General Bartolomeu Mitre, investido das funções de Comandante-Chefe, segundo os termos do Tratado de 1º de maio, convergiam para Mercedes (outubro), procedentes de Concórdia e de Uruguaiana; tinham o propósito de alijar da mesopotâmia os invasores paraguaios. Dali retomaram o movimento para noroeste, sem maiores tropeços, porque, desde os primeiros dias de outubro, o General Resquin, substituto de Robles, começara a bater em retirada, por expressa determinação de Solano López. Em novembro, enquanto os 27 mil paraguaios refluíam para suas bases, abrigando-se atrás da volumosa massa de água do Rio Paraná, os aliados libertavam Corrientes e alcançavam São Cosme (dezembro), ao sul do Passo da Pátria, na confluência dos rios Paraná e Paraguai.

Transcorrido um ano de hostilidades, chegara ao fim, no plano estratégico, a impulsão agressiva das expedições de Solano López. Em Mato Grosso, o movimento invasor diluíra-se na imensidão territorial quase despovoada e perdera o alento na simples ocupação de Coimbra, Corumbá e Miranda, sem outra qualquer possibilidade. Em Corrientes, a indecisão e a falta de energia na direção das operações não permitiram que o Exército expedicionário de Robles-Resquin preservasse os principais objetivos da campanha, a adesão dos partidários de Urquiza e o socorro à Coluna Estigarribia. No Rio Grande do Sul, finalmente, com a rendição de Uruguaiana, malograram-se as aspirações maiores de Solano López: golpear profundamente o Império do Brasil e reforçar os "blancos" da República Oriental. Dessa maneira, frustrara-se totalmente em seus resultados a tríplice ofensiva paraguaia. A iniciativa das operações ia passar, então, dos planos do Comandante-Chefe do Exército guarani para as decisões do Comando e direção geral dos Exércitos aliados.

Concentração aliada.
Invasão do Paraguai
Durante os três primeiros meses do ano de 1866, tropas das mais diferentes origens, mandadas pelo Império e pelas duas Repúblicas do Rio da Prata, derramaram-se pelas coxilhas e lombas que se alteavam à margem esquerda do Rio Paraná, entre Corrientes e Itati. Eram infantes do Rio de Janeiro, Montevidéu, Buenos Aires, e cavalarianos do Rio Grande do Sul, Rio Negro e Corrientes, eram soldados de todos os rincões e quadrantes da Argentina, do Brasil e do Uruguai; eram voluntários ou de fileira, enfim, que ali se encontravam, em excêntricos acampamentos, à espera da grande jornada da invasão. Enquanto isso, duros embates ocorriam, provocados pelo inimigo que, amiúde, transpunha o rio e atacava os estacionamentos, coroando a instrução intensiva que se ministrava às tropas nos terrenos adjacentes. Nesse transcurso ainda, a vila de Corrientes, transformada em base de operações, recebia, pela rota fluvial, abundantes suprimentos, vitualhas e munições, que se acumulavam em armazéns e depósitos destinados a alimentar os Exércitos e os navios da Tríplice Aliança. A Marinha imperial, por seu turno, também ativa, mantinha aberta a navegação até Corrientes e, a partir da segunda quinzena de março, bloqueava a foz do Rio Paraguai, passando a oferecer cobertura e apoio às forças terrestres, que tinham tomado posição na margem esquerda do Rio Paraná.

Aos 16 de abril, precedida da conquista da Ilha da Redenção ou do Cabrita, teve início a invasão do território paraguaio pelos Exércitos aliados, composto de 66 mil homens. Coadjuvados pela esquadra brasileira, os contingentes embarcaram, na véspera, em pontos situados junto à larga confluência dos rios, e, iludindo a guarnição do Forte de Itapiru, foram saltar em terra na margem esquerda, abarrancada, do Rio Paraguai, meia légua a montante de sua foz. Ao cair da noite, as forças da vanguarda, comandadas audaciosamente pelo General Manuel Luís Osório, o primeiro a pisar o solo inimigo, já haviam instalado a cabeça-de-ponte necessária para o desembarque e progressão do grosso das tropas invasoras. Apesar da brava resistência paraguaia, os aliados avançaram para seus objetivos, ocupando sucessivamente o Forte de Itapiru (dia 18), o campo entrincheirado do Passo da Pátria (dia 24) e, sob violenta reação, as posições de Estero Bellaco (2 de maio). No dia 20 desse mês (maio) atingiram o boqueirão de Tuiuti, onde estacionaram, para reajustamento do dispositivo e reunião de meios logísticos, visando à conquista de Humaitá, principal objetivo dessa fase de operações.

Nesse ínterim, julgando que lhe fosse favorável a situação tática, resolveu o Marechal Solano López lançar, de surpresa, sobre 35 mil soldados da coligação acampados em Tuiuti, quatro colunas de todas as armas, com o efetivo total de 23 mil homens. Na manhã de 24 de maio irromperam os paraguaios nos acampamentos das tropas imperiais e argentinas, em busca de rápido e decisivo triunfo. Travou-se, então, desesperada e sangrenta batalha, marcada por lances heróicos, e que somente terminou à tarde, com a retirada desordenada dos atacantes. A ferocidade da luta espelhou-se nas perdas sofridas pelos contendores, cerca de 3 mil brasileiros entre os combatentes aliados e 12 mil paraguaios, dos quais 6 mil mortos.

A derrota de Solano López em Tuiuti propiciava aos aliados a permanência nas posições alcançadas, consolidava a ampla cabeça-de-ponte estabelecida e permitia a criação de uma base de operações no próprio território inimigo. A vitória aliada, contudo, não desimpedia o caminho de acesso à Fortaleza de Humaitá. Apesar de relativamente próxima (menos de 15 quilômetros), não parecia fácil conquistá-la, não somente pela disposição do inimigo em defendê-la, em linhas e núcleos sucessivos, senão também pelas dificuldades que opunha o próprio terreno, coberto de obstáculos naturais, como pântanos e matos cerrados intransitáveis.

Unidade de Comando. As condições topográficas, a situação tática, a
Operações diversionárias agressividade e a resistência inimigas retratadas no assalto a Tuiuti e nos furiosos recontros de Boqueirão e de Carapá (16 e 18 de julho) evidenciaram a impossibilidade para o Comando aliado de romper as posições paraguaias e avançar para o norte apenas com os meios de que dispunha. Dessa conclusão resultou o plano de trazer para o Passo da Pátria o 2º Corpo de Exército brasileiro e de flanquear, por Tuiu-Cuê, os entrincheiramentos inimigos que se apresentavam extraordinariamente reforçados pelas asperezas do terreno. Todavia, ao chegar aquela

GUERRA DO PARAGUAI

grande unidade, de 10 mil homens, comandada pelo Visconde de Porto Alegre (General Manuel Marques de Sousa), decidiu o Conselho de Guerra, presidido pelo Generalíssimo Bartolomeu Mitre, tentar uma operação combinada terrestre-naval, ao longo do Rio Paraguai, a qual teria como objetivos imediatos as fortificações de Curuzu e de Curupaiti, pertencentes ao complexo defensivo da Fortaleza de Humaitá e dela distantes 8 e 6 quilômetros, respectivamente. Nos primeiros dias de setembro, o Corpo de Exército do General Marques de Souza, com 8 mil homens, embarcou em Itapiru, em navios da 4ª Divisão da Esquadra, e foi saltar um pouco a jusante de Curuzu, segundo o ajustado com o Almirante Tamandaré. Ao amanhecer do dia 3, com o suporte de fogo dos vasos de guerra, os corpos de caçadores voluntários e provisórios brasileiros avançaram resolutamente contra as trincheiras e casamatas adversárias, guarnecidas por 2.500 soldados, que não puderam resistir à manifesta superioridade dos atacantes. Entretanto, alguns dias passados, coube ao Exército paraguaio, nas excelentes posições de Curupaiti, infligir pesado revés aos 20 mil homens da aliança (brasileiros e argentinos em partes aproximadamente iguais), que as atacaram (22 de setembro), apoiados por mais de cem canhões da esquadra, sob a direção do próprio Comandante-Chefe aliado.

O malogro de Curupaiti, apesar do abalo psicológico que acarretou, serviu para mostrar, em tempo, não só os erros inerentes à falta de coordenação e de entendimento entre os comandos superiores, mas também os desacertos e as contradições latentes na condução geral das operações. Para corrigir, porém, a situação, que a pouco e pouco ameaçava deteriorar-se, acontecimentos providenciais sobrevieram. Em outubro, o Governo imperial nomeou seu mais ilustre e prestigioso chefe militar, o Marechal Luís Alves de Lima e Silva, Marquês de Caxias, Comandante-Chefe das forças brasileiras, terrestres e navais, em operações contra o Paraguai. Quase à mesma época em que assumiu as funções no teatro da guerra, retiraram-se para os seus países, por motivos de perturbação da ordem pública interna, os Presidentes do Uruguai (23 de setembro) e da Argentina (9 de fevereiro de 1867), este temporariamente, embora. Essa circunstância ensejou a Caxias o exercício pleno do comando e da direção geral das operações. Em poucos meses de intensa atividade, estabeleceu as melhores relações com os comandos subordinados, inclusive os da Marinha, através de inspeções e visitas às unidades terrestres e aos navios da esquadra, e fez reajustar o dispositivo das tropas. Reorganizou os batalhões e regimentos, com a chegada de reforços, entre os quais o 3º Corpo de Exército, com cerca de 6 mil homens, comandado pelo General Osório. Instalou novos parques e depósitos e dedicou zelo especial aos serviços de aprovisionamento. Antes que findasse o mês de julho de 1867, todas as forças aliadas estavam praticamente sob seu comando supremo, reunidas na região de Passo da Pátria-Tuiuti e preparadas para a retomada das operações.

Cerco de Humaitá.   Inteirado da natureza e valor das posições inimigas, à
A marcha de flanco   sua frente, optou o Marquês de Caxias pelo movimento torneante para Tuiu-Cuê, com o propósito de irromper na retaguarda da poderosa linha fortificada de Rojas. No dia 22 de julho de 1867, ainda na ausência do generalíssimo argentino, o chefe brasileiro deu início à execução da manobra, que se compunha de duas operações distintas: uma, de fixação, com base em Tuiuti (2° Corpo de Exército, do General Marques de Souza. com 10 mil homens) e a outra, de envolvimento da ala esquerda adversária (1° e 3° Corpos de Exército, comandados pelo Marechal Argôlo Ferrão e pelo General Osório, com 21.500 brasileiros e mais 6 mil argentinos e 600 orientais). Guarneciam os extensos entrincheiramentos e fortificações, que se baseavam em Humaitá, pouco mais de 30 mil paraguaios. Nada obstante, nove dias depois, a massa de manobra, sem encontrar a menor resistência, atingia Tuiu-Cuê, na borda do flanco esquerdo inimigo. Surpreendentemente, porém, em vez de sair à retaguarda de suas posições, esbarrava em novos e desenvolvidos entrincheiramentos, que fechavam o chamado Quadrilátero de Humaitá e frustravam, em parte, a operação realizada. No dia seguinte (1° de agosto), Mitre, de regresso de seu país, reassumia o Comando Supremo Aliado e, em face da nova situação, formulava outro plano para as operações. Estribava-se o mesmo numa ação preliminar da esquadra imperial, que deveria subir o Rio Paraguai e forçar as passagens de Curupaiti e de Humaitá, a fim de fazer junção com forças terrestres lançadas contra baluartes localizados acima dessa última fortaleza.

No dia 15 de agosto, duas divisões da esquadra, de cinco encouraçados cada uma, ao mando do Almirante Joaquim José Inácio, desaferraram de seus fundeadouros e arremeteram resolutamente contra as baterias de Curupaiti. Depois de ultrapassarem, apenas com ligeiras avarias e perdas, a barreira de fogo levantada pelos seus canhões, tiveram que se deter e ancorar, à vista de Humaitá, sabidamente muito bem defendida por centenas de peças de artilharia, de grosso calibre, por estacadas, torpedos e grossas cadeias de ferro que ligavam uma à outra margem e obstruíam a passagem do rio. Prosseguir, naquelas circunstâncias, sem o concurso de outras forças, opinava o Almirante, seria arriscar a parte mais importante da Marinha de Guerra do Brasil, sem a convicção alentadora de que os resultados de uma vitória pudessem sobrelevar os ônus da operação. Por conseguinte, enquanto o grupamento naval encouraçado, desligado do restante da esquadra, ficava tolhido entre as fortalezas de Curupaiti e de Humaitá e ocasionava debates e divergências entre os comandos superiores acerca de seu melhor emprego, em operações combinadas ou não, as forças terrestres eram firmemente impulsionadas para o norte. Tinham como objetivo completar o cerco da fortaleza-base, onde se encontrava, com o seu quartel-general, o próprio Comandante-Chefe, o Marechal Solano López. Irradiando-se de Tuiu-Cuê, os aliados alcançaram consecutivamente São Solano (18 de agosto), Vila do Pilar (20 de setembro) e Taí (2 de novembro), de onde passaram a ameaçar perigosamente as comunicações do inimigo com a sua Capital.

Nesse entremeio, para desafogar a pressão exercida sobre o Quadrilátero, resolveu Solano López desfechar inesperado assalto contra os aliados, em Tuiuti, então guarnecido pelo 2º Corpo de Exército. Na madrugada de 3 de novembro, quando o estacionamento se encontrava desfalcado de parte dessa guarnição, 9 mil paraguaios, às ordens do General Vicente Barrios, investiram impetuosamente contra o reduzido contingente e quase chegaram a dominá-lo, a despeito da heróica reação dos defensores. Graças, no entanto, ao oportuno retorno de suas tropas, pôde o Visconde de Porto Alegre, exuberante nas ações de comando, conjurar o perigo e contra-atacar vitoriosamente, fazendo malograr os intentos do inimigo. Com esse revés, que lhe abria mais 3 mil claros nas fileiras, despojava-se o Comandante-Chefe guarani da faculdade de tomar iniciativas e de agir ofensivamente, em futuro próximo, contra os Exércitos aliados. Naquele instante, fugia-lhe a última possibilidade de expulsar o invasor ou mesmo de compeli-lo a recuar para sua base primitiva. Em verdade, não lhe restava outra esperança senão a de resistir ali ou alhures, em qualquer parte do território pátrio. E, certamente, para alimentá-la, obstinado que era, mandou abrir outra linha de comunicações para o norte, através do Chaco, à margem direita do Rio Paraguai, e determinou que se ativassem os trabalhos de instalação de nova posição defensiva atrás do Rio Tebicuari.

Caxias de novo no comando.
A queda de Humaitá
No dia 13 de janeiro de 1868, Mitre transmitiu a Caxias o Comando-Geral dos Exércitos da Tríplice Aliança e regressou definitivamente a Buenos Aires, a fim de assumir a Presidência da Argentina, em virtude do falecimento do Vice-

Presidente em exercício. Esse acontecimento veio, providencialmente, oferecer ao generalíssimo brasileiro a ambiência desejada para reformular os planos de guerra, até então firmados, sobre a melhor maneira de vencer a brava resistência paraguaia, concentrada no quadrilátero de fortificações, e de associar a esquadra imperial às futuras operações naquele teatro de guerra. Assim, já no dia 19 de fevereiro, aos primeiros sinais da alvorada, três encouraçados jungidos a três monitores, formando pares, largaram de seus ancoradouros forçados e, com a máxima pressão nas caldeiras, navegaram ao arrepio da correnteza. Em manobra tão imprevista quão arriscada, em meio a cerrado bombardeio, esquivaram-se habilmente das estacadas e correntes e deixaram para trás a lendária fortaleza de Humaitá, não sem responderem ao fogo e contrabaterem, com eficácia, as centenas de canhões postados nas barrancas do rio e nas casamatas da cidadela. Horas após, conseguiram assegurar ligação com as unidades do Exército imperial que, numa operação combinada, haviam igualmente atacado e conquistado Estabelecimento, reduto localizado pouco acima da fortificação principal. Apertava-se, dessa forma, o cerco a Humaitá e cortavam-se, então, ao inimigo todas as comunicações com Assunção, também alcançada, cinco dias depois, por alguns navios brasileiros.

Apesar desses sucessos e da intensa atividade das forças da Aliança, através de vigorosas investidas navais e terrestres entre Humaitá e o Rio Tebicuari, durante os meses de março a junho, somente a 5 de agosto os remanescentes da guarnição capitularam, honrosamente, depois de terem abandonado a fortaleza no dia 25 de julho. Entretanto, com a cessação da luta na área, não se desobstruíram os caminhos à marcha dos Exércitos aliados rumo à Assunção. Os vencidos tinham dado extraordinárias provas de bravura e espírito combativo, na defesa do território pátrio. Tinham, conseguintemente, exigido dos vencedores, até ali, tremendos esforços e sacrifícios, representados por cerca de 30 mil baixas, em troca de 40 quilômetros apenas de território, cedidos palmo a palmo, durante 27 meses de lutas implacáveis. Essas lutas não seriam interrompidas nem mesmo com a capitulação de Humaitá, porque reconhecimentos terrestres e navais e informes de prisioneiros indicavam a organização de nova posição defensiva paraguaia, não mais no Rio Tebicuari, mas alguns quilômetros ao norte, a coberto do Arroio Piquissiri. Tratava-se de uma linha quase contínua de entrincheiramentos, com 9 quilômetros de extensão, que se arrimava, à esquerda, nos esteiros e alagadiços invadeáveis da vasta Lagoa Ipoá e, à direita, nas barrancas e matos marginais do Rio Paraguai. Um pouco à retaguarda, nos dois extremos, localizavam-se além do baluarte de Ita-Ibaté (Lomas Valentinas), numa colina que espreitava toda a região, e o fortim de Angostura, cujas baterias dominavam inteiramente a calha fluvial. Para guarnecer a posição, que rapidamente se desdobrava na campina recortada, valia-se Solano López de suas já escassas reservas, cerca de 18 mil homens, na maioria jovens, trazidos dos campos de treinamento do Norte do país, retirados de Humaitá, anteriormente à rendição, e chamados até do longínquo Mato Grosso, da Expedição que enviara àquela província, ao iniciar a guerra.

Enquanto as tropas adversárias se azafamavam na posição de Piquissiri, abrindo trincheiras, instalando baterias, acrescendo com artifícios as dificuldades do terreno, o Generalíssimo brasileiro, em seguimento à operação de limpeza da área, lançava o grosso de suas forças ao encalço dos destacamentos em retirada e que já faziam a cobertura daquela posição. A 19 de agosto, o 1º Corpo de Exército (Brigadeiro Machado Bitencourt) e o 3º (General Osório) punham-se em marcha para o Rio Tebicuari; o 2º Corpo (Marechal-de-Campo Argôlo Ferrão) ficava em Humaitá, pronto para as eventualidades. Entre os dias 24 e 26 de setembro, depois de vencerem episódicas resistências e percorrerem 200 quilômetros de maus caminhos e traiçoeiros banhados, aquelas grandes unidades acamparam em derredor de Palmas. Logo suas vanguardas cerraram contato com a posição do Piquissiri, buscando definir-lhe os lineamentos e o valor defensivo.

As informações colhidas e interpretadas sobre o terreno e os seus ocupantes levaram o Marquês de Caxias à conclusão de que unicamente pela manobra poderia dominar a nova conjuntura. Pelo tempo de que dispusera o comando paraguaio para organizar a posição do Piquissiri, era lícito admitir que esta não apresentava profundidade nem solidez nem os meios de defesa acumulados no quadrilátero de Humaitá. Não obstante, um ataque frontal, além de oneroso e de resultado dúbio, eliminaria a vantagem numérica com que contavam os aliados ocasionalmente. A experiência de tantos anos já ensinara quão difícil sempre fora superar um adversário que, com tanta mestria, sabia aferrar-se ao terreno, e, com tanto denodo, defendê-lo. Portanto, a única possibilidade de vencê-lo consistia, então, em atraí-lo para as batalhas campais ou para os embates fora das posições fortificadas.

A manobra de Piquissiri. Decidida a manobra, tornou-se patente ao Gene-
A "dezembrada" ralíssimo brasileiro a impraticabilidade de um movimento desbordante pela esquerda da posição paraguaia. A Lagoa Ipoá e os seus desaguadouros naturais impediam-no. Mas o movimento

torneante pelo franco oposto, apoiado no Rio Paraguai, oferecia duas alternativas: arrostar, com a esquadra, aos canhões de Angostura e desembarcar o grosso do Exército logo à retaguarda da linha do Piquissiri, ou, iludindo a vigilância inimiga, realizar largo movimento envolvente pelos banhados e matas quase impenetráveis do Chaco, à margem direita do rio. A primeira envolvia riscos e perigos imediatos. A segunda exigia longo trabalho preparatório, mas apresentava perspectivas promissoras, porque, vencida a difícil travessia do Chaco, permitia ao Exército brasileiro cortar as linhas de suprimento e de comunicações do adversário e obrigava os defensores do Piquissiri a se baterem, simultaneamente, em frentes opostas.

Nos primeiros dias de outubro, Caxias ordenou o início dos preparativos para a grande manobra. Atribuiu ao Marechal Argôlo Ferrão (2º Corpo de Exército) a tarefa de abrir uma via através do terreno encharcadiço e boscoso do Chaco, por onde pudesse transitar o grosso do Exército, longe das vistas e dos fogos inimigos. Em 23 dias de exaustivos trabalhos, considerou-se terminado o caminho de quase 11 quilômetros de extensão, dos quais cerca de três estivados com troncos de seis mil palmeiras-carandá, cortadas e assentadas também pelos batalhões de Infantaria. Durante esse tempo, com o propósito de aferrar o defensor às suas posições e enganá-lo quanto aos verdadeiros intuitos do Comandante-Chefe brasileiro, a esquadra realizou ataques diversionários a Angostura e Vilela e as forças de Palmas dirigiram pontadas contra a linha do Piquissiri. Essas operações de despistamento obtiveram o melhor êxito, sobretudo porque o Comandante-Chefe paraguaio, conhecedor da região, desdenhara as informações recebidas e se mostrara incrédulo em relação à capacidade do comando aliado em movimentar grandes efetivos por entre os pântanos e brechas que cobriam a margem ocidental do rio.

Em começo de dezembro, enquanto o destacamento de Palmas, de 8 mil homens, dos quais 5 mil platinos, realizava demonstrações de força contra a posição do Piquissiri, a massa de manobra, constituída de quase 23 mil brasileiros (três corpos de Exército e quatro divisões de Cavalaria), era baldeada, pela esquadra, do Chaco para os portos de Santo Antônio e de Ipané, a montante de Vileta. No dia 6, pela manhã, o grosso do Exército (18.600 homens) pôs-se em movimento, rumo ao sul, com a intenção de surpreender, pela retaguarda, aquela posição defensiva. Todavia, ao alcançar o Arroio Itororó, depois de 6 quilômetros de marcha, encontrou-o ocupado e defendido por 5 mil paraguaios, às ordens do General Bernardino Caballero. Cruenta batalha travou-se, então, em torno da ponte. Dois corpos de Exército foram sucessivamente engajados nos combates e estes apenas cessaram por volta das 13 horas, depois que o Marquês de Caxias, ao ver periclitante a decisão, atirou suas últimas reservas na luta e colocou-se à testa dos batalhões, brandindo a espada sobre a cabeça e pedindo que o seguissem os que fossem brasileiros. Como resultado da fúria que envolveu a peleja, vitoriosa para as armas imperiais, os paraguaios tiveram seus efetivos reduzidos de 1.200 homens, deixando 600 cadáveres no terreno. Os corpos de Exército viram também desbastadas suas fileiras com a perda de 1.800 combatentes, entre mortos e feridos.

Em seguimento às operações, defrontaram-se de novo, no dia 11, brasileiros e paraguaios, ainda em campo aberto, nas colinas dominantes do Arroio Ivaí, a nordeste de Vileta. Empenhando na batalha os três corpos de Exército e pondo em execução perfeita manobra de duplo envolvimento, o Generalíssimo brasileiro conseguiu infligir outra derrota ao General Caballero, que em sua retirada para Ita-Ibaté, apenas pôde salvar menos de 200 homens, dos 5 mil que comandara naquela jornada. No dia 21, depois de reaprovisionados devidamente em Vileta, os brasileiros retomaram o movimento na direção de Ita-Ibaté (Lomas Valentinas), distante 9 quilômetros. Através do terreno favorável que se lhes apresentava, pela vez primeira, marcharam os corpos de Exército e as divisões de Cavalaria, no total de 20 mil homens, em duas colunas, rumo aos seus objetivos. Esses, em conseqüência da manobra bem-sucedida de Caxias, passaram, então, a ser defendidos, em duas frentes opostas, por cerca de 10 mil paraguaios em Ita-Ibaté, 2.500 na linha do Piquissiri e menos de mil em Angostura. Assim que se estabeleceu o contato nas posições, propagou-se a luta a toda a frente, no decurso daquele e dos dias subseqüentes. E, em razão dos reforços recebidos por ambos os Exércitos, os combates recrudesceram, no dia 27, com o assalto e conquista da forte posição de Ita-Ibaté (Lomas Valentinas), para chegarem ao fim, no dia 30, com a rendição de Angostura e a severa derrota dos paraguaios, cujas perdas, desde o dia 6, se elevaram a quase 20 mil combatentes. Dos destroços da prolongada batalha, escapa, porém, o próprio Marechal Solano López, que, seguido de pequenos grupos, se retirou para o norte do país, determinado, como sempre, a perseverar na guerra com quaisquer elementos materiais e humanos que ainda pudesse mobilizar.

A bela manobra do Piquissiri, de linhas clássicas e de puro estilo napoleônico, rematada por três decisivas batalhas, comprovava e enaltecia, sem dúvida, o tino militar do Generalíssimo brasileiro e consagrava-o como lúcido estrategista e autêntico cabo-de-guerra. Abria-lhe, ademais, os caminhos para a capital paraguaia, porém não punha termo, apesar de seus frutuosos êxitos, ao conflito iniciado 4 anos antes. Isto porque a obstinação e o fanatismo de Solano López se nutriam fartamente na reconhecida bravura do povo guarani, psicologicamente preparado, durante meio século, para uma guerra contra os povos vizinhos mais fortes, supostamente apresentados como espoliadores de territórios e inimigos do progresso do Paraguai.

Campanha das cordilheiras. Ocupada a capital paraguaia, nos primeiros
O desfecho da guerra dias de janeiro de 1869, e em face das informações sobre a fuga do Marechal Solano López para uma região carente de recursos, julgou o Marquês de Caxias cumprida sua principal missão, ou seja, de destruir o poder militar adversário. Alquebrado pelos rigores da campanha, em clima e terreno hostis, solicitou ao Governo imperial permissão para retornar ao Brasil, a fim de tratar da saúde combalida. Para substituí-lo, nomeou o Imperador D. Pedro II o seu próprio genro, o Marechal-de-Exército, de 27 anos de idade, Luís Felipe Maria Fernando Gastão d'Orleans, Conde d'Eu, que assumiu seu posto em Luque, no dia 16 de abril. Recebeu o novo Comandante-Chefe os Exércitos da Tríplice Aliança, com o efetivo de 31 mil homens aproximadamente (26 mil brasileiros, 4 mil argentinos e 600 uruguaios), acampados e distribuídos, estrategicamente, nas circunvizinhanças daquela povoação. Mas, enquanto o Conde d'Eu, empolgado com o honroso encargo, inspecionava unidades e acampamentos, reorganizava corpos e depósitos e cuidava dos reaprovisionamentos, o Marechal Solano López também se refazia e recobrava gente e munições. Instalava nova capital em Peribebuí, concitava o povo a persistir na luta, convocava suas últimas reservas, apetrechava-se com o material bélico produzido pelo Arsenal de Caacupé e conseguia, ao final, formar um Exército de 13 mil homens e 36 peças de Artilharia. Com o dispositivo de suas tropas implantado nas Cordilheiras, o grosso em Ascurra e destacamentos em Peribebuí, Cerro León e Altos, o Generalíssimo paraguaio colocava-se em expectativa estratégica numa região por demais acidentada e coberta de matos, onde mais fácil lhe parecia resistir ou manobrar em retirada para o norte, presumivelmente na direção da Bolívia. A conjuntura, porém, apresentava-se-lhe inteiramente adversa. Não dispunha ali de fortalezas ou fortificações que lhe pudessem servir de apoio às operações e escasseavam-lhe as provisões de boca e de fogo necessárias à alimentação de uma luta prolongada. Não contava mais com a solidariedade incondicional das populações civis e apoucavam-se-lhe, dia a dia, as fileiras de combatentes e de correligionários. Somente a sua determinação de prosseguir a guerra mantinha-se inflexível e indomável.

Depois de 3 meses de preparativos e de pequenas incursões de destacamentos de reconhecimento na região ocupada e freqüentada pelo inimigo, os aliados reiniciaram as operações. Precedidos por uma flanco-guarda, às ordens do General João Manuel Mena Barreto, o 1º e o 2º Corpos de Exército (Generais Osório e Polidoro da Fonseca) romperam a marcha, nos primeiros dias de agosto; tinham a missão de flanquear, pelo sul, os desfiladeiros de Ascurra e de Cerro León, na tentativa de encurralamento do grosso das forças paraguaias na borda ocidental das Cordilheiras. No dia 11, após largo rodeio por Valenzuela, as tropas da coligação alcançaram Peribebuí, então guarnecida por menos de 2 mil homens e circunvalada de profundos fossos e trincheiras. Na manhã seguinte, quase 21 mil combatentes aliados (19 mil brasileiros, 900 argentinos e mil orientais) atacaram a povoação por todos os lados, concomitantemente, e puseram fora de combate toda a guarnição, convertida em 700 mortos e 1.100 prisioneiros.

A tomada de Peribebuí, por certo, favorecia os planos do Conde d'Eu, de envolvimento da posição inimiga, porém Solano López não o esperou aí para oferecer batalha, nem em Ascurra, onde concentrara o grosso, tampouco em Caacupé, em cujos bosques funcionava, com pleno rendimento, seu último arsenal. Assim, antes que se visse envolvido, retirou-se apressadamente para Caraguataí e Rio Hondo, em busca de cobertas e lugares mais favoráveis à defesa. Em sua esteira, todavia, seguiram as forças da Aliança, que logo esbarraram com o forte grupamento do General Caballero, disposto a preservar a todo custo as passagens do Arroio Iuquiri e o caminho de Caraguataí, para onde se dirigia o grupamento principal. O sangrento encontro, que tomou a denominação de batalha de Campo Grande ou batalha de Nhu-Guaçu, Rubio-Nhu ou ainda Acosta-Nhu, feriu-se a 16 de agosto e, praticamente, encerrou a Campanha das Cordilheiras. Com as perdas sofridas, mais 5 mil combatentes, entre os quais grande número de jovens de 14 e 15 anos, só restava ao Presidente do Paraguai, despojado de suas forças e de seu verdadeiro Exército, adentrar as matas das Cordilheiras, a fim de se esquivar ao cerco e ao aniquilamento fatais.

Diante dos acontecimentos e da nova situação passava-se à fase operacional da perseguição, caracterizada por escaramuças, reconhecimentos e busca de informações sobre o destino do derradeiro agrupamento inimigo, a cuja testa se encontrava o próprio Comandante-Chefe. Nos primeiros meses de 1870, depois de notícias e informes contraditórios, conseguiu, afinal, o Brigadeiro José Antônio Corrêa da Câmara localizá-lo nos contrafortes da Serra de Maracaju-Amambaí, em movimento pela picada de Chiriguelo, na direção do Rio Aquidabã. Rapidamente fez convergir dois destacamentos para as passagens daquele curso d'água. Um, em marchas forçadas, por Dourados, Ponta Porã e Campo do Aramburu, levava a missão de cortar-lhe uma possível retirada para o norte. O outro, avançando diretamente para o Passo Tacuara, no dia 1º de março, atravessou-o, irrompeu no acampamento de Cerro Corá e entrou em feroz entrevero com as duas ou três centenas de fiéis combatentes que ainda acompanhavam o Marechal Solano López. Este, reconhecido e perseguido, negou-se a render as armas e foi, finalmente, cair exangüe numa das margens do Arroio Aquidabanigui, atingido, durante a curta refrega, por um lançaço mortal.

A guerra chegara, pois, ao fim, com a morte de seu protagonista e com o total esgotamento dos recursos bélicos, materiais e humanos de que dispusera, no transcurso de 5 anos, a pequena e valente nação guarani. Isso, no entanto, exigira também do Brasil extraordinários esforços e sacrifícios. Fora obrigado a mobilizar cerca de 200 mil homens, levara aos campos de batalha 139 mil e sofrera mais de 30 mil baixas, entre mortos e feridos.

Aos 20 de julho de 1870, um protocolo especial foi celebrado com o Governo Provisório do Paraguai, instalado em Assunção, desde 15 de agosto do ano anterior, e, no dia 9 de janeiro de 1872, o tratado de paz definitivo tornou-se realidade. Dentro das linhas de suas mais nobres tradições, o Brasil tratou a nação vencida com a maior dignidade e munificência. Aplicou o direito de *uti possidetis* em relação a todos os territórios em litígio; concorreu com a mediação diplomática para que chegassem a termos satisfatórios as negociações de paz entre o Paraguai e a Argentina, em 1876; e culminou por lhe perdoar, em 1943, a pesada dívida de guerra, reconhecida pelo tratado de 1872.

VIDA ESPIRITUAL

LIVRO QUARTO

CAPÍTULO I

VIDA RELIGIOSA

I

Aspecto polêmico da questão A CHAMADA questão religiosa, que sacudiu a opinião brasileira na primeira metade da década de 70, tem sido estudada em todas as suas fases decisivas, sendo possível hoje ao historiador traçar com segurança o desenrolar dos sucessivos fatos em que se envolveram Estado e Igreja no mais sério conflito entre ambos registrado nos anais da história nacional. Apesar disso, continua ela a desafiar a argúcia de nossos estudiosos, que raramente têm compreendido o seu significado e alcance, preocupados que estão, quase sempre, em decidir de que lado estava a "causa justa", em que trincheira se abrigava a verdade: ora se dá razão aos bispos envolvidos sem uma palavra de compreensão acerca da atitude assumida pelo Estado, ora se justifica inteiramente a atuação deste, cobrindo-se de doestos os defensores das prerrogativas da Igreja. Em uma palavra, a preocupação valorativa leva os estudiosos a tomarem partido e a levantar diante de si uma muralha de alegações e argumentos que, se lhes tranquilizam a consciência, vicia, entretanto, irremediavelmente, seus trabalhos como obras de história. É que, na realidade, o estudioso geralmente já decidiu onde andam a razão e a justiça, antes mesmo de aprofundar-se no estudo dos documentos que informam a questão: é a sua postura prévia, a sua condição religiosa, a sua filosofia que acabam por determinar o seu julgamento. E, em lugar da compreensão objetiva da questão, na medida em que esta é possível, chega-se ao libelo ou à exaltação. Produzem-se assim obras "piedosas" ou "ímpias" sobre o assunto, igualmente ingênuas, algumas marcadas por paixões que levam, se não ao delírio, pelo menos à abdicação voluntária da razão. E tais autores não percebem sequer que estão a enxergar a questão, seja pelos olhos ultramontanos de D. Vital e D. Macedo Costa, seja através da visão ultra-radical do terrível Ganganelli, ou da propaganda maçônica em geral. É perfeitamente compreensível que as pessoas envolvidas na questão tivessem cerrado os ouvidos às razões da parte contrária – é o que acontece a todos, em situações concretas que envolvem concepções antagônicas da vida e exigem opções fundadas em valores radicalmente dessemelhantes. É ainda compreensível que tais valores nos levem a compactuar moralmente com os partidos, grupos e facções que, perdidos na distância do tempo, defenderam teses aparentadas com as que hoje nos são caras: explica-se assim o ardor combativo dos que escrevem sobre a questão religiosa como se ela estivesse aí, exatamente nos mesmos termos em que aconteceu, a exigir de nós uma moção de solidariedade aos bispos lutadores ou uma manifestação de nosso incondicional apoio aos membros do Conselho de Estado... Compreende-se, explica-se, justifica-se: o que não se faz é história, com a serenidade e a simpatia próprias do historiador autêntico, capaz sempre de compreender as razões do "outro", os valores alheios, e de perceber o significado amplo e genérico de um conflito, de uma luta, de um sucesso. Essa serenidade não implica a renúncia de um julgamento: podemos quase sempre dizer de que lado estaríamos nós num conflito semelhante e que razões para tanto invocaríamos; isso, contudo, pouco interessa à compreensão do acontecimento em si mesmo. Lamentavelmente, já o dissemos, quase toda a bibliografia referente à questão religiosa, exceção de meia dúzia de títulos, se tanto, é toda ela comprometida: seus autores mais se ocupam com as profissões de fé, laicas ou religiosas, do que com a visão exata dos fatos e de sua significação. Não espere de nós o leitor atitude semelhante: este capítulo não irá dar "razão" a qualquer das partes, glorificando o Império para denegrir a Igreja, exaltando o Episcopado para antematizar o poder civil. Nem será nosso propósito decidir a quem coube o "triunfo" no entrechoque de poderes e opiniões, problema que tem deliciado muitos de nossos melhores historiadores, prontos a ver nos mesmos fatos a indicação insofismável da vitória de suas teses respectivas. Nosso problema é inteiramente diverso: queremos compreender como foi possível a questão religiosa, que sentido teve, como influiu na marcha dos acontecimentos posteriores. Interessam-nos as doutrinas em choque, as idéias em conflito e os seus respectivos fundamentos. Para tanto, é preciso reajustar nossas perspectivas, procurando antes de tudo chegar a uma noção precisa do que se deve entender por "questão religiosa".

VIDA RELIGIOSA

Alcance histórico da "A questão dos bispos – escreveu o Barão do
questão religiosa Penedo em seu livro *Missão Especial a Roma* – foi
um deplorável incidente improvisado em 1873, sem que o menor sinal o
houvesse anunciado, e tomou tais proporções que chegou a ponto de
recear-se um cisma. Felizmente a revolta cedeu à ação da lei; pacificou-se
por uma anistia, e o culto religioso foi prontamente restituído pelo Papa à
sua antiga regularidade. A agitação moral desapareceu, as paixões
acalmaram-se, e tudo voltou, como se nada tivesse havido, ao sossego
anterior a tão inesperada perturbação." A ser verdadeira a asseveração do
ilustre diplomata, a questão religiosa parecer-nos-ia inexplicável, reduzida
a um caso momentâneo exclusivamente provocado pela afoiteza dos bispos, que seria gratuita e inesperada, ou talvez pela obstinação da Maçonaria brasileira. E, se assim fosse, dificilmente poder-se-ia compreender
como a questão tomou "tais proporções que chegou a ponto de recear-se
um cisma". O próprio Barão do Penedo, aliás, em outras passagens, até
no mesmo livro, revela compreensão bem mais ampla do assunto, nele
percebendo implicações mais gerais. Em nosso entender, a questão religiosa transcende de muito o episódio em que se viram envolvidos os Bispos
de Olinda e do Pará: este episódio é apenas o seu clímax, o seu "momento
dramático", se assim nos podemos exprimir, sem que nem de longe se
possa reduzir a ele a questão. Essa, na verdade, é um longo entrechocar-se
de ideologias, ora patente, ora latente, que, derivando-se do regime de
união entre a Igreja e o Estado, da situação geral das crenças religiosas no
país, da guinada ultramontana do pontificado de Pio IV e dos progressos
do liberalismo e do cientificismo nacionais no "ocaso do Império", eclode
finalmente de forma espetaculosa e dramática no episódio dos bispos, sem
que a anistia de 1875 tivesse o condão de eliminá-la, apesar da calmaria
aparente.

Estudar a questão religiosa não é, pois, limitar-se a acompanhar obje-
tivamente os fatos que compõem o seu "momento dramático", desde a
punição do Padre Almeida Martins pelo Bispo D. Pedro Maria de Lacerda
e a sentença de interditos por D. Vital lançada contra a Irmandade do
Santíssimo Sacramento da Matriz de Santo Antônio do Recife, até a
decretação da anistia, passando pela denúncia, julgamento e prisão de
D. Vital e de D. Macedo Costa, com a inevitável discussão sobre o sentido
e a valia da Missão Penedo. Sem dúvida alguma não é possível ignorar
esses fatos ou minimizar o clímax da questão – mas este, realmente, só
adquire significado quando compreendido no quadro amplo da verdadeira questão religiosa, que o envolve, explica e transcende.

II

A religião católica e a Carta de 1824

Alguns estudiosos têm feito notar, com inteira procedência, que a união entre a Igreja e o Estado, sancionada pelo art. 5° da Constituição Imperial de 1824, estabelecia uma situação, de resto herdada de Portugal, propícia à eclosão de conflitos entre os dois poderes. A Carta outorgada rezava no citado artigo que "a religião católica apostólica romana continuará a ser a religião do Império. Todas as outras religiões serão permitidas com seu culto doméstico ou particular, em casas para isso destinadas, sem forma alguma exterior de templo". Isto é, ao mesmo tempo em que se instituía um simulacro de liberdade religiosa, que as disposições posteriores do Código Civil, dos regimentos parlamentares, dos Estatutos das Faculdades etc., tornariam ainda mais limitada, concedia-se à religião católica o privilégio de religião oficial, a ser obrigatoriamente por todos respeitada, conforme dispunha o §5° do art. 179 da Constituição.[1] Mas, fiel à tradição regalista portuguesa, a Carta contrabalançava o privilégio com a desconfiança, resguardando no §14 do art. 102 o direito do beneplácito imperial quanto à validade ou não, no país, dos "decretos dos concílios e letras apostólicas, e quaisquer outras constituições eclesiásticas, que se não opuserem à Constituição". A segunda medida, que Roma nunca aceitou, aliás, como legítima em princípio, embora a tolerasse de fato, era, entretanto, do ponto de vista do poder civil, a conseqüência obrigatória da primeira: sem o *jus cavendi*, qualquer Estado que oficializasse a religião católica, universal por definição e, portanto, desprendida dos limites das fronteiras nacionais, se arriscaria a ver desautorado o próprio poder por medidas papais ou conciliares que viessem a afetar a vida civil dos cidadãos. E nem se diga que a limitação da jurisdição espiritual e da temporal, uma submetida à Igreja, outra ao Estado, impediria por si só a invasão daquela no domínio secular; tais limites são necessariamente arbitrários (não fora o chamado "reino espiritual" tão histórico como o temporal!) como a própria questão religiosa viria a demonstrá-lo. Defendendo-se como tinha de fazê-lo, o Estado, por sua vez, tendia a invadir a esfera da Igreja, pois, reconhecendo embora a sua incompetência espiritual, exercia ao mesmo tempo o direito de estabelecer os limites dessa incompetência, isto é, da extensão

---

[1] Assim dispunha o § 5° do art. 179: "Ninguém pode ser perseguido por motivo de religião. uma vez que respeite a do Estado e não ofenda a moral pública."

de seu reino temporal. O regime concordatário, se tivesse sido adotado, como parece ter sido às vezes intenção da Santa Sé e do Império, talvez aparasse arestas e reduzisse eventuais conflitos: o problema, contudo, não deixaria de existir, pronto a aparecer em qualquer momento, na própria interpretação dos termos de um hipotético tratado. Tal regime, portanto, trazia no seu fulcro o conflito latente entre a Igreja e o Estado, como aliás se verificou, mais cedo ou mais tarde, em todos os países que fizeram da religião católica a crença oficial da Nação. Sob certos aspectos, aliás, espanta-nos, à primeira vista, que tal conflito não se verificasse mais cedo. Dessa forma, procuraremos compreender primeiro como foi possível a protelação do choque para só depois examinar que acontecimentos o desencadearam.

A fisionomia religiosa do Império Tenhamos presente, desde logo, que, se o Brasil de então fosse uma nação verdadeiramente católica, com os espíritos todos impregnados da fé romana, do Imperador ao último dos súditos, o conflito potencial nunca talvez se atualizasse: nesse caso quimérico, o cidadão e o crente estariam indissoluvelmente unidos, numa perfeita harmonia entre as esferas pública e privada da vida de cada um. O que acontecia, entretanto, era precisamente o contrário e, por paradoxal que esta afirmação possa à primeira vista parecer, foi exatamente o fato de não ser realmente católica a imensa maioria da população nacional que possibilitou, por longos anos, o *modus vivendi* estabelecido entre o Império e a Igreja. Enquanto o "país legal" (para usar de uma expressão cara a Tavares Bastos) se declarava católico, o "país real" movia-se inteiramente à margem da fé romana. Examinando a situação religiosa do país, em 1879, Pereira Barreto esboçava um quadro que, sem pretender ser rigorosamente exato, nos revela contudo o que foi a fisionomia religiosa do Império, em quase toda a sua extensão: "O nosso clero – escrevia ele nas *Soluções Positivas da Política Brasileira* – é quase em sua totalidade deísta; toda a nossa Câmara atual (...) é deísta; quase todo o Senado é deísta; o ensino oficial da filosofia nas academias de S. Paulo, de Pernambuco, nos liceus, nos colégios, é exclusivamente deísta; é em uma palavra o puro deísmo que domina em todas as camadas mais cultas da nossa sociedade (...) Se descermos agora às camadas incultas da nossa sociedade, as quais constituem com segurança quatro quintos da população (... e...) excluída desses quatro quintos a população escrava, que é totalmente fetichista, não obstante o rótulo católico que a cobre, resta-nos uma grande fração que vive engolfada no mais profundo politeísmo primitivo."

O clero O clero nacional, dos tempos pombalinos até às vésperas da questão religiosa, não se distinguia, com raras exceções, por qualquer demonstração de ortodoxia. Mais freqüentadores das letras francesas do que das latinas, mais versados na literatura profana do que nas obras pias, muitos de nossos clérigos estavam saturados dos ideais iluministas, das reivindicações democráticas e liberais da Revolução Francesa. Em Minas, encontramos o "diabo", encarnado em Rousseau, Voltaire, Diderot etc., solto na "biblioteca do cônego", como mostrou Eduardo Frieiro examinando a livraria de Luiz Vieira da Silva.[2] Em Pernambuco, o famoso Seminário de Olinda perfilhava também as idéias do tempo e foi decisiva a participação do clero nos movimentos revolucionários de 1817 e 1824, ousadamente liberais e republicanos. Ao lado do ideal iluminista, o clero professava geralmente, no que diz respeito às relações entre a Igreja e o Estado, o mais ferrenho regalismo, apoiado na tradição lusitana, particularmente a pombalina. Basta dizer que, entre os muitos eclesiásticos que faziam parte da Assembléia Legislativa, de 1826 a 1829, contavam-se diversos que não titubeavam em reconhecer o primado do poder civil, entre eles Feijó, Miguel José Reinaut, Monsenhor Pizarro, Januário da Cunha Barbosa, Rocha Franco, Custódio Dias, José Bento Leite Ferreira de Mello etc. A campanha famosa de Feijó em prol da abolição do celibato religioso está toda ela marcada pela consciência dos limites da autoridade pontifícia. Na sua *Demonstração da Necessidade da Abolição do Celibato Clerical pela Assembléia Geral do Brasil e da sua Verdadeira e Legítima Competência nesta Matéria*, Feijó escrevia com todas as letras: "Sendo certo que a lei do celibato por uma experiência não interrompida de quinze séculos tem produzido a imoralidade numa classe de Cidadãos, e Cidadãos encarregados do ensino da Moral pública; e que por essa causa seu ofício, além de inútil, se torna prejudicial, quando os Povos encontram na sua conduta o desmentido de sua doutrina, de que resulta a imoralidade na sociedade; segue-se, que é um dever da Assembléia Geral remover destes empregados públicos toda a ocasião, que ou os inutiliza, ou os torna nocivos à sociedade. Suponhamos também que a Assembléia Geral revoga o impedimento da Ordem, mas que a Igreja, ainda reconhecendo a validade do Matrimônio dos Padres, continua a

---

[2] *O Diabo na Livraria do Cônego*, Ed. Itatiaia, Belo Horizonte, 1957, pp. 9-82. Escreve aí E. Frieiro: "O filosofismo contaminava o clero, mas até os padres sérios, pacatos e moderados e também os jovens seminaristas. Muitos eram deístas, epicuristas ou simplesmente *espíritos fortes* ou *libertinos*, como então se chamavam os livres-pensadores. As idéias dos enciclopedistas conquistavam toda a gente" (pp. 63-4).

depô-los, e até excomungá-los; é evidente que este choque entre a concepção do Poder temporal e a punição do Poder Espiritual deve produzir a murmuração, fomentar partidos e acabar pela perturbação do sossego público. Logo a Assembléia Geral, além de revogar o impedimento da Ordem, não só pode como deve suspender o Beneplácito às leis que dizem respeito ao Celibato, para que não possam ter execução, no Império do Brasil." Não se poderia ser mais claro na afirmação da supremacia do poder civil, que teria não só a competência de intervir nos assuntos da disciplina interna da Igreja, mas também o de estabelecer os limites dessa competência. Foi com esse mesmo espírito que a Assembléia Geral rejeitou a bula *Praeclara Portugaliae*, de 30 de maio de 1827, solicitada aliás pela própria Coroa brasileira, afirmando que o documento pontifício, além de inconstitucional, era ocioso e inútil, "porque o Imperador do Brasil tem, pela sua aclamação e pela Constituição, todos os direitos que ela pretende confirmar-lhe". Significativo igualmente é o ostensivo apoio de Aureliano Coutinho, Ministro dos Negócios Estrangeiros, em 1834, às teses defendidas pelo Conselho Provincial de São Paulo, sob a inspiração de Feijó, e mais significativas ainda são as próprias teses defendidas, de teor marcadamente galicano, e que afirmavam, em síntese, além do caráter puramente disciplinar da lei do celibato, terem os bispos em suas dioceses os mesmos direitos que o Santo Padre em toda a Igreja Católica.

Como registrar-se, nessas condições, um conflito entre a Igreja e o Estado, quando os representantes daquela eram os primeiros a defender as prerrogativas deste? O único conflito possível seria o choque direto entre a Monarquia e a Santa Sé, com a conseqüente criação de uma Igreja Nacional, idéia que não era, aliás, alheia às cogitações de Feijó. A Santa Sé, contudo, preferia contornar as dificuldades, fugindo ao choque direto que nenhum benefício certamente lhe traria e contentando-se em aceitar o catolicismo nominal do grande país latino, talvez à espera de melhores dias.

O falso catolicismo Mas não era apenas o clero que se mostrava assim independente da ortodoxia religiosa, a professar um catolicismo mutilado e inconseqüente, certo, embora, de seguir fielmente em tudo as prescrições de sua religião. Este "protestantismo" inconsciente do clero era largamente partilhado pelos homens cultos, certos também de que não se afastavam, em momento algum, do catolicismo autêntico. Antes do fim do Império, o catolicismo não era, propriamente, posto em causa. Era católico o maçom, católico se considerava o próprio anticlerical. Na realidade, andavam quase todos muito longe do catolicismo, mais ciosos da autoridade do Império do que dos ensinamentos da Igreja, mais convictos da verdade de suas opiniões do que das doutrinas romanas, mesmo em assuntos exclusivamente religiosos. À medida que nos aproximamos de 1868 ou 1870, anos marcados pela eclosão do radicalismo liberal e republicano e pela maré montante do cientificismo, mesmo esse catolicismo nominal se abala, mas nem sempre de forma declarada: as disposições legais impediam a franca manifestação de independência. "Pergunte-se aos ateus da representação nacional o que são – escrevia em 1874, no auge ainda da questão religiosa, Saldanha Marinho – e eles responderão submissos: católicos, apostólicos, romanos!" Claro que tais homens, falsos católicos (embora supondo-se católicos verdadeiros), indiferentes, deístas ou ateus, não se iriam levantar para defender o primado da Igreja em face do poder civil e o seu silêncio desinteressado ou suas manifestações sempre marcadas pela crença na supremacia do Estado não eram de molde a modificar a situação vigente, o *modus vivendi* em que se arrastavam as relações entre o catolicismo e o Império.

Os nossos dois Pedros, por sua vez, estavam longe de ser legítimos católicos, mais ocupados aliás que foram com a majestade do trono do que com a catolicidade do país. D. Pedro I foi um desses tantos católicos-maçons que iriam mais tarde provocar as iras de D. Vital e de Macedo Costa, enquanto o segundo Pedro nunca parece ter ido além de um deísmo semiprotestante, partilhando da comum auto-ilusão de nossos homens cultos de que era verdadeiramente católico. Que não era, todavia, realmente católico, mostra-o, por si só, sua atuação na questão religiosa, quando pôs sempre os direitos da Coroa acima de quaisquer exageros do escrúpulo religioso.

Finalmente o povo, ignorante e iletrado na sua grande maioria, vivia nesse estado de sincretismo religioso que, ainda nos dias que correm, é a característica marcante da religiosidade da massa da população nacional. Numa página feliz de O *Papa e o Concílio*, tantas vezes invocada, Rui escreveu: "Entrai numa casa de oração. Lá estão o luxo, a adoração mecânica, a devoção sensual: profundo recolhimento da alma diante de Deus vivo, não. Observem os assistentes: distinguirão perfeitamente o curioso, o distraído, o conversador, o peralta, o beato, o observador correto das conveniências sociais; mas o fiel, absorto, alheio ao mundo exterior; mas, como nas catedrais americanas, essas assembléias ferventes, aniquiladas na prece, por onde apenas perpassa o murmúrio da emoção íntima, como o balbuciar misterioso do abismo invisível no oceano contemplativamente imóvel e silencioso – isso é o que em balde buscareis. Educação religiosa, instrução cristã, privada ou comum, absolutamente não na conhecemos.

Penetrai sob o mais respeitável teto: haveis de encontrar o oratório, o terço, a cinza benta, o jejum com as pingues consoadas; haveis de ver esperada, com alvoroço ou frieza, como horas festivas entre a quotidiana monotonia doméstica, ou simples satisfação de um hábito material, a missa, a procissão, a prédica. Mas esse preocupar-se seriamente com os interesses superiores da alma, essa fé espiritualista, repassada de esperanças imateriais, esse perfume de um sentimento ao mesmo tempo severo e consolador, essencialmente embebido em todas as afeições, em todos os pensamentos, em todos os atos; todas essas condições divinas do verdadeiro cristianismo são estranhas aos nossos costumes." O esboço traçado vale, aliás, tanto para as classes cultas como para as iletradas: é sempre o aspecto exterior, a superstição grosseira ou a polida indiferença o que as marca religiosamente na época que estudamos. No catolicismo, o que toca o povo ingênuo é a pompa exterior, com suas centenas de santos transfigurados e identificados com figuras da devoção popular, cada um desempenhando uma função específica, como sucessores consolidados dos "deuses momentâneos" de que nos falam Usener e Cassirer. O que o toca ainda, particularmente à mulher, é a figura do padre que a aconselha e a confessa. Pouco lhe importa, contudo, a doutrina católica, pouco lhe diz o problema das relações entre ela e o Estado. Se um conflito entre os dois poderes se desenha, poderá tomar partido, ficar fiel ao padre ou ao bispo que conhece, sem que essa adesão humana signifique qualquer tomada de posição doutrinária. Se tudo porém segue em paz, não será o povo que irá atirar a primeira pedra.

A paz precária entre Estado e Igreja   Em resumo, nem os imperadores, nem os homens cultos, nem o clero, nem o povo poder-se-iam definir como católicos, na acepção exata do termo, embora católicos se declarassem todos eles. E assim se explica o aparente paradoxo a que antes nos referimos, a contradição entre a lei e a realidade impedindo o conflito potencial entre Igreja e Estado de manifestar-se. Se ninguém, rigorosamente falando, levava a peito a defesa das prerrogativas da Igreja, protestando contra as invasões do Estado no domínio espiritual ou, por outro lado, pretendendo ampliar a jurisdição daquela sobre o domínio temporal deste, como poderia eclodir o conflito de poderes? Reinava, assim, a paz, embora se tratasse de uma paz precária, que a qualquer instante poderia ser rompida, desde que aparecessem uns poucos campeões da religião romana dispostos a fazer valer no país o catolicismo na sua integridade, para tanto invocando o caráter oficial de sua crença, amparada pelo art. 5º da Constituição. E desde que tais campeões fossem conseqüentes com suas crenças, necessariamente haveriam de impugnar as limitações que o poder civil impunha à Igreja, denunciando o § 14 do art. 102 da mesma Constituição como herético e contraditório. Houve momentos, como no caso da nomeação do Bispo do Rio de Janeiro, Padre Antônio Maria de Moura, em 1827, que não foi confirmada pela Santa Sé, em que se chegou ao conflito aberto: faltaram, todavia, no país, os defensores dos direitos da Igreja, e a situação, a rigor, não se modificou. Católicos ortodoxos, alguns até fanaticamente ultramontanos, havia no país; mas eram muito poucos, sem organização suficiente e sem a necessária iniciativa para provocar a abertura da questão. Nesse sentido, D. Vital e D. Antônio de Macedo Costa foram precisamente os catalisadores da minoria católica intransigente, permitindo que esta se organizasse e acabasse por desnudar a grande contradição entre o "país legal" e o "país real", pondo a descoberto o enorme logro que era a Religião de Estado. Mas a ação dos bispos não foi algo contemporâneo e inexplicável; a questão religiosa não saiu de um golpe de suas decisões, como Minerva armada da cabeça de Júpiter. Não, ela é o resultado de um longo processo que se liga à linha marcadamente ultramontana do pontificado de Pio IX e às suas repercussões no Brasil, seja no meio da minoria fiel à ortodoxia católica, seja no selo da opinião liberal brasileira. Nesses termos, a questão religiosa foi apenas a expressão brasileira da oposição universal entre o liberalismo triunfante e o ultramontanismo conservador e intransigente. Para bem compreendê-la, assim, é preciso que detenhamos o olhar, por um instante que seja, nas teses e doutrinas sustentadas pela Cúria Romana sob a inspiração ou com o aplauso do antigo Cardeal Mastai-Ferretti.

O ultramontanismo de Pio IX   Depois de um início liberalizante, o pontificado de Pio IX (1846-1878), a partir de 1848, tomou rumos novos, reatando o fio de uma tradição por um momento interrompida e que se ligava à orientação de seu antecessor Gregório XVI (1831-1846). Este fora, já, o intransigente adversário das "liberdades modernas", condenando sem vacilações o "erro pestilento" representado pela liberdade de consciência e pela liberdade de imprensa, "nunca suficientemente condenado", assim, um golpe de morte ao "liberalismo católico", de Lammenais, Lacordaire Montalembert, esforço heróico para conciliar o catolicismo com as exigências e os ideais da civilização do século. Espírito conservador por excelência, Gregório XVI defendia o caráter imutável da disciplina da Igreja, dedicando até mesmo um parágrafo da encíclica *Mirari Vos*, de 1832, à questão do celibato clerical e condenando os reclamos de "alguns eclesiásticos que, esquecendo sua dignidade e condição e

VIDA RELIGIOSA

arrastados pela ânsia de prazer, chegaram a tal licença que se atrevem, em alguns lugares, a pedir, pública e repetidamente, aos Príncipes que suprimam semelhante imposição disciplinar" – condenação esta, aliás, que certamente visava, entre outros, a Feijó e aos outros "noivos" do clero brasileiro, na pitoresca expressão de D. Romualdo de Seixas. E, o que é muito mais importante, na mesma encíclica reafirmava o pontífice a doutrina católica sobre as relações entre a Igreja e o Estado, chamando os Príncipes ao dever primordial de defender a religião romana: "Que também os Príncipes, nossos muito amados filhos em Cristo, cooperem com seu concurso e atividade para que se tornem reais nossos desejos em prol da Igreja e do Estado. Pensem que a autoridade lhes foi dada não só para o Governo temporal, mas sobretudo para defender a Igreja, e que tudo quanto pela Igreja façam redundará em benefício de seu poder e de sua tranqüilidade; cheguem a persuadir-se de que deverão estimar mais a religião do que o seu próprio império e que sua maior glória será, digamos com São Leão, quando à sua própria coroa a mão do Senhor vier a acrescentar-lhes a coroa da fé." É, no fundo, a velha idéia segundo a qual cabe ao poder temporal, impregnado da fé católica, pôr toda a sua força na propagação e no triunfo dela. Estando para a Igreja como a Lua está para o Sol, o Estado, daquela recebendo sua luz, não é senão o seu instrumento temporal. Tal atitude espiritual e tais idéias, potencializadas ao máximo, compõem o pano de fundo do pontificado de Pio IX, inspirado, em seus momentos cruciais, pela ala mais radicalmente ultramontana da Companhia de Jesus. A expressão doutrinária fundamental desse estado de espírito é a encíclica *Quanta Cura* e o *Syllabus* que a acompanha; sua obra concreta essencial, o Concílio do Vaticano e a proclamação do dogma da infalibilidade. O *Sylabus Errorum* condena sem apelação o racionalismo, absoluto ou moderado, o naturalismo, o indiferentismo, o latitudinarismo, a idéia da Igreja livre no Estado livre (i.e, a separação da Igreja e do Estado), o primado do poder civil, a idéia da dependência do poder eclesiástico, o liberalismo, o progresso, a civilização moderna etc., numa contraposição formal e absoluta entre a Igreja e a opinião moderna, declaradas incompatíveis. Em uma palavra, o *Syllabus* retoma a luta pela preponderância da autoridade espiritual da Igreja sobre a sociedade civil. De acordo com suas teses, a sociedade inteira há de estar impregnada de catolicismo, a educação deverá ser submetida à Igreja (prop. 45, 47, 48) e os clérigos devem estar fora da jurisdição do Estado e submetidos apenas ao foro eclesiástico para suas causas temporais, civis ou criminais (prop. 31). São ideais de todo em todo opostos aos da civilização moderna, do progressismo e liberalismo, causadores, de acordo com a alocução *Jandudum Cernimus*, de 18 de março de 1861, de "tantos males deploráveis, tão detestáveis opiniões, tantos erros e tantos princípios absolutamente opostos à religião católica e à sua doutrina". Tais erros e males, acentua-se, são a liberdade de consciência e de pensamento, a confiança no homem e, em sua razão, a crença de que todo o poder emana do povo etc., que constituem os pilares em que se assenta a laicização da vida, ideal insubstituível do pensamento liberal dos séculos XVIII e XIX.

Ao lado da doutrina ultramontana, ergue-se, amparando-a, o dogma da infalibilidade: no momento mesmo em que Pio IX se torna o "prisioneiro" do Vaticano, despojado do poder temporal, a catolicidade proclama o seu infalível império espiritual. O ideal sustentado por Joseph De Maistre no famoso *Du Pape* se configura de direito através da obra do Concílio do Vaticano: o "neocatolicismo" da supremacia papal triunfa sobre o "velho catolicismo" que sustentava a supremacia do Concílio.

O Ultramontanismo   Tais idéias ultramontanas encontraram eco no Brasil
no Brasil   algum tempo antes do apostolado intransigente de D. Vital e de D. Antônio Macedo Costa, se não no selo do clero, pelo menos entre o laicato católico. Ainda está por ser feito um estudo adequado da evolução das idéias católicas no Brasil, assentado em amplo levantamento de fontes, que nos permita avaliar, com relativa certeza, que profundidade teve e quão extensa foi a penetração dos ideais ultramontanos entre a catolicidade nacional nos anos anteriores a 1872/1873. Alguns dados, contudo, autorizam-nos a crer que tal penetração existiu, encontrando as teses do *Syllabus* e o sistema de pensamento do catolicismo integral alguns apaixonados defensores. Assim, por exemplo, numa *Memória Histórica* da Faculdade de Direito do Recife, relativa ao ano de 1868, encontramos precioso depoimento de Tarquínio Bráulio de Souza Amaranto (que iria ter, posteriormente, destacado papel na defesa dos bispos) atestando os progressos da filosofia católica do Direito no estabelecimento de que era professor: "A escola de Kant e seus sequazes Zeiller, Ahrens e outros, que por tanto tempo dominou exclusivamente entre nós – afirmava Tarquínio –, se não tem sido completamente substituída, vai ao menos sendo contrabalançada pelas doutrinas da escola que chamarei cristã, e a cuja frente tem estado em nosso século o douto Taparelli, de saudosa memória, Liberatori, Benza e ultimamente o modesto anônimo autor das excelentes *Institutas de Direito Natural...*" Basta atentar para os autores citados a fim de perceber o caráter ferrenhamente ultramontano

dessa "escola cristã", baseada no *Sumário do Direito Natural Privado e Público*, de Benza, em *A Igreja e o Estado*, de Liberatori, ou nas obras sobre o direito natural, de Taparelli d'Azeglio, todas elas acordes na sustentação da supremacia da Igreja. No seu *Curso de Direito Natural*, por exemplo, Taparelli condena a liberdade de pensamento, sustenta a necessidade de uma autoridade religiosa infalível e defende a delicada tese segundo a qual "a lei eclesiástica pode derrogar a civil, sempre que esta se opõe ao bem da sociedade universal ou viola os direitos dos membros nas sociedades particulares", bem e direitos estes naturalmente definidos pela infalível autoridade da Igreja. A ser legítima a informação de Tarquínio de Souza, torna-se patente que o ultramontanismo tinha já o seu lugar no próprio ensino superior, antes que D. Vital sonhasse ser bispo. Outro documento incontestável da penetração do ideal ultramontano é o livrinho de José Soriano de Souza, irmão de Tarquínio de Souza, *A Religião do Estado e a Liberdade de Cultos*, publicado em 1867 no Recife. De acordo com Soriano de Souza, o "Estado sem religião", isto é, laico, neutro, é um absurdo moral. Isso não quer dizer, entretanto, que o Estado deva professar uma religião qualquer: "Essa religião, sem a qual a sociedade perderia o seu caráter racional, para converter-se em uma pura agregação de indivíduos silvestres, claro é que não pode ser outra que aquela mesma que formou as sociedades modernas, elevando-as à altura do progresso e civilização em que hoje as vemos, a saber, a religião católica." Aliás, continua o A.: "Não há progresso moral sem aperfeiçoamento do espírito, e só o catolicismo aperfeiçoa. Essas duas proposições são igualmente incontestáveis, e dispostas em forma silogística dariam a conclusão irrefragável que aos Estados só convém a religião católica." A conseqüência a que tais princípios levam é a que se poderia esperar, optando o A. pela negação do direito à liberdade dos cultos religiosos que não o católico, no máximo tolerados e pela condenação formal da liberdade de manifestação do pensamento. E não é só; já nesse livro, Soriano advoga a necessidade da fundação de um partido católico, idéia que iria ser revivida no auge da questão religiosa: "Seria muito para desejar a formação de um partido católico que, pugnando pela conservação dos grandes princípios da ordem social, tomasse a peito a defesa das doutrinas católicas e procurasse passá-las a todos os atos da vida política e social da nação, sempre de conformidade com as regras e ditames da Igreja. Esse seria o único partido verdadeiramente nacional, porque teria por norte certo e definido o que há de mais íntimo e caro no espírito da família brasileira – a fé religiosa."

A reação ao Ultramontanismo Nada melhor para confirmar a existência de uma vaga ultramontana do que a reação inequívoca a ela. Tal reação a encontramos igualmente no Brasil anterior aos momentos críticos da questão religiosa. Mesmo antes da publicação do *Syllabus*, mas quando já era mais do que evidente a orientação do pontificado de Pio IX, marcado por uma série imensa de bulas e alocuções condenatórias do "espírito do século", Tavares Bastos afirmava nas *Cartas do Solitário*, em dezembro de 1862: "Levantemo-nos, meu amigo, e apressemo-nos em combater o inimigo invisível e calado que nos persegue nas trevas. Ele se chama o espírito clerical, isto é, o cadáver do passado: e nós somos o espírito liberal, isto é, o obreiro do futuro." Mas, talvez o mais curioso exemplo de reação antiultramontana e antijesuítica seja o oferecido por um projeto de "liberdade de ensino", ao Senado, apresentado a 25 de maio de 1869 pelo liberal de Alagoas, Antônio Luiz Dantas de Barros Leite. Curioso porque a reivindicação da "liberdade de ensino" era, na ocasião, uma das teclas em que mais batia o ultramontanismo francês – alvo predileto de nosso liberais – que com essa bandeira conquistara importantes posições em 1850, em seu país, com a decretação da lei de 15 de março, conhecida como Lei Falloux. Dantas de Barros Leite, temeroso contudo de que o "jesuitismo" empolgasse a consciência dos dirigentes supremos do país, reivindica a "liberdade de ensino" para garantir a sobrevivência dos ideais liberais. "Eu receio – afirma o Senador – que monopolizada a instrução pública pelo Governo, e invadido o país por jesuítas não venha a instrução eclesiástica e secular cair nas mãos do clero mais desmoralizado do mundo católico. O clero em geral não oferece garantias de moralidade por falta de família; porém o de Roma, Nápoles e Espanha é reconhecido em todo o mundo como o mais imoral, simoníaco e sigilista"... E adiante, no mesmo discurso em que justifica o seu projeto, continua Dantas de Barros Leite: "Antigamente os bispos entre nós prestavam juramento de obedecer ao Rei e não praticarem coisa alguma que pudesse perturbar a tranqüilidade do Império; hoje eles não prestam outro juramento senão à Santa Sé, antes de receber a mitra; e esse juramento se reduz a trabalhar para engrandecer os direitos da Santa Sé e matar hereges." Não é este o lugar próprio para transcrever o texto deste esquecido projeto; as passagens do discurso justificativo são, contudo, suficientemente eloqüentes para marcar essa aguda oposição aos ideais ultramontanos, o que é um índice seguro da sua propagação no país. Ressalte-se ainda o tom quase profético das palavras do Senador liberal, a temer a "perturbação da tranqüilidade do Império" por bispos inteiramente fiéis à Santa Sé, isto é, por bispos ortodoxamente católicos.

Os quatro exemplos citados, se não são inteiramente concludentes, bastam, contudo, às nossas intenções, revelando a existência de um clima espiritual propício à tomada de posições nítidas que levariam, irrecusavelmente, à atualização do conflito latente entre a Igreja e o Estado que o texto da Constituição de 1824 estava abertamente a proclamar.

Reivindicações do Resta, ainda, um filão a explorar, antes de passarmos
liberalismo radical ao exame do que chamamos o "momento dramático" da questão religiosa e que é indispensável à inteira compreensão do problema que nos ocupa: trata-se das reivindicações do liberalismo radical, monárquico ou republicano, pouco importa, a que iria associar-se mais tarde a onda cientificista, e que, se não foram responsáveis pelo desencadeamento do episódio dos bispos, o foram, ao menos, pela ampliação da questão, aumentando-lhe as proporções e ligando-a com vários problemas, políticos, sociais, econômicos e culturais, que em larga margem tinham sua solução entravada pelo regime de união entre a Igreja e o Estado. Só isto explica que um episódio de significação aparentemente limitada se transformasse numa das grandes questões do Império.

Todo o liberalismo, independentemente dos fundamentos éticometafísicos em que assenta sua concepção do homem e da história, concorda em deduzir do princípio prático da liberdade de consciência todo o sistema de suas reivindicações. Ora, a liberdade de consciência, embora proclamada em tese no art. 179 da Constituição do Império, era não só limitada pelo Código Criminal e pelos Estatutos das Faculdades, mas também pela própria Carta que a assegurava, através do art. 5º e do § 3º do art. 95, este último a excluir do direito fundamental de tornar-se representante do povo "os que não professarem a religião do Estado". A plena liberdade de consciência era, pois, pelo menos teoricamente, incompatível com o regime de união entre Igreja e Estado. Claro que o Império não impediria ninguém de pensar o que bem quisesse, mas proibindo a manifestação franca desse pensamento, desde que se não pautasse pela religião oficial, limitava irremediavelmente o exercício dos direitos do cidadão. Para colar grau nas faculdades do Estado, para exercer empregos públicos, para desempenhar as funções de Deputado ou Senador, era necessário o juramento católico. Um único caminho podia, nessa situação, satisfazer aos liberais autênticos, desde que não sacrificassem o radicalismo de sua posição a quaisquer considerações de conveniência, pessoais ou nacionais: o da separação entre a Igreja e o Estado, realizando a fórmula de Cavour, "a Igreja livre no Estado livre", ou a mais exata, defendida em *La Politique Radical*, de Jules Simon – "as Igrejas livres no Estado livre".

Aspiração permanente do liberalismo verdadeiro, a tese da separação entre Igreja e Estado nem sempre podia ser francamente ventilada e poucas vezes o foi antes da questão religiosa; afinal, sustentá-la, para o empregado público, para o professor ou para o deputado, era, de certa forma, negar a Constituição que jurara defender. Pouco antes do episódio dos bispos verificam-se, entretanto, várias manifestações francas no sentido da separação. Liberato Barroso, na linha do catolicismo liberal à Montalembert, sustenta-a abertamente em princípios de 1869, na segunda sessão da Conferência Radical no Rio de Janeiro. Tavares Bastos a defende em 1870, em *A Província*, vendo no regalismo apenas o remédio para a situação presente e nela a solução definitiva. Ainda em 1870, o *Manifesto Republicano* profliga a nulificação da liberdade de consciência por uma igreja privilegiada, sustentando implicitamente a necessidade da separação. E não vai nessa atitude apenas a defesa do princípio liberal supremo; ela envolve também uma questão eminentemente prática, de interesse econômico e social.

Religião e Imigração   Já nessa época o liberalismo nacional mais esclarecido, aliado ao cientificismo que ainda engatinha no país, propõe com clareza o problema da imigração, imigração necessária para a colonização do país, para o incremento da produção agrícola e como elemento eficaz para resolver o problema da abolição do trabalho escravo. Ora, como seduzir o imigrante, atraindo-o para o país, se lhe limitam os direitos? Poucos anos mais tarde, em 1877, após o episódio dos bispos, mas antes ainda do atendimento das reivindicações liberais que só a República viria a consagrar, Rui assim resumia a questão, numa das passagens da Introdução a *O Papa e o Concílio*: "Enquanto não oferecermos ao imigrante senão direitos mutilados, evidente é que não há de trocar o gasalhado fraternal da União Americana pela condição *capitis* diminuída, a que nossos códigos o condenam. Raças livres e laboriosas, ou laboriosas e sedentas de liberdade, não irão buscar nunca outra pátria à sombra de uma nação que reduz politicamente à subalternidade perpétua o naturalizado e nega-lhe ao Deus, à fé, ao culto de sua consciência a igualdade legal. Encetai o caminho de reformas leais, amplas e generosas, libertai desse ilotismo o hóspede que vem fundar entre nós família e futuro; reduzi as naturalizações à simplicidade americana; equiparai o cidadão nato ao naturalizado; nivelai, sobretudo, o culto do imigrante ao culto da maioria; e, com certeza, a imigração, natural, suave, ininterrompida, abundantemente, buscará estas plagas cheias de sedução, de bênção e de futuro." Como se vê do texto, para o liberalismo de então a separação entre a Igreja e o Estado, se não era a única, era, contudo, a principal condição para tornar o país atrativo ao imigrante, sequioso de uma nova vida, mas não ao preço de suas crenças. Nos anos da questão religiosa, os debates do Parlamento e da imprensa giram com freqüência em torno deste tema: Saldanha Marinho, Cristiano Otoni, Silveira Martins e outros muitos batem repetidamente na mesma tecla.

Liberalismo, republicanismo e religião   É claro que tal radicalismo liberal, como dissemos, teve influência decisiva na ampliação das proporções da questão religiosa, explorando-a sob todos os aspectos: de fato, o episódio dos bispos – a resistência ao poder civil, o processo, a condenação e a prisão – demonstrava de forma irretorquível a falência do sistema de união entre a Igreja e o Estado; revelava de modo cabal a incompatibilidade entre o "país legal" e o "país real". Deixaria o liberalismo escapar a oportunidade única, particularmente quando podia aliar a defesa de seus ideais nucleares ao combate ao inimigo irreconciliável representado pelo ultramontanismo "jesuítico" do *Syllabus*? E perderiam os republicanos a possibilidade de estender a crítica, vendo na questão religiosa não só a falência do sistema de união entre a Igreja e o Império, mas o sofisma da própria organização imperial?[3] Por sua vez, o cientificis-

_____

[3] Insiste-se, com freqüência, no fato de terem os republicanos agido maquiavelicamente durante a questão religiosa, aproveitando-se dela para atingirem objetivos políticos que nada tinham a ver com ela, para isso procurando uma aliança espúria com os defensores dos bispos. Na verdade, foram os católicos, em grande número, que se aproximaram dos republicanos na sua luta contra as instituições vigentes, procurando comprometê-los com a defesa de suas teses. A esse respeito, o Congresso Republicano realizado em São Paulo, a 8 de abril de 1874, em manifesto assinado por Antônio Augusto da Fonseca, Bernardino de Campos, Campos Salles, João Tebiriçá Piratininga e Quirino dos Santos, pôs a questão nos seus devidos termos. Nesse manifesto escreve-se, entre outras coisas, o seguinte: "Os ultramontanos manifestam tendências de aproximarem-lhe (ao Partido Republicano) no intuito de uma resistência combinada ao governo monárquico, uma vez aceitas pelo partido republicano as doutrinas do *Syllabus* como preceitos políticos. O partido democrático, como qualquer outro que pretenda uma organização social fundada nos bons princípios de direito público, não pode desconhecer a diversidade profunda entre os direitos e obrigações que constituem as relações sociais de homem a homem, e os deveres do homem para com Deus, que são os do foro exclusivo da consciência individual e que por isso mesmo escapam à alçada dos governos. Desta base nasce principalmente para os que aceitam e representam as idéias da democracia o princípio fundamental da diferença e completa distinção entre o Estado e qualquer Igreja, quer no ponto de partida, quer nos meios e fins de uma e outra sociedade. (...) Daí a monstruosidade e aberração dos intuitos do *Syllabus* ultramontano, código de preceitos francamente sociais e políticos que pretende tirar a César o que é de César e entregar ao mando autoritário da Igreja não só a consciência, mas as relações civis e políticas que constituem a sociedade temporal. (...) Em tais conjunturas é irrisória para os republicanos brasileiros a declaração que oficial e oficiosamente formulou a imprensa

mo nacional engrossava as fileiras dos que defendiam as teses sustentadas pelo liberalismo radical, explorando amplamente a questão. É em função da questão dos bispos que Pereira Barreto escreve *As Três Filosofias*, procurando demonstrar que ela prestava um grande serviço à Nação, funcionando como um "divisor de águas" entre a antiga e a nova mentalidade e demonstrando o caráter irrecuperável da filosofia teológica, nos termos do esquema de seu mestre Augusto Comte.

Num de seus impressionantes discursos perante a Câmara dos Deputados, pronunciado a 31 de julho de 1873, Silveira Martins, depois de analisar amplamente a questão dos bispos, reconhecia não haver "nas leis meios regulares que possam resolver, sem anarquizar a sociedade, o lamentável conflito que os bispos levantaram contra o poder civil". Ora, se as leis não ofereciam solução legítima para o conflito, o remédio era mudá-las. Não era outra coisa o que desejavam os liberais avançados, republicanos ou não, e os republicanos todos, liberais ou positivistas. Graças a eles a questão religiosa se transforma num libelo contra a situação vigente, que envolve a Igreja e o Império. Graças a sua atuação ganha consistência um vasto programa reformista que, transcendendo o problema das relações entre o episcopado e o Império, afeta todo o futuro nacional.

É a partir dessa ampla perspectiva que se pode compreender a questão religiosa, é tendo-a presente que se pode enfrentar o episódio dos bispos, tantas vezes encarado como simples produto da obstinação do episcopado e do Imperador, como se esta mesma obstinação fosse um ato gratuito, resultado apenas da "testa calda" de D. Vital e da majestade ofendida de D. Pedro II.

---

diocesana do Rio de Janeiro, asseverando que não faz questão nem condena qualquer forma de governo – *monárquica* ou *poliárquica*. A mesma afirma, peremptoriamente, que o partido ultramontano só aceitará o governo (monarquia ou república) que esteja assentado sobre os PRINCÍPIOS POLÍTICOS do *Syllabus*. Por nosso turno, nós os republicanos representados no Congresso de S. Paulo declaramos que nossa bandeira política é a democracia e que jamais confundiremos esta com os *Syllabus* – sua negação e condenação formal, expressa e categórica." Essa formal rejeição de uma aliança concebida em termos espúrios parece-nos suficiente para repor o problema nos seus devidos termos. Se havia republicanos ultramontanos, como um Albino Meira, por exemplo, disso não cabe responsabilidade no Partido Republicano que, por suas vozes mais autorizadas – a de Saldanha Marinho, por exemplo –, não transigiu um só momento a esse respeito. Para os republicanos a questão religiosa só vinha mostrar a caducidade das instituições e, nesse sentido, com toda a legitimidade, a exploraram. Mas exploraram-na sem confundir a sua causa com objetivos que lhe eram estranhos, mesmo quando alguns deles assumiam a defesa dos bispos, como foi o caso do jornal *A República*.

III

Escrevendo sobre a questão religiosa, em 1873, Saldanha Marinho, numa das páginas mais penetrantes de *A Igreja e o Estado*, equacionava de maneira impecável o problema, do ponto de vista liberal:

O ponto de vista liberal: Saldanha Marinho

"Para que a fé religiosa – escrevia o temível Ganganelli – que serviu de base a uma sociedade nascente possa também servir-lhe de ponto de apoio na continuação de sua vida política, seria preciso que essa fé religiosa fosse estável, ao abrigo de qualquer mudança, de qualquer inovação, de qualquer incredulidade nos espíritos. Em todo o Estado, em que a lei política é baseada sobre a fé religiosa, a lei política baqueia, logo que a fé religiosa é atacada. O edifício não pode manter-se em pé quando o alicerce está minado. A primeira condição, pois, de um tal governo é a necessidade absoluta de conservar intactas a força e a unidade da fé religiosa que lhe serve de base – isto é, o *impossível*. É o *impossível* e pode-se também dizer o *imoral, o bárbaro, e medonho abuso do poder*! Porque, tendendo o espírito humano a dividir-se incessantemente em suas crenças religiosas, alteradas, renovadas, modificadas pelos progressos gerais das ciências físicas ou morais; para conservar uma *crença religiosa fixa e imutável*, seria preciso que a lei política oprimisse os espíritos, lhes impusesse sua fé, de alguma sorte lhes servisse de consciência, e que os algozes acabassem a obra impossível a seus pregadores. Ora, a lei política acha-se então entre estes dois escolhos, não pode mais viver se não se mantém, pela força, a unidade da fé; e não pode manter essa unidade pela força, porque nossas crenças íntimas são, por sua natureza, de tal sorte independentes que cada um de nós não pode modificá-las a seu bel-prazer. (...) A lei política é, pois, apesar de todos os rigores que se possa imaginar, impotente para manter as crenças religiosas. Seus rigores podem fazer vítimas ou hipócritas, mas não farão crentes. Ora, a lei política acha em suas vítimas novos inimigos; nos hipócritas convertidos nunca encontrará a força da obediência ativa e da influência, da qual governo algum pode prescindir. Toda a lei política, pois, baseada na fé religiosa, há de irremissivelmente chegar à sua morte depois de experimentar a impotência das perseguições. É o ponto a que mais tarde ou mais cedo atinge toda a religião de Estado." Em uma palavra, nas sociedades em que não há unidade de crenças a religião não pode ser o fundamento da organização política. E assim, não pode "existir regularmente *religião de Estado*, isto é, religião privilegiada, porque, sendo cada uma das religiões verdadeira aos olhos dos cidadãos que a professam, nenhuma delas tem títulos para dominar as outras".

Anacronismo da união Igreja-Estado

A análise de Saldanha Marinho é fundamentalmente correta: não se tratava, apenas, de ser favorável ou contrário ao regime de religião de Estado; tratava-se de compreender que tal regime era incompatível com a realidade histórica do país e que a sua manutenção levava, de forma necessária, a inglórios conflitos sem solução. Como notava desabusadamente Silveira Martins, num momento em que a condição de Deputado supunha a fidelidade ao regime religioso-político vigente, através do juramento, "este conflito, que se levanta atualmente entre o espiritual e o temporal, tem origem naquele princípio fatal, que espero ver um dia suprimido da Constituição do Império – o casamento da Igreja e do Estado". Todo o pensamento "moderno" liberal, positivista ou cientificista, se orientava na mesma direção. O país, que se renovava intelectualmente a partir de 1870, que aderia à vaga cientificista e positivista de então, não podia suportar mais o velho regime da religião oficial, divorciada das suas aspirações e crenças. A liberdade de consciência ou a "liberdade espiritual", na terminologia positivista, não podia tardar: a mentalidade "moderna" não podia conter-se mais nos limites da anacrônica união entre a Igreja e o Estado.

Resistência à separação Igreja-Estado

Todo o pensamento moderno, entretanto, estava, de certo modo, à margem da questão: se ele triunfava nas discussões, faltava-lhe, contudo, o poder necessário para a execução de suas teses. O Estado, obstinadamente, vetava as suas propostas. Já vimos como o Imperador mantinha-se fiel ao regime de união, a separação parecia-lhe uma calamidade que deveria, enquanto pudesse, evitar, e era natural que assim o fosse. Mas o Imperador não estava sozinho: toda a geração mais velha, praticamente, pensava como ele. Nabuco de Araújo, por exemplo, em discurso pronunciado no Senado, depois de mostrar-se favorável, em tese, ao regime da "Igreja livre no Estado livre", rejeitava-o para o Brasil. Em nosso país, argumentava, ou a separação nulificaria a Igreja, o que lhe parecia um mal irreparável ou a fortaleceria de tal forma que a levaria a dominar a sociedade inteira – o que lhe parecia um mal ainda maior. Assim, não haveria de ser do Monarca ou da Monarquia que haveria de vir a sonhada separação.

Mas, como a Monarquia, pensava também a Igreja. Na sua obra *O Bispo de Olinda e os seus acusadores perante o Tribunal do Bom Senso*, D. Vital combate com todas as suas forças a idéia da separação entre os dois poderes, mesmo porque, escreve, "o negócio que mais importa aos povos, mesmo politicamente falando, é a glória de Jesus Cristo, fonte de todo o bem; como, também, o maior crime que pode uma

VIDA RELIGIOSA

nação cometer, mesmo sob o ponto de vista social, é apostatar de sua fé sacrossanta". Nessas condições, não se pode admitir o "ateísmo legal". "Se na sociedade humana – continua ele – a Igreja é para o Estado o que é a alma para o corpo, claro está que separar a Igreja do Estado é o mesmo que separar a alma do corpo; e se o corpo, em lhe faltando alma logo decompõe-se, assim também o Estado sem a Igreja prestes cairá na decomposição social." Outra não é a doutrina sustentada por D. Macedo Costa, no seu *Direito contra o Direito*, em que vê no "esforço satânico para construir a sociedade sem Deus" – isto é, na separação entre a Igreja e o Estado, na liberdade de consciência e de cultos etc., – o princípio da *Revolução*, que mina as bases da sociedade humana. E como os dois bispos pensa todo o laicato católico esclarecido do tempo. É verdade que D. Vital, por exemplo, chega a considerar, o que é natural, melhor a separação do que a tutela da Igreja pelo Estado; mas toda a luta católica pela libertação dessa tutela não conduz, de forma alguma e em momento algum, ao apoio à tese da separação.

Muito depois dos episódios que envolveram os bispos, os católicos ortodoxos, laicos ou eclesiásticos, continuaram a sustentar a mesma opinião. Em 1885, por exemplo, Júlio César de Moraes Carneiro, o futuro Padre Júlio Maria, nas suas *Apóstrofes*, prosseguia impávido na defesa da união entre a Igreja e o Estado, concebida nos mesmos termos em que antes a concebiam D. Vital e D. Macedo Costa. "Proclamar", escrevia o A. das *Apóstrofes*, "a completa independência do Estado em face da Igreja é fazer política falsa e perniciosa. Falsa, porque nenhuma política pode prescindir de certos princípios que formam por assim dizer a unidade moral do mundo. Perniciosa, porque subtrair o Estado à influência da Igreja é tirar-lhe a base da ordem e estabilidade." E precisando o seu pensamento, acrescentava: "A teocracia não pretende a nulificação do Estado. O que ela pretende e prescreve é que o Estado está na Igreja como o filho nos braços de sua mãe, que a religião é o fim dos impérios, e que estes devem ser conduzidos pelo poder temporal de acordo com a Igreja, à posse eterna do soberano bem." E até após a proclamação da República não foi outra a atitude da Igreja, como se pode depreender da famosa *Pastoral Coletiva do Episcopado Brasileiro*, de 19 de março de 1890, redigida por D. Antônio de Macedo Costa. Esse documento tem, aliás, desafiado a inteligência de alguns de nossos historiadores. João Dornas Filho, por exemplo, no seu bem documentado livro *O Padroado e a Igreja Brasileira*, afirma a respeito: "É um documento incompreensível essa pastoral. Contraditório e dubitativo, cheio de restrições e desconfianças que contrastam com a inteligência retilínea desse admirável argumentador que era D. Macedo Costa. Avança e recua com a desorientação de uma bússola no pólo. Afirma e contesta. Aceita aqui o princípio da separação para logo fulminá-lo com aquela trovejante bravura que punha todos os seus escritos da questão religiosa." Na realidade, o documento é cristalino nas suas posições. Ao contrário do que diz o historiador em questão, não se aceita aí, em momento algum, o *princípio da separação*: o que se faz é mostrar que a união, concebida como tutela da Igreja pelo Estado, era intolerável para aquela e que, *nessa situação concreta*, a separação equivalia a uma libertação. Em uma palavra e retomando a distinção jesuítica de *La Civiltà Cattolica*, o episcopado aceitava a separação como "hipótese", nunca como "tese". E não poderia aceitá-la como "tese", como princípio, porque, fazendo-o, entraria em choque com a doutrina da Igreja, vigorosamente reafirmada por Gregório XVI, Pio IX e Leão XIII, este particularmente na encíclica *Immortale Dei*, de 1885. A atitude do episcopado brasileiro não difere, aliás, da do próprio Leão XIII, de acordo com o depoimento de Campos Salles, no seu livro *Da Propaganda à Presidência*. Tratando da separação entre a Igreja e o Estado e referindo-se às relações instituídas sob a Monarquia, conta-nos Campos Salles que Leão XIII lhe disse, em 1898: "A Igreja sente-se melhor hoje no Brasil, com as instituições republicanas, do que sob o regime decaído." E Leão XIII, é evidente, não era partidário da separação entre a Igreja e o Estado; ele também se referia à "hipótese", isto é, à situação de fato, não à "tese", isto é, à situação de direito.

Maré em favor do Estado laico   A questão religiosa demonstrara que a separação entre a Igreja e o Estado era uma necessidade, mas os implicados diretos no conflito, isto é, os bispos e seus seguidores, de um lado, o Imperador e os velhos monarquistas, de outro, não compreenderam ou não aceitaram essa necessidade. Pouco importava, contudo, a obstinação do episcopado ou a da Montanha: a idéia de uma organização política autenticamente liberal e verdadeiramente laica ganhava, a cada dia, os espíritos não comprometidos com a ordem vigente. Às vozes dos liberais juntava-se a dos positivistas, ortodoxos ou heterodoxos, clamando pela reforma das instituições e pela derrubada das privilégios religiosos. Desde 1879, aliás, começavam a surgir brechas no sistema. Primeiro é o decreto de 19 de abril de 1879, sobre o ensino livre e devido ao Ministro Leôncio de Carvalho, que, no seu art. 25, dispensava do juramento católico e até mesmo de qualquer juramento religioso todo o pessoal docente e administrativo das escolas primárias e secundárias. Vem depois a reforma

VIDA RELIGIOSA

eleitoral de 1881 (Lei Saraiva, de 9 de janeiro), que permitia a elegibilidade dos acatólicos. Em uma palavra, aqui e ali, o sistema da religião oficial ia sendo aos poucos minado, para atender às reivindicações da consciência moderna.

Escrevendo em 1890 sobre *O Advento da República no Brasil*, Cristiano Benedito Ottoni assim explicava este acontecimento:

A questão religiosa
e o fim do Império
"Quatro são, a meu ver, as causas principais que determinaram e precipitaram a mudança da forma do Governo, realizada no dia 15 de novembro de 1889: 1ª – A abolição da escravidão doméstica; 2ª – A evolução natural da idéia democrática; 3ª – As queixas e descontentamento da oficialidade do Exército; 4ª – O descrédito, que a Política Imperial lançou sobre a instituição monárquica."

Aproveitando-nos desse esquema, precioso na medida que foi pensado no momento mesmo em que se processavam os fatos ligados à mudança do regime, podemos, em função dele, situar a questão religiosa em face do desmoronamento da instituição imperial. De um lado, ela serviu à evolução da idéia democrática e republicana, pondo a nu as fraquezas, as injustiças e a irrealidade da organização vigente; de outro, contribuiu para o descrédito que a política imperial lançou sobre a instituição monárquica, na medida em que todo o aparatoso processo dos bispos, deixando intacta a questão, no que ela tinha de fundamental, serviu apenas para mostrar a impotência da Monarquia.

Não foi, pois, por engrossar as hostes republicanas, com a adesão de alguns católicos eventualmente desiludidos com o poder imperial, que a questão religiosa teve o seu quinhão na reformulação das instituições. O catolicismo não se voltou contra o Império, como mais tarde o fariam os proprietários de escravos feridos nos seus interesses pela Abolição; no máximo voltou-se contra a figura do Imperador, esperando impaciente pela subida ao trono da Princesa Isabel, conhecida pelo fervor religioso que chegava à beatice. Foi somente de forma indireta, contribuindo para mostrar o anacronismo das instituições e sua inadequação à realidade que ela contribuiu para o fortalecimento das idéias reformistas que, ainda quando não comprometidas com o republicanismo, apontavam todas, às vezes contra a vontade dos que as sustentavam, para a mudança do regime político da nação.

CAPÍTULO II

A QUESTÃO RELIGIOSA

D. Vital e
D. Macedo Costa

D. VITAL e D. Antônio de Macedo Costa foram, no Brasil, os mais legítimos representantes das teses que, inerentes ao catolicismo, encontraram expressão acabada no Pontificado de Pio IX. Formados ambos na Europa, regressaram ao Brasil com o espírito inteiramente moldado pelas doutrinas ultramontanas, prontos a servir sempre a causa do catolicismo, sem temor ou desfalecimento. Antes mesmo que se deflagrasse a chamada questão religiosa, D. Antônio de Macedo Costa já encetara a sua luta contra os inimigos do catolicismo romano. Quando foi sagrado bispo, em 1862, já se havia posto na arena da luta, seja combatendo o protestantismo, seja defendendo e explicando Pio IX, "pontífice e rei". Em fins de 1871 e princípios de 1872 vamos encontrá-lo em luta aberta contra o Partido Liberal do Pará e, mais especialmente, contra o *Liberal do Pará*, órgão do diretório daquele partido, empenhado em defender "a Razão Absoluta, impessoal, síntese de todas as razões sem ser nenhuma delas", Razão da qual "dependeria a sanção que torna aceitáveis as decisões da Igreja". E D. Vital, logo após a sua indicação para o Bispado, escrevendo a Pio IX, afirmava experimentar "uma alegria intensa em testemunhar a Vossa Santidade minha fé em tudo o que ensina e aprova a Santa Igreja Romana, mãe soberana de todas as Igrejas: sem hesitação – continuava – eu creio, afirmo e abraço todas as verdades que ela ensina, em particular os dogmas recentemente definidos pelo Concílio Ecumênico do Vaticano". Dois prelados com essa têmpera e com essas convicções não poderiam, de forma alguma, aceitar as espúrias alianças entre a Maçonaria e a Igreja, entre o catolicismo e o liberalismo que o negava ou desfigurava. A questão latente entre a Igreja e o Império estava prestes a patentear-se.

A suspensão do Padre
Almeida Martins

O primeiro fato concreto que levaria à abertura do conflito foi o tantas vezes narrado episódio da suspensão do Padre Almeida Martins pelo Bispo do Rio de Janeiro, D. Pedro Maria de Lacerda. Católico e maçom, o Padre Martins fora o orador oficial de uma festa comemorativa da promulgação da lei de 28 de setembro, realizada no Grande Oriente do Lavradio, em homenagem ao Visconde de Rio Branco, Presidente do Conselho e Grão-Mestre da Maçonaria brasileira. Ora, apesar do *modus vivendi* entre a Maçonaria e a Igreja brasileira, havia todo um arsenal de documentos pontifícios a fulminar os "pedreiros livres": a Constituição *In Eminenti*, de Clemente XII, de 29 de abril de 1738, a Constituição *Providas*, de Bento XIV, de 18 de maio de 1751, a Constituição *Ecclesiam a Jesu Christo*, de Pio VII, de 13 de setembro de 1821, a Constituição *Quo Graviora*, de Leão XII, de 13 de março de 1825, a encíclica *Qui pluribus*, de Pio IV, de 9 de novembro de 1846, e, do mesmo pontífice, a alocução *Quibus quantisque*, de 20 de abril de 1849, a encíclica *Noscitis et Nobiscum*, de 8 de dezembro do mesmo ano, a alocução *Singulari quadam*, de 9 de dezembro de 1854, a encíclica *Quanto conficiamur moerore*, de 10 de agosto de 1863, e a Constituição *Apostolicae Sedis*, de 12 de outubro de 1869. Bastava, portanto, a qualquer autoridade eclesiástica aplicar a doutrina: foi o que fez D. Lacerda, suspendendo de ordens o padre maçom.

A reação maçônica   A Maçonaria reagiu e é significativo o Manifesto que lançou, aprovado na Assembléia Geral do Povo Maçônico, no Rio de Janeiro, a 27 de abril de 1872, e no qual se sustenta, ao mesmo tempo, a plena compatibilidade entre o "bom católico" e a Maçonaria, e o antagonismo entre esta e o jesuitismo ultramontano. "O jesuitismo e a Maçonaria são dois inimigos irreconciliáveis. Separa-os um abismo, que não pode ser aplanado, porque representa o passado, que, assim como não se inventa, não se pode suprimir nos vastos e inconcussos domínios da história." Mas tal abismo nada tem a ver com o "bom catolicismo": "na sociedade brasileira tanto se parece um verdadeiro maçom com um bom católico, quanto um cadimo ultramontano com um velho jesuíta". Chega o Manifesto a admitir que "a Maçonaria na Europa tenha cometido desmandos e represálias que desconceituam a pureza da sua missão"; assim, entretanto, não acontece com a Maçonaria Brasileira, que "conquanto conserve o uso das cerimônias, símbolos, ornatos, sinais, fórmulas e abreviaturas das seitas maçônicas antigas – como um respeito às tradições – está bem longe de ser uma sociedade secreta, pois que os livros, de que se serve, andam expostos... compra de quem quer que os procure nas livrarias; são anunciados pela imprensa as suas sessões e os fins principais de suas festividades; acrescendo que nenhum de seus iniciados já foi coagido a abjurar da religião e das leis que vigoram no Estado". Acentue-se, aliás, que, durante todo o transcorrer da questão religiosa, as autoridades maçônicas insistiram sempre que sua incompatibilidade era apenas com o jesuitismo, com o ultramontanismo, em uma palavra, com o "neocatolicismo", nunca com o que entendiam ser a catolicidade legítima. Acontece, contudo, que o chamado "neocatolicismo", em oposição ao "velho catolicismo", de Doellinger e de tantos outros, era o catolicismo de sempre e, como tal, o representante da "catolicidade legítima", pois que tinha a seu favor a tradição. Assim, a afirmação de que a Maçonaria brasileira era diferente da européia em nada mudava a questão: não eram os maçons liberais, não lutavam pela liberdade de consciência? Bastava isso para que se mostrasse, em toda a sua luz, sua incompatibilidade com o catolicismo ortodoxo.

Ofensiva de D. Vital   A questão estava aberta e iria explodir primeiro em
contra os maçons   Pernambuco e, a seguir, no Pará. D. Vital, ao dirigir-se pela primeira vez aos seus diocesanos, em Carta Pastoral de 17 de março de 1872, parecia profetizar os acontecimentos que iriam seguir-se, na sua declaração de guerra ao "livre-exame" e à decadência dos costumes religiosos: "A independência do pensamento, a soberania da razão, a liberdade de exame em assuntos religiosos, princípios essencialmente subversivos que têm destilado mortífero veneno em quase todas as fontes de instrução, teorias especiosas e falazes que têm fascinado a mor parte da mocidade, incauta e amante de novidades; o enfraquecimento religioso; a indiferença, a descrença, a ignorância supina em matéria de religião, que vão lavrando de um modo espantoso e deplorável por todas as classes da sociedade; o materialismo grosseiro, o ímpio naturalismo que mofam e escarnecem desassombradamente dos sacrossantos mistérios e dogmas da nossa santa Religião; a medonha corrupção de idéias e a horrível depravação de costumes que já sobrepujaram todos os diques do decoro: tais são, amados Cooperadores, os tropeços e embaraços com que imprescindivelmente havemos de abalroar no desempenho da nossa missão divina..." Isto é, o jovem antístite tinha perfeita consciência de que lhe bastaria agir de acordo com a ortodoxia católica para que os "tropeços e embaraços" se verificassem: fê-lo apesar disso, porque proceder de outro modo equivaleria a renegar suas crenças – e os embaraços e tropeços se sucederam.

Disposto a restabelecer a ortodoxia católica ao menos em sua diocese, o Bispo de Olinda propôs-se a proceder com o maior rigor contra os católicos-maçons, levando-os a optar entre a Igreja e a Maçonaria. Seu primeiro passo *oficial* (para deixarmos de lado recíprocas ameaças e pro-

A QUESTÃO RELIGIOSA

vocações) foi dado a 28 de dezembro de 1872, por intermédio de ofício dirigido ao Vigário da Freguesia de Santo Antônio, com o seguinte teor: "Constando-nos que o Sr. Dr. Antônio José da Costa Ribeiro, notoriamente conhecido por maçom, é membro da Irmandade do Santíssimo Sacramento dessa Matriz, e pesando sobre os iniciados na Maçonaria pena de excomunhão maior lançada por diferentes Papas, mandamos que V. Revma., sem perda de tempo, dirija-se ao Juiz daquela Irmandade e ordene-lhe em nosso nome que exorte caridosa e instantemente o dito irmão a abjurar essa seita condenada pela Igreja. Se por infelicidade este não quiser retratar-se, seja imediatamente expulso do grêmio da Irmandade; porquanto de tais instituições são excluídos os excomungados. Da mesma sorte se proceda com todo e qualquer maçom, porventura membro de qualquer Irmandade existente na Freguesia de V. Revma. Aguardamos a comunicação de que as nossas ordens foram cumpridas." A Irmandade resistiu, dizendo que não podia cumprir o mandamento episcopal, "por lhe não dar o Compromisso direito para expelir a qualquer irmão em virtude de tal fundamento", isto é, pelo fato de o motivo invocado pelo bispo não constar do estatuto da Irmandade, aprovado ao mesmo tempo pelo poder civil e pelo eclesiástico, e fora do qual a Mesa Regedora não tinha poderes para qualquer decisão. D. Vital reitera a sua ordem a 9 de janeiro e, antes de obter qualquer resposta, a 13 de janeiro dá à irmandade o prazo de 4 dias para a execução de sua decisão. A Irmandade reunida responde ao *ultimatum* pela negativa, embora em termos corteses e equilibrados. Poucas horas após a resposta, a 16 de janeiro, D. Vital lança sobre a Irmandade desobediente a pena de interdito, que "permanecerá em pleno vigor até a retratação ou eliminação daqueles irmãos, que por infelicidade são filiados à Maçonaria". Em tempo, o Cônego Vigário Antônio Marques de Castilho, da Freguesia de Santo Antônio, acrescenta que "a Irmandade só fica interdita na parte religiosa, não podendo comparecer a ato algum religioso com sinais que indiquem serem irmãos, como, por exemplo, acompanhar o Santíssimo, assistir às festividades e reuniões com opas, nem mesmo mandar tirar esmolas, vestido o esmoler com capa ou opa etc.; ficando, porém, a Irmandade no pleno gozo de seus direitos na parte temporal, e administração dos bens da mesma Irmandade".

Decorrências políticas da atitude de D. Vital — À primeira vista, tratava-se de uma simples "questão de opa", como pitorescamente a definiria Silveira da Mota, num discurso pronunciado a 26 de julho de 1874 perante o Senado. Na realidade, porém, a questão envolvia aspectos graves e importantes, precisamente por causa do sistema de união entre a Igreja e o Estado. Não fosse essa situação e seria irretorquível a afirmação do Visconde de Abaeté perante o Conselho de Estado: "Não compreendo como possam ser membros de uma associação católica aqueles que a Igreja não considera tais." Em outros termos, se ser católico não fosse condição para o exercício de inúmeros direitos fundamentais, na esfera civil, a exclusão de uma Irmandade religiosa ou a própria excomunhão seria um assunto interno da Igreja, sem qualquer efeito civil. Num regime, contudo, em que a vida do indivíduo era tutelada pela Igreja do berço ao túmulo, em que não vigoravam o registro civil, o casamento civil, os cemitérios secularizados, em que ser católico era condição para bacharelar-se pelas escolas superiores e nelas lecionar, para exercer cargos públicos ou fazer parte da representação nacional, é claro que tal assunto, necessariamente, teria de ultrapassar a vida interna da Igreja e repercutir em cheio no domínio temporal. Poder-se-ia argumentar que tais efeitos civis não se verificariam nunca, desde que o Estado não tomasse conhecimento das penas de exclusão ou excomunhão, mas, nesse caso, o sofisma da religião oficial patentear-se-ia em toda a sua extensão e significado, com o Estado reconhecendo como católicos cidadãos que a Igreja Católica não considerava tais. Daí a gravidade que essa aparente "questão de opa" iria imediatamente assumir para o Estado e para todos os cidadãos que, fazendo-se passar por católicos ou acreditando-se realmente tais, se viam repentinamente ameaçados de exclusão de sua Igreja e obrigados, se nela quisessem permanecer, a abjurar de convicções liberais que eram a bandeira mesma da Maçonaria. Mas não ficava apenas nisso o problema: as Irmandades eram associações mistas, instituídas ao mesmo tempo pelo Estado e pela Igreja, um velando pela sua parte civil, a outra pela parte espiritual. Mas onde estava, exatamente, o limite entre o temporal e o espiritual? Vago e incerto, a quem competiria estabelecê-lo? À Igreja ou ao Estado? Se à Igreja, firmar-se-ia o primado desta, que poderia fazê-lo avançar até onde o entendesse; se ao Estado, estabelecer-se-ia a supremacia do poder temporal, que poderia igualmente avançar até o ponto que quisesse. Os bispos não poderiam aceitar a última tese; o poder civil nunca admitiria a primeira. Assim, nesse episódio aparentemente insignificante estavam envolvidos interesses opostos da maior importância e que lhe davam um relevo que custamos hoje a compreender: por trás da questão comezinha dos interditos reaviva-se, com calor e paixão, a secular luta entre a Igreja e o Império. Finalmente, como último dado explicativo do significado capital da luta, no mesmo domínio das relações entre a Igreja e o Império, era a própria doutrina do beneplácito régio que se punha em questão. As bulas, encíclicas e constituições apostólicas de condenação da Maçonaria não haviam recebido o *placet* imperial, não tendo, por conseguinte, do ponto de vista do Estado, qualquer valor no país. Ora, era em nome delas que D. Vital tomara suas decisões. Se estas fossem respeitadas, acreditavam os defensores das prerrogativas do Estado, este se desmoralizaria, submetido daí por diante à Cúria Romana. O bispo, por sua vez, não poderia mesmo respeitar, a não ser acomodando-se, o famoso *placet* imperial, direito contestado e repudiado pela Igreja: para ele as decisões papais tinham valor integral, independentemente de qualquer *referendum* do poder civil. Mais tarde, em fins de 1873, em sua obra *O Bispo de Olinda e os seus julgadores perante o tribunal do Bom Senso*, D. Vital justificaria de maneira brilhante a sua atitude, em face do próprio sistema vigente. Se o Estado fez da religião católica a crença oficial do país, raciocina o bispo, é porque a considera verdadeira e, considerando-a verdadeira, não pode sustentar a doutrina do beneplácito, que é por ela condenada. E desde que a sustente cai necessariamente em contradição, admitindo ao mesmo tempo a infalibilidade e a falibilidade do Papa, a falibilidade e a infalibilidade do Imperador. Segundo a interpretação dos regalistas, argumenta D. Vital, "se supõe o Papa Infalível, porque assim o ensina a crença Católica, e se supõe ao mesmo tempo falível, pois se conhece a possibilidade de erro em suas Constituições Apostólicas; se supõe o Imperador falível, porque assim o exige a fé Católica, e infalível porque se lhe atribui o direito de julgar, sem apelo nem agravo, as Constituições Pontifícias". O raciocínio parece irrefutável, mas os liberais opõem-lhe outro de igual força, expresso em diferentes formas por inúmeros parlamentares, intelectuais e publicistas e que pode ser resumido pela seguinte passagem de um discurso de Pinheiro Guimarães, perante a Câmara dos Deputados, a 19 de maio de 1873:

"A religião católica, mais do que qualquer outra, é intolerante, e assim deve ser, pois mais do que qualquer outra se apóia especialmente na revelação. Não aceita a intervenção da razão, antes propõe-se a dominá-la. Se ela é assim, se a intolerância é um elemento que não pode dispensar, nada mais natural, até certo ponto, do que rejeitar ela do seu seio todos aqueles que não quiserem estar por suas prescrições, modernas ou antigas, extravagantes ou não. Mas isto só poderá fazer livremente onde não for religião do Estado, onde seus ministros não tiverem deveres muito sérios a cumprir em relação à Nação. Reconhecendo-se como religião do Estado, ela não pode ter a liberdade que ambiciona; deve-se sujeitar às leis do país em que está estabelecida. Do contrário, sendo todos os cidadãos mais ou menos obrigados a segui-la, e podendo os seus ministros levá-los para onde quiserem; (pois quem governa o corpo, governa a alma), em breve absorveria todos os poderes e transformaria o Estado em uma teocracia." Sem o *placet*, perguntaria Vieira da Silva no Senado (13 de junho de 1874), "o que fica sendo a soberania do Estado senão uma soberania nominal?" E, antes mesmo da questão religiosa, Tavares Bastos argumentava em *A Província*: "Enquanto o Estado não for livre, há de sê-lo somente a Igreja? Beneplácito, investidura nos benefícios, recursos à coroa ou antes aos tribunais seculares, leis de mão-morta, inspeção do ensino eclesiástico, devem de vigorar enquanto prevalecerem os privilégios do catolicismo." Em suma, se não se admite o *placet*, num país em que o catolicismo é religião de Estado, estabelece-se o governo da Igreja, ficando o poder civil obrigado a obedecer a qualquer decisão pontifícia, ainda que esta venha a contrariar as leis do país. Ou como diria poucos anos mais tarde Rui, em *O Papa e o Concílio*, depois de defender a plena liberdade religiosa ainda inexistente: "É entre o regalismo e a teocracia que havemos de escolher; e, se não defendermos o regalismo, que é o regime constitucional; se não mantivermos o regalismo, isto é, a autonomia do Estado pondo o veto secular às invasões políticas da Igreja oficial, a conseqüência será a teocracia romana, isto é, o Estado servo da Igreja, o Estado clericalizado, o Estado subscrevendo às intimações do *Syllabus*."

Sem que tenhamos presentes, os argumentos contraditórios que examinamos, sem perceber o que resultaria, para o Estado e para a Igreja, do triunfo prático de uma ou outra das teses em conflito, todo o seguimento da questão religiosa que iremos examinar nas suas etapas marcantes seria incompreensível, não justificando os debates apaixonados que se travaram, o rigor desproporcionado do poder civil, a opiniática intransigência primeiro de D. Vital e depois de D. Macedo Costa. Em uma palavra, não é o conflito mesmo, mas o que há por trás dele, fundamentando-o, que transforma uma "questão de opa" em problema político de largo alcance.

Recurso dos maçons ao poder civil. Contestação de D. Vital — Lançada por D. Vital a sentença de interditos, a Irmandade voltou a recorrer ao bispo, pedindo-lhe a suspensão da sentença (20 de janeiro de 1873), tendo o antístite, na mesma data, confirmado sua decisão e sua disposição de levantar a pena, se "os irmãos maçons abjurarem, como devem, ou então forem eliminados". Os membros da Irmandade compreenderam então que a decisão do bispo era definitiva e buscaram outro caminho para a derrubada da sentença, agora com recurso ao poder civil, apoiados no Decreto n? 1.911, de 28 de março de 1857, que disciplinava os casos de recurso à Coroa. Esse decreto estabelecia, no seu art. 1º, §§ 1? e 3?: "Art. 1? – Dá-se recurso à Coroa: § 1? – Por usurpação de jurisdição e poder temporal. § 3? – Por notória violência no exercício da jurisdição e poder espiritual, postergando-se o direito natural ou os cânones recebidos na Igreja Brasileira." A 10 de fevereiro o recurso foi encaminhado ao Presidente da Província, Dr. Henrique Pereira de Lucena, que comunicou o seu recebimento a D. Vital, pedindo-lhe informações. A 20 de fevereiro responde-lhe o bispo "omitindo qualquer observação sobre as inúmeras inexatidões contidas na dita petição" e limitando-se a dizer "que semelhante recurso é condenado por várias disposições da Igreja". Não se poderia esperar, aliás, outra atitude da parte do bispo, que publicamente, em Pastoral de 2 de fevereiro, havia, ao lado da condenação veemente da Maçonaria, contestado a doutrina do beneplácito, estando implícita a sua negação ao valor do recurso à Coroa nos casos religiosos, já que se tratava, como o *placet*, de uma tese regalista. Mas D. Vital não só condenava a doutrina do beneplácito, como também, para efeito de argumentação, procurava mostrar que, ainda admitida esta, seu ato continuaria legítimo. Efetivamente, aí afirmava D. Vital: "Para que tanto se obstinam os pedreiros livres em apelar para o beneplácito imperial, quando este de modo algum pode livrá-los das gravíssimas censuras e penas cominadas contra a Maçonaria? Sim, de nada lhes serve o *placet* pelas razões seguintes: 1? Porque é doutrina condenada pela Igreja (...) 2? Porque as Bulas *In Eminenti* de Clemente XII e *Providas* de Bento XIV foram aceitas e publicadas em todo o Reino de Portugal e suas colônias, no tempo em que o *placet* havia sido extinto. 3? – Porque ainda mesmo que fosse admitido pela Igreja, de nada lhes valeria no caso vertente; porquanto os próprios defensores do beneplácito reconhecem e confessam que a ação dele não atinge às censuras, por serem penas espirituais e eclesiásticas, estabelecidas no intento de conter os fiéis e conservar os bons costumes." Claro é que o Estado regalista não poderia aceitar a primeira das razões; claro ainda que teria de contestar a terceira, em virtude dos efeitos civis que decorreriam da decisão espiritual, se acatada, dentro da lógica do sistema vigente. Quanto à segunda razão, discuti-la-iam os juristas durante todo o transcorrer da questão religiosa. Os partidários de D. Vital argumentavam que, tendo sido o *placet* revogado por D. João II em 1487, só voltou a vigorar com Pombal, no reinado de D. José I, em 1765, tendo as Bulas

In Eminenti, de 1738, e *Providas*, de 1751, sido expedidas, portanto, num momento em que não podiam ser atingidas pelo beneplácito inexistente. Contra-argumentavam os defensores das prerrogativas do Império, seja negando a suspensão do beneplácito régio no período em tela, seja insistindo em que o silêncio do poder civil acerca de bulas pontificiais não significava a sua aprovação: o que dá vigência às decisões pontificiais, explicavam, não é a omissão do poder civil, mas apenas o seu referendo expresso. Ora, se bulas e encíclicas posteriores a 1765, reforçando a condenação da Maçonaria, nunca tinham sido placitadas pelo Governo brasileiro, é evidente que nenhum valor poderiam ter as bulas anteriores lembradas pelo bispo. E nenhum valor teriam, além disso, por contrariar as leis civis do país, que permitiam a existência da Maçonaria, sociedades que, como se diria no parecer da Seção do Conselho de Estado, "nem direta, nem indiretamente participam da natureza de religiosas e são inteiramente temporais, e portanto isentas da jurisdição das autoridades eclesiásticas". Mas voltemos aos fatos.

Diante da resposta de D. Vital e ouvido o Desembargador Procurador da Coroa, que entendeu ter o bispo exorbitado de suas atribuições, invadindo as do Juiz de Capelas, "a quem estão por lei sujeitas as Irmandades", Lucena, a 13 de março de 1873, encaminhou o recurso ao Governo imperial, recurso que foi admitido por despacho do Ministério do Império e enviado à Seção competente do Conselho do Estado, para que esta emitisse a sua opinião. Só a 23 de maio a Seção dos Negócios do Império do Conselho de Estado daria o seu parecer; antes disso, entretanto, a questão se complicava, com a entrada em cena de D. Antônio de Macedo Costa.

D. Macedo Costa e a extensão do ataque aos maçons — Em Pastoral de 25 de março de 1873, o Bispo do Pará, sem apelar para a pura e simples excomunhão dos maçons, como o fizera D. Vital, proíbe, contudo, que aqueles continuem a participar de irmandades e confrarias religiosas, a não ser que abjurem da Maçonaria; em caso de resistência de qualquer irmandade, ordena que seja suspensa de todas as suas funções religiosas. Além disso, exclui da absolvição sacramental e do direito à sepultura eclesiástica todo maçom que não abandonar a seita, deixando intocada apenas a questão do matrimônio, "em atenção à outra parte, que, ficando unida à Igreja, não perdeu seus direitos aos sacramentos". A resistência da Maçonaria não se fez esperar e já a 13 de maio o Presidente da Província encaminhava ao Governo imperial o recurso à Coroa pelas Irmandades da Ordem 3ª de Nossa Senhora do Monte do Carmo, do

A QUESTÃO RELIGIOSA   401

Senhor Bom Jesus dos Passos e da Ordem 3ª de S. Francisco. Antes, porém, que o Governo imperial tomasse conhecimento do novo fato, a Seção dos Negócios do Império do Conselho de Estado exarava o seu parecer a que já nos referimos, a 23 de maio.

O parecer do   Depois de uma longa discussão político-jurídica,
Conselho de Estado   toda ela apoiada nas doutrinas regalistas, o Parecer da Seção, assinado pelo Visconde do Bom Retiro, pelo Marquês de Sapucaí e pelo Visconde de Souza Franco, chega às seguintes conclusões: 1ª – Que as bulas contra a Maçonaria, não tendo sido placitadas, não têm aplicação no Brasil e, mesmo que alguma delas tivesse sido dispensada do *placet*, não podia produzir efeitos sobre as sociedades maçônicas, que não são religiosas nem conspiram contra a religião, caracterizando-se, portanto, a exorbitância de jurisdição praticada pelo bispo; 2ª – Que o bispo invadiu as atribuições do poder temporal, já que a constituição orgânica das Irmandades no Brasil cabe ao Poder Civil, não podendo o prelado ordenar à Irmandade recorrente a expulsão de qualquer de seus membros; 3ª – Que o bispo exorbitou ainda ao condenar a legitimidade da doutrina do beneplácito e do recurso à Coroa e 4ª – "Que os fatos referidos, achando-se plenamente provados e estando compreendidos nas disposições dos §§ 1º e 3º do art. 1º do Decreto nº 1.911, de 28 de março de 1857, é a Seção de parecer que se dê provimento ao recurso interposto a fim de seguir seus termos ulteriores na forma do citado decreto, se V. M. Imperial em sua lata sabedoria assim o julgar acertado." De posse do Parecer, João Alfredo, Ministro do Império, envia-o a 30 de maio ao Conselho de Estado, para que este opine sobre as suas conclusões e se pronuncie "a respeito dos meios coercitivos que possam ser empregados, no caso de resistência dos Bispos, para fiel exemplo do que se resolver", o que é feito a 3 de julho. Sob a Presidência do Imperador, reúnem-se, às 7 horas da noite, nesse dia, no Paço de S. Cristóvão, os seguintes Conselheiros de Estado: Abaeté, Sapucaí, S. Vicente, Souza Franco, Nabuco de Araújo, Muritiba, Inhomerin, Bom Retiro, Jaguari, Caxias e Niterói.

A conclusão a que chegou o Conselho de Estado era previsível: composto, na sua esmagadora maioria, por "velhos católicos", da formação regalista, ciosos das prerrogativas do poder civil e em geral desconfiados quanto aos rumos tomados pela Igreja, principalmente após o Concílio do Vaticano, não seria crível que o Conselho deixasse de reagir às ações do Bispo de Olinda. Um homem como Souza Franco, por exemplo, era violentamente anticlerical, afirmando no seu próprio voto que "o Brasil é católico como Jesus Cristo ensinou, e não como o queira a Cúria

Romana". Um Nabuco de Araújo, mais moderado, não hesitava, igualmente, em afirmar que, "se o *jus cavendi* era outrora necessário para garantir os direitos do Estado quanto às invasões da Igreja nos domínios temporais, hoje é mais que nunca necessário depois do *Syllabus*, e do Concílio do Vaticano que declarou a infalibilidade do Papa". Ora, pesava contra D. Vital não só a acusação de ter exorbitado nas suas ações no caso preciso da Irmandade do Santíssimo Sacramento, mas também a de ameaçar as próprias instituições, condenando a doutrina do beneplácito, como o fizera na pastoral de 2 de fevereiro, que já examinamos. Em outros termos, o bispo minimizava as teses que eram mais caras aos membros do Conselho de Estado, não podendo assim contar, é claro, com a simpatia ou a tolerância dos Conselheiros.

Nessas condições, o Parecer da Seção estava praticamente vitorioso antes de qualquer discussão. Exceção feita a Abaeté e, em parte, a Muritiba e a Jaguari, todos os demais estavam convictos da culpa do bispo. Nem todos estavam pelos meios coercitivos sugeridos pelo Parecer, entre eles Niterói e Nabuco de Araújo – mas esta era uma questão menor em face da principal: a da culpabilidade do antístite, da qual não duvidavam por um só momento.

O voto vencedor foi o do Visconde de Inhomerim, com o qual concordavam Sapucaí, S. Vicente, Souza Franco, Bom Retiro e Caxias, apoiando o Parecer da Seção e concluindo pela responsabilização do Prelado "nos termos dos Decretos de 1857 e 1838". Quanto aos demais Conselheiros, Abaeté, contrário à doutrina do beneplácito ilimitado e considerando legítima a autoridade das bulas e decretos condenatórios da Maçonaria, pronunciou-se, pura e simplesmente, pela denegação do recurso. No seu entender, não havia o bispo praticado qualquer ato atentório às leis e à Constituição, o que o levava a recomendar apenas que D. Vital fosse chamado à Corte, onde poderia o Governo convencê-lo da necessidade de "atender às circunstâncias da nossa sociedade", exercendo mais prudentemente a sua autoridade espiritual. Acrescentou contudo (certamente sabendo que seria voto vencido, embora fosse o primeiro a pronunciar-se) que, "dada a hipótese, que se figura, de não cumprir o Bispo recorrido a decisão que for tomada em virtude do recurso interposto, persuado-me que o meio que nesse caso deve empregar-se é mandar o Governo responsabilizar o Prelado perante o Supremo Tribunal de Justiça". Muritiba discordou das conclusões 1ª e 3ª, relativas ao excesso de jurisdição no procedimento do bispo, mas votou pelo enquadramento de seus atos nas disposições dos decretos citados. Com bom senso, entretanto, acrescentava: "A

A QUESTÃO RELIGIOSA

resistência do bispo não pode ir mais longe do que não levantar o interdito, e não há força humana que o possa obrigar a tanto. Se na verdade assim é, parece claro que o efeito do provimento do recurso limita-se à declaração de ser nulo o interdito para o fim de não ter nenhuma influência nos negócios temporais. É em relação a estes que o decreto citado manda processar e punir os desobedientes." Em uma palavra, Muritiba compreendia que a responsabilização do bispo não podia resolver toda a questão, pois força humana alguma poderia levá-lo à suspensão do interdito, que era, afinal, o que se tinha em mira. Jaguari opôs-se às conclusões 1ª, 2ª e 4ª do Parecer, aceitando apenas a acusação referente à negação do beneplácito pelo bispo. A única solução imediata razoável era, a seu ver, que o recurso interposto fosse remetido ao Rev. Metropolita para tomar conhecimento dele e ser ulteriormente provido pela Coroa, caso o Metropolita se declarasse incompetente ou negasse o provimento. Só neste último caso invocar-se-iam os meios coercitivos capitulados no decreto de 1857. Niterói, ao contrário, concordou inteiramente com as conclusões do Parecer, mas, discordando da maioria, que optava pelo processo de responsabilidade do Prelado pelo Supremo Tribunal de Justiça, defendeu a tese segundo a qual D. Vital deveria ser julgado perante o Concílio Provincial, cuja reunião deveria ser requisitada ao Rev. Metropolita. Nabuco de Araújo, o quarto a votar, foi o que apresentou a opinião mais discrepante, depois de aceitar toda a substância do Parecer da Seção. No seu entender, o meio coercitivo a ser adotado pelo Governo seria a aplicação das "temporalidades", "sendo delas preferível no caso sujeito, que é mais político do que criminal, a deportação do bispo, com suas côngruas, condicionalmente, e até que reconheça as leis e os poderes do Estado". Contra todos os seus pares, Nabuco sustentou que as temporalidades continuavam em vigor e que só a deportação do bispo resolveria o problema, a saber: "1º) porque o processo criminal deverá afetar gravemente a dignidade e a força moral do Episcopado; 2º) porque os tribunais hesitarão perante a questão de consciência que motivara o conflito, e essa questão dificilmente será elevada à categoria de crime; 3º) porque a presença do Bispo dará azo a novos conflitos, alimentando a guerra religiosa; 4º) porque, sendo os dois poderes, temporal e espiritual, independentes e distintos, a expulsão do território será uma analogia do modo como uma soberania procede para com o representante de outra, quando a presença dele se torna incompatível com a paz pública; 5º) porque nenhum outro meio ocorre mais eficaz e conforme às reclamações da paz pública, desde que o bispo insistir em não reconhecer as instituições do país e os poderes do Estado."

A resposta de D. Vital De posse da resolução do Conselho de Estado, o Ministro do Império, João Alfredo Correa de Oliveira, a 12 de julho, oficiou ao Prelado, comunicando-lhe o que fora decidido e dando-lhe o prazo de um mês para levantar os interditos. D. Vital responde à intimação em longo arrazoado em que contestava, ponto por ponto, a resolução do Governo imperial, fundamentada, de acordo com sua exegese do texto, em quatro itens: "1º Sem o beneplácito do Poder Civil não podem as leis da Igreja ter força obrigatória; 2º Pode-se recorrer do Tribunal eclesiástico para a Coroa; 3º As Irmandades são matéria mista; 4º A Maçonaria é uma sociedade inofensiva." O Bispo discorda de todos os fundamentos da resolução: o beneplácito é doutrina que a Igreja não reconhece, o mesmo podendo-se dizer do recurso à Coroa; as irmandades são sociedades parciais de cristãos, cujo fim próximo são práticas e atos religiosos e cujo fim último é a salvação eterna, nada havendo nelas que caiba ao poder civil regular diretamente; a Maçonaria é uma sociedade condenada pela Igreja, e basta, apesar de todo o bem que o Governo, incompetente em matéria religiosa, possa dizer dela Em tom patético, pergunta D. Vital ao Ministro: "Como poderá um bispo católico, sem desdouro de seu caráter sagrado e sem incorrer nas iras celestes, desprezar e calcar aos pés as divinas constituições da Igreja de Nosso Senhor Jesus Cristo, para adorar as de seu país, que não foram feitas por Deus, nem pelo seu venerando Vigário?" E, no mesmo tom, continua: "Ah! Exmo. Sr., quando depois de minha morte comparecer ante o Tribunal de Deus para dar contas da minha administração não perguntar-me-á o Supremo Juiz de nossas almas, se governei *a Igreja que me foi confiada pelo Espírito Santo* segundo a doutrina dos Jurisconsultos portugueses, franceses etc., etc.; mas, se segundo o ensino daquele, a quem devemos ouvir, sob pena de não ouvir a Jesus Cristo mesmo; não perguntar-me-á se conforme a Constituição do Brasil, mas se conforme o ensino daquele que recebeu de Jesus Cristo a incumbência de apascentar suas ovelhas, uma das quais eu sou; que recebeu a missão de confirmar na fé os seus irmãos, um dos quais sou eu, e que tem pleno poder de ligar e desligar nos céus e na terra."

Com a mesma lógica implacável de que se serviam os Conselheiros de Estado para demonstrar a necessidade do beneplácito, D. Vital demonstra agora o seu absurdo, fazendo ver que a tese sustentada pelo Governo, que se diz católico, "constitui a essência da sociedade protestante, que admite como princípio que toda a autoridade, seja religiosa, seja civil, deriva-se da Coroa". Nessa mesma linha de argumentação, propõe o Prelado o seguinte dilema: "Ou o Governo do Brasil declara-se acatólico, ou declara-se católico. Se acatólico, alui-se totalmente o único fundamento plausível em que se baseia o seu direito de definir nesta questão religiosa. Se católico, então por essa mesma razão cumpre confessar que não deve, nem pode nela envolver-se. Se o Governo de nosso país é católico, os bispos reconhecem nele, segundo o ensino e a lei da Igreja Católica, o dever – *officium* de fazer observar a pena de excomunhão fulminada pela Santa Sé contra as sociedades maçônicas, a pena de interdito lançada pelo humilde Bispo de Olinda sobre as Irmandades obstinadas e recalcitrantes (...). Ainda mais. Se o Governo Brasileiro é católico, não só não é chefe ou superior da religião católica, como até é seu súdito. Porquanto, se repugna que um Governo acatólico tenha direito de definir em matérias religiosas, com maioria de razão repugna que semelhante direito assista a um Governo católico. Com efeito: se não se pode admitir que superior da religião católica seja quem a ela não pertence, ainda menos se pode admitir que seja superior quem é súdito, porque súdito-superior envolve contradição nos termos."

O Breve Quamquam dolores   Pode-se imaginar o efeito que causaria a leitura de tais declarações em regalistas convictos ou em liberais visceralmente antiultramontanos. O Império *súdito* da Santa Sé! Era o cúmulo da ousadia jesuítica – diria certamente qualquer defensor da majestade da lei civil. E não era essa a ousadia maior: no momento mesmo em que era acusado por desrespeitar a tese do *placet* imperial por suas palavras, faladas e escritas, D. Vital desrespeitava-a nos seus atos. A 29 de maio, recebera ele de Pio IX o breve *Quamquam dolores*, em que o Pontífice, depois de reafirmar todas as acusações, suas e de seus antecessores, contra as seitas maçônicas suspendia por um ano "a reservação das censuras em que incorreram os que deram o seu nome a estas seitas, podendo ser absolvidos por qualquer confessor, aprovado pelo Ordinário do lugar onde se achem", concedendo, entretanto, ao prelado, depois de decorrido esse prazo, pleno poder para proceder "com a severidade das leis canônicas contra aquelas irmandades que por essa impiedade tão torpemente viciaram a sua índole, dissolvendo-as completamente e criando outras que correspondam ao fim de sua primitiva instituição". Ora, em Carta Pastoral de 2 de julho, antes da resposta a João Alfredo, D. Vital publicava o Breve pontifício, que, naturalmente, não fora placitado, nem era do conhecimento do Governo imperial. Assim, por palavras e atos, D. Vital se tornava réu de desobediência ao poder civil, desatendendo aos apelos e às ordens do Ministério do Império. Na Pastoral em que publicava o Breve, contava o Prelado que, "por uma feliz coincidência, no mesmo dia, na mesma hora, no mesmo instante, em que às nossas mãos chegava a ordem de César, recebíamos igualmente a palavra confortadora de Pedro". Isto é, contra a ordem imperial, o Bispo opunha a palavra do Papa. Se a condenação do Bispo já era perfeitamente previsível, agora ela se tornava absolutamente indiscutível. Mas não adiantemos os fatos. Expirado o prazo de um mês que o Governo concedera ao Bispo para levantar os interditos e não tendo este cumprido a ordem, o Juiz de Capelas deu execução à ordem do Ministério do Império. Os vigários, entretanto, obedecendo a ordens de D. Vital recusaram-se a funcionar nas igrejas que o Bispo interditara ou perante as Irmandades nas mesmas condições. Um dos vigários, o Cônego João José da Costa Ribeiro, da Freguesia de São José, não quis obedecer à ordem do Bispo e este o suspendeu. Cumpria-se a observação de Muritiba, no Conselho de Estado: nenhuma força humana poderia levar o Bispo a levantar os interditos e de nada adiantava que o fizesse o Juiz de Capelas, pois os padres continuavam devendo obediência ao Bispo, que suspenderia *ex-informata conscientia* ao que o desobedecesse, tornando sem efeito as providências da autoridade civil.

A questão no Pará   Por outro lado, corria também a questão do Império com o Bispo do Pará. Em junho e julho o Conselho de Estado fora chamado a opinar sobre o recurso das Irmandades à Coroa, contra os atos de D. Macedo Costa, e se pronunciara como no primeiro caso, tendo desta vez o próprio Abaeté, votado favoravelmente ao provimento do recurso, dizendo que o procedimento dos dois bispos lhe parecia inteiramente diverso. O Parecer da Seção, aliás, insistia na maior gravidade do procedimento do Bispo do Pará, que apanhara de surpresa as Irmandades, concedendo-lhes apenas o prazo de 3 dias para obedecer a suas ordens, e não levava em consideração o fato de D. Macedo Costa não ter apelado para a excomunhão pura e simples dos maçons. Acrescente-se a isso o fato de ter o Bispo do Pará declarado, em ofício de 12 de maio, que em "consciência e em face da constituição divina e legislação da Igreja, não podia admitir a validade do mesmo recurso", nada alegando em favor de seus atos, e compreender-se-á que o Conselho de Estado tenha achado mais censurável o seu procedimento.

Providos os recursos, o Ministério do Império expedia, a 9 de agosto, um aviso a D. Antônio de Macedo Costa, dando-lhe o prazo de 15 dias para suspender os interditos contra as Irmandades. A resposta do Bispo, inteiramente fora do prazo, pois só foi dada a 4 de outubro, caracterizava-se por ser lacônica e incisiva. Não discute, como D. Vital, as teses sustentadas pelo Estado; rejeita-as pura e simplesmente. "Não podendo eu – escreve o bispo – sem apostatar da fé católica, reconhecer no Poder Civil autoridade para dirigir as funções religiosas, nem anuir de modo algum às doutrinas do Conselho de Estado, que serviram de fundamento a esta decisão, por serem elas subversivas de toda a jurisdição eclesiástica, e claramente condenadas pela Santa Igreja Católica Apostólica Romana; e sendo-me igualmente impossível, sem cometer clamorosa injustiça, reconhecer como regulares, como dignas de graças espirituais as ditas Confrarias maçonizadas, sobretudo depois do procedimento escandaloso que elas têm tido com o seu Prelado e com a Santa Igreja (...): tenho o profundo pesar de conservar-me inteiramente passivo diante dessa lamentável resolução do Governo e de manter em todo o seu vigor a pena espiritual que, no legítimo exercício de minha autoridade de Pastor, lancei sobre as ditas Confrarias até que elas voltem ao verdadeiro caminho. Estou pronto, Sr. Ministro, a obedecer em tudo ao Governo de Sua Majestade; mas não posso sacrificar-lhe minha consciência e a lei de Deus."

A partir dessa resposta, a sorte dos dois bispos estava unida. Para o Governo imperial já não se tratava mais de um único foco de rebelião, mas da ameaça de um conflito que se generalizava. Essa generalização do conflito, já a previa, aliás, antes disso, o Governo, que compreendia não bastar a punição dos bispos para resolver a questão, já que estes, ainda presos, continuariam a exercer sua autoridade sobre o clero sob sua jurisdição. É neste contexto que há de ser compreendida a Missão Penedo, que se estendeu de agosto a dezembro de 1873, paralelamente à denúncia contra D. Vital e a sua prisão, e à denúncia contra D. Macedo Costa. Acompanhemos, pois, estes últimos fatos, antes de examinar, no seu significado e no seu mérito, a Missão Penedo.

*

* *

Denúncia e prisão
de D. Vital   A 27 de setembro, João Alfredo expedia um aviso ao Procurador da Coroa, D. Francisco Baltazar da Silveira, ordenando-lhe que submetesse a processo o Bispo de Olinda. O aviso que D. Vital examinaria depois, em sua obra *O Bispo de Olinda e os seus acusadores no Tribunal do Bom Senso*, datada de 8 de dezembro de 1873, apenas reafirmava todas as acusações já feitas. E enquanto isso, sem dar a menor atenção às decisões imperiais, D. Vital continuava a interditar novas Irmandades, todas elas eivadas de maçonismo.

Autorizado pelo aviso de 27 de setembro, D. Francisco Baltazar da Silveira, a 10 de outubro, apresentava a sua denúncia contra o Bispo de Olinda, acusado de desobediência e de fazer "guerra formal ao Governo Imperial, ao Código Criminal, à Constituição Política". "Dirigindo-me a um Tribunal de tão elevada hierarquia – escreve no final da denúncia o Procurador da Coroa – não me atreveria a precisar os artigos da legislação penal que foram violados pelo Revmo. Bispo de Olinda, e cujas penas lhe devem ser aplicadas, se o dever que me é imposto não me forçasse a isto. Antes, porém, peço a Vossa Majestade Imperial, que, com seu saber e luzes, mandando formar processo e fazendo efetiva a responsabilidade daquele alto funcionário público, determine, definitivamente, se as infrações recaem no art. 96 ou no art. 81, ou no art. 79, ou no art. 142, ou no art. 129, nos §§ 1º e 7º na parte final, todos do Código Criminal. Devo, porém, fazer claro e certo, como me é por direito prescrito, que julgo S. Ex.ª Revma. incurso nos arts. 86, 96 e 129 acima citados, e que lhe são aplicáveis as circunstâncias agravantes dos §§ 3º, 4º, 8º e 10 do art. 16 do mesmo Código."[4] A resposta do denunciado, apresentada a 21 de novembro, se funda na alegação da incompetência do poder civil em matéria religiosa. A todas as acusações da Coroa, o Bispo opõe o *non possumus* dos Apóstolos que o impede de provar, perante o Supremo Tribunal de Justiça, a legitimidade dos seus atos. "Não posso fazê-lo", escreve o Bispo, "porque seria reconhecer a competência do Tribunal Civil em matéria religiosa. Não posso, porque seria renunciar aos meus direitos. Não

---

[4] É o seguinte o texto dos artigos invocados na denúncia: Art. 96 – Obstar ou impedir de qualquer maneira o efeito das determinações dos poderes moderador e Executivo conforme a Constituição e as leis; Art. 81 – Recorrer à autoridade estrangeira residente dentro ou fora do Império, sem legítima licença, para impetração de graças espirituais, distinções ou privilégios na hierarquia eclesiástica, ou para autorização de qualquer ato religioso; Art. 79 – Reconhecer, o que for cidadão brasileiro, superior fora do Império, prestando-lhe efetiva obediência; Art. 142 – Expedir ordem ou fazer requisição ilegal; Art. 129 – Serão prevaricadores os empregados públicos que, por afeição, ódio ou contemplação, ou para promover interesse pessoal seu: (...) § 1º – Julgarem ou procederem contra a disposição literal da lei; § 7º – Proverem em emprego público ou proporem para ele pessoa que conhecerem não ter as qualidades legais. (Deve tratar-se do § 6º do artigo – Recusarem ou demorarem a administração da justiça, que couber nas suas atribuições, ou as providências de seu ofício, que forem requeridas por parte ou exigidas por autoridade pública, ou determinadas por lei – e não do § 7º que não se aplica ao caso). Art. 86 – Tentar diretamente e por fatos destruir algum ou alguns artigos da Constituição. Art. 16 – São circunstâncias agravantes: (...) § 3º – Ter o delinquente reincidido em delito da mesma natureza: § 4º – Ter sido o delinquente impelido por um motivo reprovado ou frívolo; § 8º – Dar-se no delinquente a premeditação, isto é, desígnio formado antes da ação de ofender indivíduo certo ou incerto. Haverá premeditação, quando entre o desígnio e a ação decorrerem mais de vinte e quatro horas;

A QUESTÃO RELIGIOSA

posso, porque seria faltar gravemente aos meus sagrados deveres de Bispo católico. Não posso porque seria constituir-me réu de enorme pecado diante de Deus, cuja lei santa eu violaria, tornando destarte impossível a minha salvação eterna. Não posso, porque seria desobedecer à Santa Igreja de Jesus Cristo, cujas divinas constituições mo proíbem expressamente. Não posso, porque neste caso a minha deplorável fraqueza escandalizaria sobremaneira àquelas almas, por cuja salvação hei de responder perante o Supremo Tribunal da Justiça Divina. Não posso, porque a minha apostasia levaria a dor, a amargura e a consternação ao coração de todos os Bispos católicos das cinco partes do mundo, principalmente ao daqueles que, com tanto zelo, com tanta firmeza e com tanta edificação, ora estão repetindo o famoso e invencível *non possumus* dos Apóstolos aos Governos da Prússia, da Suíça, da Áustria e da Itália, que deles exigem, pouco mais ou menos, o que de mim está exigindo o Governo do meu país. Não posso, finalmente, porque me cumpre evitar a ignomínia de faltar, por temor de penas temporais, ao meu sagrado dever episcopal: vergonha que acompanhar-me-ia desonrado à sepultura; culpa que eu não cessaria de chorar até o meu último instante; mácula que nem rios de lágrimas poderiam extinguir." E depois dessa recusa, conclui o Bispo afirmando: "Sinto-me inclinado a depositar todo o cuidado e solicitude de minha defesa nas mãos da Divina Providência, que tudo regula com peso e medida, e que, muito confio, deparar-me-á o ensejo de, em breve, promover a defesa dos meus atos perante o Tribunal do bom senso católico." À vista da resposta do prelado, o Procurador da Coroa, a 6 de dezembro, pede o pronunciamento do Bispo, o que é feito pelo Tribunal a 12 do mesmo mês. A 22 era expedido o mandado de prisão contra D. Vital que, a 2 de janeiro, era finalmente preso. O Bispo resistiu a princípio, dizendo que só à força poderiam levá-lo, concordando depois, entretanto, em acompanhar os oficiais que se apresentaram ao Palácio da Soledade para cumprir a ordem superior. Antes, ainda, D. Vital leu um protesto contra o ato de prisão, que ia assinado por todos os seus auxiliares. Alguns dias depois era o prelado conduzido, na corveta de guerra *Recife*, sob a guarda do General Higino José Coelho, para o Rio de Janeiro, onde chegou a 13 de janeiro de 1874, sendo conduzido à prisão, no Arsenal de Marinha, onde deveria aguardar o julgamento.

---

§ 10 – Ter o delinqüente cometido o crime com abuso da confiança nele posta. Cf. *Código Criminal do Império do Brasil, anotado com os atos dos poderes Legislativo, Executivo e Judiciário*, por Araújo Filgueiras Júnior; Rio de Janeiro, Laemmert, 1873.

Denúncia de D. Macedo Costa

Enquanto isso, seguia os seus trâmites legais a questão com o Bispo do Pará. A 17 de dezembro de 1873, D. Francisco Baltazar da Silveira, devidamente autorizado, denunciava D. Macedo Costa como incurso nos mesmos artigos do Código Criminal transgredidos por D. Vital. A 24 de janeiro do ano seguinte, o Bispo do Pará, na mesma linha de argumentação utilizada por D. Vital, sustentava em ofício que as questões que haviam motivado a denúncia nada tinham a ver com o poder civil, assim concluindo o seu longo arrazoado: "Os Tribunais Civis são essencialmente incompetentes para tratar e dirimir questões dessa ordem; logo, só me resta agora tirar a conclusão lógica, forçosa, inevitável" das premissas estabelecidas: "isto é, a indeclinável necessidade em que estou de opor a este augusto e respeitabilíssimo Tribunal a exceção de incompetência; e é o que faço pela presente reclamação ou protesto." Da mesma forma que o Bispo de Olinda, o do Pará se agarrava ao *non possumus* dos Apóstolos.

Mas já é tempo de fazermos um intervalo na narração destes fatos, a fim de examinar os acontecimentos paralelos consubstanciados na Missão Penedo.

II

Razões da Missão Penedo

A Missão Penedo tem parecido à grande maioria de nossos historiadores um autêntico absurdo diplomático. Que sentido tinha, perguntam eles, enviar uma missão a Roma, para entabular negociações com a Santa Sé, quando o Governo imperial não mostrava a menor disposição de ceder em nada e apressava o processo contra os bispos? Uma negociação diplomática, a par do tato e talento do negociador, exige ainda disposições conciliatórias: é preciso ceder alguma coisa para que se obtenham outras. Ora, o Governo imperial não pretendia modificar a sua conduta, não se dispunha a poupar os bispos do processo e do castigo que certamente se seguiria a este. Que base havia, portanto, para as negociações? O que poderia conseguir o enviado especial a Roma? Deixando de lado a questão da *oportunidade* da missão, parece-nos que os objetivos do Governo imperial eram perfeitamente claros e não conseguimos encontrar contradições em seu procedimento. Para o poder civil, uma coisa era o procedimento dos bispos, ato já cumprido e, no seu entender, sujeito às leis penais do país, outra o objetivo da Missão, que se destinava a evitar, *para o futuro*, a repetição de atos semelhantes. Claro que o Governo imperial pretendia muito; claro que, em última análise, desejava que Roma se curvasse aos seus desígnios; mas pretender muito não é contradizer-se; no máximo é calcular mal as próprias forças e as da parte adversa.

Para bem compreendermos a Missão Penedo é preciso ter presente o pensamento do Imperador em matéria religiosa. Uma carta endereçada pelo Imperador a Caxias, a 17 de setembro de 1875, e que foi divulgada por Vilhena de Morais em seu livro *O Gabinete Caxias e a anistia dos bispos na questão religiosa*, pode trazer-nos alguma luz sobre o assunto. Nela, escrita no próprio dia da anistia, vê-se que o Imperador continuava recalcitrante, convencido da culpabilidade dos bispos. E nela se encontra este trecho esclarecedor: "Faço votos para que as intenções do Ministério sejam compensadas pelos resultados do ato de anistia, mas não tenho esperança disto. Nunca me agradaram os processos, mas só vi e vejo dois meios de solver a questão dos bispos: ou uma energia letal e constante que faça a Cúria Romana recear as conseqüências do erro dos bispos, ou uma separação, embora não declarada, entre o Estado e a Igreja, o que sempre procurei e procurarei evitar, enquanto não o exigir a independência, e, portanto, a dignidade do Poder Civil." Aí está, num retrato de corpo inteiro, o Imperador. No regime de união entre Estado e Igreja, não podia ele admitir, de forma alguma, atos como os praticados pelos bispos, que feriam a majestade imperial e, por outro lado, não desejava ele a separação entre Estado e Igreja. Como agir nesse caso, senão obrigando a Cúria Romana a "recear as conseqüências do erro dos bispos"? Daí a necessidade e a inevitabilidade da punição dos prelados rebeldes. Mas como manter o regime de união sem entrar em entendimentos com o Pontífice, entendimentos destinados a fazê-lo conter o zelo ortodoxo de seus pastores?

É essa forma de ver as coisas que explica a idéia da Missão Penedo, efetivada quase 2 anos antes. A contradição que se aponta não estava nos intentos do Governo imperial; ela existia sim, mas nas instituições vigentes no país. E estas, não queria e não podia, sob pena de enfraquecer-se ou aniquilar-se, o Governo imperial modificá-las. Os próprios termos do ofício reservado que o Visconde de Caravellas, Ministro dos Negócios Estrangeiros, enviou ao Barão do Penedo, a 21 de agosto de 73, encarregando-o da Missão, patenteiam de forma claríssima essa orientação. "Devo prevenir a V. Ex.ª – escreve o Visconde ao Barão – de que o Governo ordenou o processo do Bispo de Pernambuco, e, se for necessário, empregará outros meios legais de que pode usar, embora sejam mais enérgicos, *sem esperar pelo resultado da missão confiada ao zelo e às luzes de V. Ex.ª Encarregando-o desta missão, não pensa ele suspender a ação das leis. É do seu dever fazer que estas se cumpram. O que o Governo quer é acautelar a ocorrência de procedimentos mais graves. A ordem para o processo do Bispo há de ser publicada talvez antes de se expedir este despacho. Quanto à possibilidade do emprego de meios mais enérgicos, não será necessário que V. Ex.ª a mantenha em reserva. Se for interrogado a este respeito, poderá dizer francamente o que lhe comunico"* (os grifos são nossos). Não é possível maior clareza de propósitos. Com a mesma clareza, escreve o Barão de Penedo, no seu livro *Missão Especial a Roma*: "Uma palavra do Santo Padre era o que desejava o Governo imperial e quanto se exigia da missão a Roma. Ainda assim, semelhante resultado era, na previsão do Governo, *somente destinado a servir para o futuro*" (o grifo é nosso). Em outros termos, a Missão Penedo era uma *providência independente do processo dos Bispos.*

Dificuldades da Missão

Certamente isso a tornava muito mais difícil, mas não a transformava em um absurdo. Quanto a essas dificuldades, avaliava-as em toda a sua extensão o diplomata, em carta enviada de Londres a Caravellas, a 30 de setembro: "Quanto porém ao êxito da missão, permita-me V. Ex.ª não dissimular-lhe o meu pensamento: duvido, a ponto de não crer, do seu feliz resultado. Quando o atual Pontífice, prosseguindo na sua obra da *restauração religiosa* encetada depois dos desastres de 1848, obteve do Concílio do Vaticano o concentrar na sua Pessoa a *infalibilidade* da Igreja universal; quando aquele que devia ser o Conselheiro, o Juiz dos Bispos, se faz parte com eles nas suas agressões, aprovando-as e animando-os, como no nosso caso, o que é lícito esperar de um Poder desta natureza, que se erige em superior nas suas relações com o Estado? O que ora sucede no Brasil é o mesmo que se passa em quase todo o mundo. As tendências invasoras que hoje ostenta o Poder eclesiástico são conseqüência desse elemento perturbador introduzido no seio do catolicismo. Na Itália, na Suíça, na Alemanha, não são de origem diversa do que atualmente ocorre no Brasil as lutas travadas, com o entusiasmo próprio das dissensões religiosas, entre a milícia da Cúria Romana e os Governos desses Estados. De mais, a quadra atual parece à Santa Sé favorecer as suas pretensões. As esperanças por ela lançadas na restauração das velhas monarquias da França cristianíssima e da Espanha católica acoroçoam neste momento as suas tentativas de reação sobre o Poder temporal, em favor do seu predomínio. Todos esses sucessos e circunstâncias, que me tenho talvez excedido em referir a V. Ex.ª, formam, ao meu modo de ver, uma massa enorme de resistência tal, que não me deixa esperar bom êxito para a missão que me leva a Roma."

A QUESTÃO RELIGIOSA

Muito depois desses fatos, em 1881, no seu livro que já citamos, o Barão de Penedo escrevia: "Se não era político demorar a instauração do processo até o resultado da missão; ou se depois de obtida a solução pedida em Roma já não era possível suspendê-lo, nem fazer intervir a anistia que apareceu um ano depois, então a missão mandada a Roma estava desde o começo condenada sem remédio a não ter resultado prático, mesmo depois de conseguidos, como foram, todos os desejos do Governo, e realizados muito além das esperanças dele e do negociador." Essas palavras apenas confirmam que a missão era difícil, seu êxito quase impossível; não invalidam, entretanto, o que antes dissemos acerca das intenções do Governo imperial. Este jogava, com a Missão, uma grande cartada: a completa submissão do catolicismo brasileiro à Coroa; se tivesse êxito, ainda que remota fosse a possibilidade, fortalecer-se-ia em face de toda a Nação; se a Missão falhasse, mais justificada ficaria, aos olhos regalistas da Nação, a necessidade de punir os bispos, a necessidade de não transigir com o ultramontanismo nacional. E que assim pensava o Imperador, parece-nos que o prova a sua carta a Caxias, a que já nos referimos, em que continua presente o apelo à dureza contra Roma. É verdade que nem tudo aconteceu como queria e esperava D. Pedro II: na realidade, como já fizemos ver, a questão religiosa não veio mostrar senão uma das contradições das instituições imperiais, contribuindo para enfraquecê-las; mas nosso objetivo, na análise do significado da Missão Penedo, não foi o de mostrar os erros de cálculo do Imperador e sim o de compreender suas intenções e propósitos.

Negociações de Penedo: a carta do Cardeal Antonelli — Houve um momento em que a Missão parecia haver atingido o seu alvo. Depois de penosas negociações com o Papa e com o seu Secretário de Estado, Cardeal Antonelli, de que nos dá conta em seus livros o Barão do Penedo, negociações em que o Pontífice não admitiu discussões sobre a condenação do beneplácito e da Maçonaria, nem a alegação de que as seitas maçônicas brasileiras eram diferentes das européias, mas em que se informou das leis que regiam as Irmandades no Brasil e que faziam delas instituições mistas, subordinadas ao mesmo tempo ao poder espiritual e ao temporal, o negociador brasileiro conseguiu da Santa Sé a palavra que pedia o Governo imperial. Em carta a Caravellas, de 20 de dezembro de 1873, Penedo dava conta de seu êxito: "Por ordem do Santo Padre escreve o Cardeal Antonelli ao Reverendo Bispo de Olinda uma carta oficial fazendo-lhe censuras e admonições sobre o seu procedimento e recomendando-lhe que levante os interditos lançados sobre as igrejas de sua diocese. O Cardeal mostrou-me essa carta, e estou autorizado a dizê-lo a V. Ex.ª O teor dessa carta é assaz severo; e aqui refiro em substância alguns de seus tópicos. Traz logo no exórdio a seguinte frase: *gesta tua* etc., *non laudantur*, e declara o pesar que causaram ao Santo Padre esses sucessos: que o Bispo entendera mal a carta do Santo Padre de 29 de maio. Que se houvesse a *tempo* consultado o Santo Padre lhe teria poupado esse pesar. Que ali tanto se lhe recomendavam moderação e clemência, mas que ele se havia lançado no caminho da severidade. Pelo que o Santo Padre lhe ordenava que restabelecesse ao antigo estado, *ad pristinum statum adducas*, a paz da Igreja que se havia perturbado. E apesar de estar a idéia do levantamento dos interditos implicitamente subentendida no contexto da carta, ficou afinal expressamente inserida essa determinação, pelo que tanto insisti com o Cardeal, e até pedi a Sua Santidade. O Internúncio Apostólico, Monsenhor Sanguigni, receberá essa carta com instruções de enviá-la ao Reverendo Bispo de Olinda e transmitir cópia ao do Pará. Assim o pedi ao Cardeal, e Sua Eminência mo prometeu. Pelo que combinamos, os seus despachos chegarão naturalmente ao Rio de Janeiro ao mesmo tempo que este meu ofício."

O êxito da Missão seria, contudo, imediatamente comprometido. A prisão do bispo transformaria imediatamente as disposições do Vaticano, que alegou depois, pela boca de Pio IX e de Antonelli, que Penedo lhes dera garantias de que nada aconteceria ao Bispo, se agissem como o haviam feito. Assim, a 30 de março de 74, Antonelli escrevia ao encarregado de nossos negócios junto ao Vaticano, Barão de Alhandra, afirmando: "O Sr. Barão do Penedo assegurou ao abaixo-assinado que o seu Governo se absteria de tomar qualquer medida desagradável contra o Bispo de Pernambuco." Pio IX, por sua vez, numa carta de 4 de março de 74 ao Governador do Bispado de Olinda, chantre José Joaquim Camello D'Andrade, afirmava que Penedo lhe dera a palavra de que "nada de hostil" se faria contra D. Vital. O Barão contestou altivamente essas versões, insistindo em ofícios e, depois, nos seus livros, em que nenhuma promessa fora por ele feita, a não ser a de transmitir ao Governo imperial o pedido de Pio IX para que "não tivesse maiores proporções o processo do bispo".

Controvérsia acerca da Não nos compete decidir, na ausência de outros
carta de Antonelli documentos além da palavra das partes em causa,
a respeito da questão. Em favor do Barão de Penedo há apenas a notar que, a respeito de outro assunto que iremos examinar a seguir, qual seja o da existência da carta de Antonelli a D. Vital, a que já nos referimos, ele falou a verdade, quando a ela faltou completamente o Bispo de Olinda.

Sim, a famosa carta que conteria as expressões *gesta tua non laudantur* e que era o troféu de glória da Missão teve a sua existência negada por D. Vital, que, em carta ao Arcebispo de Buenos Aires, de 2 de agosto de 1874, afirmou que "nunca tivera conhecimento de semelhante peça apostólica". Pio IX, aliás, mandara destruir a carta, o que não impediu que ela chegasse antes disso ao conhecimento de D. Vital, a 21 de janeiro de 74, em sua prisão no Arsenal de Marinha, entregue por D. Pedro Maria de Lacerda, que, segundo o testemunho de Macedo Costa, no seu livro *A Questão Religiosa perante a Santa Sé*, desejava que o Bispo de Olinda a divulgasse, com o que não concordou este. Antes que houvesse a ordem para a destruição da carta ou que D. Vital negasse a sua existência, já se havia posto em dúvida o fato. Alguns, menos extremados, negavam apenas a existência da expressão *gesta tua non laudantur*. Anos mais tarde, em 1886, D. Macedo Costa, no livro que antes citamos, confirmou sua existência, divulgando-a, embora do texto publicado não constassem as expressões incriminadas. Penedo, em *sua Missão a Roma*, de 1887, não titubeou em afirmar que o texto fora adulterado, pois, no original, garantia, figuravam aquelas expressões, do que deram testemunho, também, o Barão de Alhandra e o seu substituto, Visconde de Araguaia, que tiveram oportunidade de lê-la. Houvesse ou não houvesse a expressão, é certo, entretanto, que a carta continha duras expressões de censura, mesmo no texto apresentado no livro do Bispo do Pará. Entre outras coisas, aí se dizia: "O que tendes feito, Exmo. e Revmo. Sr. (...) deu lugar a maiores incômodos pondo em descrime o mesmo estado tranqüilo da Igreja, e a concórdia até aqui mantida com o governo civil." Adiante: "O Santo Padre de modo algum pode recomendar os meios por vós empregados para atingirdes ao fim que vos propúnheis. (...) convinha que procedêsseis gradualmente, escolhendo com prudência os meios, empregando-os com paciência e moderação, para então chegardes ao que desejáveis." Mais adiante: "Não é digno de aprovação que Vós, deixados de parte os conselhos de Sua Santidade, antes quisésseis continuar no começado propósito, recorrêsseis de novo precipitadamente, e com infeliz êxito, à pena de interdito, e às censuras eclesiásticas já contra confrarias religiosas, já contra algumas pessoas." E finalmente: "Portanto, restituídas logo por Vós as confrarias no seu antigo estado, pertence-vos, Exmo. e Revmo. Sr., cuidar que homens de fé verdadeira e notáveis por sua prudência as presidam; e, se entre os irmãos alguns existem que manifestamente e sem dúvida pertençam à seita maçônica, esses primeiros sejam admoestados e depois excitados para que se afastem das Irmandades, e daí por diante só sejam recebidos nelas aqueles que constarem com certo não serem de modo algum alistados nas sociedades secretas, principalmente na Maçonaria, tantas vezes e tão solenemente reprovada pela Santa Sé." Assim, mesmo sem a expressão impugnada, a carta, apesar de todo o esforço posterior de Macedo Costa para esvaziar-lhe o significado, era um impacto contra os bispos. Se assim não fosse, aliás, o Bispo do Pará não diria que "ao reler aquela fatal carta (cuja cópia lhe era novamente enviada a 26 de outubro de 75 por Monsenhor Luiz Bruschetti, encarregado dos negócios da Santa Sé no Brasil) (...) encheu-se-nos a alma de uma atribulação e amargura tal que não sabemos exprimi-la, quanto mais encarecê-la. Levamos muitos dias derramando lágrimas e orando, sem saber o que fazer." E tanto mais duro deveria ser o impacto quanto não haviam os bispos senão feito cumprir, religiosamente, os ensinamentos do pontificado do próprio Pio IX. É verdade que os bispos não se haviam lembrado da sutil distinção jesuítica de *La Civiltà Cattolica*, entre a *tese* e a *hipótese*, na aplicação das teses do *Syllabus* e de outros textos pontifícios; assim, agiam de acordo com as teses, quando deveriam ter considerado as hipóteses.

Mudança da posição do Vaticano No momento, porém, em que o Governo imperial mostrava a sua disposição de não transigir, não por palavras, mas por atos, o Vaticano voltava atrás e provocava o malogro da missão especial. Em breve, em vez de admoestar o Bispo, a Igreja estaria protestando contra a sua condenação. O erro de cálculo do Governo imperial roubava-lhe uma vitória, mas nem por isso deixaria ele de ir até o fim no propósito de manter intata a sua autoridade.

III

O Julgamento de D. Vital A opinião do país, polarizada pela questão religiosa e dividida entre os prosélitos dos bispos e os partidários do poder civil, não haveria de esperar muito para ver confirmarem-se os seus receios ou as suas esperanças.

A 5 de fevereiro de 1874, o Promotor de Justiça, D. Francisco Baltazar da Silveira, apresentava o seu libelo contra D. Vital, recebido a 7 pelo Juiz Relator, Manuel Messias de Leão, data em que notificava ao Bispo para opor sua Contrariedade, no prazo de 8 dias. A 10, D. Vital apresentava a Contrariedade, concebida nestes termos lacônicos: "Senhor! *Jesus autem tacebat* (Mateus, 26, 63)." Como o Jesus histórico, o prelado calar-se-ia também, daqui por diante, mantendo-se mudo durante todo o julgamento: tal atitude não era, senão, a conseqüência lógica do não reconhecimento da autoridade civil para julgar o seu procedimento em assunto que lhe parecia exclusivamente da alçada da autoridade religiosa.

A 18 e a 21 de fevereiro realizaram-se as sessões do julgamento do Bispo. A Ata do Julgamento nos dá conta de que, no dia 18, "às 9 horas e 45 minutos da manhã, achando-se presentes o Sr. Conselheiro Marcelino de Brito, Presidente do Tribunal, e os Srs. Ministros Barão de Montserrate, Chichorro, Simões, Valdetaro, Couto, Messias de Leão, Albuquerque, Figueira de Mello, Costa Pinto, Villares e Barão de Pirapama; bem como o Sr. Dr. João Pedreira do Couto Ferraz, Secretário do Tribunal, o Sr. Presidente declarou aberta a sessão. No recinto do Tribunal achavamse muitos cidadãos notáveis do país, e a galeria estava repleta de espectadores". Logo após a leitura do expediente, entrava na sala, "revestido de murça e de roquete", acompanhado do Bispo do Rio de Janeiro, D. Pedro Maria de Lacerda, o réu insigne. Em seguida, assomava à sala o Promotor. Zacarias de Góis e Vasconcellos e Cândido Mendes de Almeida, que no Senado vinham sendo dois dos mais ferrenhos advogados do procedimento dos bispos, representantes que eram da mais rígida ortodoxia católica, solicitavam, logo depois, que fosse admitida a sua presença, como defensores espontâneos do réu. Em seguida passava-se à designação dos juízes desimpedidos para funcionarem no processo, tendo o Presidente do Tribunal indicado, como preenchendo essa condição, os Ministros Costa Pinto, Figueira de Mello, Barão de Montserrate, Barão de Pirapama, Simões, Villares, Valdetaro e Albuquerque. O Procurador da Coroa recusou o nome de Jerônimo Martiniano Figueira de Mello, alegando que, no Senado e na imprensa, este já dera o seu parecer, comprometendo-se com a causa dos bispos – o que era, aliás, notório, já que o velho Senador cerrara fileiras, ao lado de Zacarias, Cândido Mendes, Silveira Lobo e Firmino Rodrigues Silva, no aplauso à posição dos bispos, em várias sessões do Senado. Cândido Mendes, por seu lado, depois de aceito, em companhia de Zacarias, como defensor do réu, recusava também um dos juízes, o Ministro Valdetaro. A delicada situação do Defensor não permitiu que a recusa se efetivasse: de fato, D. Vital se obstinara no silêncio, não tendo os seus advogados poderes para recusar juízes, já que estes, segundo estabeleceu em votação o Tribunal, só lhes poderiam ser delegados pelo réu.

A defesa de D. Vital: Zacarias de Góis e Vasconcellos

A 24 realizou-se o julgamento propriamente dito, falando, em defesa do Bispo, Zacarias e, depois, Cândido Mendes. Partindo da discrepância entre a denúncia do Procurador da Coroa e o seu libelo, que reduzia a capitulação dos crimes do acusado à violação do art. 96 do Código Criminal, com as agravantes dos §§ 3°, 4°, 8° e 10 do art. 16 do mesmo Código, Zacarias procurou esvaziar o conteúdo da acusação. Em primeiro lugar chamou a atenção para as contradições do libelo: o art. 96 – argumentava – trata de delitos contra o livre exercício dos poderes políticos e não de crimes contra a Constituição Política do Estado; ora, o libelo, em seu entender, acusava destes crimes ao Bispo e capitulava sua ação em outro artigo. "Se infringiu a Constituição – continuava o Defensor –, deveis acusá-lo como incurso nos arts. 85 e 86 do Código Criminal e não no art. 96. Se o acusais como incurso no art. 96, é erro grosseiro afirmar que praticou crime contra a Constituição do Império." A técnica do advogado não se reduzia, entretanto, somente a isto, pois, antes de tentar a demonstração da improcedência jurídica da questão, procurava reduzi-la, exclusivamente, a uma questão jurídica, sem quaisquer implicações políticas. Nesse sentido, insistia o defensor numa das passagens iniciais de seu discurso: "Ainda hoje lê-se no *Jornal do Commercio* um artigo editorial transcrito da *Nação*, órgão das confidências do Governo, em que se diz que a questão sujeita neste momento ao julgamento deste Tribunal é sumamente política, que ides com o vosso julgamento decidir com respeito ao Brasil a eterna contenda entre o sacerdócio e o Império; que por meio deste processo, se o réu for condenado, ficará a Igreja subordinada ao Estado, como deseja o Governo, se absolvido, ai do Estado, que se tornará dependente da tiara e do báculo! É imprudência rematada colocar a questão em tal terreno. Pensava eu que este egrégio Tribunal vinha decidir uma questão muito fácil e que podia fazê-lo, quaisquer que fossem as suas opiniões teológicas. Com efeito, se há um terreno em que podem encontrar-se e discutir espíritos esclarecidos, sejam católicos ou protestantes, crentes fervorosos ou indiferentes, é sem dúvida o de um ponto de direito como este: à vista da legislação do país, o Bispo que recusa cumprir uma ordem do Governo, referente a levantamento de interdito, comete outro crime além da desobediência? E a desobediência é em tal caso um crime? Não sei, portanto, Senhor Presidente, como acha o Governo em semelhante questão matéria de alta política, e faz publicar no dia do julgamento, talvez para exercer pressão sobre os ânimos dos julgadores, o mencionado artigo dizendo que o Tribunal tem em suas mãos o desenlace da magna questão, do conflito antiqüíssimo entre o sacerdócio e o Império. Não, Senhor Presidente, a questão entre o sacerdócio e o Império não recebe hoje aqui, seja absolvido ou seja condenado o réu, solução alguma." Era, inegavelmente, hábil a técnica do Defensor, procurando dissociar do julgamento os aspectos políticos que ele necessariamente implica-

A QUESTÃO RELIGIOSA

va, para depois, no terreno exclusivamente jurídico, reduzir à expressão mínima, do ponto de vista penal, os atos do Bispo de Olinda. De pouco valeria, entretanto, essa habilidade, já que o Tribunal, embora limitando-se, no seu pronunciamento, aos aspectos jurídicos da questão, não poderia esquecer, no processo mental não explícito, que levava cada um dos juízes a votar o pano de fundo político-social que envolvia os atos do Bispo, ainda que este pretendesse manter-se exclusivamente no terreno religioso.

A defesa de D. Vital: Cândido Mendes   De pouco valeria, igualmente, o esforço de Cândido Mendes na sustentação da legalidade do ato do Bispo, recusando-se a comparecer perante o Tribunal Civil. O velho Senador procurava mostrar que, "pela legislação canônica anterior à Constituição e que ainda subsiste, o Bispo presta um juramento que se chama profissão de fé do Papa Pio IV, de 1564. Aí o Bispo tem especificados todos os preceitos de seu juramento, ele é aí obrigado não só à legislação da Igreja anterior aos grandes concílios, mas ainda a todas as Constituições posteriores e positivamente ao Concílio Tridentino. Era isso que se achava estabelecido em Portugal, e foi justamente o que a nossa Constituição aceitou. Nessas condições o Concílio de Trento é de obrigação estrita para o Bispo, que deve observá-lo completamente, pois a não observá-lo está sujeito a todas as penas canônicas. Ora, na seção 24, cap. 5º, do Concílio Tridentino, se diz que o Bispo é sujeito nas causas maiores ao julgamento do Sumo Pontífice e nas menores ao julgamento do concílio provincial. O Bispo jura obedecer a essa Constituição e, portanto, como coagi-lo a vir responder perante um tribunal secular, se ele está pelo seu juramento obrigado a não declinar do foro eclesiástico? Se se tratasse de um país protestante ou infiel, essa lei não seria observada; mas trata-se de um país católico que adotou essa legislação desde que ela foi promulgada. Essa Constituição sempre há de reger os bispos, e para executá-la é que ele prestou esse juramento do Papa Pio IV, que é um dos documentos que acompanham as letras de Roma aprovando a sua nomeação". Estabelecidas essas premissas, tirava as conclusões justificatórias do procedimento do Prelado: "Portanto, o Rev. Bispo de Olinda, opondo-se, como devia opor-se, a este processo, tinha a seu favor o procedimento do Governo, porque as bulas a que obedecia não as recebeu da Santa Sé diretamente, mas sim lhe foram remetidas pela Secretaria do Império; por conseqüência com todas as formalidades que o regalismo exige. Se o Rev. Bispo tem obrigação de cumprir as Constituições apostólicas, se tem obrigação de respeitar a autoridade do Concílio de Trento, como é que poderia, somente por sua própria vontade, dizer: 'Reconheço a competência do tribunal civil para me julgar?'. Se crime houvesse por parte do Bispo", continua Cândido Mendes, "caberia ao Pontífice julgá-lo, tratando-se de assuntos graves, como os capitulados pelo art. 96, ou ao Conselho Provincial, presidido pelo Metropolita, tratando-se de faltas menores; nunca esse direito de julgamento poderia competir ao poder civil."

A condenação   Exceção feita ao Barão de Pirapama, que votava pela nulidade do processo, por não reconhecer competência ao poder civil para julgar do assunto, e que, voto vencido nessa questão, optou pela absolvição do réu, todos os demais Ministros votaram pela condenação. Enquanto, para Albuquerque, o réu só incorrera no crime de desobediência, para Costa Pinto, Valdetaro, Villares, Simões da Silva, Barão de Montserrate e Veiga todas as acusações eram procedentes, condenando-se o réu no grau médio do art. 96 do Código Criminal, isto é, a quatro anos de prisão com trabalhos.

Aspecto político   É claro que a condenação do Bispo transcendia de
da condenação   muito em significado à simples "questão de opa" que lhe dera origem: ela significava a oposição radical do Estado brasileiro às teses fundamentais do pontificado de Pio IX e à maré montante do ultramontanismo. O que o Tribunal julgara fora, na verdade, não o Bispo que lançara interditos sobre irmandades maçonizadas, mas a questão das relações entre o catolicismo e o Império, optando pela regalismo. Se o seu julgamento fosse exclusivamente jurídico, em difícil situação ficaria, diante do emaranhado de disposições contraditórias inerentes ao sistema de união entre a Igreja e o Estado, que começava na própria Constituição, contradições essas que permitiam que a culpabilidade e a inocência do Prelado fossem solidamente sustentadas ao mesmo tempo, com apoio, às vezes, até das mesmas leis. O julgamento fora, portanto, como o queria o Governo e como o receava Zacarias, de índole política – e não poderia deixar de sê-lo, pelas questões que envolvia e que a condenação do Bispo não tinha o condão, ao contrário do que imaginava o pensamento oficial, de resolver inteiramente.

Protetor do   Uma vez lavrada a sentença condenatória, a Igreja faria o
Vaticano   seu protesto, tímido na voz do Internúncio Sanguigni, amargo na voz de Pio IX. O internúncio, "longe de discutir esta assaz penosa e desgraçada questão", protestava, todavia, contra a "manifesta violação da imunidade eclesiástica" e "contra toda e qualquer violação dos direitos e das leis da Igreja, praticada nesta questão dos bispos", a fim de que ficassem "salvos, intactos, íntegros e ilesos os imprescritíveis direi-

tos da Igreja e da Santa Sé". Caravellas, Ministro de Estrangeiros, em nome do Governo imperial, respondia de forma ríspida a esse protesto, sem sequer "aceitar a discussão daquilo que só pode ser discutido por quem tenha o direito de fazê-lo". E acrescentava: "O Tribunal que julgou o Revmo. Bispo de Olinda, e que há de julgar o do Pará, é o Supremo Tribunal de Justiça do Império, por nossas leis competente, e essa competência não depende do juízo de nenhuma autoridade estrangeira, seja ela quem for. O protesto do Sr. Internúncio Apostólico, permita S. Ex.ª que o diga, é, portanto, impertinente e nulo, e, como tal, não pode produzir efeito algum." Pio IX, escrevendo ao Imperador, lembrava-lhe o "Tribunal de Deus", perante o qual teriam de comparecer e acrescentava: "Vossa Majestade, inspirando-se nos exemplos de um Estado da Europa Central, desvairado pelas pérfidas sugestões da franco-maçonaria, descarregou o primeiro golpe na Igreja, sem pensar que ele abala ao mesmo tempo os alicerces do seu trono. Mas, a Igreja há de sair triunfante dessa guerra ímpia, porque Jesus Cristo acha-se ao seu lado, e está escrito que as portas do inferno não prevalecerão contra ela. Ainda esperamos que Vossa Majestade revogará o ímpio decreto que sujeita os Bispos ao poder civil e levanta estorvos à sua missão apostólica, e nesta esperança vos damos a nossa bênção apostólica." O protesto, mais amargo do que enérgico, procurava fazer ver ao Imperador que ele no fundo trabalhava, sem percebê-lo, contra os seus próprios interesses e sugeria uma transformação do procedimento imperial em relação à Igreja, que seria compensado, naturalmente, pela solidificação dos alicerces do trono. D. Pedro não estava disposto, entretanto, a transigir. A própria comutação da pena imposta ao bispo para prisão simples, a 12 de março de 1874, não pode ser levada à conta de uma transigência. De fato, o que importava ao Imperador era a afirmação de princípio que obtivera com a condenação do prelado e não a imposição de trabalhos forçados a este.

Julgamento de
D. Macedo Costa   Logo depois seguir-se-ia a prisão do Bispo do Pará, a 28 de abril do mesmo ano, sendo o julgamento realizado de 27 de junho a 1º de julho. Como D. Vital, D. Antônio de Macedo Costa permaneceu mudo durante o julgamento, não constituindo advogados para sua defesa. E como no julgamento daquele apresentaram-se dois defensores espontâneos, Zacarias, que já funcionara no primeiro caso, e o mordaz Ferreira Viana.

Mais ainda do que no julgamento de D. Vital, a sentença era previsível: um mesmo tribunal, quase os mesmos Ministros, um caso semelhante ao julgado anteriormente – tudo conduzia à condenação do Bispo, nos

422 HISTÓRIA GERAL DA CIVILIZAÇÃO BRASILEIRA

mesmos termos em que fora condenado o Prelado de Pernambuco. Foi, realmente, o que aconteceu, apesar dos esforços de Zacarias (examinando com minúcias a questão jurídica da constituição das irmandades, o problema do beneplácito, negando o excesso de jurisdição atribuído ao Bispo, para concluir pelo elogio do papado e da Igreja) e do inegável talento de Ferreira Viana, combinando ao conhecimento seguro dos Códigos uma "verve" irônica inesgotável, em vários momentos arrancando o riso franco da assistência. O Bispo do Pará, incurso na sanção do art. 96 do Código Criminal, foi condenado a 4 anos de prisão com trabalhos, logo comutada pelo Imperador, a 23 de julho, em prisão simples. Era, no fundo, a repetição de tudo o que já acontecera, e a condenação vinha apenas provar que as disposições do Governo imperial continuavam as mesmas, pronto o poder civil a defender sem concessões as suas prerrogativas.

Anistia aos bispos — Um episódio completaria ainda a questão dos bispos: a anistia concedida pelo Imperador a 17 de setembro de 1875, a instâncias do Gabinete Caxias, que sucedera a Rio Branco e, como o revela a carta de D. Pedro ao Duque, publicada por Vilhena de Morais e a que já nos referimos, contra a vontade do Imperador, apesar da promessa a ele feita por Pio IX, em carta de 9 de fevereiro desse ano, de acordo com a qual os interditos seriam levantados logo que os Bispos fossem restituídos à liberdade.

A Encíclica Exortae in ista ditione — A 29 de abril de 1876, Pio IX dirigia aos Bispos a Encíclica *Exortae in ista ditione*, que apenas demonstra, em nosso entender, que nada se resolvera com a questão religiosa. O levantamento dos interditos, diz aí o Papa, não implicava, de forma alguma, a exclusão da Maçonaria brasileira das condenações apostólicas, já que "todos os que desgraçadamente se alistarem nas mesmas seitas incorrem *ipso facto* em excomunhão maior reservada ao Romano Pontífice". Nessa mesma linha de considerações, afirmava Pio IX nada reconhecer de mais necessário "do que se reformarem devidamente os Estatutos das ditas Irmandades, e que tudo o que nelas há de irregular e incongruente nesta parte se conforme convenientemente com as leis da Igreja e com a disciplina católica". É verdade, em seguida, o pontífice dava conta de sua disposição de entrar em entendimentos com o poder civil, a fim de atingir os seus desígnios: "Para atingir este fim, Veneráveis Irmãos – escrevia ele – atendendo Nós às relações que existem entre as mesmas irmandades e o poder civil relativamente à constituição e administração delas na parte temporal, ordenamos oportunamente ao Nosso Cardeal Secretário de

A QUESTÃO RELIGIOSA

Estado que se entenda com o Governo imperial; e de acordo com ele se esforce por conseguir os desejados efeitos." Tais entendimentos, revela-nos Macedo Costa 10 anos mais tarde, nunca chegaram a se efetivar.

O impasse final E, acrescentemos, dificilmente poderiam ser levados a termo sem o visível recuo de uma das partes – Igreja ou Império – enquanto vigorasse o regime vigente. De fato, como admitir que os maçons fossem excluídos do seio das confrarias católicas, como permitir que fossem afastados da comunhão católica – e, conseqüentemente, fossem afetados pelos efeitos civis desse afastamento, efeitos esses que teriam de advir por força das próprias disposições constitucionais que reservavam para os membros da religião oficial, com exclusividade, a plenitude dos direitos da cidadania, quando essas mesmas disposições consagravam o regime do beneplácito régio e garantiam a existência da maçonaria?

Em uma palavra, como o Estado e como a Igreja conservavam as posições doutrinárias sustentadas antes e durante a questão religiosa, a solução real do conflito não era possível sem a separação entre os dois poderes. Toda a questão religiosa, no seu momento dramático, provava somente uma tese: a de que o regime da religião privilegiada não correspondia à realidade do país, urgindo promover-se a instituição da plena liberdade religiosa, introduzindo a neutralidade confessional no seio do Estado. Nem o Estado, nem a Igreja, entretanto, desejavam que tal acontecesse; ambos pugnavam pela religião oficial, discordando apenas na questão básica referente à prioridade do poder temporal ou do poder espiritual. Para a Monarquia a afirmação da religião oficial estava ligada a seu próprio destino; afinal, era o catolicismo que afirmava o direito divino da realeza e que o sustentava. Para o catolicismo lá estava, entre tantos documentos, a formal condenação do *Syllabus* à separação entre a Igreja e o Estado (proposições 55, 77, 78 e 79). Tudo estava a mostrar que os republicanos haviam chegado ao âmago da questão: em última instância, a emperrar as instituições e a funcionar como fonte de conflitos insuperáveis, encontrava-se sempre o "sofisma do Império".

A análise da questão religiosa, não apenas no seu momento crucial, mas no seu conjunto, que abrange até os fins do Império, leva-nos, portanto, ao problema fundamental da luta em prol da liberdade religiosa ou contra ela, um dos aspectos fundamentais da luta pela liberalização das instituições que prepararia o advento da República.

CAPÍTULO III

A EDUCAÇÃO

Herança educacional do Brasil-Colônia — A EDUCAÇÃO formal e anticientífica, a cargo dos jesuítas, influiu, sem dúvida, na péssima administração do país, no mau aproveitamento de nossas terras e riquezas. Se, de um lado, tínhamos a capacidade de uma Metrópole mal administrada com vistas aos lucros imediatos, de outro, não contávamos, no Brasil, com uma elite capaz de se opor a essa política e de preconizar medidas mais justas, amplamente conhecidas na Europa daquela época.

Os inconvenientes do ensino jesuíta encontravam-se, principalmente, no fato de que sua preocupação não era propriamente a educação, mas a difusão de um credo religioso. A orientação do ensino caracterizava-se, assim, pelo dogmatismo e pela abstração, afastando os jovens dos verdadeiros problemas brasileiros.

Quando os jesuítas foram expulsos do Brasil, a obra que pretendiam realizar estava praticamente consolidada: o país estava unido em torno de uma mesma fé, sob uma mesma coroa.

Contudo, as conseqüências de sua expulsão foram, de imediato, desastrosas no campo educacional: suprimiu-se um ensino pouco eficiente que não foi substituído por um outro, mais bem organizado. Portugal, que jamais gastara um real com o desenvolvimento e a manutenção do ensino na colônia, manteve a mesma política em relação à educação brasileira.

Um ensino precário foi assegurado, de maneira irregular, por outras ordens religiosas e por leigos. A unidade administrativa escolar não foi alcançada, por falta de bases materiais e culturais. O Diretor de Estudos, que deveria ser a autoridade suprema do ensino, foi mais uma figura formal do que prática.

O ensino de nível médio, desaparecendo como sistema, foi substituído, de maneira irregular, pelas aulas régias, cuja única vantagem, com a

A EDUCAÇÃO

quebra da uniformidade dogmática dos colégios jesuítas, foi a introdução de novas matérias, até então completamente ignoradas: línguas vivas, matemática, física, ciências naturais etc.

O maior benefício que o Brasil teve, com a reforma pombalina, recebeu-o de forma indireta, por intermédio da Universidade de Coimbra, inteiramente renovada, em moldes mais científicos e onde estudou uma importante elite brasileira que viria, bem cedo, desempenhar papel de destaque nos movimentos políticos do país, até levá-lo à Independência.

Esta elite intelectual, formada em centros europeus, principalmente em Coimbra, em contato com as idéias liberais que circulavam nestes centros, influenciados pela independência dos Estados Unidos e pela Revolução Francesa, voltava ao Brasil com disposições de trabalhar pela libertação nacional. Distanciada, porém, do povo, vinculada aos interesses das classes a que pertenciam, não tinha condições de promover movimentos libertadores de grande alcance, com apoio e repercussão populares.

"Mas, se as teorias dos enciclopedistas chegaram a constituir, no Brasil, a ideologia desses movimentos políticos ou contribuíram ao menos para lhes dar a tonalidade da época, não se desenvolveram bastante para romperem a unidade da cultura ou colorirem fortemente o ensino com suas tendências, cuja expressão culminante, no domínio escolar, foi o Seminário de Olinda, criado em 1798 e fundado em 1800 pelo Bispo Azeredo Coutinho."[1]

Este Seminário constituiu uma das mais famosas instituições educacionais do século passado, representando, na "sua orientação como nos seus métodos, uma ruptura com a tradição jesuíta do ensino colonial"[2]. Embora não tivesse tido maiores repercussões no cenário educacional do país, foi malvisto pela Corte portuguesa, que não podia, naturalmente, aceitar o florescimento de uma instituição que se propunha a preparar os jovens, para tarefas que não se enquadravam nos interesses da Metrópole em relação ao Brasil.

Instalação da Corte portuguesa no Brasil Só a vinda da Família Real para o Brasil marcou, de fato, o início de uma nova era em nosso país, determinando transformações econômicas, políticas e culturais, limitadas a certos núcleos, mas importantes para a época.

---

[1] Azevedo, Fernando – *A Cultura Brasileira*, Instituto Brasileiro de Geografia e Estatística, Rio de Janeiro, p. 325.
[2] *Idem, ib.*, p. 326.

426 HISTÓRIA GERAL DA CIVILIZAÇÃO BRASILEIRA

Deu-se, então, uma modificação irreversível nas nossas relações com Portugal. Do Reino Unido, criado em 1815, apenas o Brasil era uma realidade imediata para a Coroa, e sua própria subsistência dependia do abandono das restrições impostas à Colônia.

As novas condições político-econômicas determinaram, por isso mesmo, a inauguração de nova orientação em relação ao ensino.

D. João fundou o ensino superior, dando-lhe um sentido exclusivamente utilitário, pois se tornara urgente a formação dos profissionais exigidos pelas novas condições. A Academia da Marinha, criada em 1808 e a Academia Real Militar, em 1810, destinavam-se a preparar os oficiais e engenheiros encarregados da defesa militar da Colônia; os estudos médicos, assegurados pelo curso de cirurgia, criado em 1808, no Hospital Militar da Bahia e pelos cursos de anatomia e de cirurgia do Rio de Janeiro, aos quais se acrescentou, em 1809, os de Medicina, deveriam formar os médicos para a Corte, para o Exército e a Marinha. Foram ainda instituídos:

– na Bahia, a cadeira de Economia, em 1808, o curso de Agricultura, em 1817, o de desenho técnico, em 1818;

– no Rio de Janeiro, o laboratório de Química, em 1818, o curso de Agricultura, em 1814, a Escola de Ciências, Artes e Ofícios (criada em 1816 e transformada, em 1820, na Real Academia de Pintura, Escultura e Arquitetura Civil e em Academia de Artes em 1826).

A vida cultural do Rio de Janeiro foi, ainda, enriquecida com a instalação da Real Biblioteca e da Imprensa Régia, com a criação do Jardim Botânico e com a mudança do ambiente cultural e social determinada pela presença da Corte. Esta mudança de "mentalidade e de costumes", operada lentamente na sede da Corte, foi-se estendendo a alguns outros pontos mais distantes do país, como Recife, Bahia e Vila Rica.

Os cursos superiores, inaugurados por D. João VI, deram origem a importantes instituições universitárias brasileiras que conservaram o caráter profissional e, nesta qualidade, destacaram-se no cenário educacional do país. Evidentemente, a pesquisa científica foi totalmente negligenciada, só vindo a desenvolver-se, timidamente, em nosso século. Aos olhos do Monarca português, o ensino não especificamente especializado parecia perigoso porque poderia alargar os horizontes dos jovens estudantes e futuros profissionais.

O espírito profissional e pragmático, então imprimido ao ensino superior brasileiro, espírito este sempre tão condenado, não chegou, todavia, a transformar as escolas em instituições capazes de preparar os quadros profissionais de que o país precisou, em todas as épocas, para o seu real

A EDUCAÇÃO

desenvolvimento. Se os cursos superiores nasceram sob a imposição de necessidades práticas imediatas, não acompanharam, porém, no decorrer de nossa história, as exigências da sociedade brasileira, considerada em sua totalidade. Mantiveram-se, antes, ligados a interesses de parcelas privilegiadas desta sociedade. O ensino médico, por exemplo, instituído "para formar médicos e cirurgiões para o Exército e a Marinha", limitou sua expansão posterior, destinando-se, até nossos dias, a formar uma elite profissional para atender uma elite econômica.

Educação popular   Na Fala do Trono, por ocasião da inauguração da Assembléia Constituinte e Legislativa, o Imperador, D. Pedro I, declarou: "Tenho promovido os estudos públicos quanto é possível, porém necessita-se para isto de uma legislação particular." Concluindo, fez um apelo à Assembléia: "Todas estas coisas (do ensino) devem merecer-vos suma consideração."[3]

Sob a influência das idéias da Revolução Francesa, parecia que a Independência no Brasil iria, de fato, inaugurar uma nova política educacional, voltada para a nossa educação popular. Todavia, de todo o movimento (de idéias discutidas e propostas apresentadas na Assembléia Constituinte) em favor desta educação nada de efetivo resultou.

A Constituição Imperial de 11 de dezembro de 1823 determinava:

– no seu artigo 1º – a criação de escolas de primeiras letras em todas as cidades, vilas e lugarejos;

– no seu artigo 11 – a criação de escolas para meninas, nas cidades e vilas mais populosas;

– no seu artigo 179 – a garantia de instrução primária gratuita a todos os cidadãos.

Nenhum desses dispositivos constitucionais foi cumprido. Aliás, em nosso país, as leis sempre se distanciaram das realizações.

Assim, na prática, muito pouco se fez pelo ensino popular, tanto nos anos que precederam, como nos que sucederam a Independência. Contrastando com a enorme massa analfabeta, havia apenas um pequeno grupo de profissionais que exerciam, bem ou mal, os seus ofícios, e um outro saído principalmente da classe latifundiária, cujos diplomas serviam tão-somente para satisfazer vaidades gratuitas, quando não para atingir altos postos legislativos e administrativos, úteis na defesa dos interesses que representavam.

---

[3] Moacyr, Primitivo A. – *A Instrução e o Império*, Cia. Editora Nacional, Rio de Janeiro, 1º volume, 1936, p. 71.

O desprezo completo que a elite do país nutria pelo trabalho, sobretudo pelo trabalho manual – o que estava bem de acordo com a estrutura social e econômica vigente –, explica, em parte, o abandono do ensino primário e o total desinteresse pelo ensino profissional. A repulsa pelas atividades manuais levava essa elite a considerar vis as profissões ligadas às artes e aos ofícios.

Só mesmo o descaso com que o ensino primário era tratado e a falta de visão na busca de soluções para os problemas educacionais permitem entender a adoção, por tanto tempo, do método lancasteriano, nas escolas primárias brasileiras. Este método, também chamado de ensino mútuo, proposto por Lancaster, na Inglaterra, em voga neste país por volta de 1824, consistia no preparo de um grupo de alunos – os mais inteligentes – que, por sua vez, deveriam transmitir os conhecimentos adquiridos a seus colegas. Assim, um professor de uma classe de quarenta alunos, de bom nível intelectual, deveria assegurar o ensino de quarenta classes de quarenta alunos, por meio de alunos-mestres. Este método foi logo abandonado pelas escolas européias mercê de sua ineficácia. No entanto, foi amplamente difundido no Brasil, durante 15 anos, a despeito dos péssimos resultados obtidos. Insistia-se, aqui, em acreditar na possibilidade de se resolver, com ele, de maneira fácil e econômica, um grave problema educacional. A persistência no erro denota o desinteresse e a incompetência com que os responsáveis pela educação, no Império, cuidavam da educação popular.

Os professores primários, escolhidos sem nenhum critério, leigos completamente sem preparo, eram pessimamente pagos, desconsiderados pelas autoridades e pela população e se afastavam do magistério, tão logo conseguiam um trabalho melhor. Os poucos que permaneciam eram tão maus e brutais que levaram a Câmara a sair uma vez, das alturas irreais em que vivia, para promulgar, em outubro de 1827, após longos debates em inúmeras sessões, a única lei que decretou no século, sobre o ensino primário, proibindo os castigos corporais. Como tantas outras, esta lei não foi posta em prática.

A qualificação do corpo docente das escolas primárias não sofreu melhora significativa com a criação do ensino normal. É verdade que as poucas escolas normais que se instalaram, no país, não tiveram destino muito feliz. A de São Paulo, por exemplo, fundada em 1846, com um único professor, foi fechada em 1867, reaberta em 1874, novamente fechada em 1877, para reafirmar-se só no fim do Império, em 1880. As demais que se criaram – a de Niterói, em 1835, a da Bahia, em 1836, e a do Ceará em 1845 – também não foram adiante.

A EDUCAÇÃO

Não faltaram nos anos do Império, na Constituinte ou fora dela homens que clamaram contra a calamitosa situação do ensino no país.

Inúmeros relatórios denunciaram a situação deficiente do ensino. À guisa de ilustração citamos trechos de dois deles:

O primeiro, elaborado, em 1857, por Abílio César Borges, então titular da Diretoria-Geral dos Estudos da Bahia, refere-se à situação do ensino nas escolas elementares dessa Província, deixando entrever os critérios usados pelo autor nas suas apreciações. Sobre as condições materiais de instalação das classes, relata suas impressões de visitas feitas a várias escolas. Numa delas encontrou uma sala por demais acanhada para o grande número de alunos que a freqüentavam (a freqüência ordinária era de 166 alunos); em outra, a sua sala era apertada demais para o número de alunos que nela estudavam (quarenta e quatro) e estava completamente desprovida de mobília: os alunos assentavam-se em cadeiras que de suas casas traziam. O autor insiste ainda no seu horror diante de algumas classes, nas quais encontrou "o ensino promíscuo de ambos os sexos". Na avaliação do aproveitamento escolar revela a importância que atribui aos conhecimentos religiosos que os alunos deveriam possuir. Encontrou "alunos com dois, três e quatro anos (de estudo) fazendo leitura soletrada, escrevendo muito mal e quase nada sabendo de contabilidade e doutrina cristã! Alguns, com mais de um ano de escola, não sabiam ainda persignar-se!"

O Relatório do Ministro do Império, Conselheiro Paulino de Souza, apresentado às Câmaras em 1870, reflete o estado do ensino elementar no país: "Em algumas províncias a instrução pública mostra-se em grande atraso; em outras, em vez de progredir tem retrogradado, conservando-se aqui estacionária, ali andando com a maior lentidão. Em poucas é sensível o progresso; em nenhuma satisfaz o seu estado, pelo número e excelência dos estabelecimentos de ensino, pela freqüência e aproveitamento dos alunos, pela vocação para o magistério, pelo zelo e dedicação dos professores, pelo fervor dos pais em dar aos filhos a precisa educação intelectual, em geral pelos resultados que poderiam produzir esses meios combinados. Em muitas províncias tem-se reformado, reforma-se e trata-se de reformar a organização do ensino, mas não se tem cuidado quanto conviria no principal, que é espalhá-lo, fiscalizar os que dele são incumbidos, para que efetivamente se distribua, haja ardor em promovê-lo e desvê-lo em atrair alunos às escolas, ensinando-se o mais possível e ao maior número possível."

O pouco ensino que havia no país era reservado aos meninos, pois as meninas não recebiam praticamente nenhuma instrução. Embora esta

HISTÓRIA GERAL DA CIVILIZAÇÃO BRASILEIRA

questão tivesse sido levantada na Assembléia, pouco de efetivo foi feito em favor da educação feminina. Salvo nas famílias abastadas, onde a cultura dos jovens se limitava à alfabetização e ao cultivo de "algumas prendas", o resto da população feminina permanecia completamente analfabeta. Os progressos registrados nesse terreno foram muito lentos em nosso país, mesmo depois de proclamada a República.

À primeira vista, os dados sobre o crescimento do número de escolas femininas, na segunda metade do século passado, podem dar a impressão de que houve um grande progresso quantitativo. Porém, é preciso notar que o ponto de partida, como referência para se avaliar o crescimento observado, era de fato muito baixo. Assim, em 1820 havia apenas cerca de 20 escolas para meninas em todo o país. Já nos fins do Império, em 1873, encontravam-se 170 escolas femininas só na Província de São Paulo.

Examinemos agora a situação do ensino profissional.

O ensino agrícola, criado por D. João VI, não poderia ter encontrado boa acolhida numa sociedade onde a exploração agrícola era muito atrasada, quase primitivas as condições de vida no campo, onde o trabalho rural era relegado aos escravos e às camadas menos favorecidas da população. Eis por que as escolas agrícolas criadas se extinguiam, por falta de alunos e de recursos. Em 1864, duas escolas agrícolas (uma no Pará e outra no Maranhão) contavam, respectivamente, 24 e 14 alunos. O Imperial Instituto Fluminense de Agricultura e outros congêneres (da Bahia, Pernambuco, de Sergipe e do Rio Grande) não conseguiram prosperar.

Os estabelecimentos criados por D. João VI acabaram por se converter, posteriormente, em escolas agrícolas de nível superior. Convém notar que, até nossos dias, esse ramo de ensino não encontrou clima favorável ao seu desenvolvimento no país.

Os demais ramos do ensino profissional também não receberam qualquer impulso. As tentativas registradas foram quase sempre malsucedidas.

No Rio de Janeiro, foi fundada, em 1856, por iniciativa particular, a única instituição propriamente consagrada ao ensino industrial – o Liceu de Artes e Ofícios –, que não teve muito sucesso, porque implantado num meio totalmente hostil.

O ensino comercial compreendia, em 1864, um escola no Rio de Janeiro (Instituto Comercial) e um curso em Pernambuco, com, respectivamente, 53 e 25 alunos.[4]

---

[4] Cf. Azevedo, F. – *Ob. cit.*, p. 338.

A EDUCAÇÃO

A mesma política em relação ao ensino profissional foi mantida, no país, pelos governos republicanos, até praticamente nossos dias.

Ensino secundário
O ensino secundário manteve-se, no Império, quase que exclusivamente nas mãos de particulares, com pequeno número de escolas, porém suficientes para suprir a pouca procura que havia na época.

Em 1837 foi criado o famoso Colégio Pedro II, que seria o ginásio modelo de humanidades e que, por muito tempo, permanecia como o único estabelecimento de ensino secundário oficial do país. Duas tentativas, com os liceus de Taubaté e de Curitiba, foram frustradas, mercê da falta de alunos e professores.

O Colégio Pedro II, apesar de seu bom nível em relação ao que então aqui existia e não obstante terem saído de seus cursos muitos homens ilustres que iriam influir no país, não pôde desempenhar o papel de um centro de ciência e pesquisa de que o Brasil tanto necessitava, em virtude de seu ensino se prender, demasiadamente, ao estudo das letras e humanidades, com pequena concessão aos estudos científicos.

Instituição aristocrática, destinada a oferecer a "cultura básica necessária às elites dirigentes", o Colégio Pedro II foi objeto de atenções especiais, na sua organização e orientação. Os alunos eram agrupados em classes pouco numerosas, com 30 a 35 cada uma delas; os professores eram nomeados pelo Imperador; a inspeção era regular e cuidadosa (o próprio Imperador visitou o Colégio inúmeras vezes). Procurou-se assegurar, nesta instituição, ao lado de uma formação intelectual acentuadamente literária, uma formação religiosa e cívica. Entre as atribuições dos professores constava a seguinte: "Não só ensinar aos seus alunos as letras e ciências, na parte que lhes competir como também, quando se oferecer ocasião, lembrar-lhes seus deveres para com Deus, para com seus país, pátria e governo."[5]

A religião, considerada "princípio da sabedoria, base da moral e da paz dos povos", ocupava um lugar importante no Colégio que, aliás, foi dirigido, em muitas ocasiões, por religiosos. Seu primeiro Diretor era "um prelado de reconhecidas virtudes"... "colocado à testa deste estabelecimento, para governá-lo como reitor debaixo das vistas e das ordens imediatas do Governo".[6]

---

[5] Moacyr, P. – *Ob. cit.*, p. 276.
[6] *Idem*, p. 289.

As iniciativas oficiais de algumas Províncias, no sentido de reunir num Colégio as aulas avulsas, foram frustradas: O Ateneu do Rio Grande do Norte (fundado em 1836), os liceus da Bahia (de 1836), os de Taubaté e Curitiba (de 1846) foram extintos por falta de alunos e professores. Outros, como o Liceu do Maranhão e o Colégio Paranaense, também não puderam sobreviver.

De maneira geral, o ensino secundário apresentava-se desarticulado, encontrando-se poucos colégios e muitas aulas avulsas sem continuidade entre elas.

Em 1854, o Brasil contava, no ensino oficial, 20 liceus, 148 aulas avulsas, freqüentadas por 3.713 alunos. O ensino privado, que tomou grande impulso, principalmente depois do Ato Adicional de 1834, suplantava em muito o oficial, tanto em relação ao número de estabelecimentos, quanto em relação à matrícula.

O quadro que segue mostra a situação do ensino secundário em algumas Províncias, no ano de 1865. Como se pode ver, a matrícula nas escolas particulares era muito superior à das públicas, nas Províncias mencionadas, com exceção da Província de Minas Gerais.

MATRÍCULA NO ENSINO SECUNDÁRIO, em 1865[7]

Províncias	Número de alunos		
	Ensino público	Ensino privado	Total
Ceará	156	283	439
Pernambuco	99	536	635
Bahia	337	860	1.197
Município Neutro*	327	2.223	2.550
Minas Gerais	638	**	

Cabe destacar, aqui, algumas realizações especiais no ensino secundário promovidas por grupos religiosos.

Os padres lazaristas fundaram, em 1820, o Colégio Caraça de Minas Gerais, em moldes tradicionais, segundo o modelo jesuíta e que recebeu grande impulso, vindo a constituir-se, em pouco tempo, numa das mais

---

[7] Cf. Barroso, J. Liberato – *A Instrução Pública no Brasil* – B. L. Garnier Editor, Rio de Janeiro, 1867, pp. 59-69. *In*: Azevedo, F. *ob. cit.*, p. 347.
* Matrícula no Colégio Pedro II.
** Matrícula equivalente ou inferior à do ensino público.

A EDUCAÇÃO

importantes escolas secundárias do Império. No período de 1820 a 1835, sua matrícula atingiu 1.535 alunos.

Os jesuítas, de volta ao Brasil, retomaram suas atividades no campo educacional, criando novos colégios importantes: o de São Luís, em Itu – São Paulo, em 1867; o Colégio Anchieta, em Nova Friburgo – Rio de Janeiro em 1886; o de Nossa Senhora da Conceição, em São Leopoldo – Rio Grande do Sul, em 1870.

No fim do Império, surgem também as primeiras escolas secundárias vinculadas a grupos religiosos protestantes. Em 1870, foi criada, em São Paulo, a Escola Americana, primeiramente de nível elementar, a qual se acrescentou, em 1880, o curso secundário, ambos no Mackenzie College. Ainda em São Paulo, foi fundado, em 1881, o Colégio Piracicabano para meninas e, em Porto Alegre, em 1885, o Colégio Americano, ambos de iniciativa dos metodistas.

A liberdade irrestrita, de que gozavam os particulares, permitiu a multiplicação descontrolada de escolas ou aulas avulsas de ensino secundário. Contra os abusos ocorridos muitos parlamentares se insurgiram, como veremos mais adiante.

Ensino superior Depois de proclamada a Independência, surgiram outras instituições educacionais, de nível superior, também com papel definido dentro da estrutura social vigente: os cursos de ciências políticas e sociais inaugurados em São Paulo, em 1827, e em Olinda, em 1828. Com estas instituições completava-se o ensino superior destinado a prover o quadro das profissões liberais.

Os cursos de Direito difundiram-se rapidamente, passando a predominar no ensino superior brasileiro, em número de estabelecimentos e de alunos, tornando-se, muitas vezes, passagem obrigatória para os filhos das classes abastadas, que buscavam um título para reafirmar sua posição social.

A matrícula, em alguns cursos superiores, no ano de 1864, assim se distribuía[8]:

```
Direito.................................. 826
Medicina.............................. 296
Escola Central...................... 154 (dos quais, 15 militares)
Escola Militar ...................... 109
```

---

[8] Cf. Azevedo, F. – *Ob. cit.*, p. 340.

No período de 1855 a 1864, as escolas de Direito receberam 8.036 estudantes, as de Medicina 2.682 e os cursos farmacêuticos 533.

A influência das Faculdades de Direito, na vida cultural e política do país, foi decisivamente marcante. O fato de saírem das fileiras dos seus diplomados os novos políticos, em sua maioria, explica, em grande parte, a ausência de preocupação da classe dirigente com os problemas econômicos nacionais, o desenvolvimento de uma cultura voltada quase que exclusivamente para a retórica e a eloqüência, na qual contavam mais as palavras do que os fatos e onde não havia muito lugar para as ciências exatas e para a pesquisa científica.

Outros profissionais, em particular os Engenheiros, não alcançaram o prestígio político e social dos bacharéis e, por isso, raramente conseguiam ocupar postos importantes na administração pública.

Como bem assinalou Fernando de Azevedo, na sua obra já citada, "o predomínio do bacharelismo, cultivado por todo o Império nas duas faculdades de Direito, e de influência crescente nas elites políticas e culturais, prendeu-se à notável preponderância que teve o jurídico sobre o econômico, o cuidado de dar à sociedade uma estrutura jurídica e política, sem a preocupação de enfrentar e resolver os seus problemas técnicos".[9] Em outro trecho do mesmo livro afirmou que: "Uma elite, de mentalidade política e retórica, desarticulada, pela própria formação, das realidades da vida nacional, não estava preparada para resolver grandes problemas técnicos e econômicos do país. Distanciada demais das massas para lhes compreender as necessidades."[10]

Visando o ensino superior à formação profissional ou ao desenvolvimento de qualidades literárias, com o cultivo da retórica e do verbalismo, não poderia, evidentemente, propiciar um ambiente favorável à pesquisa científica. Os trabalhos registrados durante o Império foram frutos de esforços individuais, empreendidos por "alguns espíritos excepcionais", apesar das condições adversas de um "meio hostil às especulações científicas".

As realizações mais importantes foram feitas no campo das ciências naturais, em particular da Botânica e da Zoologia. Cabe salientar a contribuição, nestes domínios, oferecida pelos cientistas estrangeiros, que, desde princípios do século passado, vieram ao Brasil atraídos pelas nossas riquezas naturais. Por outro lado, algumas instituições criadas por

---

9 Azevedo, F. – *Ob. cit.*, p. 165.
10 *Idem*, p. 344.

A EDUCAÇÃO

D. João também tiveram papel relevante no desenvolvimento das ciências naturais: Museu Real, Jardim Botânico, escolas de Medicina.

No campo da Física, nada se fez em matéria de investigação científica: o que aqui se ensinava era importado dos grandes centros europeus.

No campo da Matemática, salientaram-se algumas figuras notáveis, cujos trabalhos tiveram repercussão internacional. É o caso, por exemplo, do matemático Joaquim Gomes de Souza.

Por curto período (1871-1876), com a subida, ao poder, do Visconde do Rio Branco, Engenheiro, Professor de Mecânica e de Economia Política, verificaram-se algumas iniciativas significativas em favor do desenvolvimento das ciências físicas e matemáticas, mas que não chegaram a romper a tradição já instalada no país.

A idéia de criação de universidades, no Brasil, foi objeto de cogitação de alguns parlamentares e do Imperador D. Pedro II, mas nenhum projeto a respeito conseguiu concretizar-se.

Um mês após a instalação da Assembléia, foi apresentada uma proposta de criação de duas universidades (uma em São Paulo e outra em Olinda). Transformada em projeto, foi encaminhada à Assembléia em agosto do mesmo ano. Após 10 sessões consagradas às discussões sobre o projeto, muitas das quais pitorescas, sobre a localização das universidades, sobre sua organização, financiamento e inúmeros outros aspectos, o projeto aprovado, com muitas emendas, determinava: "1º Haverá duas universidades, uma na cidade de São Paulo e outra na de Olinda, facultando-se a cada uma das mais províncias a fundação de iguais estabelecimentos dentro em si, logo que os seus respectivos habitantes ofereçam para isso os fundos; 2º – estatutos próprios regularão o número de professores, a ordem e arranjamento dos estudos; 3º – em tempo competente se designarão os fundos precisos pela Fazenda Nacional; 4º – entretanto, haverá desde já dois cursos jurídicos, um na cidade de São Paulo e outro na de Olinda, para os quais o Governo nomeará mestres idôneos, os quais se governarão provisoriamente pelos estatutos da Universidade de Coimbra, com aquelas alterações e mudanças que eles, em mesa presidida pelo Vice-Reitor, julgarem adequadas às circunstâncias e luzes do século; 5º – Sua Majestade o Imperador escolherá dentre os mestres um para servir."[11]

Nenhuma medida prática foi tomada para a execução do projeto aprovado.

---

[11] Moacyr, P. – *Ob. cit.*, p. 115.

A idéia ressurgiu em 1870 e teve o mesmo destino que o primeiro projeto. Finalmente, na última Fala do Trono, o Imperador Pedro II também se referiu à criação de duas Universidades (uma no Sul e outra no Norte). Porém, só em nosso século se efetivou a criação da primeira Universidade Brasileira, que, como as demais posteriormente instaladas no país, constituiu um conglomerado de escolas superiores.

Descentralização do ensino   Em 1834, o Ato Adicional consumou o desastre para nosso sistema educacional, atribuindo competência às assembléias provinciais para legislar sobre o ensino elementar e médio. Apenas o ensino superior em geral e o elementar e médio do Município Neutro (futuro Distrito Federal) permaneceram a cargo do Governo Central. Com esta descentralização, precipitada e mal orientada, o já lento progresso do ensino elementar sofreu sério golpe. Longe de incentivar progressos locais, que poderiam ter sido mais facilmente atingíveis sem um excessivo centralismo, serviu somente para fortalecer o jogo de interesses de grandes latifundiários que agiam, a seu bel-prazer, em territórios mais ou menos extensos. Se a elite do país, reunida no Legislativo e na administração do Governo Geral, pouco fez em prol do ensino primário, que se poderia esperar das Províncias, onde o domínio autocrático dos latifundiários se fazia sentir profundamente, sendo que eles não tinham o menor interesse pela educação do povo?

Liberdade de ensino   A situação calamitosa do ensino brasileiro, no fim do Império, era indevidamente explicada, por muitos políticos e educadores da época, como resultante da falta de liberdade que os particulares sentiam para fundar e manter escolas. Por essa razão a Reforma Leôncio de Carvalho teve, como idéia central, a liberdade de ensino.

Ora, essa liberdade fora estabelecida pela lei de 10 de dezembro de 1823, que aboliu os privilégios do Estado para dar instrução.

Efetivamente, o ensino privado jamais sofreu restrições em nosso país. Ao contrário, o Estado é que sempre foi relapso em relação às suas obrigações para com o desenvolvimento da educação. A liberdade de ensino foi admitida até com muitos abusos. Tanto assim que muitos parlamentares tentaram, sem sucesso, pôr fim aos desmandos dos particulares. Em 1843, o Deputado Justiniano da Rocha chamou a atenção da Câmara para a "exploração deslavada do ensino particular" e propôs um projeto que determinava: "Todo indivíduo que quiser abrir qualquer estabelecimento de instrução primária ou secundária, no Município do Rio de

A EDUCAÇÃO

Janeiro, deverá previamente impetrar licença do Governo, provando: 1º. – que tem a necessária capacidade para o ensino a que se dedica; 2º. – que tem a necessária moralidade e que ainda não sofreu pena alguma infamante".[12]

Outros projetos, no mesmo sentido, foram submetidos à Câmara, visando apenas a controlar os abusos e não a impedir a liberdade de ensino. Nenhum deles chegou a ser sequer tomado em consideração.

Projetos e debates na Assembléia Constituinte e Legislativa

Os políticos brasileiros do século passado, medíocres na sua maioria, de grande valor na sua minoria, eram todos eles completamente distanciados da população e dos problemas do país. A sua atividade, quando não consistia simplesmente em favorecer os interesses de grupos e de pessoas, resumia-se em críticas, por vezes bem formuladas e até profundas, que eram lidas diante de assembléias parlamentares desinteressadas.

Poderíamos dizer que, de certa maneira, os políticos do Império pouco diferiam dos da República, salvo pelo fato de que os primeiros se esmeravam em falar bem um português refinado, em mostrar uma cultura que poucas vezes possuíam e, de modo geral, mantinham uma certa moralidade nas suas atividades. O populismo em mangas de camisa, o mau português e a corrupção desenfreada vieram mais tarde.

Os debates na Assembléia, sobre o ensino geral, bem como os relatórios nela lidos e discutidos limitavam-se, freqüentemente, a constatar e a lamentar os descalabros da situação vigente. Nenhuma questão era tratada de maneira lúcida, equacionada corretamente e não se propunham soluções adequadas e efetivas para os problemas apontados. Aliás, de maneira geral, tem-se a impressão de que, não raro, os parlamentares falavam pelo prazer de falar, perdendo-se quase sempre em discussões estéreis, senão ridículas. Como disse Luís Agassiz, em 1865, nenhum país, como o Brasil, "tem mais oradores nem melhores programas; a prática, entretanto, é o que falta completamente".[13]

Para que se tenha idéia da gratuidade de muitos destes debates citamos os que se realizaram em torno da proposta submetida à Assembléia, em 1823, no sentido de se condecorar com a Ordem Imperial do Cruzeiro "o cidadão que apresentasse à Assembléia o melhor tratado de educação física, moral e intelectual para a mocidade brasileira". A proposta em si já

---

[12] Moacyr, P. – *Ob cit.*, pp. 236-237.
[13] *Apud* Azevedo, F., *ob. cit.*, p. 334.

não tinha muito sentido. Segundo seu propositor, constituía ela um meio de "estimular os gênios brasileiros a formar um tratado completo de educação". Este projeto, discutido nos seus menores detalhes, em prolongados debates, ocupou seis sessões e acabou sendo encaminhado à Comissão de Instrução em 11 de agosto e nunca mais voltou ao plenário.

Durante todo o Império muitos foram os que, em geral, com pouco conhecimento dos problemas educacionais, apresentaram projetos de reforma do ensino. Enumerá-las seria desnecessário, seja pelo seu grande número, seja porque nenhuma teve, de fato, repercussão prática sensível.

Entretanto, uma delas merece destaque especial pela erudição e sistematização do estudo feito e pelas propostas apresentadas. Trata-se dos famosos pareceres de Rui Barbosa sobre os ensinos secundário e superior, apresentados em 1882, e sobre os ensinos primário e normal, no ano seguinte.

Pareceres de Rui Barbosa — Os Pareceres de Rui Barbosa podem ser considerados um projeto de reforma global da educação brasileira. Constituem ainda verdadeiro tratado que cobriu praticamente todos os aspectos da educação: filosofia, política, administração, didática, psicologia, educação comparada. Como bem assinalou Lourenço Filho: "Aí se encontra, com efeito, uma conceituação geral da educação; os seus princípios normativos, ou uma filosofia pedagógica; as idéias sociais que a educação deveria precisar sobre a Biologia e a Psicologia da Criança, segundo os estudos da época; toda a técnica dos estudos secundários e superiores; notas e exemplos, segundo os mais adiantados modelos (os quase-testes de Martin) sobre a verificação do rendimento do ensino; os tipos fundamentais de ensino comum e de ensino especial, primário, secundário, profissional e superior; o estudo do pessoal docente, quanto à formação, carreira, condições de recrutamento e de aperfeiçoamento; os grandes problemas da organização escolar, do efetivo das classes, dos horários; os princípios gerais da didática, o material, os processos de ensino; a discussão do conceito de método; normas relativas às construções escolares, literatura, arquitetura, higiene da visão; mobiliário escolar; a educação física; a educação sanitária; a metodologia especial de cada disciplina – da Linguagem, da Matemática elementar, da Geografia, da História, das Ciências Físicas e Naturais, do Desenho, da Música; a metodologia dos jardins de infância que Rui preferia chamar de "Jardim de Crianças"; a questão dos programas de ensino, a da co-educação dos sexos; a da educação religiosa, educação moral, educação econômica, educação artística... De outra

A EDUCAÇÃO

parte, a administração escolar nos seus aspectos de direção geral, direção de escolas e impressão escolar; a questão das taxas escolares; a necessidade de estatística escolar; a necessidade da documentação, no órgão que propunha criar com o título de Museu Pedagógico Nacional; a definição, enfim, de um plano nacional de educação, que chamava de "sistema nacional de ensino" e para cuja execução advogava se instituísse um Conselho Superior e um Ministério próprio."[14]

Rui fundamentou seus pareceres não apenas na análise quase exaustiva das deficiências do ensino no país, mas também no estudo da história das teorias e práticas educacionais das nações mais adiantadas e ainda nas contribuições teóricas dos mais eminentes educadores da época.

Influenciado por idéias correntes na época, sobretudo em alguns países europeus e nos Estados Unidos, confere à educação papel de fundamental relevo, dentro da sociedade, preconizando a reforma social pela reforma da educação. Esta crença no poder da educação, como meio para promover o progresso do homem e do país, se revela em todos os momentos de seu trabalho. Por exemplo, nos pareceres sobre a reforma do ensino primário, afirmava: "A nosso ver a chave misteriosa das desgraças que nos afligem é esta e só esta: a ignorância popular, mãe da servilidade e de miséria. Eis a grande ameaça contra a existência constitucional e livre da nação; eis o formidável inimigo intestino que se asila nas entranhas do país. Para o vencer, releva instaurarmos o grau de serviço de defesa nacional contra a ignorância; serviço a cuja frente incumbe ao Parlamento a missão de colocar-se, impondo, intransigentemente, à tibieza dos nossos governos o cumprimento de seu supremo dever para com a pátria."[15]

Rui Barbosa acreditava no poder incontrastável do espírito. Como os utopistas, erigia a educação em força motriz do desenvolvimento da sociedade, sonhando, ingenuamente, em primeiramente educar homens virtuosos, cujas mãos puras construiriam, em seguida, a sociedade nova.

Já antes de Rui, a mesma idéia tinha sido defendida pelo Deputado Ribeiro de Andrada, da Comissão de Instrução, antes do estudo do Projeto de Constituição do Império. Diante dos pedidos, das reclamações e queixas sobre a necessidade de escolas, de estatísticas, de bons ou melhores mestres, declarara: "Um povo bem-educado é quase sinônimo de povo livre, bem governado e rico; e o mal-educado é igualmente sinônimo de povo desgraçado, pobre, sujeito ao despotismo. O Brasil não poderia ser

---

[14] Lourenço Filho, M. B. – *A Pedagogia de Rui Barbosa*, Edições Melhoramentos, São Paulo, 1954, p. 51.
[15] Reforma do ensino primário, *in Obras completas de Rui Barbosa*, volume X, tomo I. *Apud* Lourenço Filho, M. B. *ob. cit.*, pp. 42-43.

feliz enquanto não fosse educada a sua mocidade."[16]

A crença no poder ilimitado da educação é muito antiga. Podemos encontrá-la já em Aristóteles: "Todos quantos têm meditado na arte de governar o gênero humano acabam por se convencer de que a sorte dos impérios depende da sociedade."[17]

Foi ela reafirmada por muitos filósofos e políticos dos últimos séculos. Citemos alguns deles:[18]

- Locke (1632-1704), filósofo inglês, afirmava que "é da educação e das circunstâncias exteriores que depende o destino do homem";
- Leibniz (1646-1716), filósofo e matemático alemão, propunha-se a mudar a face do mundo se lhe entregassem a educação das gerações novas;
- Helvetius (1715-1771), filósofo francês, influenciado por Locke, concluía em sua obra, *De l'Esprit*, que: "O espírito humano, igual em suas origens, modifica-se por efeito da educação." Seu sistema tinha, como fatores essenciais, a igualdade das inteligências humanas, a unidade do progresso da razão e do progresso da indústria, a bondade natural do homem, o poder total da educação;
- Para Babeuf (1760-1797), revolucionário francês, como para Helvetius, a educação constituía a soberana reformadora do homem da sociedade;
- Fourier também (1772-1837), sociólogo francês, de tendências socialistas, confirmava as idéias de Helvetius; para ele, todos os homens, quaisquer que fossem suas diferenças individuais, tinham uma natureza comum. Afirmava que "os vícios dos homens se explicam pela sua má educação".
- Renan (1823-1892), filósofo francês, declarou em sua obra, *L'avenir de la Science*: "Todo o mal que existe na humanidade advém, em minha opinião, da falta de cultura."

Os pareceres de Rui revelam claramente concepções idealistas de educação, como as que acabamos de citar. Seu idealismo tem estreitas ligações com o de Kant e, como afirmou Lourenço Filho,[19] a base da vida de Rui se encontra na "certeza de lei moral do imperativo categórico". Na época

---

[16] *Apud* Moaryr, P. – *Op. cit.*, p. 220.

[17] *Apud* Lourenço Filho. – *Op. cit.*, p. 27.

[18] *Apud* Gogniot, G. – *La question scolaire en 1848 et la loi Falloux*, Editions Hier et Aujourd'hui, Paris, 1948, pp. 16-36.

[19] Lourenço Filho, M. B. – *Ob. cit.*, p. 22.

A EDUCAÇÃO 441

em que escreveu os Pareceres, era adepto de Comte, para quem o mundo era "cada vez mais governado pelas idéias". Assim, encontramos em seu trabalho a afirmação de que: "O positivismo é a escola a que a humanidade já muito deve, e que o conhecimento positivo, único saber verdadeiro, remodelará o mundo." Fichte ofereceu-lhe o apoio para a tese do primado da razão, dentro do mundo. Porém, não pôde endossar a colocação política da educação proposta por Fichte. Comparando as posições de ambos, a este respeito, Lourenço Filho escreveu: "Fichte pregava a educação universal, por necessidade política. Não se deve tudo esperar – dizia – do talento ou do gênio, mas será preciso formar o povo à semelhança da nação; pretendia, enfim, a subordinação dos fins do indivíduo aos fins do Estado, idéia que Rui não poderia tolerar. O que ele prega, e quer, é que se difunda a instrução para os fins de liberdade e, até certo ponto... para o fim de ascensão social de cada indivíduo, pela cultura e pela inteligência. Por isso haveria de dizer que a sua reforma iria realizar a "formação da inteligência popular e a reconstituição de caráter nacional pela ciência, de mãos dadas com a liberdade".[20]

A conclusão natural das concepções idealistas de educação só poderia ser a de se propor, em primeiro lugar, a mudança de mentalidade dos homens para, depois, mudar a sua condição.

Contudo, elas foram responsáveis por importantes reivindicações educacionais, no século passado: reivindicações essas relativas à igualdade diante da instrução, ao reconhecimento dos direitos da criança, à formação de sua personalidade etc.

Por outro lado, nas nações em que a industrialização se processava intensamente, o problema da educação assumiu um aspecto novo. Os movimentos em favor da educação popular, registrados nestas nações, tiveram significação política e econômica porque, nelas, a educação representava fator indispensável para garantir o seu desenvolvimento econômico. Se resistência houve à extensão do ensino primário às camadas populares, como ocorreu na França, isto foi devido às contradições do próprio sistema. Ao mesmo tempo em que tal extensão era reconhecida como vital para o progresso econômico, era também vista como um perigo para a manutenção dos privilégios das classes dominantes. Tais contradições explicam a aprovação, em 1848, na França, da Lei Falloux, que constituiu sério golpe para o ensino popular. Só no fim do século, após acirradas

---

[20] *Idem*, p. 22.

lutas, que envolveram políticos famosos e ilustres intelectuais, os franceses conquistaram a escola universal, obrigatória, gratuita e laica.

Embalado certamente pelas idéias progressistas sobre a educação, Rui Barbosa não soube, porém, compreendê-las no seu devido contexto social, político e econômico. Por esta razão, propôs para o Brasil um projeto educacional que não se adequava às condições do país naquela época e que, por isso mesmo, foi considerado romântico e não teve conseqüências práticas. Não foi capaz de equacionar corretamente os problemas educacionais, no tempo e no espaço, de maneira a inseri-los na realidade econômica e social.

Propôs "um sistema público de educação, o mais amplo e o mais perfeito", preconizando a implantação, entre nós, da escola primária obrigatória, gratuita e leiga – escola esta que, até hoje, ainda não conseguimos concretizar plenamente.

O ensino no fim do Império Segundo as estatísticas citadas por Lourenço Filho,[21] a situação do ensino, ao fim do Império, era a seguinte: as escolas primárias, em número de 15.561, reuniam, em 1878, 175 mil alunos. No Município da Corte havia 211 escolas (das quais 95 públicas e 116 particulares) com 12 mil alunos. Se a população do Município Neutro era calculada em cerca de 400 mil habitantes (dos quais 70 mil escravos), os alunos constituíam apenas 5% da população livre. Em todo o país contava-se cerca de nove milhões de habitantes da população livre – logo, os alunos representavam apenas 2% desta população. Aliás, o recenseamento de 1870 registrara um índice de analfabetos de 78%, nos grupos de população, nas idades de 15 anos e mais.

Resumindo, podemos dizer que a República veio encontrar o país, no terreno educacional, com uma rede escolar primária bastante precária, com um corpo docente predominantemente leigo e incapaz; uma escola secundária freqüentada exclusivamente pelos filhos das classes economicamente favorecidas, mantida principalmente por particulares, ministrando um ensino literário, completamente desvinculado das necessidades da nação; um ensino superior desvirtuado nos seus objetivos, e ainda – talvez esta seja a pior das heranças recebidas – com o desvirtuamento do espírito da educação, em todos os graus do ensino. A República não teve de enfrentar uma simples deficiência quantitativa, mas – o que era mais grave e mais difícil de ser modificado – uma deficiência qualitativa.

Em todos os níveis da nossa organização escolar ministrava-se um ensino pobre de conteúdo, desligado da vida, sem qualquer preocupação

---

[21] Cf. Lourenço Filho, M. B. – *Ob. cit.*, p. 48.

filosófica ou científica e que somente conseguiu fazer de alguns, indivíduos alfabetizados, de poucos, conhecedores de Latim e Grego, e, de pouquíssimos, "doutores".

A influência do clero na educação não foi apagada com a expulsão dos jesuítas. "Todas as gerações que se sucederam, na Colônia e no Império, acusam nas qualidades e nos defeitos de sua cultura esse regime de domesticidade monacal em que foram educadas."[22] A vida não só religiosa, mas moral e intelectual, e ainda política, durante cerca de três séculos, se desenvolveu, em grande parte, "se não por iniciativa, ao menos com a participação do clero".

---

[22] Azevedo, F. – *Ob. cit.*, p. 140.

Este livro foi impresso em papel offset 75g/m²
no Sistema Digital Instant Duplex da
Divisão Gráfica da Distribuidora Record.